SABOTAJE

CLIVE CUSSLER Y JUSTIN SCOTT

SABOTAJE

Traducción de
Silvia Alemany Vilalta
e Ignacio Gómez Calvo

PLAZA JANÉS

Título original: *The Wrecker*

Primera edición: febrero, 2013

© 2009, Sandecker, RLLLP
  Publicado por acuerdo con Peter Lampack Agency, Inc.
  551 Fifth Avenue, Suite 1613, Nueva York, NY 10176-0187,
  Estados Unidos, y Lennart Sane Agency AB
© 2013, Random House Mondadori, S. A.
  Travessera de Gràcia, 47-49. 08021 Barcelona
© 2013, Silvia Alemany Vilalta e Ignacio Gómez Calvo, por
  la traducción

Printed in Spain – Impreso en España

ISBN: 978-84-01-35362-8
Depósito legal: B-32.712-2012

Compuesto en La Nueva Edimac, S. L.

Impreso en Cayfosa
(Barcelona)

L 3 5 3 6 2 8

Asuntos pendientes

12 de diciembre de 1934
Garmisch-Partenkirchen

Las cimas nevadas de los Alpes bávaros desgarraban el cielo como las fauces de un depredador prehistórico. Nubes de tormenta arañaban los picos barridos por el viento, y la dentada roca parecía moverse, como si la bestia despertara. Dos hombres entrados en años, ambos de complexión fuerte, observaban la estampa en actitud expectante desde la terraza de un hotel para esquiadores.

Hans Grandzau era un guía cuyo rostro curtido tenía tantas hendiduras como las cumbres de aquellas montañas. Llevaba más de sesenta años atravesando las nevadas laderas. La noche anterior había asegurado que el viento giraría a componente este. El frío siberiano, según él, arremolinaría el aire húmedo procedente del Mediterráneo y lo convertiría en copos de un blanco deslumbrante.

El hombre al que Hans había prometido esa nieve era un americano alto con el pelo y el bigote de un rubio entrecano. Llevaba un traje de tweed de corte deportivo, un cálido sombrero fedora y una bufanda de la Universidad de Yale en la que lucía el escudo del Branford College. Su atuendo era el característico de los turistas adinerados que viajaban a los Alpes para practicar deportes de invierno. Sin embargo, tenía los ojos, de un azul intenso, fijos en un aislado castillo de piedra situado a unos quince kilómetros del escarpado valle.

El castillo había dominado la remota cañada durante mil años. Estaba casi enterrado por las nieves invernales y prácticamente oculto bajo la sombra de las cumbres que se erguían por encima de él. A unos kilómetros debajo del castillo, situado tras una ascensión larga y pronunciada, había un pueblo. El americano observó que una columna de humo avanzaba lentamente hacia ese punto. Estaba demasiado lejos para ver la locomotora que la producía, pero sabía que aquella era la ruta del ferrocarril que cruzaba la frontera hacia Innsbruck. Se cierra el círculo, pensó con seriedad. Los delitos habían comenzado veintisiete años atrás cerca de una vía férrea, en las montañas. Esa noche todo acabaría, de un modo u otro, en el mismo sitio donde había empezado.

—¿Seguro que quiere hacerlo? —preguntó el guía—. Las pendientes son muy pronunciadas y el viento cortará como un cuchillo.

—Estoy tan en forma como usted, viejo amigo.

Con la intención de tranquilizar a Hans, le contó que se había preparado. Al parecer, lo autorizaron a ir con una unidad del ejército estadounidense enviada a Noruega para perfeccionar la destreza bélica y en cuyas montañas acampó durante un mes con una compañía de esquiadores de aquel país.

—Ignoraba que las tropas americanas hicieran maniobras en Noruega —dijo el alemán con frialdad.

Los ojos azules del americano se oscurecieron con el amago de una sonrisa.

—Solo por si hay que regresar para acabar con otra guerra.

Hans le devolvió una sonrisa enigmática. El americano sabía que el guía, si bien era un orgulloso veterano de los Alpenkorps, la división de montaña de élite del ejército alemán creada por el káiser Guillermo durante la Primera Guerra Mundial, no simpatizaba con los nazis, que acababan de llegar al poder en Alemania y amenazaban a Europa con otra guerra.

El americano miró alrededor para asegurarse de que estaban solos. Una camarera de edad avanzada y vestida con un delantal blanco y negro pasaba la aspiradora por el pasillo, tras las puertas de la terraza. El hombre aguardó a que la mujer se marchara. Acto seguido entregó disimuladamente al guía una bolsa de cuero con monedas de oro de veinte francos suizos.

—Pago por adelantado. Este es el trato: si no puedo aguantar el ritmo, usted me deja y se marcha a casa. Coja los esquís. Nos encontraremos en la cuerda de arrastre.

A paso apresurado se dirigió a su lujosa habitación, revestida de madera, donde las mullidas alfombras y el fuego que crepitaba en la chimenea hacían que el panorama exterior pareciera aún más frío. Sin perder un minuto, se cambió y se puso unos pantalones de tela impermeable remetidos en unos gruesos calcetines, unas botas de cordones, dos jerséis de lana finos, un chaleco de piel para protegerse del viento y una chaqueta corta de gabardina, cuya cremallera dejó abierta.

Jeffrey Dennis, un joven y servicial empleado de las oficinas de Berlín, llamó a la puerta y entró. Llevaba el sombrero tirolés que compraban los turistas. Jeffrey era inteligente, entusiasta y organizado. Pero no era hombre de llevar una vida al aire libre.

—¿Todavía no hay nieve?

—Dé la señal a todos —dijo el americano—. Dentro de una hora no se verá la mano aunque se la pegue a la cara.

Dennis le entregó una mochila pequeña.

—Aquí están sus documentos y su equipaje. El tren entrará en Austria a medianoche. En Innsbruck lo estarán esperando. Este pasaporte le servirá hasta mañana.

El americano miró por la ventana en dirección al castillo.

—¿Y mi esposa?

—A salvo en París. En el George V.

—¿Algún mensaje?

El joven le tendió un sobre.

—Léalo —ordenó el hombre.

Dennis obedeció.

—Gracias, cariño —leyó Jeffrey en un tono de voz inexpresivo—. No podría haber soñado con un vigésimo quinto aniversario mejor.

El americano se relajó visiblemente. En aquella nota estaba la contraseña que su esposa había escogido con un guiño dos días antes. Esa romántica segunda luna de miel le serviría de tapadera en caso de que alguien lo reconociera y preguntara si había ido allí por negocios. Ahora ella se encontraba lejos y a salvo. La farsa ya había concluido. Se avecinaba un temporal. El hombre cogió el sobre y lo sostuvo sobre las llamas de la chimenea, hasta que el papel se consumió. Luego revisó con atención el pasaporte, los visados y los permisos aduaneros.

—¿Se lleva en el costado?

El arma era compacta y ligera.

—Es la nueva pistola automática de la policía secreta alemana. Pero si prefiere algo más clásico y funcional, puedo proporcionarle un revólver.

El americano, que de nuevo miraba en dirección al castillo al otro lado del inhóspito valle, se volvió hacia el joven y, sin apartar de él sus ojos azules, sacó la Walther PPK de la revista en la que estaba envuelta, comprobó que la recámara estuviera vacía y desmontó el arma quitando el seguro, la corredera y el muelle de retroceso del cañón. Tardó doce segundos. Sin dejar de mirar al joven, volvió a amartillarla en otros diez.

—Esta servirá.

Jeffrey Dennis intuyó que se hallaba en presencia de un tipo fuera de lo común e, incapaz de controlarse, le hizo una pregunta infantil:

—¿Cuánto tiempo hay que practicar para hacer eso?

Una sonrisa sorprendentemente afable surcó el severo rostro del americano, y mostrando que no era desagradable ni carecía de sentido del humor, el hombre dijo:

—Practica de noche, Jeff, bajo la lluvia, cuando alguien te esté disparando, y le cogerás el tranquillo muy rápido.

La nieve caía con tanta intensidad cuando llegó a la cuerda de arrastre que apenas podía ver el perfil de la cresta que coronaba la pista de esquí, y mucho menos los rocosos picos que se erguían sobre ella. Los otros esquiadores estaban inquietos, y se empujaban entre sí para asir la cuerda en movimiento a fin de descender antes de que la inminente tormenta obligara a los guías a cerrar la montaña en aras de la seguridad. Hans llevaba unos esquís nuevos, de último diseño, con bordes de acero remachados alrededor del listón de madera.

—El viento arrecia —dijo a modo de explicación—. Hay hielo en las cumbres.

Ambos se colocaron unas fijaciones flexibles y las sujetaron alrededor del talón. Se pusieron los guantes, cogieron los palos y se abrieron paso entre el gentío que se dirigía hacia la cuerda. Esta pasaba alrededor de un tambor accionado por un ruidoso motor de tractor; se agarraron a ella y, con una sacudida, empezaron a ascender hacia la cumbre. Parecía la típica postal de una estación de esquí de lujo, con el americano rico en busca de aventuras llegada la edad madura y su profesor de esquí particular, con los años y la experiencia suficientes para devolverlo sano y salvo al hotel a tiempo de vestirse para cenar.

El viento cambiante soplaba con fuerza sobre la cresta. Las ráfagas arremolinaban la nieve espesa y fina. Apenas se veía más allá de un grupo de esquiadores que esperaba turno para iniciar el descenso, pero al cabo de un rato el panorama se abrió para revelar un hotel, pequeño como una casa de muñecas, al pie de la pista, con las altas cumbres irguiéndose sobre él. El americano y Hans avanzaban con sus palos por la cima, alejándose de la multitud. De repente, cuando ya nadie podía verlos, dieron media vuelta y se lanzaron ladera abajo por la otra cara de la montaña.

Los esquís dejaban sus huellas sobre la nieve virgen.

Al instante dejaron de oír las voces de los demás esquiadores y el zumbido del motor de la cuerda de arrastre. Los copos caían sobre sus prendas de lana en silencio, tanto que podía oírse el siseo de la madera ribeteada de metal con el roce de la nieve, así como la respiración y los latidos del corazón de los dos hombres. Hans encabezó la marcha pendiente abajo durante un kilómetro y medio, y luego se desviaron hasta un refugio al abrigo de un saliente rocoso. De su interior, Hans sacó un trineo improvisado muy liviano.

Lo habían construido partiendo de una camilla Neil Robertson, una litera hecha de madera de fresno y abedul y de lona, diseñada originalmente para transportar con firmeza, por las estrechas y empinadas escalerillas, a los marineros heridos. La camilla iba atada a un par de esquís, y Hans tiraba de ella con una cuerda sujeta a la cintura. Esta cuerda la había enrollado a su vez a un largo palo de esquí con el que se ayudaba para frenar en los descensos. El guía abrió la marcha a través de una pista menos inclinada que la anterior durante otro kilómetro y medio, hasta que se detuvieron al pie de una pronunciada pendiente para cubrirse los esquís con unas pieles de foca. El suave pelo del animal les permitiría avanzar ladera arriba sin resbalar.

La nieve que caía era más densa, y fue entonces cuando Hans se hizo merecedor de sus francos de oro. El americano era capaz de usar la brújula tan bien como su guía, pero con el azote del viento y con tantos desniveles pronunciados a su alrededor, aquel instrumento no podía garantizarle que no se desviaría de su rumbo. Sin embargo, Hans Grandzau, que esquiaba en esas montañas desde que era niño, podía establecer su posición con exactitud por la inclinación de una pendiente en concreto y por la forma en que el viento la esculpía.

Ascendieron varios kilómetros y descendieron esquiando para después volver a subir. A menudo tenían que detenerse para descansar o para retirar el hielo de las pieles de foca. Era casi de noche cuando el temporal de nieve amainó de repente, al llegar a lo alto de una cumbre. Al otro lado del valle, el americano vio una ventana iluminada en el castillo.

—Deme el trineo —dijo—. A partir de aquí lo llevo yo.

La firmeza de su tono de voz indicó al guía que no cabía discusión alguna. Hans entregó al americano la cuerda del trineo, le estrechó la mano, le deseó buena suerte y, trazando una curva, se adentró en la oscuridad con los esquís en dirección al distante pueblo.

El americano se dirigió hacia la luz.

La artillería del proletariado

1

21 de septiembre de 1907
Cordillera de las Cascadas, Oregón

El policía del ferrocarril, que observaba la cuadrilla que entraba a aquellas horas de la noche en la recortada boca del túnel, se preguntó si a la compañía Southern Pacific le sería rentable un minero como aquel, tuerto y lisiado de una pierna. Llevaba el peto y la camisa de franela deshilachados, y las suelas de las botas eran tan finas como el papel. Su viejo sombrero de fieltro tenía las alas gachas como el de un payaso de circo, y el barrenero arrastraba la maza como si pesara demasiado para levantarla. Aquello le resultaba sospechoso.

El policía se daba a menudo a la bebida. Tenía el rostro hinchado a causa del matarratas que ingería, y los ojos parecían haber desaparecido entre los pómulos. Sin embargo, esa mirada atenta, curiosamente esperanzada y chispeante, seguía alerta a pesar de haber caído tan bajo y trabajar para el cuerpo policial más desprestigiado del país. El hombre dio un paso adelante, dispuesto a investigar. Pero en ese momento un joven fornido, un palurdo de rostro saludable recién salido de alguna granja, cogió la maza al minero lisiado y cargó con ella. Ese gesto de amabilidad, sumado a la cojera y el parche del ojo del hombre, hizo que este pareciera mucho más viejo de lo que era, e inofensivo, aunque en realidad no fuera así.

Frente a ellos había dos orificios en la ladera de la montaña: el túnel principal del ferrocarril y, en las proximidades, un túnel pionero, más pequeño y ciego, horadado en primer lugar para explorar la ruta, suministrar aire fresco y drenar. Ambos tenían un revestimiento de roca y madera para impedir que la ladera de la montaña se desprendiera sobre los hombres y las vagonetas cargadas de escombros.

La cuadrilla del turno de día salía con paso tambaleante. Los hombres, agotados, se dirigían al tren que los llevaría de vuelta a las cocinas del campamento. Una locomotora avanzaba echando humo junto a ellos, arrastrando vagonetas repletas de traviesas. Había carromatos tirados por recuas de diez mulas, un trajín de carretillas y polvo por todas partes. Era un lugar apartado, a dos días de un duro viaje en tren dando un rodeo desde San Francisco. Sin embargo, no estaba aislado.

Las líneas de telégrafo que se extendían a lo largo de unos postes endebles conectaban Wall Street con la boca misma del túnel. Transmitían noticias desalentadoras sobre el pánico financiero que sacudía Nueva York, a casi cinco mil kilómetros de distancia. Los banqueros de la costa Este, los que sufragaban el ferrocarril, estaban asustados. El viejo minero sabía que los cables del telégrafo echaban chispas a causa de las exigencias contradictorias: unas veces ordenaban que se dieran prisa con la construcción del llamado Atajo de las Cascadas, una línea de expresos entre San Francisco y el norte, y otras veces indicaban que debía ser clausurada.

Justo antes de entrar en la boca del túnel, el minero se detuvo y observó la montaña con el ojo bueno. Los terraplenes de la cordillera de las Cascadas resplandecían bajo la luz rojiza de la puesta de sol. Los contempló como si quisiera fijar en su memoria el aspecto que tenía el mundo antes de que el oscuro túnel lo engullera hacia el interior de la roca. Empujado por los hombres que iban detrás, se llevó la mano al parche; parecía recordar con inquietud el momento de la dolorosa pérdida. Al hacerlo abrió un poco el otro ojo, que hasta entonces había estado ligeramente cerrado. El detective del ferrocarril, que por lo visto superaba la media del hatajo de memos que integraba aquel grupo de hombres, seguía observándolo con desconfianza.

El minero era un hombre con una reserva inagotable de sangre fría. Tenía lo que hay que tener para mantenerse firme, la impasibilidad y el aplomo necesarios para no infundir sospechas actuando sin miedo. Ignorando a los trabajadores que lo empujaban al pasar, miró alrededor como si, de repente, se sintiera hechizado por el enardecedor espectáculo de una nueva vía de ferrocarril que se abría camino a través de las montañas.

De hecho, el esfuerzo lo dejó maravillado. Tamaña empresa, resultado de la sincronización del trabajo de miles de personas, descansaba sobre la sencilla estructura que había a sus pies. Dos raíles de acero fijados a unas traviesas de madera que distaban entre sí 143,50 centímetros y que estaban fuertemente aseguradas con pernos sobre un lecho de balasto. La combinación de todo ello constituía un sólido soporte que resistía el paso atronador de locomotoras de cientos de toneladas que circulaban a más de un kilómetro y medio por minuto. Esos elementos (2.700 traviesas, 352 tramos de raíl, 60 barriles de pernos y grandes clavos) ensamblados y alineados kilómetro tras kilómetro parecían una calzada de pavimento liso y deslizante, una carretera de acero que podría alargarse indefinidamente. Los raíles reseguían el terreno accidentado, aferrándose a vertiginosos desniveles y precipicios, salvando barrancos sobre unos puentes de caballete que ponían los pelos de punta y adentrándose en túneles que perforaban montes de lado a lado.

Sin embargo, ese milagro de la ingeniería moderna, producto de una planificación esmerada, se veía eclipsado, ridículo, en comparación con las montañas. Y nadie mejor que él sabía cuán frágil era.

Echó un vistazo al policía, que había desviado la atención hacia otro lado.

La cuadrilla del turno de noche se desvaneció en el interior del enorme y tosco agujero. El agua borboteaba a sus pies mientras avanzaban a través de interminables corredores abovedados y apuntalados con maderas. El tullido iba detrás, acompañado por el hombretón que le llevaba la maza. Se detuvieron en un túnel lateral que había a escasos cien metros y apagaron sus lámparas de acetileno; en la oscuridad, contemplaron el parpadeo de otras lámparas a lo lejos. Luego siguieron su camino a tientas, por ese mismo túnel lateral, a través de seis metros de piedra, hasta que llegaron al túnel pionero que discurría en paralelo. Era estrecho y peor perforado que el principal; del irregular techo goteaba agua aquí y allá. Se agazaparon y siguieron avanzando hacia el interior de la montaña, encendiendo las lámparas cuando no se veía nada.

El viejo avanzaba cojeando con mayor rapidez, y su luz dibujaba sombras en la pared lateral. De repente, se detuvo y pasó la mano por encima de una afilada grieta que había en la roca. El joven lo observaba preguntándose, y no por primera vez, qué hacía seguir en la brecha a aquel tipo cuando la mayoría de los lisiados se pasaban las horas muertas en una mecedora. Ahora bien, uno podía acabar mal si hacía demasiadas preguntas en el selvático mundo de los vagabundos; de modo que se reservó las dudas para sí mismo.

—Perfora aquí.

El viejo revelaba de sí lo preciso para inspirar confianza a los voluntarios que reclutaba. El granjero que le llevaba la maza pensaba que estaba ayudando a un «tejedor» del estrecho de Puget, lugar en el que el sindicato había convocado una huelga general que paralizó por completo la industria maderera hasta que los mezquinos fabricantes contrataron a esquiroles como mano de obra. Era la respuesta exacta que deseaba oír todo anarquista.

Su anterior recluta lo había tomado por uno de Idaho que había huido de las guerras mineras de Coeur d'Alene. Para el siguiente, sería uno de los revolucionarios que habían fundado en Chicago el sindicato Trabajadores Industriales del Mundo. ¿Cómo había perdido un ojo? En el mismo lugar en que se quedó cojo, a mamporro limpio contra los saboteadores de la huelga de Colorado City, o como guardaespaldas del gran Bill Haywood, de la Federación Minera del Oeste, o de resultas de un disparo cuando el gobernador llamó a la Guardia Nacional. Unas credenciales bordadas en oro para los que tenían sed de un mundo mejor y agallas para luchar por ello.

El hombretón sacó un cincel de acero de casi un metro y lo colocó en su lugar mientras el tipo del parche en el ojo le daba unos ligeros golpes para asentarle bien la punta en el granito. A continuación, le devolvió la maza.

—Ahora, Kevin, hazlo tú. Y rápido.

—¿Estás seguro de que si nos cargamos este túnel no resultarán heridos los tíos que trabajan en el principal?

—Me apuesto el cuello a que no. Hay sesenta centímetros de sólido granito entre nosotros y ellos.

La de Kevin era una historia muy común en el Oeste. Nació para ser granjero, y después de que su familia perdiera las tierras y se las quedara el banco, se deslomó en las minas de plata hasta que lo despidieron por manifestarse a favor del sindicato. Viajó en tren como polizón por el país en busca de trabajo, y la policía del ferrocarril lo molió a palos. En una concentración para exigir unos salarios más altos, unos esquiroles lo atacaron con un hacha. Había días en que la cabeza le dolía tanto que no podía ni pensar. Y peor eran las noches en las que se desesperaba porque nunca encontraría un trabajo estable ni un lugar fijo donde dormir, y mucho menos a una chica con quien formar una familia. En una de esas noches lo sedujo el sueño de los anarquistas. La dinamita, la artillería del proletariado, haría del mundo un lugar mejor.

Kevin balanceó la pesada maza con ambas manos y aporreó el cincel hasta hundirlo treinta centímetros. Luego se detuvo, para recuperar el aliento y quejarse de la herramienta.

—No soporto estas mazas de acero. Rebotan demasiado. A mí que me den las antiguas de hierro fundido.

—Aprovecha el rebote.

Con sorprendente agilidad, el tullido del parche en el ojo cogió la maza y la balanceó sin esfuerzo, empleando sus poderosas muñecas para intensificar el rebote y, con un movimiento fluido, volver a descargar la herramienta con dureza sobre el cincel.

—Es más fácil así, ¿lo ves? Toma, termina tú. Bien, muchacho, muy bien.

Perforaron un agujero de noventa centímetros en la piedra.

—Dinamita —dijo el viejo, que había dejado que recayeran en Kevin todas las pruebas incriminatorias por si la policía del ferrocarril iba tras ellos.

Kevin sacó de su camisa tres cartuchos de un rojo apagado en los que, impresa en tinta negra, se leía la marca del fabricante: «VULCAN». El tullido las metió una tras otra en el agujero.

—Detonador.

—¿Estás completamente seguro de que no habrá compañeros heridos?

—Lo estoy.

—Bueno, me da igual mandar al infierno a los jefes, pero esos hombres de ahí abajo están de nuestro lado.

—Aunque todavía no lo sepan —dijo con cinismo el viejo.

Introdujo el detonador, que explotaría con la fuerza suficiente para hacer volar la dinamita.

—Mecha.

Kevin desenrolló con cuidado la mecha lenta que llevaba oculta en el sombrero. El metro de hilo de cáñamo impregnado de pólvora pulverizada ardería en noventa segundos; treinta centímetros cada medio minuto. Para ganar cinco minutos de margen y ponerse a salvo, el viejo extendió once metros de mecha. El metro de más era para prevenir las posibles variaciones en cuanto a consistencia y humedad.

—¿Te gustaría prender la mecha? —preguntó con naturalidad.

Los ojos de Kevin brillaban como los de un niño la mañana de Navidad.

—¿Puedo?

—Me aseguraré de que no hay nadie cerca. Recuerda que solo tienes cinco minutos para salir de aquí. No te entretengas. Enciende la mecha y lárgate… ¡Espera! ¿Qué es eso?

El viejo fingió haber oído que alguien se aproximaba, se volvió con rapidez e hizo ademán de sacarse una navaja de la bota.

Kevin se tragó el embuste. Se llevó la mano a la oreja. Pero lo único que oyó fue el distante estruendo de las perforadoras en el túnel principal y el quejido de los fuelles que extraían el aire enrarecido del túnel pionero y expulsaban aire fresco.

—¿Qué? ¿Qué has oído?

—¡Corre, Kevin! Ve a ver quién anda ahí.

Kevin echó a correr, y con él las sombras de las toscas paredes de piedra al paso de su luz.

El viejo arrancó la mecha de pólvora del detonador y la lanzó lejos. La reemplazó por un ovillo de hilo de cáñamo de aspecto idéntico empapado en trinitrotolueno fundido, que se utilizaba para detonar diversas cargas de manera simultánea porque ardía con celeridad.

Era rápido y habilidoso. Para cuando oyó que Kevin regresaba de cumplir su estúpida misión, la traición ya estaba fraguada. Pero cuando levantó la vista se quedó asombrado al ver a Kevin con las manos alzadas; tras él se hallaba el detective del ferrocarril, el policía que lo había estado observando cuando entraba en el túnel. La sospecha había transformado su abotargado rostro en una máscara de fría vigilancia. Lo apuntaba con un revólver que sujetaba con una mano firme como la roca.

—¡Ponte en pie! —ordenó—. ¡Las manos arriba!

Con un solo vistazo detectó la mecha y el detonador, y comprendió al instante. Encañonó al tullido como un soldado; sin duda, sabía cómo utilizar el arma.

El viejo se movió muy despacio. Pero en lugar de alzar las manos se agachó y sacó una larga navaja de su bota.

El detective del ferrocarril sonrió.

—Ándate con cuidado, amigo. —Su voz tenía un tono cantarín, y pronunciaba cada palabra con la pasión de un lector autodidacta—. Aunque te hayas traído, por error, una navaja a un duelo con armas, me veré obligado a matarte de un disparo si no la sueltas ahora mismo.

Con un movimiento rápido de la muñeca, el minero abrió la navaja, y el arma triplicó su longitud convirtiéndose en una espada tan fina como un estoque. Se abalanzó sobre el detective con soltura y le hundió la hoja en la garganta. El policía se llevó una mano al cuello mientras intentaba apuntarlo con su revólver. El minero arremetió de nuevo contra él, y haciendo girar la hoja, le sesgó la médula espinal atravesándolo por completo hasta la nuca. El revólver impactó en el suelo con un sonido metálico. Cuando el viejo retiró la espada, el poli se desplomó sobre la roca, junto a su arma.

Kevin dejó escapar un grito ahogado. Sus ojos, con una expresión de estupor y espanto, iban del muerto a aquella espada que había surgido de la nada y de la espada al muerto.

—¿Cómo…? ¿Qué…?

El viejo minero tocó un resorte, y el estoque desapareció dentro de la hoja. Acto seguido, volvió a guardársela en la bota.

—Funciona como las que se usan en el teatro —explicó—. Pero con algunas modificaciones. ¿Tienes cerillas?

Kevin rebuscó en sus bolsillos con manos temblorosas y finalmente sacó una caja en la que había algunas cerillas.

—Comprobaré que la boca del túnel esté despejada —dijo el viejo—. Espera a mi señal. Recuerda, cinco minutos. Asegúrate de que esté encendida, de que arda bien, y luego sal como alma que lleva el diablo. ¡Cinco minutos!

Cinco minutos bastarían para ponerse a salvo en un lugar seguro. Pero no si se había sustituido la pólvora pulverizada de combustión lenta por trinitrotolueno, de rápida ignición y capaz de quemar diez metros de mecha en un suspiro.

El viejo dio un paso por encima del cadáver del policía y corrió hacia la boca del túnel pionero. No vio a nadie en las inmediaciones, así que dio dos golpes audibles con el cincel. El eco le devolvió tres golpes. No había moros en la costa.

Sacó el reloj oficial de todo ferroviario, un Waltham, que ningún minero como él podía permitirse. Todos los interventores, los taquilleros y los maquinistas estaban obligados por ley a llevar ese reloj de bolsillo de diecisiete rubíes con el tirador y el ajuste de la cuerda situados en la corona y en posición lateral. Garantizaba una fiabilidad de una variación máxima de medio minuto a la semana, tanto si se veía sometido a sacudidas en una sofocante cabina de locomotora como a temperaturas gélidas en un andén barrido por la nieve de una estación de control de tráfico ferroviario en las cumbres de Sierra Nevada. La esfera blanca con números arábigos apenas era visible en el crepúsculo. Observó la pequeña manecilla descontando segundos en lugar de los minutos que Kevin creía que le daría de margen la pólvora pulverizada para salir zumbando y ponerse a salvo.

Cinco segundos para que Kevin abriera la caja de cerillas de azufre, cogiera una, la cerrara y se arrodillara junto a la mecha. Tres segundos para que los nerviosos dedos rasparan la cabeza de la cerilla en la maza de acero. Un segundo para que esta prendiera y la llama tocara la mecha de trinitrotolueno.

Un soplo de aire acarició el rostro del viejo minero.

Y entonces una ráfaga de viento surgió del túnel, avivada por el estallido sordo de la dinamita explotando en el interior de la roca. Un espantoso estruendo y otra ráfaga de viento indicaron que el túnel pionero se había derrumbado.

El barreno principal venía a continuación.

El minero se ocultó entre los maderos que apuntalaban la entrada y esperó. Lo cierto era que había dieciocho metros de granito entre el túnel pionero y los hombres que excavaban el principal. Pero en el lugar donde había colocado la dinamita, la montaña no era sólida, estaba plagada de fracturas en la roca.

El suelo se estremeció como si se hubiera producido un terremoto.

El viejo se permitió esbozar una sonrisa lúgubre. El temblor que notó bajo las botas fue para él más revelador que los alaridos de los aterrorizados mineros y los barreneros que salían en tropel del túnel principal, más que los histéricos gritos de los que convergían en aquellos pasadizos que expulsaban humo.

A centenares de metros bajo la montaña, el techo del túnel se había derrumbado. El viejo lo había calculado todo para que el tren que transportaba los escombros quedara sepultado por completo, con sus veinte vagonetas, la locomotora y el ténder. No le preocupaba que algunos hombres pudieran morir aplastados. Eran tan insignificantes como el policía del ferrocarril al que acababa de asesinar. Y tampoco sentía compasión por los heridos que hubieran quedado atrapados en la oscuridad tras un muro de rocas. Cuanto mayor fuera la destrucción y la confusión, cuantos más muertos hubiera y más lentas fueran las operaciones de limpieza y rescate, mayor sería el retraso.

Se quitó el parche del ojo de un manotazo y se lo guardó en el bolsillo. Luego se quitó el sombrero de ala caída, lo puso del revés y se lo volvió a poner en la cabeza como si fuera una gorra de minero. Con suma rapidez, se desató el pañuelo que llevaba bajo el pantalón y que le inmovilizaba la rodilla para hacerlo pasar por cojo, y salió de la oscuridad avanzando a paso firme con sus dos robustas piernas. Se mezcló entre aquel avispero de hombres asustados y corrió con ellos, sorteando como bien podía las traviesas, tropezando con los raíles, luchando por alejarse. Al final, los hombres que huían aminoraron la marcha, frenados en su avance por el torrente de curiosos que querían ver de cerca la catástrofe.

El hombre conocido como el Saboteador no se detuvo y se agazapó en la zanja que había junto a las vías, eludiendo sin problemas a los equipos de rescate y a la policía del ferrocarril; había ensayado aquella ruta de escape infinidad de veces. Rodeó una vía muerta en la que había un tren especial encabezado por una locomotora negra. El gigante silbó con suavidad, a fin de conservar el vapor para producir electricidad y calor. Las hileras de ventanillas cubiertas con cortinas resplandecían con un brillo dorado en la noche. La música se elevaba en el aire fresco, y pudo ver que unos criados con levita disponían una mesa para cenar. Unos minutos antes, cuando pasaban junto a aquel tren de camino hacia el túnel, el joven Kevin había despotricado contra los pocos privilegiados que viajaban con toda clase de comodidades mientras los mineros como ellos cobraban dos dólares al día.

El Saboteador sonrió. Era el tren privado del presidente de la compañía ferroviaria. El cielo entero se desplomaría sobre esos vagones de lujo cuando aquel hombre se enterara de que la montaña se había venido abajo sobre su túnel, y apostaba lo que fuera a que los «pocos privilegiados» a los que Kevin se había referido no se sentirían tan favorecidos esa noche.

A un kilómetro y medio del nuevo tendido de vías, una potente luz eléctrica delimitaba una extensa zona en la que se ubicaban los barracones para los trabajadores, los almacenes y los talleres, una dinamo, numerosas vías muertas repletas de trenes para el transporte de materiales y un depósito de locomotoras donde estas eran reparadas. Más allá de esa zona delimitada, en lo profundo de una hondonada, al final de las vías, se veían las lámparas de aceite de un campamento, una especie de ciudad provisional de tiendas y vagones de carga abandonados que albergaban improvisados salones de baile, tabernas y burdeles destinados a mantener al campamento de los mineros en constante movimiento.

Movimiento que sería mucho más lento a partir de entonces.

Serían necesarios varios días para despejar de rocas y escombros el túnel, y una semana al menos para apuntalar las partes debilitadas y reparar los daños antes de que las obras pudieran reiniciarse. En esa ocasión el Saboteador había dañado la línea de ferrocarril a conciencia, hasta entonces su mayor reto. Y si lograban identificar los restos de Kevin, el único testigo que habría podido relacionar al viejo con el sabotaje, se sabría al instante que el joven era un exaltado al que se le había oído pronunciar discursos incendiarios entre aquellas pobres almas errantes antes de que la suya migrase al otro mundo tras volarse a sí mismo por accidente.

2

A comienzos de 1907 el tren especial era, por excelencia, el emblema de la riqueza y el poder en Estados Unidos. Los millonarios con una residencia de verano en Newport, en Rhode Island, y una casa en Park Avenue o una mansión junto al río Hudson en Nueva York se desplazaban de manera rápida y cómoda en vagones privados que enganchaban a los trenes de pasajeros. Pero los magnates, es decir, los propietarios de los ferrocarriles, se movían a su antojo por todo el país en trenes privados que contaban con locomotora propia. El más lujoso y veloz de todos ellos pertenecía a Osgood Hennessy, el presidente de la compañía de ferrocarriles Southern Pacific.

El tren de Hennessy estaba pintado de un brillante rojo bermellón, y el ténder de la locomotora, una poderosa Baldwin Pacific 4-6-2, era negro como el carbón. Sus vagones privados, llamados *Nancy n.º 1* y *Nancy n.º 2* en honor a la difunta esposa del presidente de la Southern Pacific, medían doscientos cuarenta y cuatro metros de largo por tres metros de ancho. La Compañía Pullman los había construido de acero, y habían sido guarnecidos por ebanistas europeos.

En el *Nancy n.º 1* se hallaba el despacho, el salón y los compartimientos privados de Hennessy, en los que había bañeras de mármol, camas de latón y un teléfono que podía conectarse a la red de cualquier ciudad por la que circulara. El *Nancy n.º 2* disponía de una cocina moderna y de varias despensas con capacidad para guardar las provisiones de todo un mes, e incluía un comedor y los cuartos de los criados. El vagón de equipaje tenía un espacio reservado para el automóvil de la hija de Hennessy, Lillian, un Packard Gray Wolf. El tren también contaba con un vagón comedor y con varios lujosos coches cama donde se alojaban los ingenieros, banqueros y abogados que habían sido contratados para la construcción del Atajo de las Cascadas.

Una vez que circulaba por la vía principal, el tren especial de Hennessy podía trasladarlo a velocidades hasta entonces inimaginables. Podía ir hasta San Francisco en media jornada, a Chicago en tres y a Nueva York en cuatro, y podía elegir entre varios tipos de locomotora para utilizar una u otra y así aprovechar al máximo las condiciones de la vía. Cuando la eterna ambición de Hennessy por controlar la red viaria del país exigía inmediatez, su tren especial se comunicaba, incluso en marcha, mediante un sistema telegráfico, patentado por Thomas Edison. Un sistema que se servía de la inducción electromagnética para enviar y recibir mensajes a través de líneas de cables tendidas en paralelo a las vías.

Hennessy era un hombre anciano, calvo, de corta estatura y delgado; sin embargo, aquella fragilidad era solo aparente. Tenía los ojos negros, vivos y atentos como los de un hurón, una mirada fría que no animaba a mentir ni permitía alimentar falsas esperanzas, y el corazón de un lagarto carroñero, al decir de sus rivales menos afortunados. Unas horas después del derrumbe del túnel, todavía estaba en mangas de camisa dictando al telegrafista a toda velocidad cuando le anunciaron la llegada del primero de sus invitados a cenar.

El afable y elegante senador de Estados Unidos Charles Kincaid llegó impecablemente vestido de etiqueta. Era un hombre alto y bien parecido. Tenía el pelo liso y fino, y el bigote arreglado con esmero. Sus ojos, de color castaño, no dejaban traslucir en qué pensaba, si es que lo hacía. Con todo, lucía una sonrisa almibarada.

Hennessy saludó al político con visible desprecio.

—Por si no lo sabe todavía, Kincaid, ha habido otro accidente. Y mucho me temo que en este caso se trata de un sabotaje.

—¡Dios bendito! ¿Está usted seguro?

—Lo estoy, maldita sea. He enviado un mensaje a la agencia de detectives Van Dorn.

—¡Excelente elección, señor! El sabotaje excede a las aptitudes de los sheriffs locales, si me permite decirlo, y eso en el caso de que pudiera encontrar alguno aquí, en medio de la nada. Por otra parte, tampoco están a la altura de un caso como este sus detectives del ferrocarril. —Matones de uniforme, podría haber añadido Kincaid, aunque el senador estaba también al servicio del ferrocarril, y se andaba con mucho cuidado al hablar con el hombre que lo había aupado y que con la misma facilidad podía derribarlo—. ¿Cuál es el lema de Van Dorn? —se preguntó, queriendo congraciarse con Hennessy—. «¡Nunca abandonamos, nunca!» Señor, me siento capacitado para dirigir a sus equipos en las operaciones de limpieza del túnel, y considero que es mi obligación hacerlo.

Hennessy torció el gesto con desprecio. Ese petimetre había trabajado al otro lado del océano levantando puentes para la línea de ferrocarril de Bagdad, construida bajo los auspicios del Imperio otomano, hasta que los periódicos empezaron a llamarlo el Ingeniero Heroico por haber rescatado, supuestamente, a unas enfermeras de la Cruz Roja y a unos misioneros de caer en manos de los turcos. Hennessy se tomó con tibieza el asunto de la heroicidad. Sin embargo, Kincaid se había valido de esa fama inmerecida para que algunos miembros corruptos del poder legislativo lo designaran representante de «los intereses» de los ferrocarriles en el club para millonarios que era el Senado de Estados Unidos. Y nadie sabía mejor que Hennessy que Kincaid se estaba enriqueciendo mediante sobornos con las acciones del ferrocarril.

—Tres hombres muertos en un abrir y cerrar de ojos —gruñó—. Quince atrapados. No necesito más ingenieros. Necesito un enterrador. Y un detective de primera.

Hennessy se volvió de espaldas para hablar con el telegrafista.

—¿Van Dorn ha contestado?

—Todavía no, señor. Acabamos de enviarle…

—Joe van Dorn tiene delegaciones en todas las ciudades del continente. ¡Emite un telegrama a cada una de ellas!

Lillian, la hija de Hennessy, salió de sus aposentos y entró apresuradamente. Los ojos de Kincaid se abrieron, y su sonrisa se tornó más franca. A pesar de hallarse en una polvorienta vía muerta en la cordillera de las Cascadas, la joven habría atraído las miradas de todos los comensales de cualquier restaurante elegante de Nueva York. Un vestido de noche de gasa blanca se ceñía en su estrecha cintura, y el escote pronunciado quedaba tan solo parcialmente disimulado por una rosa de seda. Lucía en su delicado cuello una gargantilla de perlas tachonada de diamantes, y llevaba el cabello recogido en un moño alto del cual escapaban unos tirabuzones dorados que adornaban su frente despejada. Unos deslumbrantes pendientes de diamantes en talla Peruzzi captaban la atención. Adornos, pensó Kincaid con cinismo, que no encubren sino que potencian cuanto tiene que ofrecer, que es mucho.

Lillian Hennessy era de una belleza espectacular, muy joven y además muy rica. Un buen partido para un rey. O para un senador con miras a ocupar la Casa Blanca. El problema era el fiero destello de sus ojos, asombrosamente azules, que proclamaban que no era una mujer sumisa. Además, su padre, que nunca había podido hacerla entrar en vereda, la había nombrado su secretaria personal, cargo que la hacía incluso más independiente.

—Padre —dijo ella—. Acabo de hablar con el ingeniero jefe por telegráfono. Cree que podrán acceder al túnel pionero por el otro lado y abrirse paso hacia el principal. Los equipos de rescate están excavando. Los telegramas han sido enviados. Es hora de que te vistas para cenar.

—No cenaré mientras haya hombres atrapados en ese túnel.

—Que mueras de hambre no les servirá de ayuda. —Lillian se volvió hacia Kincaid—. Hola, Charles —dijo con frialdad—. La señora Comden nos espera en el salón. Tomaremos un cóctel mientras mi padre se cambia de ropa.

Hennessy no había aparecido todavía cuando terminaron sus copas. La señora Comden, una mujer voluptuosa de cuarenta años con un vestido ceñido de seda verde y unos diamantes tallados al viejo estilo europeo, se ofreció para ir a buscarlo.

Cuando llegó al despacho de Hennessy, haciendo caso omiso del telegrafista, quien como todos los de su oficio había jurado no revelar jamás los mensajes que enviaba o recibía, puso una mano con suavidad en el huesudo hombro de Hennessy.

—Todos tenemos hambre —le dijo, y sus labios esbozaron una seductora sonrisa—. Vayamos con los demás a cenar. El señor Van Dorn enviará noticias tan pronto como pueda.

Mientras la señora Comden hablaba, la locomotora emitió dos silbidos dando la doble señal de avance, y el tren se puso en marcha deslizándose suavemente.

—¿Adónde vamos? —preguntó sin sorprenderse al ver que volvían a moverse.

—A Sacramento, a Seattle y a Spokane.

3

Cuatro días después de la explosión ocurrida en el túnel, Joseph van Dorn pudo reunirse con el inquieto y andariego Osgood Hennessy en la Gran Estación del Norte de Hennessyville. La nueva ciudad, que estaba a las afueras de Spokane, en Washington, cerca de la frontera con Idaho, apestaba a trastos viejos, a creosota y a carbón quemado. Pero se la llamaba ya la Mineápolis del noroeste. Van Dorn sabía que Hennessy tenía el plan de doblar la red viaria de la Southern Pacific absorbiendo las rutas septentrionales que atravesaban el continente.

El fundador de la prestigiosa agencia de detectives Van Dorn era corpulento, y hacía ya algunos años que había cumplido cuarenta. Iba bien vestido, de manera que parecía un próspero hombre en viaje de negocios y no el azote de los bajos fondos que era. Tenía el aspecto de un individuo cordial, con una firme nariz aguileña y una sonrisa pronta, aunque atemperada por cierta melancolía irlandesa en la mirada. Era parcialmente calvo, si bien lucía unas formidables patillas pelirrojas que descendían hasta una poblada barba igualmente rojiza. Mientras se acercaba al tren especial de Hennessy, un tema de ragtime que provenía de un gramófono le arrancó un gesto de asentimiento y profundo alivio. Reconoció la melodía alegre y sincopada de la recién estrenada «Searchlight Rag», de Scott Joplin, y la música le indicó que Lillian Hennessy se encontraba cerca. El presidente de la compañía de ferrocarriles Southern Pacific dejaba de ser un cascarrabias para convertirse en un chiquillo fácil de manejar cuando su hija estaba presente.

Van Dorn se detuvo en el andén al oír unos pasos precipitados que procedían del interior del vagón. Y entonces apareció en la puerta Hennessy, echando al alcalde de Spokane.

—¡Salga de mi tren! Hennessyville nunca se anexionará a su ciudad. ¡No dejaré que grave mi estación con los impuestos de Spokane! —Y a Van Dorn le espetó—: Te lo has tomado con calma para venir.

Van Dorn reaccionó a la brusquedad de Hennessy con una sonrisa cálida. Sus fuertes y blancos dientes destellaban bajo el bigote rojizo mientras estrechaba la mano de aquel hombre menudo, y con voz atronadora y afable le dijo:

—Yo estaba en Chicago y tú recorriendo el país. Tienes buen aspecto, Osgood, a pesar de tu mal humor. ¿Cómo está la preciosa Lillian? —preguntó mientras Hennessy le hacía subir al tren.

—Me da más problemas que un vagón lleno de italianos.

—¡Aquí está! Vaya, vaya… ¡cómo has crecido, jovencita! No te veía desde…

—Desde Nueva York, cuando mi padre le contrató a usted para que me llevara de vuelta a la escuela de la señorita Porter.

—No —la contradijo Van Dorn—. Creo que la última vez fue cuando pagamos tu fianza en la cárcel de Boston por unirte a una marcha de sufragistas que no terminó muy bien.

—¡Lillian! —ordenó Hennessy—. Quiero que tomes nota a máquina de esta reunión y añadas eso al contrato por los servicios de la agencia de Van Dorn.

El destello travieso de sus ojos azules se extinguió y dio paso a una mirada firme y, de repente, absolutamente profesional.

—El contrato ya está preparado para que lo firméis los dos —añadió Lillian.

—Joe, supongo que estarás informado de los atentados.

—Por lo que sé —dijo Van Dorn sin querer comprometerse—, ha habido una serie de accidentes terribles durante la construcción de la línea de expresos de la Southern Pacific en la cordillera de las Cascadas. Varios trabajadores han muerto, y también algunos pasajeros inocentes.

—No puede ser que todos hayan sido accidentes —replicó Hennessy con aspereza—. Alguien está haciendo lo imposible para sabotear la línea de ferrocarril. Voy a contratar tus servicios para que cojas a los saboteadores, y me da igual que sean anarquistas, extranjeros o huelguistas. Pégales un tiro, cuélgalos... Haz lo que tengas que hacer, pero páralos ya.

—En el mismo momento en que enviaste el telegrama, asigné este caso a mi mejor subalterno. Si la situación es como tú sospechas, lo nombraré investigador jefe.

—¡No! —exclamó Hennessy—. Te quiero a ti a cargo de esto, Joe. Debes ocuparte personalmente.

—Isaac Bell es el mejor de mis hombres. Ojalá hubiera tenido ese talento a su edad.

Hennessy lo interrumpió.

—Entiende bien esto, Joe: este tren se encuentra a seiscientos kilómetros al norte del túnel saboteado, pero para llegar hasta aquí tuvimos que recorrer más de mil kilómetros, retroceder, y subir y bajar continuamente. La vía del atajo reducirá el trayecto en un día entero. El éxito de la empresa y el futuro de esta línea de ferrocarril son demasiado importantes para encomendárselos a alguien de fuera.

Van Dorn sabía que Hennessy estaba acostumbrado a salirse con la suya. No en vano había sido el artífice de varias líneas transcontinentales, del Atlántico al Pacífico, pasando por encima de sus competidores, el comodoro Vanderbilt y J. P. Morgan. Había dejado perplejos a la Comisión de Comercio Interestatal y al Congreso de Estados Unidos, y bajado los humos al presidente Teddy Roosevelt, con su política contraria a los monopolios. De manera que Van Dorn se alegró de que uno de los interventores de Hennessy los interrumpiera en ese momento. El jefe de estación se hallaba en la puerta, con su uniforme impecable de tela azul oscuro, los botones remachados de reluciente latón y el ribete rojo de la Southern Pacific.

—Siento interrumpirle, señor. Han cogido a un vagabundo que intentaba subirse al tren.

—¿Y me molesta por eso? Estoy dirigiendo un ferrocarril. Entrégueselo al sheriff.

—Dice que el señor Van Dorn responderá por él.

Un hombre alto entró en el vagón privado de Hennessy escoltado por dos fornidos agentes de la policía del ferrocarril. Llevaba la tosca ropa de los vagabundos que se subían a los trenes de carga en busca de trabajo: unos pantalones y un abrigo de resistente algodón azul incrustados de polvo, unas botas viejas y un raído sombrero de vaquero J. B. Stetson que lo había resguardado de muchas lluvias.

Lillian Hennessy se fijó primero en sus ojos, de un azul violeta; escrutaban el salón con una mirada inquieta que penetraba en cada resquicio y ranura. A pesar de ello, esos ojos parecían detenerse en cada rostro como si sondearan los pensamientos más íntimos de su padre, de Van Dorn y, por último, de ella misma. Lillian le sostuvo la mirada con atrevimiento, pero el resultado fue hipnótico.

Ese hombre medía más de un metro ochenta, y era delgado y ágil como un purasangre árabe. Un poblado bigote, dorado como su espeso cabello y la incipiente barba de sus mejillas, le ocultaba el labio superior. Sus manos descansaban a ambos costados, y sus dedos eran largos y gráciles. Lillian captó el gesto de determinación de su barbilla y su boca, y llegó a la conclusión de que tendría unos treinta años y, desde luego, una confianza absoluta en sí mismo.

Los hombres que lo escoltaban permanecían cerca de él, pero sin tocarlo. Solo cuando Lillian apartó la mirada de su rostro reparó en que uno de los policías del ferrocarril se sujetaba sobre la nariz un pañuelo manchado de sangre. El otro parpadeaba con un ojo hinchado y morado.

Joseph van Dorn se permitió esbozar una sonrisa de suficiencia.

—Osgood, deja que te presente a Isaac Bell, que dirigirá la operación en mi nombre.

—Buenos días. —El aludido dio un paso adelante y le tendió la mano.

Los policías iban a seguirlo cuando Hennessy los despachó con brusquedad.

—¡Fuera!

El agente que se tapaba la nariz con el pañuelo susurró unas palabras al interventor que los conducía hacia la puerta.

—Perdone, señor —dijo el interventor—. Quieren que les devuelvan sus cosas.

Isaac Bell se sacó del bolsillo una porra recubierta de cuero.

—¿Cómo te llamas?

—Billy —fue la respuesta hosca de aquel tipo.

Bell le lanzó la porra y dijo, con una frialdad y una rabia apenas contenida:

—Billy, la próxima vez que un hombre te asegure que viene en son de paz, acepta su palabra. —A continuación se volvió hacia el hombre con el ojo a la funerala—. ¿Y tú?

—Ed.

Bell sacó un revólver y se lo tendió con la culata por delante. Luego dejó caer cinco cartuchos en la mano del policía.

—Nunca saques un arma que no sabes usar.

—Creía que sabía —murmuró Ed, y su expresión avergonzada pareció conmover al alto detective.

—¿Eras vaquero antes de unirte a los ferrocarriles? —preguntó Bell.

—Sí, señor, necesitaba el trabajo.

Los ojos de Bell se volvieron más cálidos, de un azul menos intenso, y sus labios dibujaron una agradable sonrisa. Le deslizó una moneda de oro que llevaba en un bolsillo oculto en el cinturón.

—Toma, Ed. Cómprate un filete para ese ojo, y vete a tomar un trago con tu compañero.

Los policías asintieron.

—Gracias, señor Bell.

Bell desvió su atención hacia el presidente de la compañía de ferrocarriles Southern Pacific, que fruncía el ceño con aire expectante.

—Señor Hennessy, le facilitaré un informe tan pronto como me haya dado un baño y cambiado de ropa.

—El mozo tiene tu maleta —dijo Joseph van Dorn sonriendo.

El detective regresó al cabo de treinta minutos, con el bigote recortado y reemplazada su indumentaria de vagabundo por un traje sastre de tres piezas y excelente corte, de una exquisita y gruesa lana inglesa gris, muy apropiada para el frío otoñal. Una camisa azul pálido y una corbata violeta oscuro, de nudo americano, resaltaban el color de sus ojos.

Isaac Bell sabía que tenía que iniciar aquel caso con buen pie estableciendo que él, y no el autoritario presidente de los ferrocarriles, estaría al frente de la investigación. En primer lugar devolvió a Lillian Hennessy la cálida sonrisa que esta le dirigía. Luego se inclinó con educación ante una sensual mujer de ojos oscuros que entró en silencio y se sentó en un sillón de piel. Finalmente, se volvió hacia Osgood Hennessy.

—No acabo de estar convencido de que esos accidentes sean sabotajes.

—¡Por todos los diablos! La mano de obra está en huelga a lo largo y ancho del Oeste. Y ahora se ha instalado el pánico financiero en Wall Street, una crisis que incita a los radicales y a los agitadores más exaltados.

—Es cierto que la huelga de tranvías de San Francisco y la huelga de los telegrafistas de la Western Union está amargando a los sindicalistas —contestó Bell—. Y aunque los líderes de la Federación Minera del Oeste que van a ser juzgados en Boise conspiraron para asesinar al gobernador Steunenberg, acusación de la que desconfío porque la tarea de los detectives en ese caso es chapucera, es obvio que fueron unos cuantos radicales despiadados los que colocaron la dinamita en la verja principal de la casa del gobernador. También debo reconocer que el que asesinó al presidente McKinley no es el único anarquista de la tierra, pero...

Isaac Bell se detuvo para dirigir toda la intensidad de su mirada hacia Hennessy.

—El señor Van Dorn me paga para atrapar a asesinos y asaltadores de bancos por todo el país. Cojo en un mes más trenes semidirectos, expresos y rápidos de los que cogen la mayoría de los hombres durante toda su vida.

—¿Qué tienen que ver sus viajes con los recientes atentados contra mi línea ferroviaria?

—Los sabotajes al tren son comunes. El año pasado la Southern Pacific pagó dos millones de dólares por daños a terceros. Antes de que termine 1907 se habrán producido diez mil colisiones, ocho mil descarrilamientos y más de cinco mil muertes accidentales. Como pasajero habitual que soy, me lo tomo de manera personal cuando los vagones de tren se incrustan uno en otro.

Osgood Hennessy enrojecía de ira por momentos.

—Le diré lo que les cuento a todos esos reformistas que piensan que el ferrocarril es la raíz de todos los males. La compañía de ferrocarriles Southern Pacific da empleo a cien mil hombres. ¡Trabajamos duramente para transportar a cien millones de pasajeros y trescientos millones de toneladas de carga al año!

—A mí me gustan los trenes —dijo Bell con gentileza—, pero los ferroviarios no exageran cuando afirman que las finas barras de acero de la vía pueden llevarte a la eternidad.

Hennessy dio un puñetazo en la mesa.

—¡Esos radicales asesinos están ciegos de rabia! ¿No ven que la velocidad del ferrocarril es un regalo divino para todos los hombres y las mujeres? ¡América es enorme! Mayor que la conflictiva y fragmentada Europa. Más extensa que la dividida China. Los ferrocarriles nos unen. ¿Cómo se desplazaría la gente sin nuestros trenes? ¿En diligencias? ¿Quién transportaría sus cosechas al mercado? ¿Los bueyes? ¿Las mulas? Una sola de mis locomotoras lleva más carga que todos los carromatos Conestoga que han cruzado las grandes llanuras centrales... Señor Bell, ¿sabe usted lo que es un Thomas Flyer?

—Por supuesto, señor Hennessy. Un Thomas Flyer es un automóvil Thomas, modelo 35, de sesenta caballos y cuatro cilindros construido en Buffalo. Tengo mis esperanzas puestas en que la compañía Thomas gane la carrera Nueva York-París el año que viene.

—¿Por qué cree usted que pusieron el nombre de Flyer a un automóvil? —gritó Hennessy—. ¡Por la velocidad! Un *flyer* es un tren rápido de primera, famoso por su velocidad precisamente. Y además…

—La velocidad es fantástica —lo interrumpió Bell—. Esa es la razón.

La prueba de que Hennessy destinaba esa zona de su vagón privado a despacho eran los mapas cartográficos que colgaban del techo de madera barnizada. El detective alto y de pelo rubio eligió entre diversas etiquetas de latón y desenrolló un mapa de ferrocarriles que representaba el entramado viario de California, Oregón, Nevada, Idaho y Washington. Señaló la frontera montañosa entre el norte de California y Nevada.

—Hace sesenta años unas cuantas familias de pioneros que se llamaban a sí mismas el grupo de Donner intentaron cruzar estas montañas en una caravana de carromatos. Se dirigían a San Francisco, pero la nieve temprana bloqueaba el paso que habían elegido para atravesar Sierra Nevada. El grupo de Donner estuvo atrapado allí durante todo el invierno. Se quedaron sin alimentos. Los que no murieron de hambre sobrevivieron comiéndose los cadáveres de los que habían fallecido.

—¿Qué diablos tienen que ver esos pioneros caníbales con mi línea de ferrocarriles?

Isaac Bell sonrió.

—Hoy, gracias a sus ferrocarriles, si a uno se le despierta el hambre en el Paso de Donner, solo tiene que hacer un viaje de cuatro horas en tren hasta los excelentes restaurantes de San Francisco.

El rostro adusto de Osgood Hennessy no diferenciaba entre muecas y sonrisas.

—Tú ganas, Joe —dijo el presidente de la compañía a Joseph van Dorn—. Adelante, Bell. Hable usted.

Bell señaló el mapa.

—Durante estas últimas tres semanas, ha habido varios descarrilamientos sospechosos en Redding, en Roseville y en Duns-muir. Y además se ha producido el derrumbamiento del túnel que le hizo llamar al señor Van Dorn.

—No me está diciendo nada que no sepa ya —le espetó Hennessy—. Cuatro operarios del tendido de vías y un conductor de locomotora muertos. Diez más que están de baja con fracturas. Un retraso de ocho días en la construcción.

—Y un detective de la policía de los ferrocarriles muerto y aplastado en el túnel pionero.

—¿Qué? ¡Ah, sí…! Lo olvidaba. Uno de mis sabuesos.

—Su nombre era Clarke… Aloysius Clarke. Sus amigos lo llamaban Wish.

—Conocíamos a ese hombre —explicó Joseph van Dorn—. Solía trabajar para mi agencia. Un detective de primera. Pero tenía problemas.

Bell miró a cada uno de los presentes a la cara, y con voz clara hizo el mejor cumplido que se conocía en el Oeste.

—Wish Clarke era un hombre a quien confiaría mi vida cruzando un río.

A continuación, se dirigió a Hennessy.

—Me he detenido en varios de los campamentos más frecuentados por los vagabundos. En las afueras de Crescent City, en la vía de Siskiyou —dijo señalando en el mapa la costa norte de California—, oí hablar de un radical o un anarquista al que esos hombres llaman el Saboteador.

—¡Un radical! Tal como decía yo.

—Los vagabundos saben poco de él, pero le temen. A los tipos que se unen a su causa nadie vuelve a verlos. Por lo que sé de momento, puede que reclutara a un cómplice para el trabajo del túnel. Un joven agitador, un minero llamado Kevin Butler, fue visto saltando a un tren de carga que se dirigía de Crescent City al sur.

—¡Hacia Eureka! —intervino Hennessy—. Desde Santa Rosa, cortó hacia Redding y Weed hasta llegar al Atajo de las Cascadas. Ya lo decía antes… Son sindicalistas radicales, extranjeros, anarquistas. ¿Confesó su delito ese agitador?

—Kevin Butler lo confesará todo ante el mismo diablo, señor. Encontraron su cadáver junto al del detective Clarke en el túnel pionero. Ahora bien, no hay nada en su historial que demuestre que fuera capaz de organizar un atentado en solitario. El Saboteador, tal como lo llaman, anda suelto.

La clavija del telégrafo repiqueteaba en la habitación contigua. Lillian Hennessy aguzó el oído. Cuando se detuvo el sonido, el telegrafista entró corriendo con la transcripción. Bell se dio cuenta de que Lillian no se molestaba en leer lo que estaba escrito en el papel, y que le decía a su padre:

—Desde Redding. Colisión al norte de Weed. Un tren de obreros se saltó una señal. El tren de mercancías no sabía que el de esos hombres estaba en la zona y lo embistió por detrás. El furgón de cola se incrustó en uno de los vagones de carga. Dos miembros del personal murieron.

Hennessy se levantó de un salto con la cara roja.

—¿No es un sabotaje? Se saltó la señal… ¡Ja! Esos trenes iban con destino al Atajo de las Cascadas. Y eso significa otro retraso.

Joseph van Dorn dio un paso adelante para calmar al furioso presidente del ferrocarril.

Bell se situó junto a Lillian.

—¿Conoce el código morse? —preguntó en voz baja.

—Es usted observador, señor Bell. Viajo con mi padre desde que era pequeña. Él nunca anda lejos de la clavija del telégrafo.

Bell miró a Lillian con ojos nuevos. Quizá fuera algo más que una jovencita hija única, cabezota y malcriada. Podría ser una fuente de valiosa información sobre el círculo íntimo de su padre.

—¿Quién es la dama que acaba de unirse a nosotros?

—Emma Comden, amiga de la familia. Me dio clases de francés y alemán, y se esforzó mucho en mejorar la manera de conducirme… —Lillian parpadeó con las largas pestañas que protegían sus ojos azules y añadió—: Al piano.

Emma Comden llevaba un ceñido vestido con un recatado cuello redondeado, sobre el que lucía un broche muy elegante. Era la antítesis de Lillian: curvilínea en lugar de esbelta como la joven; con los ojos marrón oscuro, casi negros, y el cabello, de un castaño reluciente con matices rojizos, peinado en un recogido francés.

—¿Quiere decir que la educaron en casa para que pudiera ayudar a su padre?

—Quiero decir que en el Este me expulsaron de tantos colegios privados para señoritas que mi padre contrató a la señora Comden para que yo terminara los estudios.

Bell le devolvió la sonrisa.

—¿Dónde encuentra el tiempo para el francés, el alemán y el piano, si es usted la secretaria particular de su padre?

—He superado a mi tutor.

—¿Y aun así la señora Comden sigue aquí?

Lillian respondió con la mayor frescura.

—Si tiene usted ojos en la cara, señor detective, se habrá dado cuenta de que mi padre se ha encariñado con la amiga de la familia.

Hennessy se fijó entonces en que Isaac y Lillian estaban hablando.

—¿Qué pasa?

—Estaba diciendo que he oído por ahí que la señora Hennessy era una mujer muy bella.

—Lillian no ha heredado esa cara de mi familia, desde luego. ¿Cuánto dinero cobra usted como detective, señor Bell?

—El máximo de lo que mi categoría permite.

—No dudo entonces que entenderá que, como padre de una joven inocente, me veo obligado a preguntarle quién le compró esa ropa tan elegante.

—Mi abuelo, Isaiah Bell.

Osgood Hennessy se quedó mirándolo. No lo habría dejado más estupefacto si le hubiera contado que era hijo del rey Midas.

—¿Isaiah Bell es su abuelo? Entonces su padre es Ebenezer Bell, presidente del American States Bank de Boston. ¡Dios de los cielos! ¿Un banquero?

—Mi padre es banquero. Yo soy detective.

—Pues el mío nunca conoció a un banquero en toda su vida. Era un simple obrero, mano de obra. Está usted hablando con un ferroviario de los que van en mangas de camisa, Bell. Yo empecé como él, clavando las traviesas y con la fiambrera a cuestas. Trabajaba diez horas al día mientras iba subiendo de categoría: guardafrenos, maquinista, interventor, telegrafista, controlador... Y continué en mi ascenso, de las vías a la estación, y de ahí a las oficinas generales.

—Lo que mi padre intenta decir —intervino Lillian— es que empezó golpeando clavos de hierro a pleno sol y ha terminado presidiendo la ceremonia de fijar clavos de oro bajo una sombrilla.

—No te burles de mí, jovencita.

Hennessy dio un tirón a otro mapa que colgaba del techo. Era un plano, una copia de fino trazo en papel azul claro que representaba con exquisito detalle un proyecto de ingeniería para construir un puente voladizo con dos pilares de piedra y acero sobre una profunda garganta.

—Este es el lugar al que nos dirigimos, señor Bell: el puente del cañón de las Cascadas. Cuento con un ingeniero de primera, Franklin Mowery, que abandonó la jubilación para construir el mejor puente de ferrocarril que hay al oeste del Mississippi. Mowery casi ha terminado. Para ahorrar tiempo, mandé levantar ese puente adelantándome a la expansión territorial, y envié varios trenes con trabajadores y material de construcción a una vía abandonada de madera que sube serpenteando desde el desierto de Nevada. —Hennessy señaló el plano—. Cuando perforemos aquí, en el túnel número trece, el puente estará esperándonos. Velocidad, señor Bell. Todo es cuestión de velocidad.

—¿Se ha marcado una fecha límite? —preguntó Bell.

Hennessy miró con brusquedad a Joseph van Dorn.

—Joe, ¿puedo dar por sentado que los temas confidenciales estarán tan seguros con tus detectives como con mis abogados?

—Más seguros todavía —dijo Van Dorn.

—Hay una fecha límite —admitió Hennessy ante Bell.

—¿Impuesta por sus banqueros?

—Por esos demonios, no. Por la madre naturaleza. Se acerca nuestro querido invierno, y cuando llegue a las Cascadas, se acabó para nosotros la construcción del ferrocarril hasta la primavera. Dispongo del mejor crédito en el negocio del ferrocarril, pero si no conecto el Atajo de las Cascadas con el puente del cañón antes de que la estación fría me obligue a parar las obras, incluso a mí me cortarán el grifo. Entre nosotros, señor Bell, si la expansión se paraliza, descarto toda posibilidad de terminar el Atajo de las Cascadas después de la primera nevada.

—Quédate tranquilo, Osgood —dijo Van Dorn—. Lo detendremos.

Hennessy no estaba calmado. Sacudió el plano como si deseara aplastarlo.

—Si esos saboteadores me paran, pasarán veinte años antes de que alguien pueda volver a emprender el proyecto del Atajo de las Cascadas. Es el último obstáculo que impide el progreso en el Oeste, y yo soy el único hombre con las agallas suficientes para derribarlo.

A Bell no le cabía la menor duda de que aquel hombre amaba su ferrocarril. Y tampoco olvidaba la rabia que había sentido ante la perspectiva de que más personas inocentes murieran o resultaran heridas por culpa del Saboteador. Los inocentes eran sagrados. Pero por encima de todo, en la mente de Bell se hallaba presente el recuerdo de Wish Clarke caminando con su estilo informal y brusco hacia un cuchillo que, de hecho, lo aguardaba a él, a Isaac Bell.

—Prometo que lo detendré —dijo el detective.

Hennessy se quedó calibrándolo con la mirada durante un buen rato. Despacio, se arrellanó en su butaca.

—Me alivia, señor Bell, tener a un profesional de su talla.

Cuando Hennessy miró a su hija buscando su complicidad, se dio cuenta de que Lillian estaba examinando al rico y bien relacionado detective como si fuera un nuevo coche de carreras que quisiera pedirle por su cumpleaños.

—Hijo… ¿existe una señora Bell?

Bell ya había reparado en el escrutinio de la encantadora joven. Resultaba halagador, y tentador también, aunque no dejó que le afectara. Y no costaba adivinar por qué. Sin duda era el primer hombre que, a los ojos de Lillian, no se sentía intimidado por su padre. De todos modos, entre la fascinación de la mujer y el repentino interés de su progenitor por verla bien casada, decidió que había llegado el momento de dejar sus intenciones claras.

—Estoy prometido, y voy a casarme —respondió Bell.

—¿Ah, sí, prometido? ¿Dónde está ella?

—Vive en San Francisco.

—¿Salió bien parada del terremoto?

—Perdió la casa —contestó Bell de manera críptica.

Seguía vivo en su memoria el recuerdo de la primera noche que Marion y él pasaron juntos. Todo había terminado bruscamente cuando el temblor lanzó su cama hacia el otro extremo de la habitación, y el piano atravesó la pared de la fachada principal y cayó a la calle.

—Marion se quedó al cuidado de unos huérfanos. Ahora que casi todos tienen un hogar, ha aceptado un puesto en un periódico.

—¿Tienen fijada la fecha para la boda? —preguntó Hennessy.

—Pronto —respondió Bell.

Lillian Hennessy pareció tomar ese «pronto» como un reto.

—Estamos muy lejos de San Francisco.

—A mil seiscientos kilómetros —respondió Bell—. El viaje es lento, porque hay que ascender por pendientes muy pronunciadas, dar grandes rodeos y sortear desniveles a través de las montañas Siskiyou. Y ese es, precisamente, el motivo por el que usted está construyendo su Atajo de las Cascadas, que reducirá el trayecto en menos de un día —añadió, cambiando con maestría el tema de las hijas casaderas por el del sabotaje—. Y eso me recuerda que me vendría muy bien disponer de un pase para los ferrocarriles.

—¡Haré algo mucho mejor que eso! —dijo Hennessy poniéndose en pie de un salto—. Tendrá su pase para los ferrocarriles; acceso libre e inmediato a cualquier tren del país. Y además llevará una carta escrita de mi puño y letra por la que lo autorizaré a fletar un tren especial allí donde lo necesite. Ahora trabaja para los ferrocarriles.

—No, trabajo para el señor Van Dorn. Pero le prometo que haré un buen uso de sus prerrogativas.

—El señor Hennessy lo ha equipado a usted con alas —dijo la señora Comden.

—Ojalá supiera, señor Bell, hacia dónde tiene que volar... —dijo sonriendo la hermosa Lillian—. O hacia quién.

La clavija del telégrafo volvió a repiquetear. Bell hizo un gesto de asentimiento a Van Dorn, y ambos salieron del vagón y bajaron al andén. El frío viento del norte barría la estación de ferrocarril arremolinando el humo y la carbonilla.

—Voy a necesitar a muchos de los nuestros.

—Están a tu disposición, si así lo pides. ¿A quién quieres?

Isaac Bell recitó una larga lista de nombres. Van Dorn escuchaba y asentía para dar su aprobación.

—Quiero que la base de operaciones esté en Sacramento —añadió Bell.

—Había pensado que recomendarías San Francisco.

—Por razones personales, sí. Preferiría estar en la misma ciudad que mi novia. Pero Sacramento tiene unas conexiones ferroviarias más rápidas hacia toda la costa del Pacífico y hacia el interior. ¿Podríamos reunirnos en casa de la señorita Anne?

Van Dorn no ocultó su sorpresa.

—¿Por qué quieres que nos encontremos en un burdel?

—Si ese al que llaman Saboteador está en condiciones de enfrentarse a toda una línea de ferrocarril, ha de ser un delincuente con muchos contactos. No quiero que nadie vea reunidas nuestras fuerzas en un lugar público hasta que yo no sepa lo que él sabe y averigüe cuáles son sus fuentes.

—Estoy seguro de que Anne Pound nos hará espacio en su salón trasero —dijo Van Dorn con fría formalidad—, si crees que es la mejor alternativa. Pero ¿has descubierto algo más aparte de lo que le has comentado a Hennessy?

—No, señor. Pero tengo el presentimiento de que el Saboteador está muy atento y vigilante.

Van Dorn contestó asintiendo en silencio. En su experiencia, cuando un detective tan preclaro como Isaac Bell tenía un pálpito, ese presentimiento nacía de unos detalles insignificantes, aunque reveladores, que la mayoría no percibía.

—Siento muchísimo lo de Aloysius —dijo Van Dorn.

—Me ha impresionado fuertemente. Ese hombre me salvó la vida en Chicago.

—Y tú a él en Nueva Orleans —le recordó Van Dorn—, y luego en Cuba.

—Era un detective de primera.

—Sí, sobrio. Pero la habría palmado bebiendo, y de eso tú no lo habrías salvado. Y no porque no lo intentaras.

—Era el mejor —dijo Bell insistiendo con tozudez.

—¿Cómo lo asesinaron?

—Encontraron su cadáver aplastado bajo las rocas. Queda claro que Wish estaba justo en el lugar donde la dinamita detonó.

Van Dorn movió la cabeza con tristeza.

—Los instintos de ese hombre valían su peso en oro. Aun bebido. Lamenté tener que obligarlo a que se marchara.

Bell mantuvo un tono de voz neutro cuando volvió a hablar:

—El arma que llevaba en el costado estaba a varios centímetros de su cuerpo, señal de que la había desenfundado antes de la explosión.

—Pero pudo ir a parar allí por el estallido.

—Era ese viejo revólver del ejército de acción simple, con la típica funda. No se le cayó. Debía de tenerlo en la mano.

Van Dorn rebatió con una fría pregunta la conjetura de Bell de que Aloysius Clarke había intentado evitar el atentado.

—¿Dónde estaba su petaca?

—La llevaba metida en la ropa.

Van Dorn asintió y se dispuso a cambiar de tema, pero Isaac Bell no había terminado todavía.

—Tengo que saber por qué entró en ese túnel. ¿Murió antes o después de la explosión? Subí su cadáver al tren y lo llevé a un médico de Klamath Falls. Me quedé junto a él mientras lo examinaba. El médico me mostró que antes de que Wish quedara aplastado, le habían cortado el cuello con una navaja.

Van Dorn hizo una mueca de disgusto.

—¿Le rebanaron el pescuezo?

—No se lo rebanaron. Se lo perforaron. La navaja le entró por la garganta, se deslizó entre dos vértebras cervicales, le seccionó de cuajo la médula espinal y le salió por la nuca. El médico dijo que fue un corte limpio, como el de un cirujano o el de un carnicero.

—O tan solo fue cuestión de suerte.

—De ser así, el asesino tuvo suerte dos veces.

—¿Qué quieres decir?

—Tumbar a Wish Clarke exigiría tener mucha suerte para empezar, ¿no te parece?

Van Dorn apartó la mirada.

—¿Quedaba algo en la petaca?

Bell dedicó una triste y leve sonrisa a su jefe.

—No te preocupes, Joe; yo también lo habría despedido. Estaba más seca que un pozo vacío.

—¿Lo atacaron de frente?

—Eso parece —contestó Bell.

—Pero has dicho que Wish ya había sacado el arma.

—Es verdad. ¿Cómo pudo alcanzarlo el Saboteador usando una navaja?

—¿Lanzándosela? —propuso, no muy seguro, Van Dorn.

Visto y no visto, Bell metió la mano en su bota y sacó de ella un cuchillo arrojadizo. Jugueteó con la hoja de metal entre los dedos, sopesándolo.

—Se necesitaría una catapulta para lograr que un cuchillo atravesara por completo el cuello de un hombre corpulento.

—Claro… Ve con cuidado, Isaac. Como has dicho, ese tal Saboteador debe de ser un tipo rápido como el rayo para sacar el arma antes que Wish Clarke. Aunque este estuviera bebido.

—Tendrá la oportunidad de demostrarme si es tan rápido como parece —juró Isaac Bell.

4

Las luces eléctricas del paseo marítimo de Venice, en Santa Mónica, iluminaron las jarcias de un buque de tres mástiles amarrado permanentemente a un costado y el perfil del tejado de un gran pabellón. Una banda tocaba «The Gladiator March», de John Philip Sousa, con el tempo acelerado.

El paseante de la playa dio la espalda a aquella música que inspiraba sentimientos enfrentados y caminó por la arena firme hacia la oscuridad. Las luces brillaban entre las olas y proyectaban una sombra espumosa frente a él, mientras su harapienta ropa ondeaba al ritmo del viento frío del Pacífico. La marea había bajado, y él buscaba un ancla que pudiera robar.

Rodeó una aldea de chozas. Los pescadores japoneses que la habitaban habían arrastrado sus botes por la arena hasta dejarlos junto a sus hogares, para poder vigilarlos. Tras la aldea de los japoneses encontraría lo que quería: uno de los botes de pesca que la Sociedad de Salvamento Marítimo de Estados Unidos tenía diseminados por la playa, y que se utilizaban para rescatar a marineros naufragados y a turistas que se alejaban demasiado de la orilla. Los botes estaban completamente equipados para que las tripulaciones voluntarias pudieran lanzarlos al agua en cualquier instante. Abrió la lona y palpó en el interior; reconoció al tacto los remos, los salvavidas, los achicadores de hojalata y, en último lugar, el frío metal de un ancla.

Cargó con ella hacia el muelle. Antes de que las luces lo iluminaran por completo, subió por la pendiente de arena hundiendo los pies con paso cansino y entró en la ciudad. Las calles estaban en silencio y las casas, a oscuras. Esquivó a un vigilante nocturno que patrullaba a pie y enfiló su camino, sin obstáculos, hacia un establo que, como la mayoría de los que había en la zona, iba a ser reconvertido en garaje para vehículos de motor. Los camiones y los automóviles que debían ser reparados estaban aparcados en desorden entre los carromatos, las calesas y los coches de punto. El olor a gasolina se mezclaba con el de la paja y el estiércol.

Era un lugar animado durante el día, frecuentado por palafreneros, cocheros, conductores de carromatos y mecánicos que fumaban, mascaban tabaco y contaban historias. Sin embargo, el único que esa noche seguía aún allí era el herrero. El hombre sorprendió al paseante de la playa dándole un dólar por el ancla. Solo le había prometido cincuenta peniques, pero había estado bebiendo y el whisky, como a tantos otros, lo volvía generoso.

El herrero se ocupó del ancla de inmediato, ansioso por transformarla antes de que alguien se diera cuenta de que era robada. Empezó cortando una de las dos uñas de hierro fundido, golpeándola con el martillo y un cincel en frío hasta desprenderla. Pulió las rebabas para suavizar la fractura irregular. Cuando sostuvo el ancla en alto hacia la luz, lo que quedaba de ella parecía un gancho.

Sudaba, y a pesar de que la noche era fría, se bebió una botella de cerveza y echó un largo trago de su Kellogg's Old Bourbon. Acto seguido empezó a practicar en la tija el agujero que el cliente le había pedido. Perforar hierro fundido era una tarea dura. El herrero se detuvo para recobrar el aliento y se bebió otra cerveza. Cuando por fin terminó, ni siquiera era consciente de que, de haberse tomado otro trago de Kellogg's, se habría horadado la mano en lugar del gancho.

Lo envolvió en la manta que el cliente le había proporcionado y lo metió en la bolsa de cretona. A pesar de que la cabeza le daba vueltas, recogió la uña del ancla que había caído en la arena, junto al yunque. Se estaba preguntando qué iba a hacer con ella cuando el cliente llamó a la puerta con los nudillos.

—Tráela aquí.

El hombre se hallaba de pie entre las sombras, y el herrero apenas fue capaz de distinguir sus afilados rasgos, como le había sucedido la noche anterior. Aun así reconoció su voz potente, su esmerada dicción del Este, sus aires de superioridad, su altura, sus pantalones con tirantes y la levita de caballero de ciudad, con una sola fila de botones, que le llegaba hasta la rodilla.

—¡He dicho que la traigas aquí!

El herrero cargó con la bolsa de cretona y salió.

—¡Cierra la puerta!

El herrero obedeció y permaneció frente al cliente, de espaldas a la luz.

—Gracias, buen hombre —dijo el caballero al coger la bolsa.

—Cuando quiera… —farfulló el herrero, quien se preguntaba qué diablos iba a hacer con la mitad de un ancla un dandi con levita.

Una moneda de oro de diez dólares, el trabajo de una semana en esos tiempos tan duros, destelló entre las sombras. El herrero quiso atraparla al vuelo, pero falló y tuvo que arrodillarse en la arena para recogerla. Notó que el hombre se inclinaba sobre él. Miró hacia arriba, con recelo, y vio que el cliente metía la mano en una de sus botas, tan estropeada que no encajaba con su elegante vestimenta. En ese preciso instante, la puerta que había a su espalda se abrió de golpe y la luz incidió en el rostro del desconocido. El herrero pensó que le resultaba familiar. Tres mozos de cuadra y un mecánico de automóviles salieron tambaleándose por la puerta, borrachos como una cuba, chillando y riendo a carcajadas, cuando lo vieron arrodillado en la arena.

—¡Maldita sea! —gritó el mecánico—. Parece que Jim también ha acabado su botella.

El cliente dio media vuelta y desapareció por el callejón. El herrero no llegó a saber que había estado a un segundo de morir asesinado a manos de un hombre que era capaz de matar por mantenerse a salvo.

Durante la mayor parte de los cuarenta y siete años que la capital del estado de California fue Sacramento, la mansión blanca de Anne Pound, a solo tres manzanas del Capitolio, brindó su agradable hospitalidad a legisladores y miembros de los grupos de presión. Era una edificación grande y muy hermosa, construida en el austero estilo victoriano temprano. Una reluciente carpintería blanca orlaba las torrecillas, los frontones y los remates, los soportales y las barandillas. La puerta principal era de nogal encerado, y un retrato al óleo de la propietaria de la casa en su juventud adornaba el magnífico vestíbulo. La escalera alfombrada en rojo era famosa en los círculos políticos, y todo californiano influyente que se preciara sonreía al oír la frase: «Los escalones que conducen al cielo».

A las ocho de la tarde, la señora en persona, considerablemente envejecida y más gruesa, con su abundante cabellera rubia ya blanca como la carpintería de la mansión, recibía visitas en un sofá burdeos del salón trasero, donde se había instalado entre nubes de seda verde. En la estancia había un gran número de sofás, sillones de gran tamaño, escupideras de latón bruñido, pinturas con marco dorado de bellas jovencitas con poca o ninguna ropa y un exquisito bar con cristalería en los estantes. Esa tarde el salón trasero estaba convenientemente aislado del recinto principal por unas puertas correderas de caoba de ocho centímetros de grosor. Montando guardia, había un hombretón con un elegante sombrero de copa, un antiguo boxeador profesional del que se decía que había noqueado en sus buenos tiempos a Jim Corbett, conocido como Caballero Jim, y que vivía para contarlo.

Isaac Bell tuvo que disimular una sonrisa al ver que Joseph van Dorn perdía los papeles ante la todavía hermosa propietaria. El rubor asomaba tras su barba, rojiza como el bigote. Si bien su valentía frente a los asaltos con violencia había quedado sobradamente demostrada, Van Dorn se comportaba como un hombre timorato en cuestión de mujeres, en particular cuando se relacionaba con ellas. Resultaba obvio que habría preferido estar sentado en cualquier lugar antes que en el salón trasero de la casa de lenocinio que frecuentaba la clase alta de California.

—¿Empezamos? —preguntó Van Dorn.

—Señorita Anne —dijo Bell a la dama, y le tendió la mano con cortesía para ayudarla a levantarse del sofá—, le damos las gracias por su hospitalidad.

Mientras Bell la acompañaba hacia la puerta, ella murmuró con su suave acento virginiano lo agradecida que estaba a la agencia de detectives Van Dorn por haber capturado, de la manera más discreta, a un asesino despiadado que se había ensañado con sus esforzadas chicas. El monstruo, un maníaco al que los hombres de Van Dorn siguieron la pista hasta una de las mejores familias de Sacramento, estaba encerrado de por vida en un manicomio para enfermos mentales con tendencias criminales, y ni el menor indicio de escándalo había alarmado a los clientes de la señorita Anne.

Joseph van Dorn se levantó de su asiento, y con una voz grave y potente dijo:

—Vayamos al grano. Bell se encarga de esta investigación, y sus palabras cuentan con mi respaldo. Isaac, explícales lo que tienes en mente.

Bell iba paseando la mirada entre todos los rostros mientras hablaba. Conocía, personalmente o de oídas, a todos los jefes de agencia de las ciudades del Oeste: Phoenix, Salt Lake, Boise, Seattle, Spokane, Portland, Sacramento, San Francisco, Los Ángeles y Denver. Y lo mismo podía decir de los demás agentes que Van Dorn había reunido allí.

Entre los destacados estaba Horace Bronson, el hercúleo director de la agencia de San Francisco, así como el bajito y gordo Arthur Curtis, con quien Bell había trabajado en el caso del Bandido Carnicero. En el transcurso de aquella investigación, el compañero de Curtis y buen amigo de ambos, Glenn Irvine, había muerto, recordó.

Contaban con Walt Hatfield, a quien llamaban Texas, un antiguo ranger delgado como una escoba y especializado en robos a expresos que les sería de gran utilidad. Lo mismo podía decirse de Eddie Edwards, de Kansas City, un caballero de canas prematuras experto en ahuyentar a las bandas urbanas de las estaciones de mercancía, cuyas vías muertas hacían que los trenes fueran especialmente vulnerables a robos y sabotajes.

El hombre de mayor edad del salón era Mack Fulton, de Boston, de mirada glacial y conocedor de todos los ladrones de cajas fuertes del país. Su compañero era el experto en explosivos Wally Kisley, que llevaba un traje de confección de tres piezas con un llamativo estampado de tablero de ajedrez; parecía un batería de jazz. Mack y Wally formaban un equipo inseparable desde los primeros tiempos de Chicago. Rápidos bromeando y contando chistes, en la agencia se les conocía como Weber y Fields, los famosos actores de vodevil y productores de musicales cómicos de Broadway.

Y por último estaba un buen amigo de Bell, Archie Abbott, de Nueva York, quien sabía infiltrarse y pasar desapercibido como nadie, a tal extremo que había entrado sigilosamente desde la cocina de la señorita Anne vestido como un vagabundo en busca de limosna.

—Si alguien detonara una bomba aquí dentro, todos los forajidos del continente estarían invitando a copas —bromeó Bell.

Cuando las carcajadas cesaron, Walt Hatfield hizo la pregunta que todos deseaban formular:

—Isaac, ¿tienes planeado contarnos por qué estamos metidos en una casa de putas, escondidos como una manada de bueyes en un cañón para burlar el rodeo matutino?

—Porque nos enfrentamos a un saboteador que piensa a lo grande, planea con inteligencia y le importa un carajo si ha de matar a alguien.

—Bueno, considerándolo así...

—Es un asesino despiadado e implacable. Ha hecho tanto daño y ha asesinado a tantos inocentes que los vagabundos lo llaman el Saboteador. Su objetivo parece ser el Atajo de las Cascadas de la Southern Pacific. La compañía de ferrocarriles es el cliente; el Saboteador, el objetivo. La agencia de detectives Van Dorn tiene dos trabajos: proteger al cliente impidiendo que el

Saboteador cause mayores males y atraparlo con pruebas suficientes para que lo cuelguen.

Bell asintió enérgicamente. De un salto, un secretario en mangas de camisa se adelantó y cubrió con un mapa de ferrocarriles un cuadro de ninfas que se daban un baño. El mapa representaba las líneas ferroviarias entre Salt Lake City y San Francisco que daban servicio a California, Oregón, Washington, Idaho, Utah, Nevada y Arizona.

—Para indicarnos los puntos más vulnerables de estas líneas, he invitado a Jethro Watt, superintendente de la policía ferroviaria. Él os pondrá al corriente.

Los detectives reaccionaron refunfuñando con desdén.

Isaac Bell los silenció con una simple mirada.

—Todos conocemos los defectos de los sabuesos del ferrocarril. Pero Van Dorn no tiene el suficiente personal para cubrir mil trescientos kilómetros de vías. Jethro, en cambio, dispone de una información que a nosotros nos estaría vedada. En otras palabras, como alguien de este salón diga algo que haga desistir al superintendente Watt de cooperar de una manera entusiasta con nosotros, responderá ante mí.

Siguiendo las órdenes de Bell, el secretario hizo entrar al superintendente Watt, cuyo aspecto no contradijo las escasas esperanzas que los detectives depositaban en la policía del ferrocarril. Tenía el cabello grasiento y pegado a la frente; la cara, de expresión avinagrada, mal afeitada, y el cuello, mugriento. Vestía un abrigo y unos pantalones arrugados, y llevaba unas botas desgastadas. Los bultos de su ropa evidenciaban las armas de cañón, que ocultaba en los costados, y las porras. Jethro Watt, que era casi tan alto como Isaac Bell y el doble de corpulento, parecía, pues, el prototipo de toda la escoria de la policía del ferrocarril que había en el país. Luego, al abrir la boca, los sorprendió a todos.

—Hay un viejo dicho: «No hay imposibles para la Southern Pacific».

»Lo que los hombres del ferrocarril quieren decir es lo siguiente: nos encargamos de todo. Nivelamos el terreno. Ponemos las vías. Construimos las locomotoras y el material rodante. Levantamos nuestros puentes, cuarenta con la nueva expansión, a los que hay que sumar el del cañón de las Cascadas. Perforamos nuestros túneles; serán cincuenta al terminar. Hacemos el mantenimiento de la maquinaria. Inventamos quitanieves especiales para el invierno de Sierra Nevada, y trenes contra incendios para el verano. Somos una empresa poderosa.

Sin suavizar el tono ni hacer amago de una sonrisa, añadió:

—En la bahía de San Francisco, los pasajeros del transbordador que va del muelle de Oakland a la ciudad afirman que en nuestras salas de máquinas cocemos los roscones que vendemos en los barcos. Tanto si son de su agrado como si no, el caso es que se los comen. La Southern Pacific es una empresa poderosa. Nos guste o no.

Jethro Watt posó un ojo inyectado en sangre en el surtido bar, donde se apilaban varios decantadores de cristal formando una pirámide, y se humedeció los labios.

—Una empresa poderosa tiene muchos enemigos. Si un tipo se levanta de la cama por la mañana con el pie izquierdo, le echa la culpa al ferrocarril. Si pierde la cosecha, le echa la culpa al ferrocarril. Si pierde la granja, también le echa la culpa al ferrocarril. Si el sindicato no le sube el sueldo, ¿de quién es la culpa? Del ferrocarril. Cuando lo despiden por la crisis económica, por la quiebra financiera, ¿a quién le echa la culpa? Al ferrocarril. Si el banco cierra y no puede devolverle su dinero, el culpable es también el ferrocarril. Algunos tipos se vuelven lo bastante locos para montarse un pequeño negocio a costa del expreso, y asaltan convoyes. Pero peor que asaltar un tren es sabotearlo. Es peor, y más difícil de parar, porque una empresa poderosa se convierte en un objetivo titánico.

»El sabotaje de los indignados es la razón de que la compañía haya formado un cuerpo de policías para protegerse. Es un ejército enorme. Pero como en cualquier ejército, necesitamos tantos soldados que no podemos elegir y, a veces, tenemos que reclutar a gente que los más privilegiados llamarían escoria.

Jethro Watt miró con el ceño fruncido a todos los presentes, y la mitad de los detectives casi esperaban que fuera a blandir su porra. Sin embargo, Watt concluyó su discurso con una sonrisa desdeñosa y fría.

—Se nos ha dicho desde arriba que nuestro ejército tiene que asistirles a ustedes, señores detectives. Estamos a su servicio, y mis hombres tienen instrucciones de seguir sus órdenes, caballeros.

»El señor Bell y yo hemos charlado largo y tendido con los mejores maquinistas y superintendentes de la empresa. El señor Bell sabe lo mismo que sabemos nosotros. Para ser más preciso, si el susodicho Saboteador quiere bloquear el Atajo de las Cascadas, puede atacarnos de diferentes maneras a partir del próximo domingo.

Jethro Watt hizo una pausa y prosiguió.

—Puede sabotear un tren forzando las agujas de cambio de vías y alterar el paso de los convoyes. O puede manipular el telégrafo con el que los superintendentes de cada división controlan los movimientos de nuestras máquinas. También puede incendiar un puente. Ya ha dinamitado un túnel, y puede volar otro. Asimismo, puede atacar los talleres y las fundiciones que proporcionan servicio a las obras del atajo, probablemente en Sacramento. Y en Red Bluff, donde fabrican los tirantes tensores para el puente del cañón de las Cascadas.

El superintendente Watt continuó con su enumeración.

—Puede incendiar nuestros depósitos de locomotoras cuando hay varias máquinas pasando la revisión. Puede poner minas en los raíles… Y si tiene éxito y hay muertos, el pánico cundirá entre nuestros hombres. De modo que, a petición del señor Bell, hemos enviado a nuestro ejército a los puntos donde el ferrocarril corre más riesgo. Nuestros soldados están en posición y esperan sus órdenes, caballeros. Ahora el señor Bell les señalará cuáles son esos puntos vulnerables mientras yo me sirvo un trago.

Watt atravesó el salón sin excusarse y fue directamente al mueble bar.

—Escuchad atentamente —dijo Bell—. Nos han quitado trabajo de encima.

A medianoche, las solemnes palabras de los hombres de Van Dorn habían sido sustituidas por las risas de las chicas en el salón trasero de la señorita Anne. Los detectives se habían dispersado escabulléndose hacia sus hoteles, solos o en pareja. Isaac Bell y Archie Abbott se habían quedado solos. En la biblioteca, una habitación sin ventanas en el interior de la mansión, ambos siguieron tomando copas frente a los mapas del ferrocarril.

Archie Abbott puso en entredicho su disfraz de vagabundo al servirse un brandy Napoleon de doce años en una copa de balón y apreciarlo olfativamente con el refinamiento de un sibarita.

—Weber y Fields se han marcado un tanto con los robos a los almacenes de pólvora. Los explosivos que faltan son una señal de alarma.

—A menos que el tipo los compre en una tienda.

Archie levantó la copa para hacer un brindis.

—¡Destruyamos al Saboteador! ¡Que el viento azote su cara y un sol de justicia lo deje ciego!

Por su acento, podría haberse dicho que Archie procedía de los bajos fondos de Nueva York. Pero Archie contaba con un gran número de acentos que adoptaba según su disfraz. Solo se hizo detective cuando su familia, de sangre azul pero arruinada desde la quiebra financiera de 1893, le prohibió ser actor. El día que se conocieron, Isaac Bell boxeaba para Yale, y la nada envidiable tarea de defender el honor de Princeton recaía en Archibald Angell Abbott IV.

—¿Las bases están cubiertas?

—Eso parece.

—¿Por qué no te veo contento, Isaac?

—Como ha dicho Watt, el ferrocarril es colosal.

—Ah, sí. —Abbott dio un sorbo a su brandy y volvió a inclinarse sobre el mapa. Frunció el entrecejo—. ¿Quién vigila las estaciones de Redding?

—Lewis y Minalgo eran los que estaban más cerca —dijo Bell, visiblemente insatisfecho con su respuesta.

—Y el primero era un flojo… —Archie citó el popular poema sobre béisbol «Casey al bate», de Ernest Thayer—. Y el segundo era un blando —añadió.

Bell asintió.

—Los trasladaré a Glendale —dijo tras repasar mentalmente su lista—. Y pondré a Hatfield a cargo de Redding.

—¿A Glendale? Yo los trasladaría a México.

—Y yo si pudiera prescindir de ellos. Pero Glendale está muy lejos. No creo que tengamos que preocuparnos demasiado. Está a mil cien kilómetros de la ruta de las Cascadas… —Sacó su reloj de oro—. Es suficiente por hoy. Sobra una habitación en la suite de mi hotel. Si puedo colarte sin que el sabueso de la casa te vea vestido con esta pinta…

Abbott hizo un gesto de negación.

—Gracias, pero cuando entré, la cocinera de la señorita Anne me prometió que me daría de cenar a medianoche.

Bell sacudió la cabeza.

—Solo tú, Archie, podrías pasar la noche en una casa de putas y dormir con la cocinera.

—He echado un vistazo al horario de los trenes —dijo Abbott—. Da recuerdos a la señorita Marion de mi parte. Dispones de tiempo para coger el rápido nocturno que va a San Francisco.

—Eso planeaba hacer —dijo Bell, y salió con paso decidido, perdiéndose en la oscuridad en dirección a la estación de ferrocarril.

5

A medianoche, bajo un cielo estrellado, un hombre vestido con un traje y un sombrero flexible como el de los empleados oficiales del ferrocarril accionaba con las manos y los pies un velocípedo Kalamazoo de tres ruedas, ideado para inspeccionar el tendido viario. Se deslizaba con suavidad sobre los raíles entre Burbank y Glendale, por el tramo recién completado de vías correspondiente a la línea de San Francisco a Los Ángeles. Accionando la manivela adelante y atrás y pedaleando, circulaba a más de treinta kilómetros por hora inmerso en un silencio sobrecogedor, interrumpido tan solo por el traqueteo rítmico de las ruedas al pasar sobre las juntas de los raíles.

El velocípedo se utilizaba para vigilar a las cuadrillas de obreros que sustituían las traviesas desgastadas o podridas, apisonaban el balasto entre ellas, alineaban raíles, remachaban los clavos aflojados y ajustaban los pernos de las vías. Su estructura, con dos ruedas principales y un balancín que las conectaba a una tercera, en el otro extremo, era de fresno, material tan resistente como ligero; las bandas de rodamiento eran de hierro fundido. El vehículo pesaba menos de setenta kilos. Un hombre podía levantarlo a pulso, sacarlo de los carriles y situarlo en sentido contrario, o colocarlo fuera de la vía si se acercaba un tren. Al Saboteador, que era cojo solo cuando lo requería el disfraz, no le costaría nada volcarlo por un terraplén cuando hubiera terminado de usarlo.

Bien sujetos en el asiento vacío contiguo había una palanca, unas tenazas de traviesas, un sacaclavos y un instrumento que ninguna cuadrilla de obreros se habría atrevido a abandonar en los raíles. Se trataba de un gancho, de unos sesenta centímetros de largo, hecho a partir de un ancla de hierro fundido al que le habían arrancado una de las uñas.

Había robado el velocípedo en el edificio de tablones de madera en el que el inspector de zona de la Southern Pacific lo guardaba, situado en un extremo del depósito de carga de Burbank, y lo había llevado hasta los raíles. En el caso improbable de que un sabueso del ferrocarril o un policía del pueblo le preguntara qué hacía circulando por la vía principal a medianoche, el traje y el sombrero le concederían el beneplácito de la duda durante un par de segundos. Tiempo de sobra para dar una respuesta silenciosa con la navaja que llevaba en la bota.

Conforme dejó atrás las luces de Burbank y fue pasando frente a oscuras granjas, el hombre se adaptó con rapidez a la luz de las estrellas. Media hora después, a dieciséis kilómetros al norte de Los Ángeles, aminoró la marcha al reconocer los ángulos irregulares y el tupido entramado de un puente de hierro que salvaba el cauce de un río seco. Cruzó con lentitud. Los raíles se curvaban de manera abrupta hacia la derecha para discurrir en paralelo al lecho del río.

Se detuvo a unos metros cuando las ruedas impactaron en la junta de empalme de dos carriles. Descargó las herramientas y se arrodilló en el balasto sobre una traviesa. Palpando a oscuras la distancia entre los raíles, localizó la eclisa, la plancha de metal que reforzaba el empalme. Aflojó el enorme clavo que sujetaba la placa de asiento a la traviesa con ayuda del sacaclavos. A continuación, usó las tenazas para soltar las tuercas de los cuatro pernos que fijaban la eclisa a los raíles, y los arrancó. Lanzó tres pernos con sus tuercas y la eclisa por el terraplén, donde ni siquiera el maquinista con mejor vista podría verlos con la linterna de su gorra. Finalmente, pasó el último perno por el agujero de la tija de su gancho.

Blasfemó al notar una súbita punzada de dolor.

Se había cortado el dedo con una rebaba del metal. Al tiempo que maldecía al herrero borracho por no haberse molestado en limar bien la pieza, se lo envolvió con un pañuelo. Con torpeza, terminó de atornillar la tuerca al perno. A continuación, y con la tenaza, la apretó con fuerza para que el gancho quedara en pie. La parte abierta daba al oeste, la dirección por la que llegaría el tren semidirecto de la línea costera.

El tren de la línea costera era un *flyer*, uno de los trenes que conectaba distintas ciudades. Había salido de Santa Bárbara y se dirigía a Los Ángeles a través de los túneles recién construidos en las montañas de Santa Susana, tras haber pasado por Oxnard, Burbank y Glendale.

De repente, el Saboteador notó que el raíl vibraba y se puso en pie de un brinco. El semidirecto de la línea costera tenía que llegar con retraso esa noche. Si ese era el tren, había recuperado gran parte del tiempo perdido. Si no lo era, todos sus esfuerzos, y el gran riesgo que había corrido, servirían para descarrilar un insignificante tren lechero.

Se oyó el gemido del silbato del tren. Con suma rapidez, el Saboteador arrancó los clavos del carril fijados en las traviesas de madera. Consiguió soltar ocho haciendo palanca antes de ver el resplandor de un faro en la vía férrea. Lanzó la herramienta al terraplén, saltó al velocípedo y pedaleó con fuerza. Se oía ya la locomotora. A lo lejos el sonido era débil, pero reconoció el claro, limpio y agudo resoplido de una Atlantic 4-4-2. Era el tren semidirecto, por supuesto, y pudo calcular, por el rápido ritmo del vapor que escapaba de la chimenea, que se aproximaba a toda prisa.

La locomotora Atlantic 4-4-2 que tiraba del convoy semidirecto de la línea costera se había construido para ser veloz.

Su maquinista, Rufus Patrick, estaba entusiasmado con ella. La Compañía Americana de Locomotoras de Schenectady, en Nueva York, la había equipado con unas enormes ruedas de tracción de veinte centímetros, y podía circular a cien kilómetros por hora. Llevaba el furgón del motor delante, de cuatro ruedas, que la mantenía con firmeza sobre la vía, y un furgón detrás, de dos ruedas, con una caldera enorme que generaba una gran cantidad de vapor a altas temperaturas.

Rufus Patrick estaba dispuesto a admitir que la locomotora no era tan fuerte como parecía. Los vagones nuevos de acero que arrastraba, de un peso mayor que los antiguos, pronto exigirían una Pacific, más poderosa. A su locomotora le costaba subir las pendientes en las montañas. Sin embargo, reconocía que era imbatible a toda velocidad por terrenos llanos. Arrastraba rápidos de primera, con vagones de madera para los pasajeros, y recorría largas distancias. Se había cronometrado a su hermana gemela el año anterior, y marcó doscientos kilómetros por hora, una velocidad récord que era poco probable que mejorara a corto plazo, pensó Patrick. Y menos en lo que concernía a él, ni siquiera esa noche, que iban con retraso, y mucho menos cuando llevaba diez vagones de pasajeros que deseaban llegar a casa sanos y salvos. A cien iban perfectamente, recorriendo un kilómetro y medio por minuto.

La cabina de la locomotora iba atestada de gente. Aparte de Rufus Patrick y su calderero, Zeke Taggert, había dos hombres más: Bill Wright, miembro del Sindicato de Trabajadores de la Electricidad y amigo de Rufus, y Billy, sobrino del primero, a quien su tío acompañaba a Los Ángeles para que empezara a trabajar como aprendiz en un laboratorio de revelado de películas de celuloide para el cine. En la última parada para repostar agua, Rufus había ido al vagón de equipaje, donde sus dos amigos viajaban clandestinamente, y los invitó a subir a la cabina.

Billy, que tenía catorce años, no cabía en sí de felicidad. Llevaba toda la vida soñando despierto con los trenes que pasaban atronando frente a su casa, y no había pegado ojo en toda la noche por la emoción del viaje. Pero nunca se habría imaginado que pudiera ir delante, en la cabina. La gorra de rayas del señor Patrick era como las que Billy veía en el cine, y era el hombre más seguro y calmado que conocía. El maquinista le había estado explicando en todo momento las diferentes maniobras que realizaba. Mientras hacía sonar el silbato un par de veces, Rufus volvió a poner en marcha el tren.

—¡Nos movemos, Billy! Tiro hacia delante, a tope, esta barra Johnson. Adelante, hasta el fondo, y avanzaremos; hacia atrás, del todo, y retrocederemos. Podemos ir igual de rápido hacia delante que hacia atrás.

Patrick sujetó una larga barra horizontal.

—Ahora abro el regulador y envío vapor a los cilindros para que giren las ruedas de tracción, y luego abro la válvula del depósito de arena para adherirnos a los raíles. Voy a tirar del regulador; así no arrancaremos demasiado deprisa. ¿Notas que ahora avanzamos sobre las vías sin que las ruedas patinen?

Billy asintió con entusiasmo. La locomotora cobraba velocidad con suavidad mientras Patrick abría la válvula del regulador.

Cerca de Glendale, a pocos kilómetros de Los Ángeles, el maquinista hizo sonar el silbato en los pasos a nivel para impresionar al muchacho.

—Es la mejor locomotora que hay. Es una buena máquina de vapor, y se maneja bien.

Zeke Taggert, que llevaba un buen rato metiendo paletadas de carbón en el rugiente fogón, cerró la portezuela de un golpe y se sentó para recuperar el aliento. Era un hombre negro muy corpulento; estaba cubierto de grasa y apestaba a sudor.

—Billy —espetó con una voz atronadora—, ¿ves ese cristal de ahí? —Taggert dio unos golpecitos sobre un indicador—. Es la ventanilla más importante del tren. Indica el nivel del agua que hay en la caldera. Si el agua baja demasiado, la parte de arriba se calienta, se funde y entonces… ¡Bum!, explota y nos envía al otro mundo.

—No le hagas caso, Billy —dijo Patrick—. El trabajo de Zeke es asegurarse de que el fogón esté lleno. Detrás, llevamos un ténder repleto de agua.

—¿Por qué el regulador está en el medio? —preguntó Billy.

—Lo ponemos en el medio cuando circulamos. Ahora mismo no necesitamos más vapor para ir a cien kilómetros por hora. Si lo empujaras hacia delante, circularíamos a doscientos.

El maquinista guiñó un ojo al tío del muchacho.

—La palanca del regulador también nos ayuda a gobernar la máquina en las curvas cerradas. Zeke, ¿ves si se acercan curvas?

—Hay un puente de caballete delante, Rufus. Y una curva cerrada al salir.

—Cógela tú, hijo.

—¿Qué?

—Conduce tú en la curva. ¡Rápido, ahora! Agarra la palanca fuertemente. Saca la cabeza por aquí y presta atención.

Billy cogió el regulador con la mano izquierda y sacó la cabeza por la ventanilla como había hecho el maquinista.

El regulador estaba caliente, y vibraba en su mano como si estuviera vivo. El haz de luz del faro de la locomotora destellaba en los raíles. Se aproximaban al puente, y a Billy le pareció muy estrecho.

—Debes darle un toque muy ligero —le advirtió Rufus, y de nuevo hizo un guiño a los dos hombres—. Casi no tienes que mover la palanca. Despacio. Despacio… Sí, le estás cogiendo el truco. Pero haz que el regulador se quede en medio, en el punto justo.

Zeke y el tío Bill intercambiaron una sonrisa.

—Cuidado, ahora… Sí, lo estás haciendo muy bien. Déjala ir un poco más y…

—¿Qué es eso de ahí delante, señor Patrick?

Rufus Patrick miró hacia donde le indicaba el muchacho.

El haz de luz frontal de la locomotora proyectaba sombras y reflejos en el entramado de la vía férrea, y costaba ver de qué se trataba. Probablemente sería una sombra. De repente, el faro destelló sobre un cuerpo extraño.

—¿Qué caraj…? —Patrick se reprimió ante el chico y mentó al diablo.

Era un pedazo de metal que salía del carril derecho como si una mano asomara de una tumba.

—¡Acciona el freno de aire! —gritó Patrick al calderero.

Zeke se abalanzó sobre la palanca y tiró de ella con toda su fuerza. El tren aminoró la marcha de una manera tan violenta que pareció que había chocado contra un muro. Pero la sensación solo duró un momento. Un instante después, el peso de diez vagones cargados de pasajeros y un ténder con toneladas de carbón y agua hizo que la locomotora saliera despedida hacia delante.

Patrick sujetó con su experimentada mano la palanca del aire. Accionó los frenos con el delicado toque de un relojero y deslizó hacia atrás la barra Johnson. Las enormes ruedas de tracción chirriaron al maniobrar, soltaron chispas y desprendieron esquirlas de metal de los raíles. Los frenos y la tracción trasera contuvieron el avance del veloz tren de la línea costera, pero era demasiado tarde. La Atlantic 4-4-2, con sus ruedas enormes, gimió al atravesar el puente y fue a parar sobre el gancho a una velocidad que todavía era de sesenta kilómetros por hora. Patrick solo acertó a rezar por que el apartavacas, la estructura metálica acoplada en el frontal de la locomotora, desviara el gancho a un lado antes de que se enganchara al eje delantero del furgón del motor.

Sin embargo, el gancho de hierro que el Saboteador había atornillado al raíl suelto aferró el apartavacas en un abrazo mortal. Un tramo del raíl derecho se soltó, y la locomotora, de ochenta y cuatro toneladas, avanzó rebotando sobre las traviesas de madera y el balasto a sesenta kilómetros por hora.

La velocidad, el peso y la inercia partieron los bordes de la vía y redujeron a astillas las traviesas. Las ruedas quedaron suspendidas en el aire y el furgón del motor empezó a inclinarse. El ténder se vio arrastrado y tiró del coche de equipaje, y este se llevó el primer vagón de pasajeros antes de que el acoplamiento del segundo vagón se rompiera.

Entonces, y casi milagrosamente, la locomotora pareció enderezarse. Pero fue una breve tregua. Empujada por el peso del ténder y de los vagones, la máquina giró, volcó y resbaló por el terraplén, y siguió deslizándose hasta incrustar su destrozado apartavacas y su faro en el fondo rocoso del cauce seco del río.

Al final se detuvo, inclinada en un ángulo pronunciado y cabeza abajo, dejando el furgón que arrastraba suspendido en el aire. El agua de la caldera sellada, sobrecalentada a una temperatura de 190 °C, surgió como un surtidor por la placa superior, situada en la parte trasera del generador.

—¡Salid! —gritó el maquinista—. ¡Salid antes de que explote!

Bill estaba inconsciente, recostado contra la caldera. El joven Billy, medio aturdido, se encontraba sentado en la plataforma del maquinista y sostenía la cabeza a su tío. La sangre le resbalaba entre los dedos.

Patrick y Zeke se habían preparado para recibir el impacto y no tenían heridas de consideración.

—Coge a Bill —dijo Patrick al corpulento calderero—. Yo me ocupo del chico.

Patrick se puso a Billy bajo el brazo como si fuera un saco y bajó a tierra. Zeke se colocó sobre el hombro a Bill Wright, saltó de la máquina y echó a correr por la pronunciada pendiente de grava. Patrick tropezó, y Zeke lo sostuvo a él y al chico con su brazo libre. De repente, cesaron los ruidos del impacto, y solo se oían los gritos de los pasajeros heridos del primer vagón, que estaba reventado y abierto como un enorme regalo de Navidad.

—¡Corre!

El fuego de carbón que Zeke Taggert se había esforzado tanto en alimentar a paletadas seguía ardiendo con furia bajo la chapa de metal de la locomotora, y los 1.200 °C necesarios para lograr que hirviesen siete mil quinientos litros de agua continuaban calentando el acero. Y dado que la caldera no disponía ya de líquido que absorbiera el calor, pasó asimismo de los 300 °C habituales a los 1.200 °C. A esa temperatura, la placa de doce milímetros se derritió como mantequilla en una sartén.

La presión del vapor dentro de la caldera era de noventa kilos por centímetro cuadrado, catorce veces más que la presión exterior. El vapor cautivo tardó tan solo unos segundos en buscar un punto débil y perforar la placa superior.

A pesar de la fuga, nueve mil litros de agua a una presión de 190 °C se transformaron en vapor en el instante en que entraron en contacto con el aire frío de Glendale. Su volumen se multiplicó seiscientas mil veces. A la velocidad del rayo, nueve mil litros de agua se evaporaron y se transformaron en once millones de litros de vapor. Este, atrapado en el interior del generador de la Atlantic 4-4-2, se expandió con un ruido ensordecedor. La locomotora de acero explotó, convertida en millones de fragmentos de metralla.

Billy y su tío nunca supieron lo que les pasó. Y tampoco el mensajero de la Wells Fargo Express que viajaba en el vagón de equipaje, ni los tres amigos que jugaban a póquer descubierto en la parte delantera del vagón pullman que había descarrilado. Pero Zeke Taggert y Rufus Patrick, que conocían la causa y la naturaleza de esas explosiones tan devastadoras como un tornado, sintieron un dolor indescriptible cuando el vapor los alcanzó. Un segundo después, la caldera reventó y segó sus vidas también.

Con el sonido metálico del hierro al impactar contra la piedra y el crujido de la madera de fresno al astillarse, el velocípedo Kalamazoo se despeñó por el terraplén de la línea férrea.

—¿Qué diantres es eso?

Jack Douglas, que tenía noventa y dos años, era un pionero del ferrocarril. Y un veterano, ya que había luchado contra los indios para defender el derecho de paso de la primera línea del Oeste. La empresa lo mantenía en sus filas por algún extraño sentimiento, y le dejaba actuar como una especie de vigilante nocturno. Douglas patrullaba la silenciosa estación de ferrocarril de Glendale con una pesada Colt 44 de acción simple en la cadera. Con una mano huesuda y de venas marcadas, sacó el arma de la vieja funda con la naturalidad que le daba la práctica de tantos años.

El Saboteador arremetió contra él con una rapidez sorprendente. Lo embistió de manera tan eficaz que habría cogido desprevenido a un hombre de su misma edad. El vigilante no tuvo la menor oportunidad. El estoque oculto en la navaja le perforó el cuello, y se desplomó en el suelo.

El Saboteador miró el cuerpo con indignación. Era lo más

ridículo que podía pasarle. Un simple viejo, que tendría que haber estado en la cama desde hacía horas, lo había sorprendido. Se encogió de hombros y sonrió.

—Hombre prevenido vale por dos —murmuró.

Se sacó un papel del bolsillo, lo arrugó y formó una pelota. Se arrodilló junto al cuerpo del viejo Douglas, le abrió la mano y puso entre sus dedos la bola de papel.

Siguiendo por varias calles vacías y oscuras se llegaba a un punto en que los raíles de la Southern Pacific cruzaban los de la línea de Los Ángeles a Glendale de la compañía Electric Railway. Sus grandes tranvías verdes para el transporte interurbano de pasajeros no circulaban pasada la medianoche. Con todo, aprovechando la electricidad nocturna, que resultaba barata al contratar un gran suministro, la línea sí se dedicaba a transportar carga.

Ojo avizor por si se acercaba la policía, el Saboteador subió a bordo de un vagón del tranvía repleto de bidones de leche y cajas de zanahorias tiernas con destino a Los Ángeles.

Clareaba el día cuando, de un salto, se apeó del tren y entró en la ciudad. Encaminó sus pasos por la calle Dos Este. La cúpula de La Grande, la estación de ferrocarril de estilo morisco de Atchison, Topeka y Santa Fe, se perfilaba en el amanecer, de un rojizo exuberante. El Saboteador retiró una maleta de la consigna y se quitó la polvorienta ropa en el servicio de caballeros. A continuación, subió al rápido que iba de Santa Fe a Albuquerque y se dirigió al vagón restaurante, donde se sentó a una mesa dispuesta con vajilla de plata y porcelana para desayunar un bistec con huevos y unos panecillos recién horneados.

Cuando la locomotora cobraba velocidad, el revisor del expreso entró y exigió en tono apremiante a los pasajeros que le mostrasen sus billetes.

Emulando los ademanes bruscos de un hombre que viaja con regularidad por motivos de trabajo, el Saboteador no se molestó en levantar la vista de su ejemplar de *Los Angeles Times*. Con la cabeza gacha para ocultar el rostro, se limpió las manos en una delicada servilleta de lino y sacó la cartera.

—¡Se ha cortado en el dedo! —exclamó el revisor al ver la mancha de sangre.

—Sí, mientras afilaba mi navaja de afeitar —respondió el Saboteador sin apartar la mirada del periódico y maldiciendo para sí al herrero borracho, a quien más le habría valido asesinar.

6

Eran las tres de la madrugada cuando Isaac Bell se apeó del tren en marcha en la terminal marítima del muelle de Oakland. Era el final de trayecto para los pasajeros que se dirigían al Oeste, un brazo de roca de un kilómetro y medio de longitud que la línea de ferrocarriles Southern Pacific había construido en la bahía de San Francisco. El muelle se adentraba otro kilómetro y medio más en la bahía para facilitar el traslado de la mercancía de los vagones de carga a las embarcaciones y las plataformas flotantes que los transportaban a la ciudad. Los pasajeros dejaban el tren en ese punto para coger el transbordador.

Bell echó a correr para embarcar, al tiempo que escrutaba la ajetreada terminal en busca de Lori March, una vieja granjera a quien siempre compraba flores. En el fondo del bolsillo donde llevaba el reloj guardaba también la llave plana de seguridad del apartamento de Marion Morgan.

Unos chiquillos con briznas de paja en el pelo, muestra de haber dormido sobre el heno de alguna gabarra, gritaban con una voz estridente y aguda: «¡Extra, extra!», mientras blandían con cara somnolienta las ediciones especiales de todos los periódicos que se editaban en San Francisco.

Un titular atrajo poderosamente la atención de Isaac Bell e hizo que se detuviera en seco.

Bell sintió que se le retorcían las entrañas. Glendale estaba a unos mil cien kilómetros del Atajo de las Cascadas.

—Señor, Bell. Señor Bell...

Tras el repartidor de periódicos había un hombre de la agencia que Van Dorn tenía en San Francisco. No parecía mucho mayor que el muchacho que vendía los rotativos. Tenía el pelo castaño y aplanado por la almohada, y una arruga en la mejilla de haber estado durmiendo. Sus claros ojos azules estaban muy abiertos, sin duda a causa del nerviosismo.

—Me llamo Dashwood, señor Bell. De la agencia de San Francisco. El señor Bronson me dejó al cargo cuando se llevó al equipo a Sacramento. No volverán hasta mañana.

—¿Qué sabes del tren semidirecto?

—Acabo de hablar con el supervisor de la policía ferroviaria de Oakland. Al parecer, colocaron dinamita en la locomotora y la máquina explotó por los aires.

—¿Cuántos muertos?

—Sesenta, de momento. Cincuenta heridos y algunos desaparecidos.

—¿Cuándo sale el próximo tren a Los Ángeles?

—Hay un rápido que parte dentro de diez minutos.

—Lo cogeré. Telefonea a la agencia de Los Ángeles. Diles de mi parte que vayan al lugar del sabotaje, y que procuren que nadie toque nada. Ni siquiera la policía.

El joven Dashwood se inclinó hacia él, como si quisiera transmitir una información que ignoraran los repartidores de periódicos, y susurró:

—La policía cree que el saboteador del tren murió en la explosión.

—¿Qué?

—Un agitador sindicalista llamado William Wright. Está claro que era un radical.

—¿Quién ha dicho eso?

—Todo el mundo.

Isaac Bell echó un vistazo a los titulares de los periódicos que blandían los repartidores.

UNA PROEZA DE COBARDES.

LA LISTA DE MUERTOS VA EN AUMENTO.

SE HAN COBRADO VEINTE VIDAS.

UNOS SABOTEADORES DE TRENES DINAMITAN
UNA LOCOMOTORA.

UN EXPRESO CAE EN EL CAUCE SECO DE UN RÍO

Sospechó que el que más debía de ajustarse a la realidad era el último de ellos. Todo lo demás era pura especulación. ¿Cómo podía saberse el número de muertos en un sabotaje que había ocurrido unas horas antes, a ochocientos kilómetros de distancia? No le sorprendió que el morboso titular que aludía a los fallecidos estuviera en la primera página del periódico sensacionalista de Preston Whiteway, un hombre que nunca permitía que los hechos se interpusieran en el camino de las ventas. Marion Morgan acababa de estrenarse como ayudante del director en el *San Francisco Inquirer*.

—¡Dashwood! ¿Cuál es tu nombre de pila?

—Jimmy… James.

—Muy bien, James. Esto es lo que vas a hacer. Averigua cuanto puedas sobre el señor William Wright que los demás no sepan ya. ¿A qué sindicato pertenecía? ¿Era miembro del mismo? ¿Cuáles serían los cargos contra él? ¿Tuvo compinches? —Bajó los ojos hacia Dashwood y lo miró fijamente—. ¿Puedes hacer eso por mí?

—Sí, señor.

—Es vital que sepamos si trabajaba solo o con una banda. Tienes mi permiso para llamar a todos los hombres de Van Dorn que necesites. Mándame tu informe por telégrafo a cargo de la estación de Burbank, de la Southern Pacific. Lo leeré cuando baje del tren.

Cuando el rápido de Los Ángeles partió de los muelles entre

vaharadas de vapor la niebla era espesa, e Isaac Bell no consiguió ver las luces eléctricas de San Francisco que parpadeaban al otro lado de la bahía. Comprobó en su reloj que el tren había salido a tiempo y lo guardó en su bolsillo. Al hacerlo, palpó la llave de latón del apartamento de Marion. Había planeado sorprenderla con una visita en plena noche. En cambio, era él el sorprendido por una mala noticia. Las actividades del Saboteador eran de mayor alcance de lo que había supuesto. Y más gente inocente había muerto.

El crudo sol de mediodía del sur de California iluminaba el escenario de la tragedia dándole una magnitud que Isaac Bell desconocía. La parte delantera de la locomotora del tren semidirecto de la línea costera estaba inclinada hacia delante, intacta y en ángulo pronunciado, en el cauce de un río seco al fondo del terraplén de la línea ferroviaria. El apartavacas, el faro y la chimenea eran fáciles de identificar. Pero tras ellos, donde debería estar el resto de la locomotora, lo único que quedaba era una maraña de tubos del generador y un amasijo de conductos. Unas noventa toneladas de material, entre la caldera de acero, el hogar, la cabina, los pistones y las ruedas de tracción, habían desaparecido.

—Los pasajeros se han salvado por los pelos —dijo el director de mantenimiento y operaciones de la Southern Pacific que acompañaba a Bell en la inspección.

El hombre, corpulento y de vientre abultado, que no lograba disimular su sobrio traje de tres piezas, parecía francamente sorprendido de que la cifra de muertos no se hubiera disparado más allá de los siete fallecimientos confirmados. Los pasajeros habían sido trasladados a Los Ángeles en un tren de relevo. El vagón hospital de la Southern Pacific seguía en la vía principal sin prestar servicio apenas, y el médico y la enfermera poco tenían que hacer salvo vendar las ocasionales heridas de los trabajadores del ferrocarril que reparaban la infraestructura para volver a dejarla operativa.

—Nueve vagones se mantuvieron en los raíles —explicó el

director—. El ténder y el vagón de equipaje los protegieron del impacto directo de la explosión.

Bell pudo ver que ambos habían desviado tanto la onda expansiva como los escombros que habían saltado por los aires. El ténder, con el cargamento desparramado por sus destrozados costados, no parecía tal sino, antes bien, una montaña de carbón. El vagón de equipaje estaba acribillado como si hubiera sido bombardeado por la artillería. A pesar de todo, Bell no identificó las señales evidentes de una explosión de dinamita.

—La dinamita no hace explotar una locomotora de esta manera.

—Por supuesto que no. Lo que está viendo son las consecuencias de la explosión de la caldera. El agua salió a chorro hacia delante cuando la locomotora se inclinó hacia abajo y reventó la parte superior.

—¿Quiere decir que el convoy descarriló primero?

—Eso parece.

Bell clavó en el director su fría mirada.

—Un pasajero informó de que el tren iba muy deprisa y tomaba las curvas a toda velocidad.

—Tonterías.

—¿Está seguro? —insistió Bell—. Iba con retraso.

—Conocí a Rufus Patrick. El mejor maquinista de la línea.

—¿Por qué se salió entonces de las vías?

—Porque recibió ayuda. De ese malnacido, el sindicalista.

—Enséñeme en qué tramo descarriló —dijo Bell.

El director acompañó a Bell hasta el lugar donde la vía desaparecía. A continuación, había un reguero de traviesas astilladas y una profunda rodada en el balasto que habían hollado las ruedas de tracción al esparcir la grava.

—Esa serpiente sabía lo que hacía, se lo aseguro.

—¿Qué quiere decir?

El corpulento ejecutivo de la Southern Pacific se metió los pulgares en el chaleco y empezó su explicación.

—Hay muchas maneras de hacer descarrilar un tren, y las he visto todas. Fui maquinista en los años ochenta, durante las grandes huelgas, aquellas en las que corrió la sangre, como recordará… o puede que no, es usted demasiado joven. Créame si le digo que había muchos sabotajes por aquel entonces. Y fue muy duro para los compañeros que, como yo, nos pusimos del bando de la empresa y tuvimos que conducir un tren sin saber cuándo conspirarían los huelguistas para arrancarnos los raíles de debajo de las ruedas.

—¿Qué maneras conoce para hacer descarrilar un tren? —insistió Bell.

—La primera, minar la vía con dinamita. El problema es que hay que estar cerca para encender la mecha. Aunque puede construirse un temporizador con un despertador a fin de contar con el tiempo suficiente para escapar, pero si el tren lleva retraso explotará en mal momento. También es posible colocar un detonador para que se accione con el peso de la máquina; sin embargo, esos chismes no son de fiar, y puede pasar un pobre inspector de vías con su carretilla y salir despedido hacia el más allá. Otra manera es hacer palanca en las fijaciones de algunas traviesas y desatornillar los pernos que sujetan la eclisa que une los raíles, pasar un cable largo por los agujeros de esos pernos y tirar de él cuando llegue el tren. No obstante, se necesitan varios hombres fuertes para mover el raíl. Además, el que sostiene el cable debe estar cerca de las vías, desprotegido cuando la locomotora descarrila. Pero este diablo usó un gancho que está hecho casi a prueba de tontos.

El director mostró a Bell las marcas de las traviesas donde el sacaclavos había mellado la madera. Luego le enseñó los arañazos de las tenazas en el último raíl.

—Hizo palanca para sacar los pernos y desatornilló la eclisa, como le he dicho. Encontramos sus herramientas en el fondo del terraplén. En una curva es posible que se mueva un raíl que no está fijo. Pero para asegurarse, ese tipo metió un gancho en ese tramo suelto. La locomotora lo atrapó y arrancó el raíl de debajo. Diabólico.

—¿Qué clase de hombre sabría hacer algo tan eficaz?

—¿Eficaz? —El director torció el gesto.

—Usted ha asegurado que él sabía lo que hacía.

—Sí, entiendo lo que quiere decir. Bueno, puede tratarse de un ferroviario. O incluso de un ingeniero de caminos. Y por lo que he oído sobre la explosión del túnel del atajo, para demoler el pionero y el principal con una sola carga, ese tipo debe de saber bastante sobre geología.

—Pero el sindicalista muerto que se ha encontrado aquí era electricista.

—Sus colegas radicales del sindicato debieron de enseñarle cómo hacerlo.

—¿Dónde estaba el cuerpo del sindicalista?

El director señaló un árbol alto situado a unos seis metros. La explosión de la caldera le había arrancado las hojas, y las desnudas ramas ofrecían sus garras al cielo como una mano esquelética.

—Lo encontramos con el del pobre calderero, en lo alto de ese sicomoro.

Isaac Bell apenas echó un vistazo al árbol. En el bolsillo llevaba el informe de James Dashwood sobre William Wright. Era tan detallado que el joven Dashwood recibiría un ascenso y una palmadita en el hombro la próxima vez que lo viera. En ocho horas, Dashwood había descubierto que William Wright había sido tesorero del Sindicato de Trabajadores de la Electricidad. El hombre tenía fama de evitar huelgas recurriendo a tácticas negociadoras que despertaban la admiración tanto de obreros como de patronos. Además, había sido diácono de la Iglesia Episcopal de la Trinidad en Santa Bárbara. Según su afligida hermana, acompañaba a su hijo porque este había conseguido un trabajo en un laboratorio de revelado de películas de celuloide en Los Ángeles. El director del laboratorio les había confirmado que esperaban al chico por la mañana, y había informado a Dashwood de que le habían ofrecido un puesto de aprendiz porque William Wright y él pertenecían a la misma comunidad religiosa. El sindicalista que había muerto en el accidente no era el Saboteador. Ese hombre era un asesino, y seguía vivo. Y solo Dios sabía cuál sería su siguiente ataque.

—¿Dónde está el gancho?

—Lo he entregado a sus hombres. Si me disculpa, señor Bell, tengo que volver a poner en servicio una vía de tren.

Bell siguió caminando por el destrozado terraplén hacia donde Larry Sanders, de la agencia Van Dorn de Los Ángeles, se hallaba agachado inspeccionando una traviesa. Dos de sus fornidos hombres mantenían a raya a la policía del ferrocarril. Bell se presentó, y Sanders se levantó y se sacudió el polvo de las rodillas.

Larry Sanders era un hombre delgado, con el pelo cortado a la moda y un bigote tan fino que parecía que se lo hubiera pintado con un lápiz. Iba vestido de un modo parecido a Bell, con un traje de lino blanco adecuado para los climas cálidos, pero su sombrero era un bombín de ciudad, curiosamente tan blanco como el traje. A diferencia de las botas de Bell, llevaba unos relucientes zapatos de baile, y parecía más predispuesto a vigilar el vestíbulo de un hotel de lujo que a andar por aquel concurrido terraplén cubierto de carbonilla. Bell, que estaba acostumbrado a los trajes extravagantes de Los Ángeles, al principio prestó poca atención al calzado y al sombrero de Sanders, y de entrada dio por sentado que el hombre de la agencia Van Dorn era competente en su trabajo.

—He oído hablar de usted. —Sanders le tendió una mano delicada y de uñas cuidadas—. Mi jefe me envió un telegrama desde Sacramento para notificarme su llegada. Siempre he querido conocerle.

—¿Dónde está el gancho?

—Los escorias ya lo habían encontrado cuando llegamos.

Sanders condujo a Bell a un tramo de raíl tan retorcido como un *pretzel*. En uno de los extremos, había un gancho que parecía sacado de un ancla.

—¿Eso es sangre o herrumbre?

—No me había dado cuenta. —Sanders abrió una navaja con la empuñadura nacarada y raspó el raíl—. Es sangre. Sangre seca. Parece que ese hombre se cortó la mano con una rebaba del metal. Tiene usted buen ojo, señor Bell.

Isaac pasó por alto el halago.

—Descubra quién hizo ese agujero.

—¿A qué se refiere, señor Bell?

—No podemos retener a todos los tipos de California que tengan un corte en la mano, pero usted puede descubrir quién hizo ese agujero en este trozo de metal tan extraño. Haga averiguaciones en todos los talleres y las herrerías del condado. Inmediatamente. ¡En marcha!

Isaac Bell dio media vuelta y fue a hablar con los policías del ferrocarril, que los observaban con expresión huraña.

—¿Habían visto alguna vez un gancho como ese?

—Se diría que es un trozo de ancla.

—Es lo que me había parecido a mí.

Bell abrió una pitillera de oro y la ofreció a los dos hombres. Cuando los policías habían dado un par de caladas y Bell conocía ya sus nombres, Tom Griggs y Ed Bottomley, les preguntó:

—Si ese tipo del tren no fue quien voló el semidirecto, ¿cómo creen que escapó el auténtico saboteador después del descarrilamiento?

Los policías se miraron.

—Ese gancho le hizo ganar tiempo —dijo Ed.

—Encontramos un velocípedo para inspeccionar las vías en la cuneta, en Glendale —añadió Tom—. Nos dijeron que lo habían robado del depósito de locomotoras de Burbank.

—Bien. Pero si fue a Glendale en velocípedo, debió de hacerlo a las tres o las cuatro de la madrugada —reflexionó Bell—. ¿Cómo suponen que se marchó de Glendale? Los tranvías no circulan a esa hora.

—A lo mejor había un coche esperándolo.

—¿Eso creen?

—Bueno, podría preguntárselo a Jack Douglas, solo que está muerto. Ayer por la noche estaba vigilando Glendale cuando alguien lo mató. Lo atravesaron como a un cochinillo en el asador.

—Primera noticia —dijo Bell.

—A lo mejor no ha hablado con la gente adecuada —contestó el policía, y dirigió una mirada burlona al dandi de Sanders, que esperaba un poco apartado.

Isaac Bell les devolvió una media sonrisa.

—¿Qué quiere decir con que lo atravesaron? ¿Lo apuñalaron?

—¿Apuñalarlo? —exclamó Ed—. ¿Cuándo se ha visto un apuñalamiento que le sacuda a uno el polvo del abrigo por ambos lados? El hombre que mató a Douglas o era un forzudo hijo de perra o usó una espada.

—¿Una espada? —repitió Bell—. ¿Por qué una espada?

—Aunque ese tipo fuera lo bastante fuerte para atravesarlo con un gran cuchillo, habría tardado un tiempo endiablado en intentar sacárselo. Esa es la razón de que esa gente deje el puñal en el cadáver. Los muy jodidos se atascan. Por eso pienso en un arma de hoja larga y fina, como una espada.

—Interesante —dijo Bell—. Una idea muy interesante... ¿Algo más que deba saber?

Los policías se quedaron pensando un buen rato. Bell se armó de paciencia y esperó, sin dejar de mirarles a los ojos. Aquellos hombres que patrullaban sobre el terreno parecían ignorar las órdenes «de arriba» a las que había aludido el superintendente Jethro Watt. Se resistían a colaborar, sobre todo con un detective de la agencia Van Dorn altanero como Larry Sanders. Con cierta brusquedad, Tom Griggs tomó una decisión.

—Encontramos esto. Jack lo tenía en la mano.

Sacó un papel arrugado y lo alisó con sus sucios dedos.

Unos caracteres destacaron a la luz del sol.

¡ALZAOS!
AVIVAD LA LLAMA DEL INCONFORMISMO
ACABAD CON LOS PRIVILEGIADOS
¡UNÍOS, TRABAJADORES!

—No creo que fuera de Jack —dijo Tom—. Ese viejo no era de los que se vuelven radicales.

—Eso parece —explicó Ed—. Jack debió de agarrarlo durante la pelea.

—Más le habría valido agarrar su pistola.

—Estoy de acuerdo —dijo Isaac Bell.

—Lo raro es que no lo hiciera.

—¿Qué quiere decir? —preguntó Bell.

—Quiero decir que uno podría equivocarse y pensar que, como tenía noventa y dos años, Jack Douglas debió de quedarse dormido. Precisamente el año pasado dos chicos de ciudad fueron a Glendale en busca de dinero fácil y apuntaron a Jack con la pistola. Y él le agujereó a uno el hombro con ese viejo revólver suyo, y al otro le dio en la espalda.

Ed se echó a reír.

—Jack me dijo que se estaba volviendo blando. En los viejos tiempos, los habría matado a los dos y les habría arrancado el cuero cabelludo. Yo le dije: «Has fallado por poco, Jack. Has acertado a uno en el hombro y al otro por detrás». Pero Jack dijo: «He dicho que me estaba volviendo blando, no inútil. No he fallado. Les he dado justo donde apuntaba. Y eso demuestra que me estoy volviendo amable con los años». Como ve, quienquiera que fuese el que anoche sacó el arma antes que Jack, sabía lo que hacía.

—Sobre todo —añadió Tom— si lo único que llevaba era una espada. Jack la habría visto a un kilómetro de distancia. Es decir, ¿cómo puede ser que un hombre con una espada sea más rápido que un hombre con un revólver?

—Estaba preguntándome lo mismo —dijo Bell—. Gracias, caballeros. Muchas gracias. —Sacó un par de tarjetas de visita y les dio una a cada uno—. Si alguna vez necesitan cualquier cosa de la agencia Van Dorn, pónganse en contacto conmigo.

—Yo estaba en lo cierto —le dijo Bell a Joseph van Dorn en San Francisco, adonde había acudido siguiendo sus órdenes—. Aunque no del todo. Ese hombre piensa más a lo grande de lo que imaginaba.

—Parece que sabe lo que hace —dijo Van Dorn haciéndose eco, en un tono grave de voz, de las palabras del director de mantenimiento de la Southern Pacific—. Al menos lo bastante para moverse en círculos a nuestro alrededor. Pero ¿cómo se desplaza? ¿En trenes de carga?

—Tengo a varios hombres interrogando a los vagabundos del Oeste —respondió Bell—. Y también estamos hablando con los taquilleros y los jefes de todas las estaciones a las que podría haberse acercado. Pronto sabremos si alguien compró un billete para un rápido de larga distancia.

—De los expendedores de billetes sacaremos en claro menos que de los vagabundos —refunfuñó Van Dorn—. ¿Cuántos pasajeros dijo Hennessy que transportaba la Southern Pacific al año?

—Cien millones —admitió Bell.

7

Isaac Bell telefoneó a Marion Morgan para decirle que disponía de una hora libre en San Francisco antes de coger el tren de Sacramento.

—¿Puedes salir más temprano del trabajo? —le preguntó.

—¡Nos veremos en el reloj!

El gran reloj Magneta era el primer reloj maestro al oeste del Mississippi y había llegado en un vapor que cruzó el cabo de Hornos. A pesar de llevar instalado una semana tan solo en el vestíbulo que daba a la calle Powell del hotel Saint Francis, ya era famoso. La ornamentada pieza de relojería vienesa tenía el aspecto de un reloj de pie y, en cierto modo, parecía un poco anticuado, al estilo europeo. Sin embargo, en realidad controlaba de manera automática todos los relojes del inmenso hotel que se erguía sobre Union Square.

El vestíbulo estaba amueblado con juegos de butacas y sofás distribuidos sobre alfombras orientales. Unas lámparas eléctricas con pantallas de pergamino y cristal aportaban un resplandor cálido que se reflejaba y multiplicaba en los espejos dorados. El aire tenía el aroma dulzón de la madera recién talada y de la pintura fresca. Dieciocho meses después de que los incendios provocados por el gran terremoto hubieran destruido su interior, el hotel más nuevo y espectacular de San Francisco se había inaugurado para los negocios con cuatrocientas ochenta habitaciones, a falta de una nueva ala proyectada para la primavera siguiente. El Saint Francis se había convertido inmediatamente en el hotel más conocido de la ciudad, y la mayoría de los sofás y las butacas se hallaban ocupados por clientes que leían el periódico. Los titulares destacaban los últimos rumores sobre los agitadores sindicalistas y los radicales extranjeros que habían destrozado el tren semidirecto de la línea costera.

Marion fue la primera en entrar en el vestíbulo. Estaba tan ilusionada de encontrarse con Isaac que no reparó en las miradas de admiración que despertaba en varios caballeros mientras se paseaba frente al reloj. Llevaba el cabello rubio recogido en alto, un peinado a la moda que desviaba la atención hacia su estilizado cuello y su bello rostro. Tenía la cintura estrecha y las manos delicadas, y a juzgar por cómo caminaba sobre la alfombra, las piernas que ocultaba su falda debían de ser muy largas.

Sus ojos, verdes como un mar coralino, se volvieron hacia el reloj cuando el minutero se movió unos milímetros hacia la derecha. En ese momento, el gran Magneta soltó tres poderosos toques que resonaron con una fuerza tan parecida a las campanadas de una catedral que las paredes casi se estremecieron.

Un minuto después, Isaac entró con paso decidido en el vestíbulo, alto y varonil. Iba vestido con un traje de lanilla color crema y una camisa azul, con el cuello almidonado y doblado. Llevaba la corbata de lazo de rayas doradas que ella le había regalado, a juego con su pelo y su bigote. Marion estaba tan dichosa por el reencuentro que lo único que acertó a decir fue:

—No te había visto llegar tarde jamás.

Isaac le sonrió a su vez y abrió su reloj de bolsillo.

—El Magneta adelanta sesenta segundos. —Miró de arriba abajo a Marion y añadió—: Y yo jamás te había visto tan bella. —La estrechó entre sus brazos y la besó.

Ambos se dirigieron hacia un par de butacas desde donde él podía controlar todo el vestíbulo con la ayuda de varios espejos, y pidieron té y pastel de limón a un camarero vestido con un frac.

—¿Qué estás mirando? —preguntó Bell al reparar en que Marion lo contemplaba con una sonrisa dulce.

—Has vuelto del revés mi vida.

—Eso lo hizo el terremoto —le respondió él bromeando.

—Antes del terremoto. El terremoto solo fue una interrupción.

Marion Morgan tenía treinta años, y las señoras de su edad solían llevar tiempo casadas. Sin embargo, ella era una mujer sensata que disfrutaba de su independencia. Se había licenciado en derecho por la Universidad de Stanford, y desde entonces vivía sola y hasta hacía poco se mantenía con un sueldo de secretaria de dirección en el negocio de la banca. Los atractivos y ricos pretendientes que le habían pedido matrimonio habían visto sus expectativas frustradas. Quizá era el ambiente de San Francisco, lleno de infinitas posibilidades, lo que le daba valor. Quizá se debiera a la educación que recibió por parte de varios tutores cuidadosamente seleccionados y de su cariñoso padre, que se volcó en ella tras la muerte de su madre. Quizá fuera por la emoción de poder disfrutar de los primeros y alocados años del nuevo siglo. Algún motivo existía que la llenaba de confianza y le brindaba la rara capacidad de disfrutar con auténtico placer del hecho de estar sola.

Al menos hasta que Isaac Bell entró en su vida, y empezó a palpitarle el corazón como si tuviera diecisiete años y acudiera a su primera cita.

Qué suerte tengo, pensó Marion.

Isaac la tomó de la mano.

Tardó un buen rato en hablar; le resultaba difícil. La belleza de Marion, sus ademanes y su elegancia nunca lo dejaban impasible.

—Soy el hombre más feliz de San Francisco —le dijo mirándola a los ojos—. Y si estuviéramos en Nueva York en estos momentos, sería el hombre más feliz de Nueva York.

Ella sonrió y apartó la mirada. Cuando sus ojos volvieron a posarse en Isaac, vio que él tenía los suyos fijos en el titular de un periódico: ¡DESCARRILADO!

Los sabotajes de trenes eran habituales en 1907, pero la conmocionó enterarse de que el rápido de Los Ángeles había descarrilado, sabiendo que Isaac utilizaba con frecuencia ese medio de transporte. Por extraño que pudiera parecer, a Marion no le preocupaban tanto los peligros que entrañaba su trabajo. Los peligros eran auténticos, y había visto sus cicatrices. Pero angustiarse por el hecho de que Isaac se topara con pistoleros y maleantes armados con un cuchillo habría sido tan irracional como inquietarse por si un tigre se encontraba seguro en la selva.

El detective no apartaba la vista del periódico, y su rostro estaba velado por la rabia. Marion le acarició una mano.

—Isaac, ¿ese sabotaje al tren tiene que ver con tu caso?

—Sí. Al menos ha habido otros cuatro atentados.

—Sin embargo... intuyo por la expresión de tu rostro que esto te afecta personalmente.

—¿Recuerdas que te hablé de Wish Clarke?

—Por supuesto. Te salvó la vida. Espero conocerle algún día para darle las gracias.

—El hombre que saboteó el tren mató a Wish —dijo Bell con frialdad.

—Oh, Isaac... Lo siento mucho.

Bell la puso al corriente, como tenía por costumbre. Le explicó detalladamente todo lo que sabía de los atentados que el Saboteador había perpetrado en el Atajo de las Cascadas de la Southern Pacific, propiedad de Osgood Hennessy, y cómo él intentaba impedirlos. Marion tenía una mente muy aguda y analítica. Podía centrarse en los hechos pertinentes y descubrir los paralelismos entre ellos. Y sobre todo, las preguntas que formulaba hacían aguzar el ingenio a Bell.

—Aún no sabemos cuál puede ser el móvil —concluyó él—. ¿Qué fin persigue ese hombre con tanta destrucción?

—¿Crees en la teoría de que el Saboteador es un radical? —preguntó Marion.

—Ahí están las pruebas. Sus cómplices. El papel con la soflama subversiva. Incluso el objetivo: la línea de ferrocarriles es el principal de los males para los radicales.

—No pareces muy convencido, Isaac.

—No lo estoy —admitió él—. He tratado de ponerme en su

lugar, he intentado pensar como si fuera un agitador iracundo... Aun así, sigue sin caberme en la cabeza que se pueda asesinar a gente inocente de manera sistemática. En una pelea o una huelga encarnizadas es posible que la policía sea atacada. A pesar de que no encuentro justificada esa clase de violencia, puedo entender que más de uno pierda el control. Pero estos interminables atentados contra la gente común... Tanta maldad no tiene ningún sentido.

—¿Podría tratarse de un loco, de un chalado?

—Podría. Salvo que ese hombre es sumamente ambicioso y metódico para ser un chalado. Esos atentados no obedecen a ningún impulso. El Saboteador los planea con meticulosidad. Y prepara un plan de fuga con el mismo cuidado. Si eso es locura, la tiene bajo perfecto control.

—Podría ser un anarquista.

—Lo sé, pero ¿por qué matar a tanta gente? De hecho —caviló Bell—, es casi como si intentara sembrar el terror. ¿Y qué gana sembrando el terror?

—Humillar públicamente a la Compañía de Ferrocarriles Southern Pacific —respondió Marion.

—Pues te aseguro que lo está consiguiendo.

—Quizá en lugar de pensar como un radical, un anarquista o un loco, tendrías que pensar como un banquero.

—¿Qué quieres decir? —Bell la miró sin comprender nada.

Marión contestó con la voz alta y clara.

—Imagínate lo que le estará costando a Osgood Hennessy.

Bell asintió, pensativo. La ironía de la expresión «pensar como un banquero» no se le escapó. Él había vuelto la espalda a la obligación de ejercer esa profesión en el poderoso banco de su familia. Le acarició la mejilla.

—Gracias —dijo—. Por hacerme valorar más las cosas.

—Me alegro —respondió Marion. Y añadió—: Preferiría que te dedicaras más a valorar las cosas que a liarte a tiros.

—Me gustan las peleas a tiros —bromeó a su vez Bell—. Centran el pensamiento. Aunque en este caso más bien tendríamos que hablar de duelos a espada.

—¿Duelos a espada?

—Es muy extraño. Ese tipo mató a Wish y a otro hombre con algo parecido a una espada. Pero ¿cómo logra sacar él antes el arma que su oponente el revólver? No se puede esconder una espada tan fácilmente.

—¿Y si utiliza un bastón con una hoja de acero camuflada? Hay muchos hombres en San Francisco que llevan uno de esos artilugios para protegerse.

—Pero con el tiempo que se tarda en desenfundar, en sacar la hoja del bastón, un hombre con revólver dispararía primero.

—Bueno, si se dedica a perseguirte con la espada, lo lamentará. Tú practicaste la esgrima en Yale.

Bell sacudió la cabeza sonriendo.

—Practiqué la esgrima, no me batía en duelos. Hay una gran diferencia entre el deporte y el combate. Recuerdo que mi entrenador, que había sido duelista, explicaba que la máscara de esgrima oculta la mirada de tu contrincante. Parece ser que la primera vez que te bates en duelo, impresiona ver la mirada fría de un hombre que tiene la intención de matarte.

—¿A ti te impresionó?

—¿Qué?

—¿Te impresionó? —Marion sonrió—. No finjas conmigo, como si nunca te hubieras batido en duelo…

Bell sonrió también.

—Solo una vez. Los dos éramos muy jóvenes. Y la visión de la sangre saliendo a borbotones no tardó en convencernos a ambos de que, en realidad, no queríamos matarnos. De hecho, seguimos siendo amigos.

—Si buscas un duelista, no deben de quedar muchos en estos tiempos.

—Con toda probabilidad será europeo —reflexionó Bell—. Italiano o francés.

—O alemán. Con una de esas horribles cicatrices al estilo de Heidelberg en la mejilla. ¿No fue Mark Twain quien relató que se arrancan los puntos del cirujano y se echan vino en las heridas para que las cicatrices tengan peor aspecto?

—Posiblemente no es alemán —dijo Bell—. Los alemanes son conocidos por la estocada honda. La que mató a Wish y al otro tipo era del estilo de los italianos o los franceses.

—¿Y si fuera un discípulo? —sugirió Marion—. Un americano que hubiera ido a estudiar a Europa. Hay muchos anarquistas en Francia y en Italia. Quizá fue allí donde se convirtió en uno de ellos.

—Sigo sin saber cómo coge por sorpresa a un hombre con un arma de fuego. —Bell trató de simular el movimiento—. En lo que el otro tarda en sacar una espada, puedes dar un paso al frente y asestarle un puñetazo en la nariz.

Marion alargó la mano sobre las tazas de té y tomó la de Bell.

—Si quieres que sea sincera, me encantaría pensar que una nariz ensangrentada es la máxima de mis preocupaciones.

—En este momento me encantaría tener la nariz ensangrentada, o incluso un par de heridas superficiales.

—¿Para qué?

—¿Recuerdas a Weber y Fields?

—Qué caballeros tan divertidos...

Wally Kisley y Mack Fulton la habían llevado a cenar recientemente, cuando estuvieron de paso por San Francisco, y la hicieron reír toda la velada.

—Wally y Mack dicen: «Una nariz ensangrentada es señal de que la investigación progresa. Sabes que estás cerca de tu presa cuando... te da en la narizota». ¡Qué bien me iría ahora que me dieran en la narizota!

El comentario les arrancó a ambos una sonrisa.

Dos mujeres vestidas elegantemente con sombreros y prendas de la última temporada entraron en el vestíbulo del hotel y lo cruzaron haciendo ostentación de plumas y seda. La más joven de ellas era tan despampanante que los periódicos que los caballeros habían apartado seguían inmóviles sobre las rodillas.

—¡Qué chica más bella! —exclamó Marion.

Bell ya la había visto por el espejo.

—La mujer que va de azul claro —dijo Marion.

—Es la hija de Osgood Hennessy, Lillian —explicó Bell.

Se preguntó si era la casualidad lo que había llevado a Lillian al Saint Francis en el preciso momento en que él se hallaba allí. Sospechó que no era así.

—¿La conoces?

—La conocí la semana pasada a bordo del tren especial de Hennessy. Es su secretaria particular.

—¿Cómo es?

Bell sonrió.

—Tiene pretensiones de seductora. Pestañea como esa actriz francesa.

—Anna Held.

—Es inteligente, a pesar de todo, y espabilada en los negocios. Es muy joven, está malcriada por su padre, que la adora, y sospecho que es aún inocente en lo que respecta a los asuntos del corazón. La mujer morena que va con ella fue su tutora. Ahora es la amante de Hennessy.

—¿Quieres ir a saludarla?

—No, porque solo me quedan unos minutos y quiero pasarlos contigo.

Marion le devolvió una sonrisa de complacencia.

—Me siento halagada. Esa mujer es joven e increíblemente hermosa, y es de suponer que muy rica.

—Tú eres increíblemente hermosa, y cuando te cases conmigo, también serás muy rica.

—Yo no soy una heredera.

—Agradezco tu gesto, pero ya tuve mi cuota de herederas en los tiempos en que nos enseñaban el vals de Boston en la escuela de baile —dijo él sonriendo—. Es un vals lento, con un paso muy largo. Podemos bailarlo en nuestra boda, si lo deseas.

—Oh, Isaac, ¿estás seguro de que quieres casarte conmigo?

—Estoy seguro.

—La mayoría de la gente diría de mí que soy una solterona. Y además afirmaría que deberías casarte con una chica de tu edad.

—Nunca he sido partidario de los «deberías». ¿Por qué tendría que hacerlo ahora, cuando al fin he encontrado a la mujer de mis sueños... y a una amiga para toda la vida?

—Pero ¿qué pensará de mí tu familia? No tengo dinero. Creerán que soy una cazafortunas.

—Pensarán que soy el hombre con más suerte de América. —Isaac sonrió, y a continuación añadió con gravedad—: Y los que no piensen eso, por mí pueden irse al infierno. ¿Fijamos la fecha?

—Isaac... Tengo que hablar contigo.

—¿Qué sucede? ¿Es algo grave?

—Estoy muy enamorada de ti. Espero que lo sepas.

—Eso me lo demuestras de todas las maneras posibles.

—Y tengo muchísimas ganas de casarme contigo, pero me pregunto si no podríamos esperar un poco.

—¿Por qué?

—Me han ofrecido un trabajo fantástico y me encantaría intentarlo.

—¿Qué clase de trabajo?

—Bueno... Supongo que ya sabes quién es Preston Whiteway.

—Claro. Preston Whiteway, el periodista sensacionalista. Heredó tres de los diarios más punteros de California, incluyendo el *San Francisco Inquirer*. —Bell le dedicó una curiosa sonrisa—. El periódico para el que casualmente trabajas... Dicen que es muy guapo, un célebre hombre de mundo, y que hace ostentación de su fortuna, que ha ganado con titulares y noticias un tanto faltos de rigor. También se inmiscuye en la política nacional utilizando el poder que le dan sus periódicos. Ha logrado colocar a sus amigos en el Senado de Estados Unidos; el primero de ellos es el senador Charles Kincaid, el perrito faldero de Osgood Hennessy. De hecho, creo que fue tu señor Whiteway el que puso a Kincaid el sobrenombre de Ingeniero Heroico.

—No es mi señor Whiteway, pero... Oh, Isaac, ha tenido una idea maravillosa, que se le ocurrió cuando el periódico informaba sobre el terremoto: un documental cinematográfico de actualidades. Lo va a llamar *Picture World*. Filmarán películas sobre acontecimientos reales y las exhibirán en los teatros y las salas de proyecciones. Y además, ¿sabes qué, Isaac? —Marion le apretó el brazo, presa del entusiasmo—. Preston me ha pedido que colabore en el proyecto, desde el principio.

—¿Durante cuánto tiempo?

—No estoy segura. Seis meses o un año. Isaac, sé que puedo hacerlo. Y ese hombre va a darme la oportunidad de intentarlo. Sabes que tengo la licenciatura en derecho de la primera promoción de Stanford, pero una mujer no puede encontrar empleo en el mundo de la abogacía; por eso he trabajado nueve años en la banca. He aprendido mucho. No pretendo trabajar toda mi vida; solo quiero hacer… algo, y esta es mi oportunidad.

Bell no se sintió sorprendido de que Marion deseara un trabajo excitante. Ni dudaba de su amor, que era mutuo. Ambos eran muy conscientes de la inmensa suerte que habían tenido al encontrarse; no permitirían que nadie se interpusiera en su camino. Una especie de compromiso se había establecido entre ellos. Por otra parte, Bell no podía negar que estaba muy ocupado intentando detener al Saboteador.

—¿Y si nos hacemos la promesa de que dentro de seis meses fijaremos la fecha de la boda, cuando todo esté más tranquilo? Puedes seguir trabajando aunque estés casada.

—Oh, Isaac, sería fantástico. Tengo muchísimas ganas de formar parte de *Picture World* desde el comienzo.

Las campanas del gran reloj Magneta dieron las cuatro.

—Ojalá tuviéramos más tiempo —dijo Marion con tristeza.

A Bell le pareció que solo habían transcurrido unos minutos desde que se sentaron.

—Te llevaré en coche a la oficina.

Isaac Bell reparó en que Lillian Hennessy miraba deliberadamente en otra dirección cuando él y Marion abandonaron el vestíbulo. Pero la señora Comden esbozó una discreta sonrisa cuando cruzaron una mirada. Isaac le devolvió el saludo con cortesía inclinando la cabeza. Impresionado de nuevo por la sensualidad de la mujer, sujetó con decisión el brazo de Marion.

Un bólido Locomobile de un rojo intenso alimentado con gasolina estaba estacionado frente al Saint Francis. Lo habían modificado para el tráfico urbano con guardabarros y faros reflectores. Los porteros del hotel vigilaban el coche para protegerlo de unos niños boquiabiertos, y amenazaban con escarmentar al primero que se atreviera a poner sus sucios dedos sobre el águila de reluciente latón que había encima del radiador o a respirar siquiera cerca de los asientos de cuero rojo.

—¡Te han devuelto tu coche de competición! Es precioso —dijo Marion expresando su entusiasmo.

El amado Locomobile de Bell había quedado prácticamente destrozado tras una carrera de ochocientos kilómetros, de San Francisco a San Diego, que había librado contra una locomotora. Mientras que la máquina de vapor se deslizaba sobre los raíles, el Locomobile iba dando tumbos por las polvorientas y pedregosas carreteras de California. Una carrera, como recordaba Bell sonriendo a pesar de todo, que había ganado él. Su trofeo había sido el arresto del Bandido Carnicero a punta de pistola.

—Cuando la fábrica volvió a reconstruirlo, mandé que me lo enviaran desde Bridgeport, en Connecticut. Sube.

Bell se inclinó sobre el enorme volante para girar el dispositivo de arranque que estaba en el salpicadero de madera. A continuación, accionó las palancas del acelerador y del encendido, y bombeó el depósito de presión. El portero se ofreció a hacer arrancar el motor con la manivela. Con el automóvil todavía caliente por el trayecto que había hecho desde el depósito de locomotoras donde Bell lo había recogido, el motor de cuatro cilindros cobró vida con un rugido a la primera tentativa. Bell tiró hacia delante la palanca del encendido y dejó ir la del acelerador. Cuando iba a soltar el freno, le hizo señas al menor de los pequeños que observaban con los ojos muy abiertos.

—¿Puedes echarme una mano? ¡Este no se mueve a menos que alguien toque el claxon!

El niño apretó con ambas manos la pera de goma de la bocina, y el Locomobile bramó como un carnero de las Montañas Rocosas. Los chicos se apartaron rápidamente. El coche dio una sacudida. Marion rió y se inclinó sobre el depósito de gasolina para cogerse del brazo de Bell. Al cabo de un instante corrían veloces hacia Market Street sorteando tranvías y carretas tiradas por caballos, y adelantando a los automóviles más lentos con gran estruendo.

Cuando se detuvieron frente al edificio de acero de doce pisos que albergaba el *San Francisco Inquirer*, Bell vio el último aparcamiento que quedaba junto a una curva. Un caballero con el cabello rubio que conducía un Rolls-Royce descapotable giró hacia él tocando el claxon.

—¡Oh, ese es Preston! —dijo Marion—. Así lo conocerás.

—Me muero de ganas.

Bell pisó el acelerador y el freno en rápida sucesión hasta meter el gran Locomobile en la última plaza, adelantándose en medio segundo al Rolls de Preston Whiteway.

—¡Eh, ese lugar es mío!

Whiteway era tan atractivo como se rumoreaba, reconoció Bell. Era una mole de espaldas anchas, lucía unas extravagantes ondas rubias en el cabello e iba muy bien afeitado. Era tan alto como Bell, aunque más fornido; parecía que hubiera sido jugador de fútbol en la universidad. A buen seguro, era incapaz de recordar la última vez que no se había salido con la suya.

—Yo llegué primero —dijo Bell.

—¡Soy el propietario de este edificio!

—Dejaré libre la plaza cuando me haya despedido de mi chica.

Preston Whiteway alargó el cuello para mirar hacia el otro lado del Locomobile.

—¿Marion? ¿Eres tú?

—¡Sí! Te presento a Isaac. Quiero que lo conozcas.

—¡Encantado! —dijo Preston Whiteway, que no lo estaba en absoluto—. Marion, más vale que subamos. Tenemos trabajo.

—Ve tú primero —respondió ella con la mayor frescura—. Voy a despedirme de Isaac.

Whiteway salió de su automóvil gritándole al portero que lo aparcara. Cuando pasó junto a ellos, le preguntó a Bell:

—¿Es muy rápido su Locomobile?

—Más rápido que ese —replicó Bell, señalando con la cabeza el Rolls-Royce.

Marion se tapó la boca para no echarse a reír.

—Parecéis dos críos en el patio de la escuela —le dijo a Bell cuando Whiteway ya no podía oírla—. ¿Cómo es posible que estés celoso de Preston? Es muy agradable, de verdad. Te gustará cuando lo conozcas.

—Estoy seguro —dijo Bell. Tomó entre sus manos con delicadeza el bello rostro de Marion y la besó en los labios—. Quiero que te cuides mucho.

—¿Yo? Cuídate tú. Por favor, cuídate. —Marion se obligó a sonreír—. Quizá tendrías que ponerte al día en esgrima.

—Esa es mi intención.

—Oh, Isaac, ojalá tuviéramos más tiempo.

—Volveré tan pronto como pueda.

—Te quiero, cariño.

Por encima de las obras de construcción del Atajo de las Cascadas había estacionada una vagoneta. Se encontraba en una vía muerta, a poca distancia del cambio de agujas que, al cerrarlo, la conectaba a un ramal de las líneas de avituallamiento, de pendiente pronunciada. Este ramal, a su vez, iba a parar a un aserradero recién edificado en el bosque, a varios kilómetros montaña arriba de las obras del ferrocarril. El vagón iba cargado hasta los topes de traviesas de madera de tsuga con destino a la planta de creosota del atajo, donde las impregnarían para preservarlas con ese compuesto químico derivado del alquitrán.

El Saboteador vio la oportunidad de cometer un nuevo ataque antes de lo previsto, y así matar dos pájaros de un tiro. Ese sabotaje no solo desestabilizaría a la Southern Pacific. Si tenía éxito, haría saber a todos que era inmune a los esfuerzos de la agencia de detectives Van Dorn por proteger la línea de ferrocarriles.

Era un hombre frío y metódico. Había planeado la voladura del túnel meticulosamente, distribuyendo un tiempo para cada fase, desde reclutar a un cómplice que reuniera la combinación ideal de celo e ingenuidad hasta ubicar el emplazamiento geológico más propicio para la dinamita, sin olvidarse de preparar una vía de escape. El golpe contra el tren semidirecto de la línea costera había requerido el mismo esfuerzo, y había empleado un gancho para dejar claro que la destrucción era un sabotaje, no un mero accidente. Tenía otros proyectos parecidos en su lista, en distintas fases de preparación, aunque debería retocar algunos. Los detectives de Van Dorn vigilaban los cambios de agujas y los talleres de mantenimiento.

Sin embargo, no tenía por qué planificar todos los sabotajes. El sistema viario que cruzaba el país era de una gran complejidad. Abundaban las ocasiones en las que el Saboteador podría causar daños, siempre y cuando empleara su inteligencia superior en no cometer errores ni descuidos.

Debía moverse con rapidez y actuar por sorpresa.

La vagoneta permanecería en la vía muerta durante un breve período de tiempo. Por cada kilómetro de vía se necesitaban dos mil setecientas traviesas, de manera que no pasarían más de un par de días antes de que el apurado superintendente de materiales de la obra las reclamara a gritos. Entonces los aterrorizados oficinistas empezarían a revisar desesperadamente todos los pedidos y envíos que hicieran referencia a la vagoneta que faltaba.

El asentamiento de vagabundos más cercano donde podría pasar desapercibido, apiñado entre los hombres que se preparaban la comida, luchaban por un espacio donde dormir y entraban y salían del campamento para buscar trabajo, se encontraba en las afueras de la estación de Dunsmuir, en California. Pero Dunsmuir estaba a doscientos cuarenta kilómetros siguiendo la línea de ferrocarril. No disponía de tiempo para reclutar a un acólito. Tendría que hacer el trabajo de la vagoneta él mismo. Atacar en solitario entrañaba correr riesgos, y si se precipitaba, estos se multiplicaban. Pero los estragos que podía causar con ese único vagón eran inmensos.

8

Con el agradable recuerdo del beso de Marion, Isaac Bell ocupó su asiento en el rápido de Sacramento y esperó a que el tren saliera de la terminal de Oakland. Marion lo conocía mucho mejor que él mismo, pero había ciertas cosas que siempre ignoraría. «¿Cómo es posible que estés celoso de Preston?», le había dicho. Deja que enumere unas cuantas razones, pensó Bell. Para empezar, Whiteway está contigo y yo no, porque voy rezagado en mi carrera por detener al Saboteador.

Cerró los ojos. Hacía varios días que no dormía en una cama, pero el sueño lo había abandonado. Se le agolpaban los pensamientos. Desde la capital del estado, tomaría una serie de trenes con rumbo al norte, hacia el lejano Oregón. Necesitaba considerar la voladura del túnel del Atajo de las Cascadas desde una nueva perspectiva, y no descartar la posibilidad de que el Saboteador planeara otro ataque en la boca delantera del mismo. De camino, se encontraría con Archie Abbott, quien le había enviado un telegrama para informarle de que podría haberse topado con un asunto de importancia en el campamento de vagabundos en las afueras de Dunsmuir.

—¿Señor Bell?

El revisor interrumpió los pensamientos de Isaac. Se tocó la pulida visera con el nudillo en un saludo respetuoso y le dijo con un guiño malicioso:

—Señor Bell, hay una dama que pregunta si no le resultaría a usted más cómodo viajar en su compañía.

Isaac Bell siguió al revisor por el pasillo. Suponía que se encontraría con la emprendedora y joven señorita Hennessy en el pullman contiguo, pero el hombre le hizo apearse del tren, cruzar el andén y dirigirse hacia un vagón particular que se hallaba enganchado a uno de equipaje y a una Atlantic 4-4-2 tan reluciente que parecía recién salida del taller.

Bell subió al vagón y, tras cruzar la puerta, entró en un lujoso salón rojo que no habría desentonado con el burdel de Anne Pound. Lillian Hennessy, que se había cambiado el vestido azul claro a juego con sus ojos para ponerse otro de noche de color escarlata que armonizaba con el salón, lo saludó con una copa de champán y una sonrisa triunfante.

—No eres el único que puede fletar un tren especial.

Bell respondió con serenidad.

—No es correcto que viajemos solos.

—No estamos solos. Por desgracia.

—Por otra parte, te recuerdo que estoy prometido a Marion Morgan y...

Una banda de jazz empezó a tocar en una habitación contigua del vagón. Bell miró con cuidado por la puerta entreabierta. Era una formación de seis músicos con sus respectivos instrumentos: un clarinete, un contrabajo, una guitarra, un trombón, una trompeta y un piano vertical en el centro. Improvisaban el brioso ragtime de Adaline Shepherd «Pickles and Peppers», tan de moda.

Lillian Hennessy se apretó contra él para mirar por encima de su hombro. Llevaba un corsé reloj de arena de busto bajo, y Bell notó el roce de sus pechos en la espalda. Tuvo que alzar la voz para hacerse oír.

—No conozco a ningún músico de jazz que esté capacitado para actuar de carabina.

—No me refería a ellos —dijo Lillian con un mohín de disgusto—, sino a ella. Papá se olió mi plan de tenderte una emboscada en San Francisco. Y la envió para que me vigilara.

El trompetista levantó su instrumento al aire, como si fuera a arponear el techo. Y tras él, en el interior del círculo de músicos, Bell vio que la pianista que se arqueaba sobre el teclado haciendo volar sus dedos, con los ojos brillantes y unos carnosos labios que esbozaban una sonrisa, no era otra que la señora Comden.

—No sé cómo lo descubrió mi padre —dijo Lillian—, pero gracias a la señora Comden y a él, tu honor estará a salvo, señor Bell. Por favor, quédate. Lo único que te pido es que seamos amigos. Viajaremos con rapidez. Estamos autorizados a ir directamente al Atajo de las Cascadas.

Bell se sintió tentado. El tráfico de la línea norte de Sacramento estaba congestionado de convoyes de obreros y de materiales que llegaban y partían hacia el atajo. Había considerado la posibilidad de pedir uno de los trenes especiales de Hennessy. El de Lillian estaba a punto de salir. Con su locomotora de vapor circulando hacia el norte por vías autorizadas se ahorraría un día de viaje.

—Hay un telégrafo en el vagón de equipaje, por si necesitas enviar algún mensaje.

Eso inclinó la balanza.

—Gracias —contestó Bell con una sonrisa—. Acepto tu... emboscada, aunque quizá tendré que bajarme en Dunsmuir.

—Toma champán conmigo y háblame de tu señorita Morgan.

El tren se puso en marcha con una sacudida cuando Lillian le ofrecía la copa. Lamió la gota que se había derramado sobre su delicado nudillo y pestañeó como Anna Held.

—Era muy guapa.

—Marion también dijo eso de ti.

Lillian volvió a torcer el gesto.

—«Guapa» es una chiquilla de mejillas sonrosadas con un vestido de cuadritos. A mí suelen dedicarme otros halagos.

—De hecho, dijo que eras increíblemente hermosa.

—¿Por eso no me presentaste?

—Preferí recordarle que ella también es increíblemente hermosa.

Lillian parpadeó de nuevo.

—No te andas con miramientos, ¿eh?

Bell le devolvió una sonrisa que desarmaba.

—Jamás si estoy enamorado, hábito que te recomiendo que cultives cuando crezcas. Y ahora háblame de esos problemas que tu padre tiene con los banqueros.

—No tiene problemas con los banqueros —le espetó Lillian.

Había respondido con tanta rapidez y vehemencia que Bell supo de inmediato lo que debía decir a continuación.

—Me contó que los tendría antes de que llegara el invierno.

—Solo si tú no atrapas al Saboteador —dijo ella sin rodeos.

—¿Y qué me dices del pánico de Nueva York? La crisis financiera se desató el pasado marzo, y no se vislumbra su fin.

Lillian respondió con serenidad y escogiendo muy bien sus palabras.

—Si el pánico económico se prolonga, el negocio del ferrocarril dejará de ser boyante. Estamos en plena expansión, y es maravilloso, pero incluso papá admite que no va a durar siempre.

Esas palabras hicieron recordar a Bell que Lillian Hennessy no era una simple joven rica y malcriada.

—¿Quieres decir que esta crisis podría terminar con el control que tiene tu padre sobre sus líneas de ferrocarriles?

—No —se apresuró a contestar Lillian. Y procedió a darle una explicación—. Mi padre aprendió muy pronto que la manera de costear una segunda línea de ferrocarriles era gestionar bien la primera, para que fuera solvente y garante de crédito, y entonces pedir préstamos presentando esa garantía. Los banqueros solían bailar al son que él les tocaba. No hay nadie en el mundo del ferrocarril a quien le haya ido tan bien. Cuando los otros se hundían, él rescataba lo que podía del naufragio y se mantenía a flote, fresco como una rosa.

Bell y Lillian brindaron.

—Por las rosas —dijo él sonriendo.

De todos modos, el detective no tenía claro si la joven estaba fanfarroneando o solo trataba de infundirse ánimos. Y aún albergaba más dudas acerca de los motivos que el Saboteador tenía para atentar contra aquel entramado de redes viarias.

—Pregunta a cualquier banquero del país —apostilló Lillian con orgullo—, y te dirá que Osgood Hennessy es invulnerable.

—Déjame enviar un telegrama para que mi gente sepa dónde puede encontrarme.

Lillian cogió la botella de champán y lo acompañó al vagón de equipaje. El revisor, que también era el telegrafista del tren, envió el mensaje de Bell a Van Dorn para informarle de su paradero. Cuando iban a regresar al otro vagón, la clavija del telégrafo empezó a sonar. Lillian prestó atención durante unos segundos, puso los ojos en blanco y, por encima del hombro, le dijo en voz alta al revisor:

—No hay respuesta.

—¿De quién es la transmisión? —preguntó Bell—. ¿De tu padre?

—No. Del senador.

—¿Qué senador?

—Kincaid. Charles Kincaid. Me hace la corte.

—¿Tengo que suponer que no estás interesada en él?

—El senador Kincaid es demasiado pobre, demasiado viejo y demasiado aburrido.

—Pero es muy atractivo —intervino la señora Comden, y dedicó una sonrisa a Bell.

—Muy atractivo, sí —concedió Lillian—. Pero sigue siendo demasiado pobre, demasiado viejo y demasiado aburrido.

—¿Cuántos años tiene? —preguntó Bell.

—Cuarenta al menos.

—Tiene cuarenta y dos años, y está lleno de energía —dijo la señora Comden—. La mayoría de las jóvenes dirían de él que es un buen partido, e irían a pillarlo.

—Yo preferiría pillar antes unas paperas.

Lillian volvió a llenar su copa y la de Bell.

—Emma, ¿hay alguna posibilidad de que te bajes del tren en Sacramento y desaparezcas mientras el señor Bell y yo seguimos a toda máquina hacia el norte?

—Ni la más mínima, querida. Eres demasiado joven, y de-

masiado inocente también, para viajar sin carabina. Y el señor
Bell es demasiado...

—Demasiado ¿qué?

Emma Comden sonrió.

—Interesante.

El Saboteador se apresuraba por el ramal del aserradero cuando
ya era noche cerrada. Iba caminando por encima de las traviesas
para evitar el crujido del balasto, y cargaba con una palanca de
un metro y veinte centímetros que pesaba más de trece kilos. A la
espalda llevaba una mochila de soldado de la guerra de Cuba, de
resistente lona para hamacas y con el faldón engomado. Las asas
le tiraban de los hombros. En el interior guardaba una lata de
siete litros y medio de parafina, así como una herradura que
había hurtado a uno de los numerosos herreros que, atareados,
se ocupaban de las mulas de tiro que luego enganchaban a las vagonetas de cargamento.

El frío aire de la montaña olía a brea de pino, y a algo que
tardó un poco en reconocer. Nieve. El invierno se aproximaba,
se dijo; podía sentirlo a pesar de que esa noche el cielo estaba
despejado. Aceleró el paso, y sus ojos se acostumbraron a la luz
de las estrellas. Los raíles brillaban frente a él, y los árboles cobraban forma a lo largo de la quebrada a medida que avanzaba.

Era un hombre alto, con las piernas largas y en buena forma
física, de modo que subió por la empinada pendiente con rapidez. Iba contrarreloj. Faltaban menos de dos horas para que saliera la luna, y cuando esta clareara en las montañas, hendiendo
con su luz la oscuridad, él se convertiría en un blanco fácil para
la policía del ferrocarril que iba a caballo.

Al cabo de un kilómetro y medio llegó a una bifurcación en
la que el ramal se dividía en dos. El de la izquierda, por el que
había subido, descendía hacia la obra. El de la derecha giraba hasta unirse con la vía principal, recién terminada, en dirección al
sur. Comprobó el cambio de agujas que controlaba la conexión
de ambos ramales.

Las agujas estaban situadas para que los trenes que descendían del aserradero se dirigieran hacia la obra. Se sintió tentado de enviar el pesado vagón a la vía principal. Bien cronometrado, chocaría de frente con una locomotora que fuera hacia el norte. Pero la colisión interrumpiría el tráfico en las vías, los controladores tendrían que detener todos los trenes y eso bloquearía su única escapatoria posible.

La pendiente seguía ascendiendo pero con mayor suavidad, y el Saboteador aceleró el paso. Al cabo de otro kilómetro y medio, vislumbró por fin la oscura vagoneta. Se alegró de que siguiera en su sitio.

De repente oyó un ruido y se detuvo. Inmóvil, prestó atención durante unos segundos. Se llevó las manos a las orejas, y entonces volvió a oírlo: era un sonido que no se esperaba. Carcajadas. Borrachos que reían, en lo alto de la montaña. A lo lejos pudo ver el resplandor anaranjado de una hoguera. Leñadores, advirtió el Saboteador, que a buen seguro se pasaban los unos a los otros una botella de whisky Squirrel. Estaban demasiado lejos para verlo, cegados por el fuego de la hoguera. Y aunque oyeran el traqueteo del furgón al pasar por el cambio de agujas, no podrían detenerla.

Salió del ramal y cruzó una zanja hasta llegar a la vía muerta en la que estaba el vagón cargado. Encontró la palanca del cambio de agujas y tiró de ella, cerrando así el punto en el que las dos vías se juntaban y uniendo la vía muerta al ramal del aserradero. Luego fue hacia la vagoneta, quitó de un puntapié los tacos de madera de debajo del vagón delantero, palpó el frío reborde del freno y lo giró hasta que las zapatas se separaron de las enormes ruedas de hierro del vagón.

El furgón ya podía circular, y el Saboteador esperó que empezara a moverse por su propio peso, dado que la vía muerta estaba en pendiente. Pero permaneció estacionada en su lugar, detenida por la gravedad o quizá porque las ruedas, inmovilizadas en los raíles durante algún tiempo por la pesada carga, se habían asentado. Tendría que improvisar con algún objeto para mover el vagón.

Se dirigió a la parte posterior de la vagoneta, colocó su herradura a unos centímetros de la rueda posterior, hizo palanca en el punto en que tocaba con el raíl, bajó la barra hasta la herradura para que le sirviera de punto de apoyo y descargó todo su peso sobre ella.

La barra cedió con un agudo chirrido metálico. Volvió a calzarla bajo la rueda y de nuevo se balanceó sobre ella. La rueda se movió unos milímetros. Metió la palanca hasta el fondo, dio un puntapié a la herradura para fijarla y volvió a apoyarse con todas sus fuerzas sobre el improvisado impulsor.

Una voz, procedente de arriba, le susurró al oído.

—¿Qué haces ahí?

El Saboteador retrocedió, atónito. Inclinado en el montón de traviesas, un leñador que se había despertado de la borrachera le hablaba arrastrando las palabras con su pestilente aliento.

—Compañero, si la empujas así, no parará hasta llegar abajo. Déjame bajar de aquí antes de que se mueva más.

El Saboteador blandió la palanca en un visto y no visto.

La pesada barra impactó en la cabeza del borracho, y este quedó tumbado de nuevo sobre las traviesas como si fuera un muñeco de trapo. El Saboteador lo observó un instante, y cuando vio que no se movía, volvió a apoyarse con calma sobre la palanca como si nada hubiera sucedido.

Notó que la rueda se despegaba del punto de apoyo. La vagoneta rodaba. Dejó caer la palanca y saltó al furgón con la lata de parafina. El vagón avanzó lentamente hacia las agujas, las atravesó con gran estruendo y, ya en el ramal, cobró velocidad. El Saboteador pasó por encima del borracho y accionó el freno para ajustarlo hasta que notó que las zapatas rozaban las ruedas; la velocidad de la vagoneta se redujo a unos quince kilómetros por hora. Abrió la lata y vertió la parafina sobre las traviesas.

El vagón avanzó un kilómetro y medio hasta la bifurcación, punto en el que la cuesta empezaba a ser pronunciada.

Encendió una cerilla y, protegiéndola del viento, la acercó a la parafina. Cuando las llamas prendieron, soltó los frenos y saltó del vagón por la parte trasera. La vagoneta no se detendría ya. La luna eligió ese momento para salir de detrás de una montaña e iluminar las vías con la suficiente claridad para permitirle ver un lugar seguro en el que apearse. Lo interpretó como el justo reconocimiento a sus acciones. Siempre había sido un hombre de suerte. Las cosas le salían como se proponía. También entonces. Había saltado del furgón sin problemas. Pudo oír que la vagoneta giraba hacia la izquierda y atravesaba con gran estruendo la bifurcación en dirección a la obra.

Él tomó el ramal de la derecha, que se alejaba de allí y llevaba a la vía principal. Las ruedas vibraban y chirriaban mientras el furgón aligeraba su avance por la pronunciada pendiente. Lo último que el Saboteador vio fue unas llamas anaranjadas que se precipitaban montaña abajo. En unos tres minutos, calculó, todos los escorias de los alrededores acudirían como alma que lleva el diablo a la obra mientras él corría en el sentido contrario.

La vagoneta cobraba velocidad, a cincuenta, sesenta, ochenta kilómetros por hora. Bajaba balanceándose y sembrando un reguero de llamas; la carga iba de un lado a otro, y las enormes traviesas crujían como las cuadernas de un barco en un mar embravecido. El leñador, cuyo nombre era Don Albert, rodaba sobre ellas, dando golpetazos con brazos y piernas. Una mano le quedó atrapada entre dos traviesas, y cuando los maderos volvieron a zarandearse, se despertó con un alarido de dolor.

Albert se llevó los dedos a la boca y se los chupó con ganas. Todo parecía moverse, y no sabía por qué. La cabeza le dolía de manera infernal y le daba vueltas. El empalagoso sabor del inmundo whisky que aún notaba explicaba esa sensación tan familiar, pero ¿por qué las estrellas del cielo no paraban de cambiar de lugar? ¿Y por qué traqueteaban aquellos maderos sobre los que estaba tumbado? Con la mano que no le dolía se tocó bajo el grueso gorro de punto, y notó el tacto pegajoso de la sangre y un dolor agudo en la cabeza. Debía de haberse caído. Por suerte, la tenía como el pedernal.

No, no se había caído. Quizá se había enzarzado en una pelea, pensó. Recordaba vagamente que había estado hablando con un minero larguirucho de los que limpiaban la mena antes de que se apagaran las luces. Lo que más le desconcertaba era que le parecía estar en un vagón. De dónde podía haber salido un tren en un lejano campamento de leñadores situado en medio de la cordillera de las Cascadas era un misterio. Tendido todavía de espaldas, miró alrededor. Vio que había fuego tras él. El viento lo mantenía alejado de las llamas, aunque estaban demasiado cerca para sentirse tranquilo. Notaba su calor.

Sonó un silbato tan próximo que casi pudo tocarlo.

Don Albert se incorporó, y lo cegó el faro de una locomotora. Iba en tren, eso estaba claro; en un tren que circulaba deprisa, a la velocidad de un kilómetro y medio por minuto; en un tren que ardía. Y otro se aproximaba, directo hacia él. Un centenar de luces parpadeaban a su alrededor como si estuviera en una sala de proyección. Las llamas detrás; el faro de la locomotora delante, flanqueado por luces verdes; el destello de los postes eléctricos, que iluminaban con su resplandor el depósito de locomotoras y las edificaciones; las luces de las tiendas de campaña; el fulgor de las linternas de los hombres oscilando arriba y abajo mientras corrían para evitar la trayectoria de la vagoneta sin frenos en la que él iba montado.

La locomotora que hacía sonar el silbato no iba directa hacia él, sino que avanzaba por la vía de al lado. Sintió un alivio inmenso, hasta que vio el cambio de agujas justo enfrente.

A cien kilómetros por hora, la pesada vagoneta saltó por encima del cambio cerrado como si fuera de paja en lugar de acero, y golpeó de lado a la locomotora, arrancándole una lluvia de chispas. Topó rechinando con el ténder y se incrustó en los furgones vacíos, que salieron despedidos de las vías como si un niño enfadado hubiera dado un puñetazo a un tablero de ajedrez.

El impacto apenas disminuyó la velocidad de la vagoneta en llamas, que voló de la vía y se estrelló contra un depósito circular de locomotoras, un edificio de madera lleno de mecánicos. Antes de que Don pudiera pensar siquiera en saltar para salvar la vida, las luces se apagaron.

A cinco kilómetros al sur, el ramal derecho se unía a la vía principal en un punto donde la pendiente empezaba a remontar. El Saboteador subió por ella durante casi un kilómetro y recuperó una bolsa de viaje de lona que había guardado dentro de la gruesa base de un pino contorto. De su interior sacó unos alicates, unos guantes y unas espuelas de trepar. Se ciñó las correas de estas últimas a las botas y esperó junto al poste de telégrafo a que pasara el primer tren de materiales vacío que solía dirigirse hacia el sur para recoger más carga. Al norte, el cielo tenía un resplandor rojizo. Observó con satisfacción que iba cobrando intensidad, hasta que llegó a tapar la luz de las estrellas. Como había planeado, la vagoneta había provocado un incendio en el campamento de los obreros y en el astillero.

No venía ningún tren. Temió haber tenido tanto éxito y causado tanta destrucción que los trenes no pudieran salir de la estación. En ese caso, se habría quedado atrapado sin salida junto al final de la vía. Sin embargo, al cabo de un rato vio el blanco resplandor de un faro que se acercaba. Se quitó los guantes, trepó por el poste del telégrafo y cortó los cuatro cables.

De nuevo en tierra, tras haber aislado la cabecera del atajo del resto del mundo, pudo oír la Consolidation 2-8-0 del tren carguero resoplando al subir la pendiente. Dado que la máquina había aminorado la velocidad, le resultó fácil encaramarse a un vagón abierto.

Se arrebujó con un abrigo de lona que sacó de la bolsa de viaje y durmió hasta que el tren se detuvo a repostar agua. Al tiempo que vigilaba con atención a los guardafrenos, subió a un poste de telégrafo y cortó los cables. Luego se echó a dormir de nuevo hasta la siguiente parada de aprovisionamiento, donde volvió a hacer lo mismo que en la anterior. Al anochecer, seguía avanzando lentamente hacia el sur por la vía principal en lo que terminó siendo un vagón de color verde claro para el ganado que apestaba a mulas. Hacía tanto frío que podía verse el aliento.

Se puso en pie con cautela y fue a echar un vistazo. En ese momento el tren daba una curva, de modo que pudo ver que el vagón verde estaba enganchado a otros cincuenta vagones vacíos, a medio camino entre la lenta aunque poderosa locomotora delantera y el furgón de cola, de un rojo desvaído. Se agachó antes de que el guardafrenos asomara la cabeza desde la cúpula de observación del furgón para su inspección rutinaria. Unas horas más y el Saboteador se apearía de un salto en Dunsmuir.

9

Isaac Bell despertó entre delicadas sábanas de lino y descubrió que el tren especial de Lillian había sido desviado a una vía muerta para dejar paso a un tren de materiales vacío que avanzaba lentamente. Desde la ventanilla de su compartimiento, parecía que se encontraran en tierra de nadie. La única señal de civilización era un camino de carro muy hollado. A través de un claro entre los árboles, el viento frío azotaba la tierra reseca, y levantaba polvo y carbonilla.

Se vistió con rapidez. Era la cuarta vez que los desviaban desde Sacramento, a pesar de que Lillian había alardeado de que viajarían sin contratiempos. Que recordara, Bell solo había viajado una vez en un tren especial que se había detenido en tantas ocasiones. Fue tras el terremoto de San Francisco, para dejar paso a los convoyes de auxilio que acudían en ayuda de la devastada ciudad. El hecho de que los trenes de pasajeros y los especiales, que por lo general gozaban de prioridad, se detuvieran para dejar pasar a los cargueros era un recordatorio de la importancia que revestía el Atajo de las Cascadas para el futuro de la Southern Pacific.

Se dirigió al vagón de equipaje, donde había pasado gran parte de la noche, para ver si el telegrafista había recibido alguna nueva transmisión de Archie Abbott. En su último mensaje, Archie le había dicho que no se molestara en detenerse en

Dunsmuir porque la investigación secreta que había llevado a cabo entre los vagabundos no había dado frutos. El tren especial había pasado de largo por las concurridas estaciones y por el campamento que se divisaba a lo lejos, y solo se había detenido para repostar carbón y agua.

James, el camarero del especial que vestía un uniforme de un blanco inmaculado, vio que Bell pasaba como una exhalación por la cocina y fue tras él. Le ofreció una taza de café, junto con un sermón sobre la importancia del desayuno para un hombre que había estado trabajando toda la noche. Desayunar le pareció a Bell una buena idea. Pero antes de que llegara a aceptar, Barrett, revisor y telegrafista del especial, se levantó de su silla. Sujetaba un mensaje escrito con una caligrafía clara y lucía una expresión adusta.

—Entre, señor Bell.

No era de Archie, sino de Osgood Hennessy en persona:

SABOTEADORES LANZAN BATEA SIN FRENOS Y CORTAN TELÉGRAFO. STOP. CAOS EN ESTACIÓN DE CABEZA DE LÍNEA. STOP. ESTACIÓN ARDE EN LLAMAS. STOP. TRABAJADORES ATERRORIZADOS.

Isaac Bell agarró a Barrett por el hombro con tanta fuerza que el telegrafista se estremeció de dolor.

—¿Cuánto tiempo tardaría un tren de carga en llegar desde la cabeza de línea del atajo hasta aquí?

—Entre ocho y diez horas.

—El carguero vacío que acaba de pasar ¿salió de allí después de la vagoneta sin frenos?

Barrett miró su reloj de bolsillo.

—No, señor. Debía de estar lejos.

—Es decir, que los trenes que salieron después del sabotaje todavía siguen en algún punto entre el atajo y nosotros.

—Ese tipo no ha podido ir a ninguna parte. Solo hay una vía a lo largo de todo el trayecto.

—Entonces ¡no tiene escapatoria!

El Saboteador había cometido un error fatal y había quedado atrapado al final de un tendido de vía única, en un terreno abrupto del que no podría salir. A Bell le bastaría con interceptarlo. Pero tenía que cogerlo por sorpresa, tenderle una emboscada, para que no pudiera saltar del tren y adentrarse en el bosque.

—Mueva el tren. Lo detendremos.

—Eso no es posible. Estamos estacionados en una vía muerta. Podríamos chocar de frente con un carguero que se dirigiera hacia el sur.

Bell señaló la clavija del telégrafo.

—Averigüe cuántos trenes hay entre la cabeza de línea y nosotros.

Barrett se sentó frente a su telégrafo y empezó a enviar señales despacio.

—Tengo la mano un poco desentrenada —dijo a modo de disculpa—. Hace tiempo que no trabajo en esto.

Bell se paseaba por el vagón de equipaje mientras la clavija repiqueteaba en código morse. Casi todo el espacio abierto se concentraba alrededor de la mesa del telégrafo. Detrás, baúles y cajas de provisiones se amontonaban formando un estrecho pasillo, y todavía los privaba de mayor espacio el Packard Gray Wolf de Lillian, bien sujeto y protegido por una lona. La joven le había enseñado el coche a Bell la noche anterior, recordándole con orgullo lo que un hombre como él, amante de la velocidad, ya sabía: el espléndido bólido de carreras seguía batiendo récords en Daytona Beach.

Barrett levantó la vista de la clavija con recelo. La fría resolución que se adivinaba en el rostro de Bell era tan severa como el brillo glacial de sus ojos azules.

—Señor, el controlador de Weed dice que le han comentado que un tren de carga va por la vía a toda máquina. Partió de la cabeza de línea después del accidente.

—¿Qué quiere decir «le han comentado»? ¿Hay más trenes en circulación?

—Esta noche han caído varios cables, en el norte. El controlador no puede saber con seguridad si algún tren rodaba por allí, ya que el tendido está cortado. Estamos sin protección, no hay manera de averiguar si viene algún convoy del norte hasta que reparen el cableado. Por eso no nos dan permiso para ir a la vía principal.

Por supuesto, se dijo con disgusto Bell. Cada vez que el carguero vacío se había detenido a repostar agua, el Saboteador había trepado al poste más cercano y cortado los cables del telégrafo para sumir el sistema entero en el caos y facilitarse la huida.

—Señor Bell, me gustaría ayudarle, pero no puedo poner en peligro las vidas de otras personas porque no sé si aparecerá un tren tras la curva.

Isaac Bell pensó con rapidez. Lo primero que vería el Saboteador sería el humo de la locomotora del tren especial, antes que el convoy en sí. Aunque Bell lo detuviera con la intención de interrumpir la vía principal, el Saboteador se lo olería en cuanto el suyo también se parara. Le daría tiempo a bajar. El territorio era menos agreste que en lo alto de la vía, y un hombre podría internarse en el bosque y escapar a pie.

—¿Cuándo pasará por aquí ese carguero?

—No tardará ni una hora.

Bell señaló el automóvil de Lillian con un gesto de apremio.

—Saque de aquí eso.

—Pero la señorita Lillian…

—¡Ahora!

El telegrafista abrió las compuertas laterales del vagón, bajó el Packard y lo dejó en el camino de tierra que había junto a la vía. Comparado con el Locomobile de Bell, el coche de Lillian era ligero y pequeño; apenas le llegaba a la cintura. Sus ruedas, con cámara de aire y con radios, sobresalían del chasis. Una lámina de metal gris que servía de capó para el motor daba al morro una forma puntiaguda. Tras el capó se hallaba el volante, un asiento en forma de banqueta con el respaldo de piel y poca cosa más. La cabina era abierta. Debajo, a cada lado del chasis, sendos conjuntos de siete tuberías de cobre reluciente estaban dispuestos horizontalmente; servían de radiador para enfriar el poderoso motor de cuatro cilindros.

—Ate un par de latas de gasolina en el portaequipajes de atrás —ordenó Bell—, y esa rueda de recambio.

Todo se resolvió mientras Bell corría hacia su compartimiento y regresaba armado con un cuchillo metido en una bota y una pistola Remington Double-Derringer, de reducido tamaño y con dos cañones cortos, oculta en la copa de su sombrero de ala ancha. Bajo el abrigo, llevaba una pistola nueva: una resplandeciente Browning modelo 2 semiautomática, fabricada en Bélgica, que un armero americano había modificado para que disparara un cartucho del calibre 380. Era ligera y se recargaba rápidamente. No era demasiado persuasiva, pero sí muy precisa. Lillian Hennessy llegó corriendo de su vagón particular, arrastrando la bata de seda con la que se cubría el camisón. Por un instante, Bell pensó que incluso después de haber perdido el conocimiento por el efecto de tres botellas de champán, seguía siendo hermosa.

—¿Qué haces?

—El Saboteador está en la vía. Voy a detenerlo.

—¡Yo te llevaré!

Con entusiasmo, Lillian se puso de un salto tras el volante y llamó a los empleados del tren para que girasen la manivela y arrancaran el motor. Despejada al instante, con los ojos iluminados, aquella mujer estaba dispuesta a cualquier cosa. Pero en cuanto el Packard estuvo listo, Bell gritó a pleno pulmón:

—¡Señora Comden!

Emma Comden salió corriendo en camisón, con el cabello oscuro peinado en una larga trenza y la cara pálida por la urgencia que detectaba en la voz de Bell.

—¡Coja esto! —dijo él.

Bell rodeó con sus largas manos la delgada cintura de Lillian y la sacó del coche.

—¿Qué haces? —gritó la joven—. ¡Suéltame!

El detective depositó a Lillian, que pataleaba y gritaba, en brazos de la señora Comden. Y las dos mujeres cayeron al suelo mostrando sus piernas desnudas.

—¡Puedo ayudarte! —gritó Lillian—. ¿No éramos amigos?

—Yo no me llevo a los amigos a un tiroteo.

De un salto, Bell se sentó tras el volante y condujo el Gray Wolf a toda velocidad por el camino de tierra, envolviéndolo en una nube de polvo.

—¡El coche es mío! ¡Me has robado mi bólido de carreras!

—¡Te lo acabo de comprar! —le dijo él sin volver la vista atrás—. Envía la factura a Van Dorn.

Al tiempo que sonreía, a pesar de todo, y se esforzaba por maniobrar aquel automóvil tan bajo sobre los surcos hollados por los carromatos, Isaac Bell se dijo que cuando Van Dorn presentara los gastos a Osgood Hennessy, este terminaría comprando por segunda vez el Gray Wolf de su hija.

Una mirada por encima del hombro le reveló que levantaba una nube de polvo alta y oscura como el humo de una locomotora. El Saboteador lo vería acercarse a kilómetros de distancia y estaría sobre aviso.

Bell giró el volante. El Gray Wolf salió del sendero, subió por el terraplén y se metió en el firme de la vía. Dio otro volantazo para cruzar por el raíl más cercano. Sobre este, el bólido avanzaba a trompicones por las traviesas y el balasto. El movimiento sacudía a Bell hasta los huesos, aunque el traqueteo y los botes eran más predecibles que los surcos del camino. A menos que pinchara con algún clavo suelto, tenía más probabilidades de que el coche quedara intacto a esa velocidad que circulando entre piedras y baches. Miró hacia atrás y confirmó que la ventaja principal de conducir sobre el firme de la vía era que ya no levantaba una nube de polvo tras él como si ondeara una bandera.

Siguió avanzando sobre las traviesas en dirección norte durante un cuarto de hora.

De repente, vio una columna de humo que se elevaba hacia el cielo, de un azul intenso. El tren era invisible, oculto como estaba tras una curva del tendido viario que parecía discurrir por un valle arbolado a caballo entre dos colinas. Estaba mucho más cerca de lo que se había imaginado cuando vio la humareda por primera vez. Se apartó de la vía inmediatamente, bajó por el terraplén y, dando botes, se metió en un bosquecillo de arbustos.

A buen recaudo, maniobró hasta dar la vuelta y permaneció en el coche, contemplando el humo que se acercaba.

El resoplido húmedo de la locomotora fue cobrando fuerza ante el insistente ronquido del motor en marcha del Gray Wolf. Su agudo chasquido cada vez se oía más alto. La enorme máquina negra dobló la curva escupiendo humo, arrastrando un largo ténder de carbón y una hilera de vagonetas y furgones. El convoy iba ligero de carga y se deslizaba con suavidad por la pendiente de una cuesta; avanzaba con rapidez, a pesar de ser un carguero.

Bell contó cincuenta vagones y escudriñó lo mejor que pudo cada uno de ellos. Las plataformas parecían vacías. No logró deducir lo mismo de un par de vagones para ganado. La mayoría de los furgones tenían las puertas abiertas, y no vio a nadie asomado. El último era un furgón de cola de un rojo desvaído con una cúpula de observación acristalada en el techo.

En el mismo instante en que pasaba ese último vagón, Bell aceleró el motor del Wolf y salió del bosquecillo, subió por el terraplén de grava y se metió en las vías. Forzó los neumáticos de las ruedas derechas para cruzar el raíl y ajustó el acelerador de mano. El Gray Wolf salió disparado tras el tren, rebotando con dureza sobre las traviesas. A unos sesenta kilómetros por hora, daba violentas sacudidas y oscilaba de un lado a otro. El caucho chirriaba contra el acero cuando los neumáticos impactaban contra los raíles. Bell acortó a la mitad la distancia que lo separaba del convoy. Volvió a acortarla, hasta que solo mediaron tres metros entre ambos. En ese momento comprendió que no podía saltar al furgón de cola sin colocarse junto al tren, de modo que volvió a cruzar el raíl y condujo por el borde del terraplén, que era empinado y estrecho y estaba sembrado de postes de telégrafo.

Tenía que ponerse junto al furgón de cola, agarrarse a una de las escalerillas laterales y saltar antes de que el coche de carreras perdiera velocidad y terreno. Adelantó hasta situarse junto a él y siguió conduciendo. A un vagón de distancia, vio que uno de los postes de telégrafo estaba más próximo al raíl que los demás. No había espacio suficiente para pasar con el Gray Wolf.

10

Bell aceleró, consiguió asir la escalerilla del furgón de cola con una mano y saltó del coche.

El travesaño de acero estaba frío, y los dedos le resbalaron. Oyó que el Packard Gray Wolf se estrellaba en el poste de telégrafo que acababa de dejar atrás. Colgando peligrosamente de un brazo, vio cómo se precipitaba por el terraplén y luchó con todas sus fuerzas para evitar correr la misma suerte. Pero era como si le hubieran machacado el brazo. Lo sentía arder. El dolor lo desgarraba. Por mucho que intentara agarrarse, no podía impedir que los dedos patinaran.

Cayó. Cuando sus botas impactaron contra el balasto, se agarró con la mano izquierda al último travesaño de la escalerilla. Arrastraba las suelas por las piedras, y temía perder su precario agarre. Puso la otra mano en la escalerilla, dobló las piernas y se impulsó. Finalmente pudo afianzar un pie en el travesaño y, con un fuerte balanceo, subió a la plataforma trasera del furgón.

Abrió de golpe la puerta y echó un vistazo al interior del vagón. Vio a un guardafrenos removiendo un guiso de olor repulsivo sobre una estufa de leña. Había unos armarios para las herramientas, baúles a ambos lados con unas bisagras en la tapa que permitían doblarla para convertirlos en bancos, y también unas literas, un lavabo y un escritorio sembrado de tarjetas de embarque. Una escalerilla llevaba a la cúpula de observación, desde donde los ferroviarios controlaban la hilera de furgones y se comunicaban con la locomotora por medio de banderas y linternas.

El guardafrenos se sobresaltó cuando la puerta dio contra la pared. Se volvió, con los ojos desorbitados.

—¿De dónde carajo sale usted?

—Me llamo Bell. Soy detective de la agencia Van Dorn. ¿Dónde está el interventor?

—Fue a la locomotora cuando paramos para repostar agua. ¿Dice usted que es de Van Dorn, de la agencia de detectives?

Pero Bell subía ya la escalerilla para meterse en la cúpula desde donde podría observar todo el convoy.

—¡Traiga la bandera! Haga la señal de detenerse al maquinista. Llevamos a un saboteador en uno de los vagones de carga.

Bell apoyó los brazos en el saliente de las ventanillas y observó con suma atención. Había cincuenta vagones entre él y la locomotora, que iba sacando humo. No vio a nadie sobre el techo de los furgones, aunque no pudo confirmar si alguien viajaba en las vagonetas, ya que eran más bajas.

El guardafrenos subió y se colocó junto a Bell con una bandera. El olor al guiso nauseabundo era aún peor en la cúpula de observación. O eso, pensó Bell, o el guardafrenos llevaba bastante tiempo sin darse un baño.

—¿Ha visto a alguien que se colara de polizón? —preguntó el investigador.

—Solo un viejo vagabundo. Un lisiado que casi no podía andar. No he sido capaz de despertar a ese pobre diablo.

—¿Dónde está?

—En la mitad del convoy. ¿Ve ese vagón verde para ganado? El viejo iba en el que está delante.

—Pare el tren.

El guardafrenos sacó la bandera por una ventanilla lateral y la movió frenéticamente. Al cabo de unos minutos, alguien asomó la cabeza por la cabina de la locomotora.

—Ese es el interventor. Nos ha visto.

—Mueva la bandera.

Los resoplidos de la locomotora se espaciaron. Las zapatas del freno chirriaron, y los vagones golpearon unos con otros al ceder la tensión que mediaba entre ellos cuando el tren aminoró la marcha. Bell observaba el techo de los furgones.

—En el momento en que el tren se detenga, quiero que vaya corriendo a inspeccionar todos los vagones. No haga nada. Solo grite si ve a alguien, y luego márchese. Si ese hombre lo descubre, es capaz de matarlo.

—No puedo.

—¿Por qué no?

—Ponemos a un hombre con una bandera en la parte de atrás. Y ese soy yo. Si viene un tren, tengo que ondearla. Los cables del telégrafo no funcionan hoy.

—Primero inspeccione todos los vagones —dijo Bell, al tiempo que sacaba la Browning del abrigo.

El guardafrenos bajó de la cúpula de observación. Saltó de la plataforma trasera y echó a correr junto a la vía del tren, deteniéndose ante cada vagón para mirar en su interior. El maquinista hizo sonar el silbato como si exigiese una explicación. Bell observaba los techos de los furgones y se movía hacia ambos lados de la cúpula para inspeccionar la totalidad del convoy.

El Saboteador estaba tumbado de espaldas en el interior de uno de los baúles en forma de banco del furgón del guardafrenos, situado a menos de tres metros de la escalerilla de la cúpula de observación. Empuñaba un cuchillo en una mano y una pistola en la otra. Había estado preocupado toda la noche porque, al desfrenar la vagoneta, se había puesto en peligro. Se había quedado atrapado en lo alto de la vía. Temiendo que la policía del ferrocarril, azuzada por los detectives de la agencia Van Dorn, organizara un asalto al tren e hiciera una inspección a fondo antes de que llegaran a Weed o a Dunsmuir, había decidido entrar en acción. Aprovechó la última parada de repostaje para correr hasta el furgón de cola y colarse en él. Los ferroviarios no lo vieron; estaban atareados ocupándose de la locomotora, y comprobando los cojinetes y los ejes de las ruedas.

Había elegido el baúl que contenía las linternas porque suponía que nadie iría a abrirlo de día. Con todo, si alguien lo hacía, lo asesinaría con la primera arma que tuviera a mano, saltaría del tren y mataría a cualquiera que se interpusiera en su camino.

Encogido en aquel espacio estrecho y oscuro, sonrió. Había sabido anticiparse. Quien había subido al tren no era otro que el jefe de investigadores de la agencia Van Dorn en persona: Isaac Bell. En el peor de los casos, el Saboteador lo pondría en ridículo. En el mejor, le metería un tiro entre ceja y ceja.

El guardafrenos inspeccionó todos los vagones, y cuando llegó a la locomotora, Bell vio que hablaba con el interventor, el maquinista y el fogonero, que se habían agrupado al pie del tren. El interventor y el guardafrenos regresaron corriendo, y volvieron a comprobar todos y cada uno de los cincuenta furgones, vagones para ganado y vagonetas del convoy. Cuando llegaron al furgón de cola, el interventor, un hombre mayor con unos perspicaces ojos marrones y expresión de fastidio, dijo:

—Ni saboteadores ni vagabundos. Aquí no hay nadie. El tren está vacío. Ya hemos perdido demasiado tiempo. —Y entonces levantó la bandera para hacer una señal al maquinista.

—Espere —dijo Bell.

El detective bajó de un salto del furgón de cola y corrió a lo largo del tren, mirando en el interior de cada vagón y debajo de cada chasis. A mitad de camino, se detuvo en el vagón verde para ganado que apestaba a mulas.

Dio media vuelta y regresó a toda prisa al furgón de cola.

Aquel desagradable olor le resultaba familiar. No provenía del guiso del guardafrenos, ni tampoco de la falta de aseo de este. El hombre que viajaba en el vagón verde para ganado que apestaba a mulas se había ocultado en el furgón.

Bell subió de un salto a la plataforma, entró como una exhalación, apartó de un manotazo el colchón del primer banco y levantó la tapa de bisagras. El baúl contenía botas e impermeables amarillos. Abrió el siguiente. Estaba lleno de banderas y herramientas para reparar faros. Quedaban dos. El interventor y el guardafrenos lo observaban con curiosidad desde la puerta.

—Atrás —les dijo Bell.

Abrió el tercer baúl. Contenía latas de lubricante y queroseno para las lámparas. Con la pistola en la mano, se inclinó para abrir el último.

—Ahí no hay nada, solo linternas —dijo el guardafrenos.

Bell lo abrió.

El guardafrenos tenía razón. En el baúl solo había linternas rojas, verdes y amarillas.

Enfadado y desconcertado a partes iguales, Bell se preguntó si acaso aquel tipo se las había ingeniado para escapar corriendo hacia el bosque por un lado del convoy mientras él inspeccionaba el otro. Se dirigió a la locomotora para hablar con el maquinista.

—¡Mueva el tren!

Fue calmándose poco a poco. Y al final sonrió, tras recordar algo que Wish Clarke le había dicho en una ocasión: «No se puede pensar cuando se está cabreado. Y menos si te cabreas contigo mismo».

No dudaba que el Saboteador era un hombre capaz, incluso brillante, pero parecía que contaba con algo más: la suerte, el elemento intangible que podía sumir una investigación en el caos y retrasar la captura de un delincuente. Bell había creído que atrapar al Saboteador solo era cuestión de tiempo, pero este se agotaba, y deprisa, porque aquel tipo atacaba sin darle tregua. No era un vulgar ladrón de bancos. No se ocultaría en un burdel y se gastaría el botín en vino y mujeres. Es más, en ese momento debía de estar planeando su siguiente golpe. Bell sentía con toda el alma no haber sido capaz de averiguar todavía los motivos que impulsaban a actuar a aquel hombre. Pero sí sabía que el Saboteador no era uno de esos criminales que perdía el tiempo celebrando una victoria.

Veinte minutos después, Bell ordenó que el tren se detuviera junto al convoy de Lillian, que seguía estacionado en la vía muerta. Los ferroviarios siguieron adelante con el carguero hasta situarlo frente al depósito de agua.

El Saboteador esperó a que los empleados del tren estuvieran ocupados repostando. Se dejó caer desde el saliente de la cúpula de observación y volvió a meterse en el baúl de las linternas. En la siguiente parada de avituallamiento, se escabulló y se coló en otro furgón. Era evidente que en cuanto oscureciera, aquellos hombres irían a buscar las linternas.

Diez horas después, en plena noche, saltó en una parada de Redding. Vio que había muchos detectives y policías del ferrocarril inspeccionando los trenes delanteros y se metió en una alcantarilla, desde donde estuvo observando las luces, que se movían en la oscuridad.

Mientras esperaba que se marcharan, empleó el tiempo pensando en la investigación de Isaac Bell. Estuvo tentado de enviarle una carta. «Lamento que no nos hayamos conocido en el tren de carga», le habría escrito, pero no le pareció oportuno bromear. Mejor no presumir, se dijo. Le convenía más dejar que Bell creyera que él no iba en ese tren. Que había huido por otros medios. Ya encontraría la manera de sembrar la confusión.

Un convoy de carga vacío salió atronando de la estación hacia el sur, justo antes de que clareara el día. El Saboteador corrió junto a él, se agarró a la escalerilla trasera de uno de los furgones, se metió debajo del chasis y se colocó como mejor pudo en el bastidor.

En Sacramento, bajó del tren cuando este se detuvo en espera de la autorización para entrar en el recinto de mantenimiento de la estación. Recorrió más de un kilómetro caminando entre fábricas y albergues para trabajadores. Finalmente llegó a una humilde casa de huéspedes, situada a ocho manzanas del Capitolio, donde pagó cuatro dólares a la casera por haberle guardado la maleta. A diez manzanas de allí, eligió al azar otra pensión. Alquiló una habitación y pagó una semana por adelantado. A media mañana la casa quedaba vacía porque los inquilinos se iban a trabajar. El Saboteador se encerró entonces en el baño comunitario que había al final del pasillo, metió la ropa de vagabundo en la bolsa de viaje, se afeitó y se bañó. Ya en su habitación, se colocó una peluca rubia de excelente calidad, así como una barba y un bigote bien recortados, también rubios. Tras fijarse ambos con adhesivo para postizos, se puso una camisa limpia y un elegante traje chaqueta, y se hizo un nudo americano en la corbata. Empaquetó sus cosas, guardó las espuelas de trepar en la maleta y finalmente se limpió las botas.

Salió de la pensión por la puerta trasera para que nadie lo viera con el disfraz de su nueva identidad y caminó hacia la estación de ferrocarril por una ruta alternativa, comprobando a menudo que nadie lo seguía. Lanzó la bolsa de viaje detrás de una empalizada pero conservó la maleta.

Centenares de viajeros se dirigían hacia la estación de la Southern Pacific. Se mezcló entre la multitud, como si fuera uno más de aquellos hombres de negocios bien vestidos que viajaban a una ciudad lejana. De repente, sin poder reprimirse, soltó una carcajada. Rió de una manera tan ostensible que se llevó la mano a la boca para impedir que la barba se le moviera.

El último número de la revista *Harper's Weekly* estaba en el aparador de un quiosco. El dibujo de la primera página representaba nada más y nada menos que a Osgood Hennessy. El presidente de los ferrocarriles aparecía como un terrible pulpo con los tentáculos en forma de las vías de tren que entraban en Nueva York. Con una sonrisa de oreja a oreja, el Saboteador sacó diez centavos del bolsillo y compró la revista.

Dado que el vendedor del quiosco se lo había quedado mirando, se dirigió a otro que estaba fuera de la estación.

—¿Tiene lápices? —pidió el Saboteador—. Quiero uno que sea grueso. Y un sobre y un sello, por favor.

En la intimidad de los lavabos de un hotel cercano, arrancó la portada de la revista, escribió unas palabras en ella y la metió en el sobre. Luego anotó una dirección: Isaac Bell, jefe de detectives, agencia de detectives Van Dorn, San Francisco.

Tras pegar el sello, se apresuró a regresar a la estación y echó el sobre en un buzón. A continuación subió al rápido de Ogden, en Utah, a casi mil kilómetros hacia el este, una ciudad próxima al Gran Lago Salado en la que convergían nueve líneas de ferrocarril.

El revisor apareció.

—Sus billetes, caballeros.

El Saboteador había comprado un billete. Pero cuando iba a sacarlo del bolsillo de su chaleco, lo asaltó un mal presentimiento. No se cuestionó el porqué de esa extraña sensación ni qué se la había provocado. Quizá la dotación mayor de policías del ferrocarril que había visto en el recinto de la estación de Sacramento. Quizá el expendedor de billetes, que lo había estado observando con detenimiento. Quizá un tipo ocioso en el que se había fijado en la estación de pasajeros, que bien podría ser un agente de Van Dorn. Confiando en su instinto, dejó el billete en el bolsillo y sacó un pase de ferrocarril.

11

Bell tuvo que soportar cuarenta y ocho horas de desquiciantes retrasos hasta llegar a la obra de las Cascadas, situada en la cabeza de la línea ferroviaria del atajo. Los controladores de la Southern Pacific estaban abrumados por el trabajo a causa de los cortes en el tendido del telégrafo, que habían provocado el caos en la programación de los trenes. Lillian se había rendido y había regresado con su convoy especial a Sacramento. Bell, tras viajar en varios convoyes de material, al final había llegado a destino en un tren con un cargamento de lonas y dinamita.

La Southern Pacific había empleado el tiempo mejor que él. Los hombres de la compañía habían demolido el depósito de locomotoras consumido por las llamas y retirado los escombros con carretillas, y un centenar de carpinteros levantaban a golpe de martillo una nueva estructura con madera del bosque que procedía del aserradero.

—Es por el invierno. —Un fornido capataz de vías explicaba el veloz avance de los trabajos—. No es agradable tener que arreglar locomotoras cuando nieva.

Montones de raíles retorcidos llenaban diversos vagones, y las vías eran nuevas allí donde la vagoneta sin frenos había arrancado el cambio de agujas. Varias grúas levantaban los furgones caídos y volvían a ponerlos sobre los raíles recién instalados. Los peones montaban unas gigantescas tiendas de lona en sustitución del barracón de cocina que habían incendiado las ascuas procedentes del depósito de locomotoras. Los peones almorzaban de pie y estaban de mal humor, y Bell pudo oír varias conversaciones en las que hablaban de negarse a volver al trabajo. No era el inconveniente de estar sin mesas y bancos lo que los trastornaba, sino el miedo.

—Si no nos protege el ferrocarril, ¿quién va a hacerlo? —oyó que preguntaba alguien.

Y la respuesta llegó de varios lados, colérica y dura:

—Sálvese quien pueda. Tú lárgate, y regresa el día de pago.

Bell vio que el tren particular color rojo bermellón de Osgood Hennessy entraba en la estación y corrió tras él, aunque lo último que deseaba era reunirse con aquel hombre. Joseph van Dorn, que viajaba con Hennessy desde San Francisco, lo recibió en la puerta con expresión seria.

—El viejo está hecho una furia —dijo—. Tú y yo vamos a tener que bajar la cabeza y aguantar el chaparrón.

Y el chaparrón les cayó encima. Aunque no al principio. En un primer momento, Hennessy les pareció un hombre derrotado.

—No estaba exagerando, muchachos. Si no conecto con el puente del cañón de las Cascadas antes de que nieve, se acabó el atajo. Y esos banqueros hijos de perra acabarán conmigo. —Miró a Bell con ojos sombríos—. Me fijé en su cara cuando le dije que yo había empezado poniendo clavos en las traviesas, como mi padre. Se preguntará cómo un tipejo enclenque puede blandir una maza de metal. No siempre he estado en los huesos. En aquellos tiempos podría haber hecho un círculo de clavos alrededor de usted. Pero tuve un ataque cardíaco, y me encogí hasta convertirme en lo que ahora ve.

—Bueno, bueno… —terció Van Dorn para suavizar las cosas.

Hennessy lo cortó en seco.

—Me pediste una fecha límite. Y soy yo quien tiene una. No existe ni un solo ferroviario que pueda terminar el Atajo de las Cascadas aparte de mí. Los nuevos no tienen lo que hace falta. Harán que los trenes lleguen a tiempo, pero se limitarán a usar las vías que yo les he puesto.

—Los contables no crean imperios —intervino la señora Comden.

El intento de consuelo hizo soltar un gruñido a Hennessy, que arrancó del techo el plano del puente del cañón de las Cascadas.

—El mejor puente del Oeste está casi terminado —gritó—, pero no llevará a ninguna parte si no conecto a él mi línea del atajo. ¿Y qué me encuentro aquí cuando regreso, después de haber pagado generosamente a varios detectives para que la vigilen? Otra endemoniada semana perdida para reconstruir lo que ya había construido. Dos guardafrenos y el mecánico encargado del depósito de locomotoras muertos. Cuatro mineros quemados. El capataz de la obra fuera de circulación, con el cráneo partido. Y un leñador en coma. Estoy cansado.

Bell y Van Dorn se miraron.

—¿Qué hacía un leñador en la obra del ferrocarril? El aserradero está en lo alto de la montaña.

—¿Cómo diablos quiere que lo sepa? —exclamó Hennessy—. Además, dudo que se despierte y nos lo diga.

—¿Dónde está?

—No lo sé. Pregúnteselo a Lillian… No, no puede, maldita sea. La he enviado a Nueva York para que engatuse a esos mezquinos banqueros.

Bell giró sobre sus talones y salió del vagón particular de Hennessy para ir corriendo al hospital de campaña que la compañía había instalado en un pullman. Encontró a los mineros quemados envueltos en vendas blancas, y al capataz de la obra vendado y clamando que estaba curado, maldiciendo para que lo soltaran y gritando que tenía que arreglar una línea de ferrocarril. Pero no vio a ningún leñador en coma allí.

—Sus amigos se lo han llevado —le comunicó el médico.

—¿Por qué?

—Nadie vino a pedirme permiso. Yo estaba cenando.

—¿Ese hombre estaba consciente?

—A veces sí.

Bell se dirigió a toda prisa al despacho del superintendente de la estación, donde había trabado amistad con el controlador y el jefe de oficinas, ambos con una ingente cantidad de información al alcance de la mano.

—He oído que al leñador se lo llevaron a la ciudad —dijo el jefe de oficinas—, pero no sé adónde con exactitud.

—¿Cómo se llama ese hombre?

—Don Albert.

Bell tomó un caballo del establo de la policía del ferrocarril, y no aflojó las riendas hasta llegar a la ciudad, que estaba situada en una hondonada tras la cabeza de línea. Era un emplazamiento provisional, levantado en poco tiempo, con tiendas, barracones y vagones de carga abandonados; todos ellos se habían acondicionado para albergar tabernas, salones de baile y prostíbulos que ofrecían sus servicios a los obreros de la construcción. En un día como aquel, en mitad de la semana y a media tarde, las estrechas y polvorientas calles se hallaban desiertas, como si sus ocupantes estuvieran recuperándose en espera de la paga siguiente, que cobrarían el sábado por la noche.

Bell asomó la cabeza por la puerta de un sucio tugurio. El tabernero, que atendía el local detrás de unos tablones apoyados sobre unos barriles de whisky, alzó de mala gana la vista de un periódico de Sacramento fechado la semana anterior.

—¿Por dónde andan los leñadores? —le preguntó Bell.

—Ellos van al Double Eagle, justo al final de la calle. Pero no los encontrará allí. Están en la montaña serrando traviesas. Hacen turno doble para poder bajarlas de allí antes de que lleguen las nevadas.

Bell le agradeció la información y se dirigió al Double Eagle, un furgón desvencijado retirado de las vías sobre el que había un cartel que mostraba un águila roja con las alas extendidas. Las puertas batientes de la entrada eran de dudosa procedencia. Como en el garito anterior, el único hombre que había allí era el tabernero, tan avinagrado como el otro. No obstante, a este se le iluminó la cara cuando Bell lanzó una moneda sobre el tablón del mostrador.

—¿Qué va a tomar, señor?

—Estoy buscando al leñador que resultó herido en el accidente de la vagoneta. Don Albert.

—He oído que está en coma.

—A mí me han contado que a veces lo está pero otras veces no —dijo Bell—. ¿Dónde puedo encontrarlo?

—¿Es usted de la policía?

—¿Parezco un poli del ferrocarril?

—No lo sé, señor. Han estado revoloteando por aquí como moscardones. —El tabernero miró a Bell de arriba abajo y decidió responder—. Lo está cuidando una vieja que vive en una barraca, junto al arroyo. Siga el sendero hasta llegar al riachuelo.

Bell dejó el caballo atado donde estaba y bajó al arroyo; por el olor que subía por la pendiente, sin duda era la cloaca de la ciudad. Pasó junto a un furgón antiguo de la Central Pacific que en otro tiempo debió de ser amarillo. Desde uno de los boquetes laterales que servían de ventanas, una joven a la que le goteaba la nariz lo llamó.

—Es aquí, cariño. Esto es lo que andabas buscando.

—Gracias, pero no —respondió Bell con cortesía.

—Cielo, no vas a encontrar nada mejor por los alrededores.

—Estoy buscando a la señora que cuida del leñador malherido.

—Está jubilada, señor.

Bell siguió andando hasta llegar a una hilera de barracas destartaladas que habían sido construidas con tablones de madera, procedentes de cajas de embalar, clavados entre sí. De vez en cuando, en alguno de ellos se veía el rótulo pintado de su contenido original: TRAVIESAS, ALGODÓN EN RAMA, PIQUETAS, MONOS DE TRABAJO.

En el exterior de una de aquellas barracas, en la que se leía ROLLOS PARA PIANOLA en un tablón, vio a una anciana de cabello blanco sentada en un cubo del revés. La mujer apoyaba la cabeza en las manos. Su ropa, un vestido de algodón y un chal por encima de los hombros, era demasiado ligera para la fría humedad que provenía del fétido arroyo. Cuando vio acercarse a Bell, se levantó de un salto con expresión atemorizada.

—¡No está aquí! —gritó.

—¿Quién? Tranquila, señora. No le haré daño.

—¡Donny! —chilló la mujer—. Que viene la ley.

—No soy la ley. Yo…

—¡Donny, corre, ven!

De la barraca salió como una furia un leñador de un metro ochenta. Tenía el cabello largo y grasiento, y un enorme bigote de foca que le llegaba hasta más abajo de la entrecana barbilla. Empuñaba un cuchillo de montaña.

—¿Eres Don Albert? —preguntó Bell.

—Donny es mi primo —dijo el leñador—. Más te vale echar a correr mientras puedas. Esto es una cuestión de familia.

Preocupado porque Don Albert pudiera salir zumbando por la puerta trasera, Bell se llevó la mano al sombrero y sacó su Remington Double-Derringer.

—Disfruto con una pelea de cuchillos como el que más, pero ahora no tengo tiempo para eso. ¡Suéltalo!

El leñador no se inmutó. En lugar de ello, dio cuatro pasos rápidos hacia atrás y blandió un segundo cuchillo, más corto y sin empuñadura.

—¿Qué te apuestas a que lanzo con más puntería de la que tienes tú con ese cañón chato? —preguntó.

—No soy jugador —dijo Bell, y sacando con un movimiento rápido la flamante Browning del abrigo, le hizo soltar el cuchillo de montaña de un disparo.

El leñador lanzó un grito de dolor y, atónito, se quedó mirando cómo giraba su reluciente machete a la luz del sol.

—Siempre doy en el blanco con los grandes, pero con ese tan pequeño no estoy tan seguro de acertar. Para mayor seguridad, te dispararé en la mano.

El leñador dejó caer el cuchillo arrojadizo.

—¿Dónde está Don Albert? —preguntó Bell.

—No le moleste, señor. Está malherido.

—Si es así, debería estar en el hospital.

—No puede quedarse en el hospital.

—¿Por qué?

—Los polis le cargarán el muerto de la vagoneta.

—¿Por qué?

—Se subió a ella.

—¿Que iba en ella? —exclamó Bell—. ¿Esperas que me crea que sobrevivió al impacto, a una velocidad de un kilómetro y medio por minuto?

—Sí, señor. Así fue.

—Donny tiene la cabeza como el pedernal —dijo la anciana.

Bell fue hilvanando la historia, paso a paso, a partir de lo que le contaron el leñador y la mujer, que resultó ser la madre de Don Albert. Al parecer, este dormía inocentemente la borrachera en la vagoneta cuando interrumpió al hombre que iba a soltarla. El tipo le asestó un golpe en la cabeza con una palanca.

—Tiene el cráneo como un lingote de hierro —aseguró el leñador a Bell mientras la madre de Don asentía.

La mujer explicó con lágrimas en los ojos que cada vez que su hijo despertaba en el hospital, la policía del ferrocarril lo interrogaba a gritos.

—Donny tuvo miedo de contarles lo del hombre que le había pegado.

—¿Por qué? —preguntó Bell.

—Imaginó que no le creerían, por eso fingió estar peor de lo que en realidad estaba. Se lo dije a este, al primo John. Y él fue a buscar a sus amigos para sacar de allí a Donny mientras el médico cenaba.

El detective aseguró a la anciana que se encargaría personalmente de que la policía del ferrocarril no molestara a su hijo.

—Soy un detective de la agencia Van Dorn, señora. Los policías están a mis órdenes. Les diré que los dejen tranquilos.

Al final, Isaac Bell la convenció de que lo llevara al interior de la barraca.

—Donny, ha venido un hombre a verte.

Bell se sentó en una caja que había junto al tablón con un jergón de paja donde dormía Don Albert, que estaba cubierto de vendas. Era un hombre corpulento, más que su primo, con la cara redonda, un bigote como el de su primo y unas manazas llenas de astillas clavadas. Su madre le acarició el dorso de una de ellas y él se revolvió.

—Donny, ha venido un hombre a verte —repitió la mujer.

El leñador miró a Bell con ojos soñolientos, que fueron avivándose conforme despertaba. Eran de un intenso azul glacial y revelaban una sutil inteligencia. Bell sintió acrecentarse su interés. El leñador no solo no se encontraba en estado de coma, sino que parecía ser un fino observador. Y era el único hombre que Bell conocía que había estado cerca del Saboteador y seguía con vida.

—¿Cómo te encuentras?

—Me duele la cabeza.

—No me extraña.

Don Albert rió, e hizo una mueca de dolor.

—Me he enterado de que un tipo te ha dado un buen golpe.

—Con una palanca, creo. Al menos es lo que me pareció. De hierro, no de madera. No me atizó con el mango de un hacha, se lo aseguro.

Bell asintió. Don Albert hablaba con conocimiento de causa, sin duda; no era inusual que los leñadores recibieran, al menos una vez en la vida, un golpe semejante con la empuñadura de aquella herramienta.

—¿Pudiste verle la cara?

Albert lanzó una mirada a su primo y a su madre.

—Hijo, el señor Bell dice que ordenará a los policías del ferrocarril que te dejen tranquilo.

—Este es rápido disparando —afirmó John.

Don Albert asintió, y aquel movimiento le llevó a hacer otra mueca de dolor.

—Sí, le he visto la cara.

—Era de noche —apuntó Bell.

—En la montaña, las estrellas son como reflectores. No había ninguna hoguera en el vagón, nada que me cegara la vista. Sí, pude verlo. Además, yo estaba encima de las traviesas y lo miraba desde arriba. Él levantó la cabeza y le dio la luz de pleno en ella cuando le hablé; por eso le digo que le vi bien la cara.

—¿Recuerdas cómo reaccionó?

—Se quedó de piedra. Un poco más y se muere del susto. No esperaba compañía.

Aquello pintaba tan bien que no podía ser verdad, pensó Bell, cada vez más excitado.

—¿Eres capaz de describirme a ese tipo?

—Un hombre bien afeitado, sin barba. Llevaba una gorra de minero, y me pareció que tenía el cabello negro. Orejas grandes, nariz afilada… Y los ojos muy abiertos; no pude ver de qué color eran. No había tanta luz. Las mejillas enjutas, un poco hundidas, quiero decir. La boca ancha, casi como la suya, salvo por el bigote.

Bell no estaba acostumbrado a que los testigos aportaran detalles tan concretos, y aún era menos frecuente que mostrasen semejante predisposición a revelarlos. En general, tenía que escuchar con atención y hacer muchas preguntas sutiles antes de deducir los detalles. Pero el leñador tenía memoria de periodista. O de artista. Y entonces se le ocurrió una idea.

—Si te traigo un dibujante, ¿le contarás lo que viste para que haga un bosquejo de ese tipo?

—Se lo hago yo.

—¿Tú?

—Donny dibuja muy bien —dijo su madre.

Bell miró con incredulidad las rudas manos de Albert. Tenía unos dedos como salchichas y llenos de callos. Pero si en realidad era un artista, eso explicaba que el leñador tuviera tanta memoria para retener los detalles. Bell volvió a pensar que el curso que estaban tomando los acontecimientos resultaba sorprendente. Demasiado.

—Tráigame papel y lápiz —dijo Don Albert—. Sé dibujar.

Bell le dio su bloc de notas y un lápiz. Con unos trazos asombrosamente rápidos y hábiles, aquellas manazas dibujaron con maestría un rostro de facciones casi esculturales. Bell lo observó con atención, y perdió las esperanzas de golpe.

Trató de disimular su decepción y dio unas palmadas en el hombro al leñador.

—Gracias, amigo. Es de gran ayuda. Ahora hazme un retrato a mí.

—¿A usted?

—¿Puedes hacer mi retrato? —insistió Bell. Quería poner a prueba la capacidad real de observación de aquel hombretón.

—Sí, claro. —Sus gruesos dedos se movieron con la rapidez del rayo.

Unos minutos después, Bell sostenía en alto el dibujo para verlo a la luz.

—Es casi como mirarse al espejo. Veo que es verdad que dibujas las cosas tal como son.

—¿Para qué iba a hacerlo si no?

—Muchas gracias, Donny. Ahora descansa.

Isaac Bell puso varias monedas de oro en la mano de la anciana, unos doscientos dólares, lo suficiente para que pasaran el invierno. Regresó a buen paso al lugar donde había atado el caballo y cabalgó colina arriba en dirección a la obra. Allí se encontró con Joseph van Dorn, que paseaba junto al vagón de Hennessy mientras fumaba un cigarro.

—¿Y bien?

—El leñador es un artista —dijo Bell—. Vio al Saboteador y me ha retratado a lápiz su cara. —Abrió el bloc de notas y mostró a Van Dorn el primer dibujo—. ¿Reconoces a este hombre?

—Claro —exclamó Van Dorn—. ¿Tú no?

—Broncho Billy Anderson.

—El actor.

—Ese pobre leñador debe de recordarlo de *Asalto y robo de un tren*.

Era una película de gran tensión dramática, rodada hacía solo unos años, que la mayoría de los estadounidenses había visto al menos una vez. Tras irrumpir en un tren disparando sus armas, los forajidos escapan en la locomotora, que previamente han desenganchado del convoy. Huyen hacia lo alto de las vías, donde han dejado los caballos, y son perseguidos por una partida al mando del sheriff.

—Nunca olvidaré la primera vez que la vi —dijo Van Dorn—. Estaba en Nueva York, en el Hammerstein's Vaudeville de la Cuarenta y dos con Broadway, uno de esos teatros en los que pasan una película en el entreacto. Cuando empezó, salimos todos, como siempre, a fumar un cigarro o a tomar una copa. Pero, poco a poco, fuimos ocupando nuestros asientos. Fascinante... Vi la obra de teatro en los años noventa. Pero la película es mejor.

—Si no recuerdo mal —dijo Bell—, Broncho Billy interpretó varios papeles en *Asalto y robo de un tren*.

—Y he oído que viaja por el Oeste en su propio tren, haciendo películas.

—Sí —dijo Bell—. Broncho Billy tiene ahora su propio estudio cinematográfico.

—Supongo que eso no le deja mucho tiempo para ir saboteando líneas de ferrocarril —dijo Van Dorn con ironía—. De poco nos sirve ese dibujo, pues.

—No es así exactamente —dijo Bell.

La expresión de Van Dorn era de incredulidad.

—Nuestro leñador se ha acordado de un famoso actor que sale en una película porque su imagen se le quedó grabada en la cabeza, o en lo poco que le queda de ella —dijo.

—Mira, fíjate en esto. Puse a prueba su precisión. —Bell mostró a Van Dorn el retrato que Don Albert le había hecho.

—Menudo granuja. Está muy bien. ¿Dices que lo ha dibujado él?

—Mientras yo estaba sentado. Es capaz de retratar a la gente tal cual es.

—No del todo. Tus orejas no son así. Y te ha puesto un hoyuelo en el mentón como el de Broncho Billy. Lo tuyo es una cicatriz, no un hoyuelo.

—No es un retrato perfecto, pero casi. Además, Marion dice que esto parece un hoyuelo.

—Marion no es objetiva, hombre... La cuestión es que nuestro leñador quizá ha visto a Broncho Billy en una película. O puede que sobre algún escenario.

—En cualquier caso, sabemos que el Saboteador se parece a él.

—¿Quieres decir que podría pasar por el hermano gemelo de Broncho Billy?

—Más bien por su primo. —Bell fue señalando, detalle por

detalle, los rasgos faciales del dibujo del Saboteador que había hecho Don Albert—. No digo que sea el hermano gemelo de Broncho Billy, no. Pero si el leñador lo recuerda con la cara de ese actor, hemos de buscar a un hombre que también tiene la frente ancha y recta, un hoyuelo en el mentón, la mirada penetrante y la expresión inteligente, rasgos marcados y orejas grandes. No es el hermano gemelo de Broncho Billy, ya te digo. Pero, en general, el Saboteador parece un galán.

Van Dorn, furioso, dio una calada al cigarro.

—¿Ahora tengo que ordenar a mis detectives que no detengan a los tipos feos?

Isaac Bell pidió a su jefe que contemplara todas las opciones. Cuantas más vueltas le daba, más convencido estaba de que se hallaban tras una pista.

—¿Cuántos años dirías que tiene ese hombre?

Van Dorn volvió a mirar el dibujo y frunció el ceño.

—Debe de tener alrededor de cuarenta, o pocos más.

—Entonces buscamos a un hombre bien parecido de unos cuarenta años. Haremos varias copias del dibujo. Llévatelo. Debemos mostrarlo a los vagabundos, a los jefes de estación y a los expendedores de billetes, allí donde es probable que el Saboteador haya subido a un tren, a todo aquel que pueda haberlo visto…

—De momento, no hay nadie. Nadie vivo, en cualquier caso. Salvo tu Miguel Ángel leñador.

—Sigo apostando por el maquinista o por el herrero que perforó el agujero en el gancho de Glendale —puntualizó Bell.

—A lo mejor ahí tienen suerte los chicos de Sanders —reconoció Van Dorn—. El suceso ha salido varias veces en los periódicos, y sabe Dios que he dejado muy claro a Sanders que, si no espabila, su mullida butaca de Los Ángeles corre el riesgo de ser trasladada a Missoula, en Montana. Y si no consiguen averiguar nada, a lo mejor alguien verá al Saboteador la próxima vez y vivirá para contarlo. Porque lo que sí sabemos es que habrá una próxima vez.

—La habrá, sí —coincidió Bell con el semblante serio—. A menos que lo detengamos antes.

12

El campamento de vagabundos de las afueras de Ogden se había levantado entre las vías del ferrocarril y un arroyo de agua limpia, en un claro con algunos árboles dispersos. Era uno de los asentamientos provisionales más grandes del país, y crecía día a día: nueve líneas ferroviarias que convergían en un solo punto ofrecían un flujo regular de convoyes de carga que circulaban incluso de noche y en todas direcciones. Cuando el pánico financiero obligó a cerrar muchas fábricas, los hombres empezaron a subirse al tren para ir a buscar trabajo. Los recién llegados se distinguían por su sombrero. En aquellos tiempos, los bombines de ciudad sobrepasaban en número a las gorras de mineros y a los sombreros de vaquero de los rangers. Incluso se veían algunos trilbies y varios hamburgos sobre la cabeza de hombres de buena posición que nunca se habrían imaginado que de la prosperidad pasarían a la miseria en un abrir y cerrar de ojos.

Un millar de vagabundos se apresuraba a terminar sus quehaceres junto al arroyo antes de que oscureciera. Lavaban la ropa y limpiaban las cacerolas en grandes latas con agua hirviendo, tendían la colada en cuerdas y ramas, y ponían las cazuelas boca abajo sobre las rocas para que se secaran. Cuando se hacía de noche, echaban tierra en las fogatas y se sentaban a tomar su frugal cena a oscuras.

Las hogueras se echaban de menos. El norte de Utah era frío

en noviembre, y los copos de nieve caían sin cesar en el campamento. A mil quinientos metros por encima del nivel del mar, estaba expuesto a los vendavales del oeste, que procedían del cercano Gran Lago Salado, y al viento racheado del este, que bajaba de los montes Wasatch. Pero los policías de la estación de Ogden habían tomado el asentamiento por asalto con sus pistolas y sus porras durante tres noches seguidas para convencer a la creciente población de que tenía que marcharse. Nadie deseaba un cuarto asalto, por eso los vagabundos apagaron las fogatas. Cenaban en silencio, preocupados por si volvían a aparecer los policías y temerosos de que el invierno se recrudeciera.

En los campamentos de vagabundos, como en cualquier pueblo o ciudad, había barrios muy bien delimitados. Unos eran más acogedores que otros, y los había más o menos seguros también. Había una zona en el asentamiento de Ogden, corriente abajo, en el punto más alejado de las vías, donde el arroyo giraba y moría en el río Weber, que era preferible visitar armado. Allí la ley de «vive y deja vivir» se convertía en «o tomas lo de los demás, o te quitan lo que es tuyo».

El Saboteador se dirigió al campamento sin miedo. En tierra de forajidos se sentía como en casa. Sin embargo, incluso él desató el cuchillo que llevaba en el interior de la bota y se metió en el cinto la pistola, que hasta ese momento guardaba en el bolsillo interior del abrigo de lona, para poder desenfundar con mayor rapidez. A pesar de que no había hogueras encendidas, la oscuridad no era absoluta. Los trenes que pasaban resoplando sin cesar hendían la noche con sus faros, y una fina capa de nieve reflejaba el resplandor dorado que provenía de las ventanillas de los vagones de pasajeros. Un convoy de relucientes pullman pasó por allí, aminorando la marcha en dirección al cercano pueblo, y gracias a su luz, el Saboteador vio una sombra agazapada junto a un árbol. El tipo temblaba y tenía las manos hundidas en los bolsillos.

—Sharpton —dijo el Saboteador con un tono de voz áspero.

—Aquí, señor.

—Pon las manos donde pueda verlas.

El vagabundo obedeció, en parte porque el Saboteador le

pagaba por sus servicios, y en parte también porque le infundía miedo. Pete Sharpton había cumplido condena en la cárcel por asalto a mano armada en bancos y trenes, de modo que sabía reconocer a un hombre peligroso cuando lo tenía delante. A aquel nunca le había visto la cara. Y habían hablado una sola vez, cuando el Saboteador dio con él en el callejón que había tras la caballeriza donde tenía alquilada una habitación y lo acorraló. Sharpton había vivido al otro lado de la ley toda su vida, y tenía claro que aquel hombre era letal.

—¿Has encontrado al tipo? —preguntó el Saboteador.

—Hará el trabajo por mil dólares —respondió Sharpton.

—Dale quinientos ahora. Dile que tendrá el resto cuando termine.

—¿Y qué le impedirá salir corriendo con los quinientos? Vale más pájaro en mano que ciento volando.

—Se lo impedirá tener la certeza de que irás tras él para liquidarlo. ¿Te ocuparás de que lo entienda?

Sharpton rió entre dientes en la oscuridad.

—Por supuesto. Además, ya no es un tipo tan duro. Hará lo que se le diga.

—Toma —dijo el Saboteador.

Sharpton palpó el paquete que le entregó.

—Esto no es dinero.

—Ahora te lo daré. Es la mecha que quiero que ese tipo use.

—¿Puedo preguntar por qué?

—Por descontado —dijo el Saboteador con toda naturalidad—. Esta tiene el aspecto de ser una mecha rápida. Engañaría incluso a un experto en volar cajas fuertes. Supongo que tu hombre será un experto.

—Ha estado reventando cajas de caudales y asaltando trenes toda su vida.

—Eso te pedí. Aunque parezca lo contrario, en realidad la mecha es lenta. Cuando se encienda, tardará más de lo calculado en detonar la dinamita.

—Pero si tarda mucho, la explosión se cargará también el tren, además de las vías.

—¿Algún problema, Sharpton?

—Solo digo lo que pasará —respondió rápidamente—. Si usted quiere volar el tren en lugar de asaltarlo, supongo que no es asunto mío. Quien paga manda.

El Saboteador puso un segundo paquete en la mano de Sharpton.

—Aquí tienes tres mil dólares. Dos mil para ti y mil para tu hombre. No puedes contar los billetes a oscuras. Tendrás que confiar en mí.

13

El dibujo del leñador dio su fruto al cabo de cinco días. Un expendedor de billetes de la estación de la Southern Pacific en Sacramento con ojos de lince recordó haber vendido uno a un hombre que iba a Ogden, en Utah, que se parecía al tipo que Don Albert había retratado. A pesar de afirmar que el viajero tenía barba, y el pelo casi tan rubio como el de Isaac Bell, insistió en que su rostro era similar.

Bell lo entrevistó en persona para asegurarse de que no fuera otro de los admiradores de *Asalto y robo de un tren*, y se quedó tan impresionado que ordenó a sus hombres que hablaran con el personal del rápido de Ogden.

El gran descubrimiento tuvo lugar en Reno, en el estado de Nevada. Uno de los revisores del rápido, residente en la ciudad, también recordaba al pasajero y sostenía que podía ser el hombre del retrato, aunque señaló que tenía el cabello distinto.

Bell no perdió tiempo en ir a Nevada. Se presentó en casa del revisor y, mientras charlaban, le preguntó como de pasada si había visto *Asalto y robo de un tren*. El revisor le respondió que tenía la intención de hacerlo en cuanto la proyectaran en el teatro de variedades. Su señora, según dijo, no paraba de pedirle que fueran a verla desde hacía un año.

Bell abandonó Reno en un expreso nocturno con dirección a Ogden, y cuando el tren ascendía por las montañas de Trinidad, fue a cenar. Envió varios telegramas al detenerse el convoy en Lovelock, recibió contestación en Imlay y finalmente se durmió en un cómodo pullman mientras la locomotora avanzaba resoplando por Nevada. Los despachos telegráficos que le aguardaban en Montello, justo antes de cruzar la frontera de Utah, no le aportaron noticias de interés.

Cerca de Ogden, a mediodía, el tren cobró velocidad en las inmediaciones del Gran Lago Salado, al cruzar los largos puentes de secuoya del Atajo de Lucin. Osgood Hennessy había gastado ocho millones de dólares en la tala de varios kilómetros de bosque en Oregón para construir una nueva ruta sobre terreno llano entre Lucin y Ogden. Esa vía ferroviaria acortaba el viaje de Sacramento a Ogden en dos horas, y había dejado consternados al comodoro Vanderbilt y a J. P. Morgan, los competidores de Hennessy en el reto de abrir rutas hacia el norte y hacia el sur.

Cuando estaban tan próximos a Odgen que podían verse los picos nevados de los montes Wasatch, al este, el tren de Bell se detuvo en seco.

La línea estaba cortada a unos diez kilómetros de allí, según le dijo el interventor.

Una explosión había hecho descarrilar al tren semidirecto de Sacramento cuando se dirigía hacia el oeste.

Bell saltó a tierra y corrió hacia la parte delantera del tren. El maquinista y el fogonero, que habían bajado de la locomotora, se estaban liando un cigarrillo sobre el balasto. Bell les enseñó la identificación de Van Dorn.

—Acercadme al lugar del sabotaje —les ordenó.

—Lo siento, señor detective. Yo recibo órdenes del controlador.

La Derringer de Bell se materializó en su mano. Dos cañones cortos y oscuros aparecieron ante los ojos del maquinista.

—Esto es un asunto de vida o muerte, empezando por la vuestra —dijo Bell, y apuntó al apartavacas, en la parte delantera de la locomotora—. Moved el tren, he dicho, ¡y no lo detengáis hasta tener delante la chatarra!

—Usted no dispararía a un hombre a sangre fría —dijo el fogonero.

—Y un carajo… —discrepó el maquinista, al tiempo que, nervioso, desviaba la mirada de la Derringer y escudriñaba la expresión de Isaac Bell—. Levántate de ahí y dale al carbón.

La gran locomotora 4-6-2 pudo recorrer diez kilómetros antes de que un guardafrenos que ondeaba una bandera roja los detuviera donde las vías desaparecían bajo un agujero enorme en el balasto. Más allá del boquete, seis pullman, un vagón de equipaje y un ténder habían caído de costado. Bell bajó de la locomotora y se abrió paso a grandes zancadas entre los restos del tren siniestrado.

—¿Cuántos heridos? —preguntó al agente del ferrocarril que se ocupaba de aquel sabotaje.

—Treinta y cinco. Cuatro de gravedad.

—¿Muertos?

—Ninguno. Han tenido suerte. Ese malnacido voló los raíles un minuto antes. El maquinista tuvo tiempo de aminorar la velocidad.

—Es extraño —dijo Bell—. Sus sabotajes siempre han estado muy bien cronometrados.

—Bueno, este será el último. Lo hemos cogido.

—¿Qué? ¿Dónde está?

—El sheriff lo atrapó en Ogden. Por suerte para él, está en la cárcel. Los pasajeros intentaban lincharlo. El hombre escapó, pero alguien lo vio después, escondido en un establo.

Más allá del tramo de vías cortado, Bell localizó una locomotora que pudo llevarlo a la estación.

La cárcel estaba ubicada en el ayuntamiento de Ogden, un edificio de tejado abuhardillado situado a una manzana de la estación de ferrocarril. Dos de los mejores agentes de Van Dorn se habían reunido con él: el viejo dúo Weber y Fields, es decir, Mack Fulton y Wally Kisley. Ninguno de ellos tenía el semblante de estar de guasa. En realidad, ambos parecían desanimados.

—¿Dónde está? —preguntó Bell.

—No es él —respondió Fulton en tono abatido.

Parecía exhausto, pensó Bell, y por primera vez se preguntó si no valdría la pena que Mack se planteara la jubilación. Siempre había sido un tipo chupado, pero en ese momento tenía el rostro demacrado.

—¿No es el que ha volado el tren?

—Ah, sí. Es el hombre que ha volado ese tren —contestó Kisley, con su traje de tres piezas estampado a cuadros y lleno de polvo. Wally parecía tan cansado como Mack, pero no se le veía tan desmejorado—. Lo que ocurre es que no es el Saboteador. Adelante, habla tú con él.

—A ti se te dará mejor hacer que cante. Te aseguro que con nosotros no soltará prenda.

—¿Y por qué querría hablar conmigo?

—Es un viejo amigo tuyo —explicó Fulton con aire misterioso.

Kisley y él tenían veinte años más que Bell, de modo que, tanto por veteranía como por amistad, eran muy libres de decirle lo que les pasara por la cabeza a pesar de que él estuviera al cargo de la investigación en el caso del Saboteador.

—Yo le habría sacado la verdad a golpes —dijo el sheriff—, pero sus muchachos han dicho que esperásemos a que usted llegara, y según la compañía del ferrocarril, Van Dorn es quien mueve los hilos. Una solemne tontería, en mi opinión. Pero, claro, nadie me la ha pedido.

Bell entró con paso resuelto en la estancia donde el prisionero estaba esposado a una mesa sólidamente fijada en el suelo empedrado. Era «un viejo amigo», por supuesto; Jake Dunn, un experto en volar cajas fuertes. En un extremo de la mesa había un buen fajo de billetes nuevos de cinco dólares. Quinientos en total, según el sheriff, en claro pago a los servicios prestados.

El primer pensamiento desalentador que a Bell le vino a la mente fue que el Saboteador se dedicaba a contratar cómplices que cometieran sus delitos, y eso significaba que podía dar un golpe en cualquier lugar y estar bien lejos cuando el ataque se llevara a cabo.

—Jake, ¿en qué diablos andas metido esta vez?

—Hola, señor Bell. No lo había visto desde que me envió a San Quentin.

Bell se sentó en silencio y se quedó mirándola de arriba abajo. San Quentin no había tratado bien al experto en cajas fuertes. Parecía haber envejecido veinte años, y el hombre corpulento que recordaba se había convertido en un saco de huesos. Le temblaban tanto las manos que costaba imaginarlo manipulando una carga de explosivos sin detonarla por accidente. Aunque al principio se había tranquilizado al ver una cara conocida, Dunn se estremeció bajo la mirada de Bell.

—Volar cajas fuertes en la Wells Fargo es un robo, Jake. Sabotear un tren de pasajeros es un asesinato. El hombre que te ha dado ese dinero ha matado a muchas personas inocentes.

—No sabía que íbamos a sabotear el tren.

—¿No sabías que volar los raíles por donde pasa un tren a toda velocidad provocaría una tragedia? —preguntó Bell con incredulidad mientras una sombría expresión de repugnancia asomaba a su rostro—. ¿Qué creías que pasaría?

El prisionero agachó la cabeza.

—¡Jake! ¿Qué creías que pasaría?

—Tiene que confiar en mí, señor Bell. Ese hombre me dijo que volara los raíles para que el tren se detuviera y él pudiera asaltar el vagón expreso. No sabía que pretendía sacar la máquina de las vías.

—¿Qué quieres decir? Tú encendiste la mecha.

—Ese tío la cambió. Yo creía que estaba prendiendo una mecha rápida que detonaría la carga, y que la locomotora tendría tiempo de detenerse. En cambio, ardió lentamente. No podía creer lo que veían mis ojos, señor Bell. Ardía tan despacio que el tren iba derecho hacia los explosivos. Intenté impedirlo.

Bell lo miró con frialdad.

—Así es como me pillaron, señor Bell. Corriendo hacia la mecha para apagarla a pisotones. Pero no llegué… Me vieron, y cuando la máquina se incrustó en el socavón, salieron zumbando a por mí como si fuera ese tipo que disparó a McKinley.

—Jake, van a colgarte por esto, pero conozco la manera de quitarte la soga del cuello. Llévame a donde está el hombre que te dio el dinero.

Jake Dunn sacudió la cabeza. Bell se dijo que aquel tipo estaba tan desesperado como un lobo con una pata en un cepo. Aunque, bien pensado, no era como un lobo. Dunn no era fuerte ni noble por naturaleza. A decir verdad, parecía un chucho al que hubieran atrapado por comerse un cebo destinado a una presa mayor.

—¿Dónde está ese hombre, Jake?

—No lo sé.

—¿Por qué me mientes?

—Yo no he matado a nadie.

—Has saboteado un tren. Y has tenido la bendita suerte de no matar a nadie. Si no te cuelgan, te meterán en la cárcel para el resto de tu vida.

—Le digo que no he matado a nadie.

Bell cambió súbitamente de táctica.

—¿Por qué te han sacado de la cárcel tan pronto, Jake? ¿Cuánto ha durado tu condena? ¿Tres años? ¿Por qué te han soltado?

De repente, Jake miró a Bell con los ojos muy abiertos y una expresión cándida.

—Tengo cáncer.

Bell no esperaba aquella respuesta. Jack Dunn era un delincuente, y lo detestaba por ello, pero por encima de todo era un ser humano. Estaba gravemente enfermo, y acababa de convertirse para él en una víctima del dolor, el miedo y la desesperación.

—Lo siento, Jake. No me había dado cuenta.

—Supongo que pensaron que era mejor soltarme para que muriera solo. Necesitaba el dinero. Por eso acepté el trabajo.

—Tú siempre has volado cajas fuertes, sin mancharte las manos de sangre. ¿Por qué estás encubriendo a un asesino? —lo presionó Bell.

Jake respondió con un suspiro ronco.

—Está en las caballerizas de la calle Veinticuatro, al otro lado de las vías.

Bell chasqueó los dedos. Wally Kisley y Mack Fulton acudieron a toda prisa.

—En la calle Veinticuatro —dijo Bell—. En las caballerizas. Cubridla vosotros. Poned a los ayudantes del sheriff en el perímetro exterior y esperadme.

Jake levantó la vista.

—Ese hombre no irá a ninguna parte, señor Bell.

—¿Qué quieres decir?

—Cuando fui a recoger el resto del dinero, lo encontré arriba, en una de las habitaciones que alquilan.

—¿Cómo lo encontraste? ¿Muerto, quieres decir?

—Le habían rebanado el pescuezo. Tenía miedo de contarlo porque... me habrían cargado su asesinato a mí también.

—¿Le cortaron el cuello o lo apuñalaron? —preguntó Bell.

Jake se pasó los dedos por el pelo, que ya empezaba a clarearle.

—Lo apuñalaron, supongo.

—¿Viste el cuchillo?

—No.

—¿Lo atravesaron de lado a lado? ¿Tenía un orificio de salida en la nuca?

—No me quedé lo suficiente para examinarlo de cerca, señor Bell. Ya le he dicho que sabía que me echarían la culpa.

—Idos —dijo Bell a Kisley y a Fulton—. Sheriff, ¿puede enviar a un médico? A ver si consigue determinar qué fue lo que acabó con ese tipo y cuánto tiempo lleva muerto.

—¿Dónde estarás, Isaac?

Otro callejón sin salida, pensó Bell. El Saboteador no solo tenía suerte, sino que la buscaba.

—En la estación de ferrocarril —respondió él. Y sin demasiada esperanza añadió—: Iré a comprobar si algún expendedor recuerda haberle vendido un billete para salir de la ciudad.

Se llevó algunas copias del dibujo del leñador a la estación término, un edificio de dos plantas con el tejado a varias aguas y una torre muy alta con un reloj, e interrogó a los oficinistas. A continuación, un agente de la policía del ferrocarril lo llevó en un Ford a hablar con los empleados y supervisores que ese día libraban y se habían quedado en su hogar. Todos vivían en barrios arbolados, en las casas con carpintería ornamental tan típicas del lugar. Bell les enseñó el dibujo, y si alguno de ellos no recordaba aquella cara, le mostraba otro retrato al que habían añadido barba. No hubo nadie que reconociera siquiera una de las dos versiones.

¿Cómo salió el Saboteador de Ogden?, se preguntaba Bell.

La respuesta era sencilla. La ciudad contaba con un servicio de nueve líneas de ferrocarril. Centenares, si no millares, de pasajeros la cruzaban a diario. A esas horas, el Saboteador debía de saber que los hombres de Van Dorn seguían su rastro de cerca. Y eso significaba que elegiría sus objetivos con mayor cuidado para preparar a conciencia la huida.

Bell pidió refuerzos a la agencia de Ogden y los destinó a los alojamientos ubicados en tiendas de campaña de las afueras; admitía que existía una posibilidad, si bien remota, de que el Saboteador permaneciera todavía en esa ciudad tan bien comunicada. Ningún ferroviario que trabajara en ventanilla reconoció el personaje dibujado. En el Broom, un hotel lujoso de obra vista y de tres plantas, el propietario de la tienda de cigarros dijo que podría haber atendido a un cliente que se parecía al de la barba. Una camarera de la heladería, en cambio, recordaba a un hombre que se asemejaba más al de la versión afeitada. Se le había quedado grabado en la mente porque era muy guapo, explicó. Pero añadió que solo lo había visto una vez, y de eso hacía tres días.

Kisley y Fulton se encontraron con Bell en la espartana oficina de Van Dorn, una habitación grande situada en la parte menos recomendable de la calle Veinticinco, que por aquel entonces era una ancha avenida dividida por varias vías de tranvía. En el lado de la calle que cubría las necesidades legítimas de los pasajeros del ferrocarril y usuarios de la estación había restaurantes, sastrerías, barberías, puestos de refrescos, heladerías y una lavandería china, todos ellos con toldos de colores. En el lado de la agencia Van Dorn había tabernas, habitaciones de alquiler, garitos de apuestas y hoteles que funcionaban como burdeles.

La oficina tenía el suelo desnudo, muebles antiguos y una única ventana. La decoración consistía en carteles de búsqueda y captura, los más recientes de los cuales eran las copias del dibujo que Don Albert, el leñador, había hecho del Saboteador. También había copias del retrato con barba, tal como lo había descrito el vendedor de billetes de la Southern Pacific en Sacramento.

Kisley y Fulton habían recuperado su buen humor, aunque Fulton parecía agotado.

—Está claro que el jefe no se gasta el dinero en la agencia de Ogden —comentó Wally.

—Ni en muebles —añadió Mack—. Ese escritorio parece que haya llegado en un carromato.

—Quizá el barrio sea lo más atractivo, situado a un tiro de piedra de la estación.

—Tirando piedras van por nuestra acera...

Siguiendo con el estilo que caracterizaba a Weber y Fields, los detectives se acercaron a la ventana para señalar la atestada acera.

—¡El señor Van Dorn es un genio! La vista desde esta ventana puede servir para iniciar a los aprendices de detective en la naturaleza de toda clase de delitos.

—Ven aquí, joven Isaac; echa una mirada a las tabernas, los burdeles y los fumaderos de opio del barrio. Observa a los clientes potenciales a quienes la mala suerte ha hecho acabar mendigando para pagarse una copa o una mujer. O bien, cuando no logran despertar la caridad del prójimo, atracando ciudadanos en ese mismo callejón.

—Mira ahí, un petimetre con bigote atrayendo a los crédulos desde esa mesa plegable con el juego del trile.

—Y mira esos mineros sin trabajo y vestidos con harapos que fingen dormir en la acera, junto a esa taberna, cuando en realidad se han tumbado para esperar a los borrachos que salen balanceándose.

—¿Cuánto tiempo llevaba muerto nuestro hombre? —preguntó Bell.

—Buena parte del día, según dice el médico. Tenías razón en lo del apuñalamiento. Una hoja estrecha le atravesó el cuello. Como le pasó a Wish, y también al policía de la estación de Glendale.

—Si ha sido el Saboteador quien lo ha asesinado, sabemos que estaba en Ogden hasta ayer por la noche. Aunque nadie le ha visto comprar un billete.

—Hay muchos trenes de carga que van de un lado a otro —aventuró Wally.

—Ese tipo cubre distancias enormes en muy poco tiempo para confiar en colarse de polizón en un tren de carga —dijo Mack.

—Probablemente viaja de las dos maneras, dependiendo de la situación —observó Wally.

—¿Quién era el hombre al que asesinaron? —preguntó Bell.

—Un forajido del lugar, según el sheriff. Una especie de Broncho Billy en la vida real: nuestro principal sospechoso... Lo siento, Isaac, no he podido resistirme. —Fulton señaló con una inclinación de cabeza el cartel de búsqueda y captura.

—Seguid así y no podré resistirme a pedir al señor Van Dorn que envíe a Weber y Fields a Alaska.

—... Sospechoso de volcar una diligencia en lo alto de las montañas el pasado agosto. Los escorias lo atraparon robando las nóminas de una mina de cobre de la compañía de ferrocarriles Utah y Northern hace diez años. Delató a sus compañeros para rebajar la condena. Parece ser que conoció a Jake Dunn en la cárcel.

Bell negó con la cabeza, contrariado.

—Al parecer, el Saboteador no solo contrata a ayudantes, sino también a criminales para que hagan su trabajo. Así que puede cometer un delito en cualquier lugar del país.

Se oyeron unos titubeantes golpes de nudillo en la puerta.

Los detectives levantaron la vista, y fruncieron el ceño al ver a un joven de aspecto inseguro vestido con un traje de arpillera arrugado. Llevaba una maleta barata en una mano y un sombrero en la otra.

—Señor Bell.

Isaac Bell reconoció al joven James Dashwood de la agencia de San Francisco. El aprendiz de detective había llevado a cabo una investigación minuciosa que demostró la inocencia del sindicalista asesinado en el sabotaje del tren de la línea costera.

—Entra, James. Quiero que conozcas a Weber y Fields, los detectives más veteranos de América.

—Hola, señor Weber. Hola, señor Fields.

—Yo soy Weber —dijo Mack—. Él es Fields.

—Lo siento, señor.

—¿Qué haces aquí, James? —preguntó Bell.

—Me envía el señor Bronson para darle esto. Me dijo que viajara en expresos para llegar antes que el tren correo.

Dashwood entregó a Bell un sobre de papel marrón. En el interior había un segundo sobre a su atención, escrito con letras mayúsculas y a lápiz, dirigido a la agencia de San Francisco. Bronson le había adjuntado una nota: PREFERÍ ABRIRLO A ESPERAR QUE LLEGARAS. ME ALEGRO DE HABERLO HECHO, Y CREO QUE TÚ TAMBIÉN TE PONDRÁS CONTENTO CUANDO VEAS SU CONTENIDO.

Bell abrió el sobre dirigido a él, y sacó la portada de un ejemplar reciente de la revista *Harper's Weekly*. Una caricatura de William Allen Rogers que representaba a Hennessy con el sombrero de copa de los magnates montado a lomos de una locomotora de la Southern Pacific. Hennessy, con tentáculos en lugar de brazos, detenía un tren de la línea central de ferrocarriles de New Jersey, en la ciudad de Nueva York. Encima del dibujo alguien había escrito: ¿LLEGARÁ MÁS LEJOS EL LARGO BRAZO DEL SABOTEADOR QUE EL TENTÁCULO DE OSGOOD?

—¿Qué diantres es eso? —preguntó Wally.

—Nos ha lanzado el guante —respondió Bell—. Es un desafío.

—Y nos lo restriega por las narices —intervino Mack.

—Mack tiene razón —dijo Wally—. Yo no me ofuscaría pensando que esto es un asunto personal.

—La revista está dentro también —dijo Dashwood—. Al señor Bronson le ha parecido que querría leerla, señor Bell.

A Bell le hervía la sangre. Repasó con rapidez el contenido de la primera página. La revista *Harper's Weekly*, que se llamaba a sí misma «Diario de la civilización», informaba con avidez de los estragos de los monopolios del ferrocarril. Ese número dedicaba un artículo a las ambiciones de Osgood Hennessy. Según todos los indicios, Hennessy se había hecho en secreto con una «participación casi de control» de la compañía de ferrocarriles Baltimore & Ohio. La B&O tenía ya, junto con la Central de Illinois (en la que Hennessy estaba bien posicionado), grandes intereses en la línea de ferrocarriles de Reading. La Reading controlaba la línea central de ferrocarriles de New Jersey, que daba entrada a Hennessy en el codiciado distrito de Nueva York.

—¿Qué significa eso? —preguntó James.

—Significa que el Saboteador puede atacar los intereses de Hennessy directamente en la ciudad de Nueva York —explicó Isaac Bell con expresión seria.

—Cualquier sabotaje a un tren que ese tipo provoque en Nueva York será un gran revés para la Southern Pacific, mucho peor que cualquier ataque en California —dijo Mack Fulton.

—Porque Nueva York es la ciudad más grande del país —aclaró Wally Kisley.

Bell miró su reloj.

—Llego a tiempo de coger el tren semidirecto de la línea interior. Enviadme las maletas al club Yale de Nueva York.

Bell se dirigió hacia la puerta sin dejar de dar órdenes.

—¡Enviad un telegrama a Archie Abbott! Decidle que se reúna conmigo en Nueva York. Y otro a Irv Arlen; ha de cubrir las estaciones de ferrocarril de la ciudad de Jersey. Y a Eddie Edwards también, que conoce esas estaciones. Edwards desarticuló la banda de Lava Bed que operaba en vagones de expresos estacionados en los muelles. Vosotros dos terminad el trabajo aquí, aseguraos de que ese hombre ya no está en Ogden, lo contrario me extrañaría, y descubrid por dónde se fue.

—Nueva York, según dice aquí —dijo Wally al tiempo que sostenía en alto la *Harper's Weekley* y citaba una frase del artículo—, es la tierra prometida a la que cualquier viajero ansía peregrinar.

—Eso significa —intervino su socio— que ese hombre está de camino, y que cuando tú llegues, él ya te estará esperando.

Cuando iba a salir por la puerta, Bell echó un vistazo atrás y se dirigió a Dashwood, que observaba con gran atención.

—James, quiero que hagas una cosa por mí.

—Sí, señor.

—¿Has leído los informes sobre el sabotaje del tren semidirecto de la línea costera?

—Sí, señor.

—Di al señor Bronson que te envío a Los Ángeles. Quiero que encuentres al herrero o al maquinista que agujereó el gancho que hizo descarrilar ese convoy. ¿Harás eso por mí...? ¿Qué pasa?

—El señor Sanders se encarga de Los Ángeles, y él podría...

—No lo molestes. Trabajarás solo. Coge el siguiente rápido que vaya hacia el oeste. ¡Andando!

Dashwood pasó corriendo junto a Bell y bajó de estampida la escalera de madera, como un chiquillo al que acabaran de dar permiso para salir de la escuela.

—¿Qué va a hacer un muchacho solo? —preguntó Wally.

—Es un as —contestó Bell—, y no lo hará peor que Sanders. Bueno, me marcho. Mack, descansa un poco. Pareces extenuado.

—Tú también lo parecerías si llevaras varias noches durmiendo en trenes sin pillar una cama.

—Dejad que os recuerde, amigos míos, que debéis andaros con cuidado. El Saboteador es un asesino implacable.

—Gracias por tus sabios consejos, hijo —respondió Wally.

—Procuraremos no olvidarlo —apostilló Mack—, pero, como ya he dicho antes, hay un cincuenta por ciento de probabilidades de que el Saboteador esté camino de Nueva York.

Wally Kisley fue hacia la ventana y vio que Isaac Bell se dirigía a toda prisa a coger el tren semidirecto de la línea interior.

—Oh, mira, esto será divertido. Nuestros mineros no tienen ningún borracho a mano.

Wally hizo una señal a Mack para que se acercara a la ventana. De un salto, los mineros que estaban en la acera trataron de acorralar por sorpresa al acicalado petimetre que corría a coger el tren con su traje caro. Sin detenerse o aminorar la marcha siquiera, Bell pasó entre ellos con la resolución de un hombre que avanza en formación en el ejército, y los mineros regresaron a la acera, cabizbajos.

—¿Has visto eso? —preguntó Kisley.

—No. Y creo que ellos tampoco lo han visto.

Se quedaron de pie junto a la ventana, observando atentamente la multitud de ciudadanos que transitaba por la acera.

—Y ese muchacho… Dashwood —dijo Fulton—, ¿no te recuerda a alguien?

—¿A quién, a Isaac?

—No. Hace quince… ¿qué digo? Hace veinte años, Isaac todavía perseguía pelotas de lacrosse en esa elegante escuela privada a la que su viejo lo envió. Tú y yo, en cambio, estábamos en Chicago. Tú investigabas unos trapicheos de cereales. Yo estaba metido hasta las orejas en el caso de la bomba de Haymarket, y descubrimos que los policías habían sido los responsables de la matanza. ¿Recuerdas a ese chico de los bajos fondos que vino a buscar trabajo? El señor Van Dorn le tomó simpatía, y nos encargó a ti y a mí que le enseñáramos el oficio. Tenía un don. Fino, rápido, con un temple…

—Menudo granuja —dijo Mack—. Era Wish Clarke.

—Confiemos en que Dashwood sea abstemio.

—¡Mira! —Mack se acercó más al cristal.

—¡Lo veo! —exclamó Wally. Arrancó de la pared la versión con barba del retrato que había hecho el leñador y lo acercó a la ventana.

Un obrero alto, vestido con un mono de trabajo y un bombín, que caminaba hacia la estación con aire decidido y una gran bolsa de herramientas colgada del hombro se había visto obligado a detenerse. En ese momento, dos taberneros echaban del local a cuatro borrachos. Rodeado por la muchedumbre y el griterío, aquel hombre alto miraba a su alrededor con impaciencia, y al levantar la cabeza, Fulton y Kisley pudieron ver sus rasgos bajo el ala del bombín.

Los detectives miraron el dibujo.

—¿Es él?

—Podría ser, pero ese de ahí abajo parece que lleva barba desde hace tiempo.

—A menos que sea postiza.

—Si lo es, es buena —dijo Mack—. Tampoco me cuadran las orejas. No son tan grandes como estas del dibujo.

—Si no es él —insistió Wally—, podría ser su hermano.

—¿Por qué no vamos a preguntarle si tiene uno?

14

—Yo iré primero. Vigila hasta que te avise.

Wally Kisley corrió hacia la escalera.

El obrero alto con la bolsa colgada del hombro se abrió camino a empujones entre la multitud, pasó por encima de un borracho, esquivó a otro y reanudó sus rápidos andares en dirección a la estación central. Desde la ventana, Mack Fulton siguió el trayecto de aquel hombre que avanzaba dando zancadas entre los peatones que entraban y salían de la terminal apresuradamente.

Wally bajó la escalera y salió del edificio. Cuando llegó a la acera, miró hacia arriba. Mack señaló en la dirección correcta, y Wally echó a correr de nuevo. Al poco saludó con la mano a su compañero, lo que significaba que había localizado a la presa. Mack bajó zumbando tras él; el corazón le palpitaba con fuerza y le costaba recuperar el aliento. Llevaba días encontrándose fatal.

—Estás blanco como el papel —le dijo Wally cuando Mack consiguió darle alcance—. ¿Te encuentras bien?

—Así así... ¿Adónde ha ido?

—Ha entrado en ese callejón. Creo que me ha visto.

—Si te ha visto y ha salido por piernas, es nuestro hombre. ¡Vamos! —dijo Mack.

Respiraba con dificultad; aun así, se puso a la cabeza. El callejón estaba embarrado y apestaba. En lugar de cortar hacia la calle Veinticuatro, como los detectives habían imaginado, la callejuela torcía hacia la izquierda y quedaba interrumpida por un almacén. Frente a este, había unos barriles tan grandes que bien podía usarlos alguien para esconderse detrás de ellos.

—Ya lo tenemos —dijo Wally.

Mack se ahogaba. Wally lo miró. Tenía el rostro desencajado de dolor. Se dobló hacia delante al tiempo que se llevaba las manos al pecho, y cayó a plomo sobre el lodo. Wally se arrodilló junto a él.

—¡Por Dios, Mack!

La cara de Mack estaba lívida como la de un muerto, y tenía los ojos muy abiertos. Levantó la cabeza, mirando por encima del hombro de Wally.

—¡Detrás de ti! —musitó.

Wally se volvió al instante hacia la dirección de donde se oían las pisadas.

El hombre que habían estado persiguiendo, el que se parecía al dibujo, el que sin duda era el Saboteador, corría hacia ellos con un cuchillo en la mano. Wally protegió con su cuerpo el de su viejo amigo y, sin perder el temple, sacó un arma de debajo de su abrigo de cuadros. Amartilló un revólver de acción simple levantando el torcido percutor con un experimentado pulgar y ajustando el cañón. Con serenidad, apuntó al hombro del Saboteador. No quería matarlo, solo herirlo. Debían interrogarlo sobre futuros ataques que ya tuviera en marcha.

Antes de poder disparar, Wally oyó un clic metálico, y se quedó asombrado al ver que la hoja del cuchillo salía proyectada hacia su cara. El Saboteador todavía estaba a un metro y medio de distancia, pero la punta de acero ya le había perforado un ojo a Wally.

Una espada de resorte, se dijo Wally Kisley. Y yo que creía haberlo visto todo… Fue su último pensamiento antes de que el Saboteador le hundiera la hoja hasta el cerebro.

El Saboteador sacó el estoque del cráneo del detective y lo clavó en el cuello de su compañero. Le había parecido que ya estaba muerto, pero no era el momento de arriesgarse. Sacó el arma del cuerpo de Mack Fulton y miró alrededor con frialdad. Cuando vio que en el callejón nadie había seguido a los detectives, limpió la espada con el abrigo de cuadros, pulsó el resorte para plegarla y volvió a ocultarla en la funda de la bota.

Había escapado por los pelos de una de esas desgracias que no pueden preverse, que nada tienen que ver con que uno esté siempre preparado para ser rápido y letal, y estaba exultante por haberse librado. ¡Sigue adelante!, se dijo. El tren semidirecto de la línea interior no esperaría a que él celebrara la victoria.

Salió corriendo del callejón, se abrió paso a empellones entre la multitud que caminaba por la acera y cortó por la calle Veinticinco. Cruzó a la carrera por delante de un tranvía, giró hacia la derecha en dirección a Wall Street y caminó a lo largo de una manzana en sentido paralelo a la larga estación. Cuando estuvo seguro de que no lo seguían, entró en ella por la puerta norte.

Se dirigió al servicio de caballeros y se encerró en uno de los retretes. Contrarreloj, se despojó del mono que ocultaba su elegante ropa de viaje, y de la bolsa de herramientas sacó otra, una lujosa Gladstone de cuero con remaches de latón y bisagras. En el interior aparecieron unos lustrados botines de vestir de color negro, un hamburgo gris con su sombrerera y una Derringer. Vació el contenido de la bolsa de cuero y metió en ella las botas, junto con la funda en la que guardaba la espada. Se ató los cordones de los botines y puso la Derringer en el bolsillo del abrigo. Se quitó la barba, que fue a parar a la bolsa de herramientas, y se frotó los restos de adhesivo para postizos que le habían quedado en la piel. A continuación, terminó de llenar la bolsa de herramientas con el mono y la dejó detrás del inodoro. Nadie podría relacionarlo con ella ni con su contenido. Comprobó la hora en su reloj de ferroviario y esperó dos minutos exactamente. Aprovechó ese tiempo para pasarse un peine de marfil por el pelo y frotarse los botines con las perneras del pantalón, a fin de sacarles brillo.

Se examinó detenidamente en el espejo del lavabo. Se quitó una pizca de adhesivo de la barbilla y se puso el hamburgo gris.

Abandonó el servicio de caballeros despacio y sonriendo, y cruzó el bullicioso vestíbulo, que de repente estaba infestado de policías del ferrocarril. Con escasos segundos de margen, pasó junto al personal de la estación que cerraba las puertas de acceso a los humeantes andenes. La locomotora dio la doble señal de avance con dos pitidos agudos, y el tren semidirecto de la línea interior, un rápido convoy de lujo compuesto por ocho pullman de primera clase, un vagón restaurante y un vagón salón-mirador, inició la marcha hacia Cheyenne, Omaha y Chicago.

El Saboteador caminaba a grandes zancadas junto al furgón de cola, ajustando el paso a su velocidad y sin dejar de mirar alrededor.

Delante, tras el vagón de equipaje, vio a un hombre inclinado sobre los peldaños del primer pullman. Estaba agarrado a la barandilla para poder asomarse y ver con claridad quién subía al tren semidirecto en el último minuto. Se encontraba a veinte metros escasos del lugar en el que el Saboteador tenía previsto asir la barandilla para darse impulso y, con el tren en movimiento, subir a bordo del último vagón. No cabía duda: era un detective.

La cabeza del tren salió de la sombra que proyectaba la estación, y el Saboteador vio que el hombre que se inclinaba hacia el andén para vigilarlo tenía el cabello rubio, brillante como el oro al atardecer. El detective era Isaac Bell, lo había sospechado desde el principio.

Sin titubear, el Saboteador se agarró a la barandilla y subió a la plataforma trasera del tren. Desde aquel mirador abierto, entró en el vagón. Cerró la puerta tras él, aislándose en aquel salón del humo y del ruido, y disfrutó con la paz y la tranquilidad de un rápido transcontinental de primera clase decorado con recargadas molduras, paneles de madera barnizada, espejos y una mullida alfombra en el suelo. Los camareros servían copas en bandejas de plata a pasajeros que descansaban en cómodos sofás. Los que levantaron la vista de sus periódicos e interrumpieron sus conversaciones dieron la bienvenida a ese tardío pasajero bien vestido con el sociable gesto de asentimiento que se dirigían los miembros de un club de caballeros.

El encanto de aquel momento se esfumó con la irrupción del interventor. Era un hombre de mirada imperturbable, de labios apretados e impecablemente uniformado, desde la destellante visera hasta los relucientes zapatos. Era brusco, exigente y desconfiado por demás, como la mayoría de los interventores.

—¡Billetes, caballeros! Billetes de Ogden.

El Saboteador sacó con un grácil ademán su pase de ferrocarril.

El interventor abrió mucho los ojos al ver el nombre que constaba en el pase, y saludó al pasajero con una gran deferencia.

—Bienvenido a bordo, señor.

Los privilegiados

15

A bordo del tren de la línea interior con dirección al Este

—¡Lléveme a mi compartimiento inmediatamente!

A buen seguro, pensó el Saboteador, Isaac Bell iría corriendo hasta el furgón de cola para saber quién había subido a bordo en el último minuto, y su intención no era enfrentarse al detective en aquel momento, sino cuando él lo eligiera.

El interventor, obsequioso como un cortesano con su regio príncipe, condujo al Saboteador por un pasillo con ventanas a una gran suite situada en mitad del vagón, donde el traqueteo del tren era más suave.

—¡Entre y cierre la puerta!

La suite particular, reservada a los invitados especiales del ferrocarril, estaba decorada en un estilo palaciego, con armarios de ebanistería y el techo de cuero repujado. Incluía una sala de estar y un compartimiento dormitorio, y tenía su propio aseo, con una bañera de mármol y la grifería de plata. El Saboteador depositó la bolsa Gladstone en la cama.

—¿Hay alguien interesante en su tren? —preguntó al interventor, y con una sonrisa de complicidad, deslizó una moneda de oro en su mano.

Ningún invitado de la compañía de ferrocarriles Southern Pacific necesitaba dar propinas para recibir un servicio espléndido y un trato adulador por parte del personal. Aun así, se dijo el Saboteador, el interventor de un tren transcontinental, como el sobrecargo de un transatlántico, podía ser un cómplice útil y una fuente de información fidedigna sobre los pasajeros más ilustres. Consideró que la combinación de intimidad fingida y de dinero contante y sonante sería una inversión que le reportaría pingües beneficios. Y así fue, porque el interventor contestó sin reservas.

—El señor Jack Thomas, presidente del First National Bank, subió en Oakland, junto con el señor Bruce Payne.

—¿El abogado del petróleo?

—Sí, señor. El señor Payne y el señor Thomas son íntimos, como imaginará usted.

—El dinero y la ley forjan rápidas alianzas en el mundo del oro negro —dijo el Saboteador con una sonrisa, para animar al interventor a que siguiera hablando.

—El juez Congdon y el coronel Bloom, el caballero del carbón, están a bordo desde Sacramento.

El Saboteador asintió. El juez James Congdon se había asociado a J. P. Morgan para adquirir el trust siderúrgico de Andrew Carnegie. Kenneth Bloom era el socio propietario de varias minas de carbón, junto con la línea de ferrocarriles de Pensilvania.

—Y también viaja con nosotros el señor Douglas Moser, de Providence, propietario de la fábrica de tejidos de algodón, que tiene un hijo que ocupa un escaño en el Senado.

—Un hombre relevante —comentó el Saboteador—. Los intereses textiles de su padre están en buenas manos.

El interventor sonrió abiertamente, disfrutando de la proximidad de aquellos influyentes caballeros.

—Estoy seguro de que para ellos será un honor que les acompañe durante la cena.

—Ya veré si me apetece —respondió el Saboteador con naturalidad. Luego añadió con un guiño casi imperceptible—: ¿No habrá oído rumores sobre algún juego de apuestas?

—Sí, señor. Hay póquer después de cenar en el camarote del juez Congdon.

—¿Quién más viaja a bordo?

El interventor recitó varios nombres de potentados del mundo de la ganadería y magnates de las minas del Oeste, con el aditamento habitual de los abogados de las líneas ferroviarias. Acto seguido bajó la voz.

—Ha subido un detective de la agencia Van Dorn en Ogden, justo antes que usted, señor.

—¿Un detective? Qué emocionante. ¿Y sabe cómo se llama?

—Isaac Bell.

—Bell... ¡Hum! No creo que esté aquí de incógnito, puesto que ha revelado su nombre.

—Lo he reconocido. Viaja a menudo con nosotros.

—¿Está investigando un caso?

—Eso no lo sé. Pero utiliza un pase firmado por el presidente Hennessy en persona. Y tenemos órdenes de ofrecer a los agentes de Van Dorn cuanto nos soliciten.

La sonrisa del Saboteador se endureció y sus ojos brillaron con frialdad.

—¿Y qué le ha pedido Isaac Bell?

—Todavía nada, señor. Supongo que está ocupado con todos esos sabotajes a la Southern Pacific.

—Quizá podamos conseguir, con nuestra amistosa partida de póquer, que al señor Bell el viaje no le salga gratis.

El interventor parecía sorprendido.

—¿Un detective tiene categoría para unirse a la mesa de juego de unos caballeros?

—Sospecho que el señor Bell se lo puede permitir —contestó el Saboteador—. Si es el rico Isaac Bell del que habla la gente. Nunca he jugado al póquer con un detective. Podría ser interesante. ¿Por qué no le pide que se una a esa partida?

No era una pregunta, sino una orden, y el interventor prometió invitar al detective a la velada de póquer con apuestas altas que el juez Congdon celebraría después de la cena.

La manera de jugar al póquer revelaba muchas cosas de un hombre. El Saboteador aprovecharía la oportunidad para conocer a fondo a Bell, y luego decidiría cómo asesinarlo.

El compartimiento de Isaac Bell estaba en un pullman que tenía un servicio de caballeros en la parte delantera con espejos biselados, grifería de níquel y unos lavabos enormes de mármol. Había espacio para dos butacas. Una maceta con una palmera oscilaba al mismo ritmo que el tren, que corría a toda velocidad junto al río Weber. La poderosa locomotora tiraba del convoy por una pendiente muy suave, internándose en los montes Wasatch.

Bell se afeitó en el servicio antes de vestirse para cenar. A pesar de que podía permitirse una suite espléndida con todas las comodidades, prefería compartir el aseo con otros viajeros. En esas salas de ambiente relajado, como sucedía en los vestidores de los gimnasios y los clubes privados, se diría que la combinación de mármol, azulejos, agua corriente, butacas y la ausencia de mujeres volvía fanfarrones a los hombres. Los fanfarrones hablaban abiertamente con los desconocidos, y siempre se obtenía alguna que otra información interesante de las conversaciones oídas a medias. Tal como Bell había dado por sentado, mientras deslizaba la navaja de afeitar de acero damasquino por sus mejillas, un corpulento y jovial propietario de un matadero de Chicago se quitó el cigarro de la boca para hacer un comentario.

—El mozo me ha contado que el senador Charles Kincaid subió al tren en Ogden.

—¿El Ingeniero Heroico? —preguntó un viajante de comercio que estaba repantigado cómodamente en la otra butaca de cuero—. Me gustaría estrecharle la mano.

—Lo único que tiene que hacer es acorralarlo en el vagón restaurante.

—Nunca se sabe con esos senadores —contestó el viajante—. Los congresistas y los gobernadores estrechan manos que todavía están manchadas de sangre, pero los senadores de Estados Unidos son unos estirados.

—Eso pasa porque son nominados en lugar de elegidos, sin lugar a dudas.

—¿Era el tipo alto que subió en el último segundo? —preguntó Bell sin dejar de mirarse en el espejo.

El propietario del matadero de Chicago dijo que estaba leyendo el periódico cuando el tren arrancó, y que no se había dado cuenta de nada.

Pero el viajante sí.

—Saltó con la rapidez de un vagabundo.

—Un vagabundo muy poderoso y bien vestido —dijo Bell, y los dos caballeros se echaron a reír.

—Ese chiste es bueno —exclamó el dueño del matadero, la mar de divertido—. Un vagabundo muy poderoso y bien vestido. ¿En qué ramo trabajas, hijo?

—En seguros —dijo Bell, e intercambió una mirada con el viajante a través del espejo—. ¿El tipo al que usted vio subir al tren en el último momento era el senador Kincaid?

—Podría ser él, sí —contestó el viajante—. No lo vi de cerca. Hablaba con un caballero en el otro extremo del vagón y el interventor me tapaba la vista, pero ¿no esperaría el tren a un senador?

—Es de suponer —dijo el dueño del matadero. Alzó su corpachón de la butaca, apagó el cigarro y añadió—: Hasta luego, muchachos. Me voy al vagón mirador. Si a alguno le apetece una copa, está invitado.

Bell regresó a su compartimiento.

Quienquiera que subiera en el último minuto ya no estaba cuando Bell llegó al furgón de cola, hecho nada sorprendente, por cierto, puesto que el semidirecto de la línea interior era un convoy de coches cama, y los únicos lugares públicos eran el vagón restaurante y el vagón mirador. El restaurante estaba vacío, salvo por los camareros que disponían las mesas para cenar, y ninguno de los fumadores que había en el vagón mirador se parecía al hombre bien vestido que Bell había visto de lejos, y tampoco al dibujo que el leñador herido había hecho del Saboteador.

Bell llamó al mozo. Apareció un hombre negro de edad avanzada, lo bastante viejo para haber nacido esclavo y haber tenido que soportar esa condición toda su vida.

—¿Cómo se llama usted? —preguntó Bell. Detestaba la costumbre que tenía la gente de llamar George a los mozos de los pullman solo porque el hombre que fabricaba aquellos lujosos coches cama tenía ese nombre.

—Jonathan, señor.

Bell puso una moneda de oro de diez dólares en la blanda palma de su mano.

—Jonathan, ¿quieres mirar este dibujo? ¿Has visto a este caballero en el tren?

Jonathan examinó el dibujo.

De repente, un expreso que iba hacia el Oeste pasó con estrépito junto a las ventanillas como una exhalación, dejando una estela de vapor. Ambos trenes se habían cruzado a una velocidad combinada de doscientos kilómetros por hora. El viejo Osgood Hennessy había puesto doble vía en la mayor parte de la ruta a Omaha, y eso significaba que los trenes semidirectos permanecían estacionados poco tiempo en vías muertas para dar prioridad a los rápidos.

—No, señor. —El mozo negó con la cabeza—. No he visto a ningún caballero que se le parezca.

—¿Y a este? —Bell enseñó al mozo el dibujo del de la barba, pero la respuesta fue la misma.

Estaba decepcionado, aunque no sorprendido. El semidirecto de la línea interior que se dirigía al Este tan solo era uno de los ciento cincuenta trenes que habían partido de Ogden desde que apuñalaron al forajido del establo. Aunque eran menos, por supuesto, los que conectarían con Nueva York, lugar al que el Saboteador lo invitaba a buscarlo, según dedujo Bell de su nota.

—Gracias, Jonathan. —El investigador dio una tarjeta al mozo—. Por favor, di al interventor que venga a verme si dispone de un momento.

Todavía no habían pasado cinco minutos cuando alguien llamó a la puerta. Era el interventor. Bell lo invitó a pasar y averiguó que su nombre era Bill Kux. A continuación le mostró los dos dibujos.

—¿En Ogden ha subido alguien a bordo de su tren que se pareciera a alguno de estos dos hombres?

El interventor miró con detenimiento ambos retratos. Los sostuvo alternativamente en una mano bajo la luz que proyectaba la lámpara, porque ya oscurecía. Bell observaba la cara adusta de Kux en busca de una reacción. Los interventores eran los responsables de la seguridad en los trenes, así como también de exigir a todos los pasajeros el abono de un billete, de manera que eran unos aguzados observadores con muy buena memoria.

—No, señor. Me parece que no… Aunque esta cara me resulta familiar.

—¿Ha visto a este hombre?

—Bueno, no sé… Pero conozco ese rostro. —El interventor se rascó el mentón y, de repente, chascó los dedos—. Ahora caigo. ¡Del cine!

Bell volvió a guardarse los dibujos.

—Entonces ¿no ha visto a nadie que se parezca a alguno de los dos retratos y que haya subido en Ogden?

—No, señor. —Kux se echó a reír—. Por un momento me ha tenido usted cavilando, hasta que he recordado la película. ¿Sabe a quién se parece? A ese tipo que es actor… Broncho Billy Anderson, ¿verdad que sí?

—¿Quién era el caballero que subió al tren en el último minuto?

El interventor sonrió.

—Esa sí es una coincidencia.

—¿Qué quiere decir?

—Me dirigía hacia aquí, señor Bell, cuando el mozo me dio su tarjeta. El caballero por quien me pregunta me pidió que lo invitara a usted a una partida de póquer que tendrá lugar en el compartimiento del juez Congdon después de cenar.

—¿Quién es?

—¡Cómo! ¿No lo sabe? ¡El senador Charles Kincaid!

16

¿De verdad era Kincaid?, se preguntó Isaac Bell.

Podía serlo, sin duda. Pero había algo premeditado en la manera en que aquel hombre había subido al tren, como si se hubiera esforzado en salir de la estación de Ogden sin que repararan en él. Una posibilidad remota, tenía que admitirlo. Al margen del número de trenes que el Saboteador hubiera podido tomar, los hombres tenían por costumbre correr para subirse a ellos. Él lo hacía a menudo. A veces deliberadamente, para engañar a alguien que se encontraba a bordo o, si lo había seguido hasta la estación algún tipo, para darle esquinazo.

—Había oído que el senador estaba en Nueva York —dijo Bell, pensativo.

—Ah, el senador es un hombre de mundo, señor. Ya conoce a los que tienen un cargo, no paran nunca. ¿Le digo que irá a la partida?

Bell miró fríamente a Bill Kux.

—¿Cómo sabe mi nombre el senador Kincaid? ¿Cómo sabe que estoy en el tren?

Era poco habitual que un interventor de un tren semidirecto se azorase por algo menos grave que ver a un pasajero saltar a las vías del tren. Sin embargo, Kux empezó a tartamudear.

—Verá, él... Yo... En fin, señor, ya sabe cómo son estas cosas.

—Sí, sé que el buen viajero confía en el interventor —dijo

Bell suavizando su expresión para ganarse su confianza—. Y sé que el buen interventor se esfuerza para que todos los que viajan en el tren queden contentos. Sobre todo los pasajeros que más se lo merecen. ¿Debo recordarle, señor Kux, que tiene órdenes directas del presidente de la compañía para que los detectives de la agencia Van Dorn ocupen el primer lugar en la lista de sus amistades?

—No, señor.

—¿Le ha quedado claro?

—Sí, señor... Lamento mucho haberle causado problemas.

—No se preocupe. —Bell sonrió—. Tampoco ha ido usted a hacerle confidencias a un tipo que asalta trenes.

—Es usted muy considerado, señor, gracias... ¿Puedo informar al senador Kincaid de que se unirá a la partida?

—¿Quién más juega?

—Bueno, el juez Congdon, claro, y el coronel Bloom.

—¿Kenneth Bloom?

—Sí, señor, el magnate del carbón.

—La última vez que vi a Kenny Bloom estaba detrás de unos elefantes empuñando una pala.

—¿Cómo dice, señor? No le entiendo.

—Trabajamos juntos en el circo, durante poco tiempo, de niños. Hasta que nuestros padres nos encontraron. ¿Quién más?

—El señor Thomas, el banquero, y el señor Payne, el abogado. Y también el señor Moser, de Providence. Su hijo ocupa un escaño en el Senado, como el señor Kincaid.

Costaba imaginar a dos prohombres más serviles con las grandes empresas, pensó Bell, aunque lo único que dijo fue:

—Comunique al senador que será un honor jugar con ellos.

El interventor Kux fue hacia la puerta.

—Es mi deber advertirle, señor Bell, que...

—¿Las apuestas son altas?

—Eso también. Pero si un agente de Van Dorn va el primero en mi lista de amistades, mi deber es advertirle que uno de los caballeros que juegan esta noche tiene fama de saber buscarse su propia suerte.

Isaac Bell le sonrió de oreja a oreja.

—No me diga quién es ese caballero que hace trampas. Será más interesante si lo descubro por mí mismo.

El juez James Congdon, el anfitrión de esa noche de la partida de póquer con apuestas altas, era un viejo enjuto y curtido de ademanes aristocráticos y un estilo tan duro e inflexible como el metal con el que había hecho fortuna.

—El horario de diez horas laborables será la ruina de la industria siderúrgica —proclamó con una voz que resonó como si hubieran descargado una tolva de carbón.

La advertencia arrancó solemnes afirmaciones de los plutócratas reunidos alrededor del tapete verde de la mesa, y un «¡eso, eso!» de Charles Kincaid. El senador había sacado el tema con la obsequiosa promesa de votar a favor de unas leyes más estrictas en Washington para que el sistema judicial tuviera menos trabas a la hora de ordenar mandamientos contra los huelguistas.

Si algún pasajero del tren semidirecto de la línea interior, que en ese momento atravesaba Wyoming en plena noche, dudaba de la gravedad del conflicto entre los sindicatos obreros y los patronos, la explicación de Kenny Bloom, que había heredado la mitad de la antracita de Pensilvania, le dejó las cosas bien claras.

—Los derechos e intereses de los trabajadores serán preservados y mantenidos al margen de los agitadores, defendidos por cristianos a quienes Dios, en su infinita sabiduría, ha dado el control de la propiedad en interés del país.

—¿Cuántas cartas, juez? —preguntó Isaac Bell, encargado de repartir.

Estaban en mitad de una mano, y la responsabilidad del que repartía era procurar que el juego no se interrumpiera, algo que no siempre era fácil, porque, a pesar de las elevadas apuestas, la partida era amistosa. La mayoría de los presentes se conocían y jugaban juntos a menudo. Las conversaciones de la mesa iban del cotilleo a la tomadura de pelo bienintencionada, a veces dirigida a ofuscar la jugada del contrincante y poner a prueba la confianza en sus cartas.

El senador Kincaid, según había observado Bell, parecía intimidado por el juez Congdon, que ocasionalmente lo llamaba Charlie, a pesar de que el senador era de los que exigían que lo llamaran Charles, cuando no señor senador.

—¿Carta? —volvió a preguntar Bell.

De repente, el vagón dio una fuerte sacudida.

Las ruedas avanzaban a trompicones sobre un duro tramo viario. El tren dio un bandazo. Las copas de brandy y de whisky se derramaron, y se manchó el tapete verde. Los pasajeros del lujoso camarote se quedaron en silencio, recordando que también ellos, junto con la cristalería, la mesa de juego, los apliques de latón, las cartas y las monedas de oro, circulaban a más de cien kilómetros por hora en plena noche.

—¿Vamos por encima de las traviesas? —quiso saber alguien.

La pregunta fue recibida con risas nerviosas por parte de todos, salvo por el frío juez Congdon, quien cogió su copa para impedir que siguiera derramándose e hizo un comentario cuando el vagón dio una sacudida aún más fuerte.

—Eso me recuerda, senador Kincaid, que quería pedirle su opinión sobre todos estos accidentes que está sufriendo la línea de ferrocarriles Southern Pacific.

Kincaid, que en apariencia había bebido demasiado durante la cena, respondió en voz alta.

—Como ingeniero, le diré que los rumores sobre la mala gestión de la Southern Pacific son una solemne mentira. Las líneas de ferrocarril son negocios peligrosos. Siempre lo han sido. Y siempre lo serán.

Con la misma rapidez con que habían empezado, las sacudidas cesaron, y el trayecto resultó más placentero. El tren fue cobrando velocidad, y los pasajeros suspiraron con alivio al comprender que los periódicos de la mañana no citarían sus nombres entre los fallecidos de un sabotaje ferroviario.

—¿Cuántas cartas, juez?

Pero el juez Congdon no había terminado de hablar.

—No me refería a una mala gestión, Charlie. Si puede usted hablar como estrecho colaborador de Osgood Hennessy, en lugar de como ingeniero, dígame entonces cómo están las cosas en el Atajo de las Cascadas, propiedad de Hennessy, donde al parecer se han concentrado todos los accidentes.

Kincaid soltó un discurso apasionado más adecuado a una sesión plenaria del Senado que a una partida de póquer con apuestas altas.

—Les aseguro, caballeros, que las habladurías sobre la temeraria ampliación de la línea de las Cascadas son paparruchas. Nuestro gran país fue construido por hombres valientes como el señor Hennessy, presidente de la Southern Pacific, quien arriesgó mucho ante la adversidad y siguió adelante, incluso cuando algunas mentes más frías que la suya le rogaban que se lo tomara con tranquilidad, incluso cuando hizo frente a la bancarrota y al desastre financiero.

Bell advirtió que Jack Thomas, el banquero, parecía intranquilo. Kincaid estaba haciendo un flaco favor esa noche a la reputación de Hennessy.

—¿Cuántas cartas quiere, juez Congdon? —volvió a preguntar Bell.

La respuesta de Congdon fue más alarmante que los repentinos bandazos que había dado el tren.

—No quiero más, gracias. Estoy servido. No cambiaré ninguna carta.

El resto de los jugadores se quedaron mirándolo fijamente. Bruce Payne, el abogado del petróleo, dijo en voz alta lo que todos estaban pensando.

—Estar servido en una apuesta de cinco cartas es como entrar en una ciudad galopando a la cabeza de un grupo de asalto.

La mano estaba en la segunda vuelta. Isaac Bell había repartido a cada caballero cinco cartas boca abajo. Congdon, sometido a presión por estar sentado a la izquierda de Bell, en una posición en la que los jugadores suelen pasar, había abierto la primera ronda de apuestas. Charles Kincaid, sentado a la derecha de Bell, había elevado impetuosamente la apuesta y obligado a los jugadores que querían verla a poner más dinero en la mesa. Las monedas de oro sonaron quedas sobre el tapete cuando todos los jugadores, incluso Bell, vieron la apuesta, en especial porque Kincaid había estado jugando con una notable falta de criterio.

Completada ya la segunda ronda, a los jugadores se les permitió descartarse de uno, dos o tres naipes y sacar otros tantos para mejorar la mano. La afirmación del juez Congdon de que ya tenía todas las cartas que necesitaba y estaba servido no alegró precisamente a los demás. Al decir que no necesitaba mejorar su jugada, estaba sugiriendo que tenía una mano ganadora, que cubrían sus cinco cartas, y que podía imponerse a los que tuvieran una doble pareja o un trío, por ejemplo. Significaba, asimismo, que tenía al menos una escalera (cinco cartas en secuencia numérica) o una escalera de color (cinco cartas del mismo palo), o incluso un full (tres cartas iguales y otra pareja), una potente combinación que ganaba a la escalera y al color.

—Si el señor Bell tiene la amabilidad de repartir a los demás caballeros las cartas que piden, por mi parte abriré con mucho gusto la siguiente ronda de apuestas —se vanaglorió Congdon, que de repente había perdido el interés por los conflictos obreros y los sabotajes de trenes.

—¿Cartas, Kenny? —preguntó Bell.

Y Bloom, que no era ni por asomo tan rico en antracita como lo era Congdon en acero, pidió tres cartas sin demasiada convicción.

Jack Thomas aceptó un par, señal de que quizá tenía tres naipes iguales. Aunque era más probable, decidió Bell, que tuviera una sencilla pareja y se hubiera guardado un as con la remota esperanza de sacar otros dos. Si en realidad tenía un trío, habría subido la apuesta en la primera ronda.

El siguiente, Douglas Moser, el aristocrático propietario de una fábrica textil en Nueva Inglaterra, dijo que se descartaba de un naipe, lo cual significaba que podría contar con una doble pareja, pero que probablemente tenía la esperanza de reunir una escalera o un color. Bell había observado su juego el tiempo suficiente para llegar a la conclusión de que no estaba interesado en la victoria; era inmensamente rico. Y por último, quedaba el senador Kincaid, sentado a la derecha de Bell.

—Yo tampoco quiero cartas —dijo Kincaid.

Las cejas del juez Congdon, tiesas como haces de alambre, se arquearon unos milímetros. Y se oyeron algunas exclamaciones. Que dos jugadores no se descartaran en la misma ronda de apuestas era algo sin precedentes en una partida de póquer.

Bell estaba tan sorprendido como el que más. Se había percatado ya de que el senador Kincaid hacía trampas cuando podía repartiendo con pericia las cartas desde el final del mazo. Pero Kincaid no había repartido esa mano, lo había hecho Bell. De manera que, por extraño que pudiera parecer, si Kincaid no necesitaba cartas sin duda era por pura suerte.

—La última vez que vi a dos jugadores sin descartarse la partida terminó en una pelea a tiros —dijo Jack Thomas.

—Por fortuna —dijo Moser—, nadie de la mesa va armado.

No era cierto, como había observado Bell. El senador del doble juego tenía una Derringer, que le asomaba por un bolsillo lateral. Sensata precaución para hombres que desempeñaban un cargo público, dedujo Bell, desde que dispararon a McKinley.

—El que reparte pide dos —dijo Bell. Tras descartarse y servirse, dejó el mazo—. ¿Quién abre la apuesta? —preguntó—. Creo que le toca a usted, señor juez.

El viejo James Congdon, con los dientes más amarillos que los de un lobo gris, sonrió a Kincaid sin mirar a Bell.

—Igualaré el bote.

Jugaban con la apuesta límite que marcaba la mesa, lo que significaba que la única restricción en cada una de las rondas era la cantidad que había sobre el tapete en ese momento. La apuesta de Congdon revelaba que, a pesar de estar sorprendido de que Kincaid no pidiera cartas, no temía su jugada, y eso implicaba que tenía una buena mano, quizá un full en lugar de una escalera o color. Bruce Payne, que parecía extremadamente contento de hallarse fuera de la partida, se prestó a contar la cantidad del tapete.

—Redondeando, la apuesta de la mesa es de unos tres mil seiscientos dólares —anunció con una voz fina y atiplada.

Joseph van Dorn había enseñado a Isaac Bell a calcular fortunas en términos de lo que ganaba un trabajador al día. Lo había llevado a la taberna con peor fama de Chicago y había presenciado con aire aprobatorio cómo su bien vestido aprendiz ganaba un par de peleas a puñetazos. Luego había hecho que Bell reparara en los clientes que hacían cola para comer gratis. Era obvio que el delfín de una familia de banqueros de Boston y licenciado por Yale conocía la idiosincrasia de los privilegiados, le comentó su jefe con una sonrisa. Pero un detective también tenía que comprender al restante noventa y ocho por ciento de la población, le dijo. ¿Cómo pensaba un hombre sin dinero en el bolsillo? ¿Qué hacía un tipo que no tenía nada que perder salvo el miedo?

Los tres mil seiscientos dólares de la mesa que había en esa sola mano era más dinero del que los obreros siderúrgicos del juez Congdon ganaba en seis años.

—Apuesto tres mil seiscientos —dijo Congdon.

El juez empujó hacia el centro de la mesa todas las monedas que tenía delante y soltó sobre ellas una bolsa de paño rojo con más monedas de oro que resonó pesadamente sobre el tapete.

Kenny Bloom, Jack Thomas y Douglas Moser no vieron la apuesta y se apresuraron a retirarse de la partida.

—Veo sus tres mil seiscientos —dijo el senador Kincaid— y subo la apuesta a diez mil ochocientos dólares.

Las ganancias de dieciocho años.

—La línea ferroviaria debe de estarle muy agradecida —dijo Congdon, pinchando al senador con el asunto de las acciones del ferrocarril con las que sobornaban de manera harto conocida a los legisladores.

—La línea vale su peso en oro —contestó Kincaid con una sonrisa.

—O eso, o bien quiere hacernos creer que no se descarta porque no lo necesita.

—No quiero cartas, pero sí subir la apuesta. ¿Qué va a hacer usted, juez? Ahora es de diez mil ochocientos dólares. ¿La ve?

Isaac Bell los interrumpió.

—Creo que soy yo quien tiene que verla.

—Oh, lo siento muchísimo, señor Bell. Nos hemos saltado su turno sin oírle retirarse de la apuesta.

—Es cierto, senador. Le vi coger el tren por los pelos en Ogden. Y, al parecer, aún tiene prisa.

—A mí me pareció ver a un detective colgado de la barandilla. Un trabajo peligroso, señor Bell.

—No lo es, a menos que un delincuente te esté golpeando en los dedos con un martillo.

—La apuesta son mis tres mil seiscientos dólares más los diez mil ochocientos dólares del senador Kincaid —refunfuñó con impaciencia el juez Congdon—. La apuesta para el señor Bell es de catorce mil cuatrocientos dólares.

Payne interrumpió para entonar la cifra.

—La cantidad que hay sobre la mesa, incluyendo la apuesta que ha igualado el senador Kincaid, asciende ahora a veintiún mil seiscientos dólares.

Los cálculos de Payne no eran en absoluto necesarios. Incluso el hombre más rico y despreocupado de la mesa era consciente de que veintiún mil seiscientos dólares era una cantidad suficiente para comprar la locomotora que arrastraba el tren y quizá uno de los pullman.

—Señor Bell —dijo el juez Congdon—. Esperamos su respuesta.

—Igualo su apuesta, juez, y los diez mil ochocientos dólares del senador Kincaid —respondió Bell—, con lo que la mesa queda en treinta y seis mil dólares. Y subo la apuesta.

—¿Sube usted la apuesta?

—En treinta y seis mil dólares.

Bell se consideró bien pagado solo por ver la expresión boquiabierta que el senador de Estados Unidos y el magnate más rico del acero mostraron al unísono.

—La cantidad asciende en estos momentos a setenta y dos mil dólares —calculó el señor Payne.

Un profundo silencio se instauró en el compartimiento. Lo

único que se oía era el traqueteo amortiguado de las ruedas. Una arrugada mano del juez Congdon desapareció en el bolsillo interior de su chaqueta y emergió con un cheque en blanco. Sacó una estilográfica de oro de otro bolsillo, la destapó y escribió despacio un número en el cheque. Luego firmó con su nombre, sopló en el papel para que la tinta se secara y sonrió.

—Igualo su apuesta de treinta y seis mil dólares, señor Bell, y los diez mil ochocientos del senador, que ahora ya parece una cifra miserable, y subo la apuesta a ciento dieciocho mil ochocientos dólares... Senador Kincaid, le toca a usted. Mi apuesta y la del señor Bell significan que le costará ciento cincuenta y cuatro mil dólares seguir en la mano.

—¡Dios bendito! —exclamó Payne.

—¿Qué va a hacer usted, Charlie? —preguntó Congdon—. Hablamos de ciento cincuenta y cuatro mil ochocientos dólares si quiere jugar.

—Igualo la apuesta —respondió fríamente Kincaid, y escribió la cifra en su tarjeta de visita para soltarla luego sobre el montón de monedas de oro.

—¿No la sube? —se burló Congdon.

—Ya me ha oído usted.

Congdon dirigió su cáustica sonrisa hacia Bell.

—Señor Bell, mi apuesta era de ciento dieciocho mil ochocientos dólares.

Bell le sonrió a su vez, y trató de no pensar en que si igualaba la apuesta, se comería un buen pellizco de su fortuna personal. Si la subía, corría el peligro de terminar por comérsela casi entera.

James Congdon era uno de los hombres más ricos de América. Si Bell elevaba la apuesta, nada impediría al juez volver a subirla otra vez y dejarlo fuera de la partida.

17

—Señor Payne, ¿cuánto dinero hay en la mesa? —preguntó Isaac Bell.

—Veamos… En la mesa hay doscientos treinta y siete mil seiscientos dólares.

Bell contó obreros siderúrgicos mentalmente. Cuatrocientos hombres juntos podrían ganar el dinero que había en el tapete en un buen año. Diez hombres, si eran lo bastante afortunados para sobrevivir a una larga vida laboral sin bajas por enfermedad ni períodos de desempleo, podrían ganar en conjunto esa cantidad desde la infancia hasta la vejez.

—Señor Payne —preguntó Congdon con inocencia—, ¿qué cantidad habrá en la mesa si el señor Bell sigue creyendo que sacando dos cartas va a mejorar tanto su juego que podrá igualar la apuesta?

—Cuatrocientos setenta y cinco mil doscientos dólares.

—Casi medio millón —dijo el juez—. Esa es ya una cifra digna de consideración.

Definitivamente, Congdon hablaba demasiado, pensó Bell. El duro magnate del acero en realidad parecía nervioso. Como el hombre que tiene una escalera pero se ha quedado sin fondos, se dijo.

—¿Puedo suponer, señor, que aceptará un cheque a mi nombre del American States Bank de Boston?

—Claro, hijo. Estamos entre caballeros.

—Igualo la apuesta, y la subo en cuatrocientos setenta y cinco mil doscientos dólares.

—Me han desplumado —dijo Congdon, y soltó sus cartas sobre la mesa.

Kincaid sonrió, aliviado obviamente de que Congdon hubiera quedado fuera de la mano.

—¿Cuántas cartas quiere, señor Bell?

—Dos.

Kincaid se quedó mirando durante un buen rato los naipes que Bell sostenía. Cuando este levantó la vista, dejó vagar el pensamiento, para que le resultara más fácil mostrarse despreocupado tanto si el senador igualaba como si decidía pasar.

El pullman se balanceaba debido al aumento de velocidad. El efecto amortiguador de las alfombras y los muebles del regio camarote enmascaraba el hecho de que habían acelerado hasta ponerse a ciento treinta kilómetros por hora en la llanura de la cuenca de la Gran Divisoria en Wyoming. Bell conocía bien esas elevadas tierras áridas y azotadas por los vientos porque había pasado varios meses siguiendo el rastro al Grupo Salvaje.

Kincaid se llevó los dedos al bolsillo de la chaqueta donde guardaba sus tarjetas de visita. Ese hombre tenía unas manos grandes y largas, según advirtió Bell. Y unas muñecas poderosas.

—Eso es mucho dinero —dijo el senador.

—Mucho, para un funcionario público —coincidió Congdon. Y, molesto por haberse visto obligado a retirarse de la mano, añadió otro comentario desagradable sobre las acciones del ferrocarril propiedad del senador—. Aunque hablemos de alguien con «intereses» ajenos al desempeño de su profesión.

Payne repitió la valoración de Congdon.

—Casi medio millón de dólares.

—Una respetable cantidad en estos tiempos en los que se hunden los mercados —insistió Congdon.

—Señor Bell —preguntó Kincaid—, ¿qué hace un detective colgado de un tren cuando un delincuente empieza a golpearle en los dedos con un martillo?

—Depende —dijo Bell.

—¿De qué?

—De si ha aprendido a volar.

Kenny Bloom soltó una carcajada.

Kincaid continuaba mirando fijamente a Bell.

—¿Le han enseñado a volar?

—Todavía no.

—Entonces ¿qué hace usted?

—Golpeo yo también —respondió Bell.

—Le creo —apuntó Kincaid—. Paso.

Sin mudar la expresión, Bell dejó las cartas boca abajo sobre la mesa, y retiró los novecientos cincuenta mil cuatrocientos dólares en monedas de oro, vales y cheques, incluyendo los suyos propios. Kincaid alargó el brazo para coger las cartas de Bell, pero este colocó firmemente la mano encima.

—Tenía curiosidad por saber lo que oculta ahí —dijo Kincaid.

—Yo también —dijo Congdon—. Supongo que no se ha marcado un farol cuando en la partida quedaban dos manos sin descartarse.

—Me pasó por la cabeza que ambas podían habérselo marcado, juez.

—¿Las dos? No lo creo.

—Yo les aseguro, como me llamo Kincaid, que no me he marcado un farol —dijo Kincaid—. Tenía una fantástica escalera de color de corazones.

Kincaid extendió las cartas boca arriba para que todos pudieran verlas.

—¡Santo cielo, senador! —exclamó Payne—. Ocho, nueve, diez, jota y rey. Le faltaba una carta para la escalera de color. Sin duda habría tenido que subir su apuesta.

—Usted lo ha dicho: le faltaba una. Esa es la frase clave —observó Bloom—, y el recordatorio de que las escaleras de color abundan menos que un día de lluvia en el desierto.

—Me gustaría mucho ver sus cartas, señor Bell —dijo Kincaid.

—No ha pagado usted para verlas —respondió Bell.

—Pago yo —dijo Congdon.

—Perdone, ¿cómo dice?

—Considero que vale la pena poner cien mil dólares para demostrar que usted llevaba un trío de cartas altas, que luego ha sacado una pareja y ha conseguido un full. Y que con eso habría ganado al color del senador y a mi miserable escalera.

—No se admite la apuesta —respondió Bell—. Un viejo amigo mío solía decir que un farol ha de mantenerse en la incertidumbre.

—Tal como yo pensaba —afirmó Congdon—. No acepta la apuesta porque tengo razón. Ha tenido suerte, y ha conseguido otra pareja.

—Si eso es lo que quiere creer, juez, por mí no hay problema.

—¡Maldita sea! —exclamó el magnate del acero—. Subo a doscientos mil dólares. Pero enséñeme su mano.

Bell volvió del derecho los naipes.

—Ese amigo también decía que en ocasiones hay que mostrar las cartas para asombro de todos. Tenía usted razón en que llevo tres iguales.

El magnate del acero lo miró fijamente.

—¡Seré crédulo…! Tres reinas. Menudo farol, solo tenía un trío. Le habría ganado con mi escalera. Aunque su color, Charlie, me habría ganado a mí… Si el señor Bell no nos hubiera obligado a abandonar la partida.

Charles Kincaid explotó.

—¿Ha apostado medio millón de dólares en tres asquerosas reinas?

—Soy partidario de las damas —dijo Isaac Bell—. Siempre lo he sido.

Kincaid alargó el brazo y tocó las reinas como si no diera crédito a lo que veían sus ojos.

—Tendré que hacer una transferencia cuando llegue a Washington —dijo con frialdad.

—No hay prisa —respondió Bell con cortesía—. Yo habría tenido que hacer lo mismo.

—¿Adónde debo enviar el cheque?

—Me alojaré en el club Yale de Nueva York.

—Hijo —dijo Congdon al tiempo que rellenaba un cheque que quedaba cubierto sin tener que transferir fondos—, sin duda se ha pagado usted el billete de tren.

—¿El billete? ¡Ja! —exclamó Bloom—. Podría comprar el tren.

—¡Te lo vendo! —exclamó riendo Bell—. Vengan conmigo al vagón mirador. Las copas corren de mi cuenta, y quizá podríamos hacer el resopón. De tanto farolear, vuelvo a tener hambre.

Cuando Bell los acompañó al salón del furgón de cola, se preguntó por qué el senador Kincaid había pasado. La jugada había sido estrictamente correcta, supuso, pero cuando Congdon abandonó, Kincaid se volvió más cauteloso, y eso era sorprendente. Era como si el senador hubiera empezado simulando torpeza. ¿Y qué significaba toda esa verborrea sobre que Osgood Hennessy arriesgaba mucho ante la adversidad? Estaba claro que Kincaid no había mejorado la situación de su benefactor con los banqueros.

Bell pidió champán para todos en el vagón mirador y encargó a los camareros que les llevaran una cena ligera. Kincaid dijo que solo se quedaría un rato a tomar una copa. Estaba cansado, añadió. Pero dejó que Bell le sirviera una segunda copa de champán, y luego, mientras daba buena cuenta de un bistec con huevos, pareció que empezaba a superar su decepción en el tapete. Los jugadores conversaron entre sí, así como con otros viajeros que pasaban el rato bebiendo, en círculos que se deshacían y volvían a formarse. La historia de las tres reinas se contó hasta la saciedad. Cuando la reunión se dispersó, Isaac Bell se quedó a solas con Kenny Bloom, el juez Congdon y el senador Kincaid.

—He oído decir que ha estado usted mostrando al personal del tren un cartel de búsqueda y captura —dijo el senador.

—Sí, el dibujo de un hombre al que estamos investigando —respondió Bell.

—¡Muéstranoslo! —dijo Bloom—. Quizá lo hayamos visto.

Bell sacó de su chaqueta uno de los dibujos, apartó a un lado los platos y lo extendió sobre la mesa.

Bloom echó una mirada.

—¡Es el actor! El de *Asalto y robo de un tren*.

—¿Lo es? —preguntó Kincaid.

—No. Pero guarda un parecido razonable con Broncho Billy Anderson.

Kincaid pasó los dedos por encima del dibujo.

—Creo que se me parece.

—¡Arreste a este hombre! —bromeó Kenny Bloom.

—Es verdad —dijo Congdon—. Guardan un gran parecido. Este individuo tiene los rasgos muy marcados. Y el senador también. Observen el hoyuelo de la barbilla... Como el suyo, Charles. En Washington, muchas mujeres proclaman como histéricas que usted se parece a ese ídolo del cine.

—No tengo las orejas tan grandes.

—No.

—Menudo alivio —respondió Kincaid—. No se puede ser un ídolo del cine con las orejas grandes.

Bell rió.

—Mi jefe nos hizo una advertencia: «No arrestéis a los tipos feos».

Bell escudriñó alternativamente el dibujo y el rostro del senador. Constató cierta similitud en la frente despejada. Las orejas, en cambio, eran completamente distintas. Tanto el individuo del retrato a lápiz como el senador tenían unos rasgos faciales marcados y una expresión que denotaba inteligencia. Como muchos otros hombres, ya lo había afirmado Joseph van Dorn. No obstante, el senador y el sospechoso no solo se diferenciaban por sus orejas, sino también por la mirada penetrante del segundo. El hombre que había golpeado al leñador con una palanca parecía más duro y resuelto. No era de extrañar que el agredido lo hubiera retratado con aquella mirada. Pero Kincaid no parecía un hombre decidido. Incluso durante el momento de mayor tensión en el duelo de apuestas, Kincaid le había dado la sensación de ser un caballero esencialmente satisfecho de sí mismo y autoindulgente, un servidor de los poderosos antes que uno de ellos. Aun así, Bell recordó haberse preguntado al principio de la velada si Kincaid no estaría haciendo comedia al mostrarse tan alocado en la partida.

—Bueno —dijo Kincaid—, si vemos a este tipo, lo pescaremos para usted.

—Si lo ve, apártese de su camino y llame a las autoridades —dijo Bell con seriedad—. Es muy peligroso.

—De acuerdo, me voy a la cama. Ha sido un día muy largo. Buenas noches, señor Bell —dijo Kincaid en tono cordial—. Ha sido muy interesante jugar a las cartas con usted.

—Y muy caro también —añadió el juez Congdon—. ¿Qué va a hacer con todas esas ganancias, señor Bell?

—Comprarle una mansión a mi prometida.

—¿Dónde?

—En San Francisco. En lo alto de Nob Hill.

—¿Sobrevivieron algunas al terremoto?

—La casa en la que estoy pensando fue construida para que se mantuviera en pie mil años. El único problema es que puede que en ella habite algún fantasma, según mi prometida. Perteneció a su jefe anterior, que resultó ser un depravado asesino que atracaba bancos.

—Sé por experiencia —dijo Congdon entre risas— que la mejor manera de que una mujer se sienta cómoda en una casa que ha sido de otra es darle un cartucho de dinamita para que luego disfrute decorándola de nuevo. Lo he hecho varias veces. Funciona como un hechizo. También puede aplicarse a los jefes.

Charles Kincaid se levantó y dio las buenas noches a todos.

—¿Qué le pasó al depravado asesino que atracaba bancos? —preguntó el senador como quien no quiere la cosa, casi en tono burlón.

Isaac Bell se quedó mirándolo fijamente a los ojos hasta que el senador bajó la vista. Solo en ese momento, el detective habló.

—Lo perseguí hasta reducirlo, senador. No volverá a hacer daño a nadie, nunca más.

Kincaid reaccionó con una estruendosa carcajada.

—El famoso lema de Van Dorn: «Nunca nos rendimos».

—Nunca —dijo Bell.

El senador Kincaid, el juez Congdon y los demás fueron a acostarse, dejando a Bell y a Kenny Bloom solos en el vagón mirador. Media hora después, el tren empezó a aminorar la marcha. De vez en cuando una luz brillaba en la negra noche. Las afueras del pueblo de Rawlins cobraron forma. El tren semidirecto de la línea interior avanzó lentamente a través de las calles en penumbra.

El Saboteador calculó la velocidad del tren desde la plataforma trasera del pullman donde estaba su compartimiento. El dibujo de Bell lo había perturbado mucho más que la cuantiosa pérdida que había sufrido al póquer. El dinero no significaba nada a la larga, porque pronto sería más rico que Congdon, Bloom y Moser juntos. Pero el retrato representaba una piedra en su camino. Alguien le había visto la cara y se la había descrito a un dibujante. Por suerte, le habían exagerado las orejas. Y, a Dios gracias, el dibujo se parecía a un astro del cine. De todos modos, no podía confiar en que esos golpes de suerte tuvieran confundido a Isaac Bell durante mucho tiempo más.

Saltó del tren cuando este aminoró la marcha y fue a explorar las oscuras calles. Tenía que trabajar deprisa. La parada era solo de treinta minutos, y él no conocía Rawlins. Aun así, los pueblos por los que pasaba el ferrocarril tenían un trazado similar, y el Saboteador pensó que, si bien esa noche la suerte le había vuelto la espalda, la rueda de la fortuna podía volver a girar. Sobre todo porque Isaac Bell había bajado la guardia. El detective estaba exultante por su buena ventura en la mesa de juego. Y era probable que entre los mensajes de telégrafo que le esperaban en las oficinas de la estación habría alguna noticia trágica de Ogden que lo dejaría de piedra.

Encontró lo que buscaba al cabo de unos minutos. Siguiendo el sonido de un piano que alguien aún tocaba con brío a pesar de que ya era pasada la medianoche, llegó a una taberna. No entró por las puertas batientes, sino que se paseó por los alrededores de la misma, internándose sin miedo en los callejones laterales y traseros, con un abultado fajo de billetes en la mano. La brillante luz que vio en un segundo piso le indicó que allí había un salón de baile y un casino, y las luces más apagadas de un granero adyacente le hicieron suponer que este albergaba un burdel. El sheriff, al que sin duda sobornaban para que ignorara aquellos negocios ilegales, no se aventuraría por los aledaños. Debían de contratar a gorilas para que mantuvieran la paz y disuadieran a los ladrones. Sí, allí mismo había un par.

Dos boxeadores con la nariz rota, de los que peleaban a puño limpio y participaban en rodeos, fumaban sendos cigarrillos en la escalera de tablones que conducía al salón del segundo piso. Se quedaron observando con creciente interés al hombre que se acercaba con paso vacilante. A seiscientos metros de los escalones, el Saboteador tropezó y se apoyó en la pared para mantener el equilibrio. Su mano se posó en la áspera madera en el punto exacto en que un haz de luz se proyectaba desde arriba e iluminaba el dinero en efectivo que llevaba. Los dos gorilas se levantaron, intercambiaron una mirada y apagaron sus cigarrillos.

El Saboteador se alejó tambaleándose y dando bandazos en la oscuridad, como si estuviera ebrio, hacia la puerta abierta de unas caballerizas. Vio un destello de codicia en los ojos de los gorilas. La suerte les sonreía, se dirían. El borracho del fajo de dinero se lo estaba poniendo fácil, pensarían, y no les costaría nada desplumarlo en privado.

El Saboteador entró en la caballeriza, y eligió para ocultarse un lugar cerca de la ventana por el que entraba la luz procedente de la casa contigua. Los dos hombres fueron a por él, y el boxeador al mando sacó una porra del bolsillo. El Saboteador le golpeó en las piernas y le hizo perder pie. Lo había tomado completamente por sorpresa, y el hombre cayó sobre la paja pisoteada por los cascos de los caballos. Su compañero, al comprender que el borracho no era tal, levantó sus poderosos puños.

El Saboteador apoyó una rodilla en el suelo y se sacó el cuchillo de la bota. Con un movimiento de la muñeca, la hoja se desplegó en toda su longitud, y la punta rozó el cuello del boxeador. Con la mano libre, el Saboteador presionó la Derringer contra la sien del hombre que había caído sobre la paja. Durante unos instantes, los únicos sonidos audibles fueron las notas del distante piano y los jadeos de los boxeadores.

—Relájense, caballeros —dijo el Saboteador—. Tengo que hacerles una proposición. Les pagaré diez mil dólares si matan a un pasajero del tren semidirecto de la línea interior. Disponen de veinte minutos antes de que el tren salga de la estación.

Los boxeadores no tenían reparo en matar a un hombre por diez mil dólares. El Saboteador habría podido ofrecerles cinco mil. Pero aquellos tipos eran prácticos.

—¿Cómo hacemos que salga del tren?

—Ese hombre se dedica a proteger a los inocentes —dijo el Saboteador—. Acudirá a rescatar a quien se encuentre en peligro, a una damisela en apuros, por ejemplo. ¿Hay alguna que esté disponible?

Los gorilas miraron hacia el otro lado del callejón, donde un farol de guardafrenos rojo colgaba de una ventana.

—Por dos dólares, ella está disponible.

El tren de la línea interior se detuvo con el chirrido de las zapatas de los frenos y el tableteo de las bielas de acoplamiento de las ruedas bajo un angosto haz de luz eléctrica que había junto al depósito de locomotoras de Rawlins, un edificio bajo y de obra vista. La mayoría de los pasajeros dormían en sus camas. Los pocos que salieron al andén a estirar las piernas regresaron de inmediato al tren, huyendo del hedor de las aguas alcalinas mezcladas con el humo del carbón. Los ferroviarios cambiaron la locomotora mientras las provisiones, los periódicos y los telegramas eran subidos a bordo.

Jonathan, el viejo mozo, entró en el desierto vagón mirador y se dirigió a Isaac Bell, que se había arrellanado en un sofá y rememoraba con Kenneth Bloom sus días en el circo.

—Un telegrama de Ogden, señor.

Bell dio al antiguo esclavo una propina de mil dólares.

—No pasa nada, Jonathan —dijo con una sonrisa—. Esta noche he tenido suerte en el juego. Lo menos que puedo hacer es compartir mis ganancias. Perdona un momento, Kenny. —Y se volvió para leer el mensaje telegráfico.

Se quedó lívido, y las lágrimas asomaron a sus ojos.

—¿Estás bien, Isaac? —preguntó Kenny.

—No —contestó él con voz ahogada, y salió a la plataforma trasera para intentar llenarse los pulmones con aquel aire de olor acre.

A pesar de que estaban en mitad de la noche, una máquina maniobraba trasladando vagones de carga por el patio de maniobras de la estación. Bloom salió tras él.

—¿Qué sucede?

—Weber y Fields...

—¿Los del teatro de vodevil? ¿De qué estás hablando?

Isaac Bell apenas podía pronunciar palabra.

—Mis viejos amigos —acertó a decir. Arrugó el telegrama con el puño y susurró—: Lo último que les dije fue que vigilasen. Les advertí que el Saboteador era un asesino despiadado.

—¿Quién?

Bell clavó los ojos en Bloom, y este se apresuró a regresar al vagón mirador.

Deshizo la bola de papel y volvió a leer el telegrama. Habían encontrado los cuerpos de Wally y Mack en un callejón, a dos manzanas de la agencia. Debieron de ver al Saboteador y lo siguieron. Era difícil de creer que un solo hombre hubiera podido acabar con la vida de dos detectives veteranos. Pero Wally no se encontraba bien. Y quizá por eso se había vuelto más lento. Como jefe de la investigación, como hombre responsable de la seguridad de sus operativos, Bell habría tenido que sustituirlo, dejar fuera de peligro a un hombre vulnerable.

Le pareció que la cabeza iba a estallarle de tanto dolor y rabia como sentía. Durante un buen rato fue incapaz de pensar. Pero poco a poco fue cayendo en la cuenta de que Wally y Mack le habían dejado en herencia una pista importante. El hombre al que siguieron debía de parecerse mucho al del dibujo del leñador para haber despertado sus sospechas. ¿Por qué, si no, lo habrían seguido hasta un callejón? El hecho de que el criminal se les hubiera echado encima y los hubiera asesinado demostraba que el dibujo era exacto, por mucho que el Saboteador recordara a casi todos a un ídolo del cine.

La locomotora nueva hizo sonar el silbato en señal de partida. Bell, agarrado a la barandilla de la plataforma, con las lágrimas rodándole por las mejillas, estaba tan sumido en sus dolorosos pensamientos que apenas lo oyó. Cuando el tren empezó a moverse, casi no era consciente de que las traviesas parecían deslizarse bajo el vagón mirador mientras el convoy salía de la estación y pasaba bajo la última farola eléctrica del patio de maniobras.

En ese momento una mujer gritó.

Bell alzó los ojos y la vio correr por las vías como si intentara coger el tren, que empezaba a cobrar velocidad. Su vestido blanco resplandecía en la oscuridad, iluminado a contraluz por las distantes farolas. El hombre que la perseguía, un tipo de gran envergadura, la cogió en brazos, le tapó la boca con la mano para ahogar su grito y, bajo el peso de su cuerpo, la obligó a tumbarse en el firme de la vía férrea.

Bell no se lo pensó. Saltó por encima de la barandilla y, apenas tocó tierra, quiso echar a correr. Pero el tren avanzaba con demasiada rapidez y perdió el equilibrio. Hecho un ovillo, se cubrió la cara con las manos y rodó entre los raíles mientras el convoy se alejaba rápidamente a cincuenta kilómetros por hora.

Finalmente, tras superar un cambio de agujas, Bell quedó detenido ante un poste de señalización. Al instante se puso en pie y corrió a ayudar a la mujer. El hombre la agarraba por la garganta con una mano y le arrancaba el vestido con la otra.

—¡Suéltala! —gritó Bell.

El hombre se puso en pie de un salto.

—Piérdete —le dijo a la mujer.

—¡Págame!

El individuo puso el dinero en la mano tendida de la mujer, y esta lanzó una mirada inexpresiva a Bell y se alejó caminando hacia el lejano depósito de locomotoras. El hombre que había fingido atacarla se abalanzó sobre el investigador con los puños en alto como un boxeador profesional.

Al tiempo que miraba con incredulidad cómo desaparecía en la oscuridad el rojo faro trasero del tren semidirecto de la línea interior, Bell fue esquivando los puños de su agresor, dejando que le pasaran por encima del hombro sin rozarlo. Y luego, otro puño, duro como una roca, lo golpeó en la nuca.

El Saboteador observaba desde la plataforma trasera del convoy mientras este cobraba velocidad. El faro trasero del vagón mirador brillaba sobre los raíles. Las siluetas de tres tipos que iban empequeñeciéndose por momentos se perfilaban bajo el resplandor del patio de maniobras de la estación de Rawlins. Dos de ellos no se movían. El tercero se tambaleaba.

—Adiós, señor Bell. No olvide golpear usted también.

18

Eran dos.

El puñetazo que recibió en la nuca lanzó a Bell contra el primer boxeador, quien le asestó un directo en la mandíbula. El golpe hizo girar al detective como una peonza. El otro boxeador lo esperaba con un puño en alto que lo levantó del suelo.

Bell aterrizó en el balasto con un hombro, y rodó por las astilladas traviesas hasta golpearse con un raíl. Notó bajo la cabeza la fría almohada de acero, y se quedó boca arriba con los ojos abiertos, intentando entender lo que estaba ocurriendo. Unos segundos antes estaba de pie en la plataforma trasera de un tren de coches cama de primera clase. Había acudido a rescatar a una mujer que no necesitaba que la auxiliaran. Y acto seguido dos boxeadores curtidos, de los que peleaban a puño limpio, le estaban pegando duro.

Ambos hombres se movían en círculo, impidiéndole toda posibilidad de huida.

Quinientos metros a lo lejos, la máquina de maniobras del concurrido depósito de locomotoras se detuvo en una vía muerta, su faro se proyectó en los raíles e iluminó lo suficiente a Bell y a sus asaltantes para que los tres pudieran verse las caras, aunque no tanto, supuso el detective, para que alguien reparara en ellos y se decidiera a intervenir.

A la luz del distante faro, vio que eran unos hombres fornidos. No eran tan altos como él, pero le superaban en peso. Por su porte, podía adivinarse que eran profesionales. Eran ligeros de pies, sabían golpear y dónde hacerlo para provocar daño, y además conocían todos los trucos sucios habidos y por haber. Bell adivinó por su fría expresión que no cabía esperar clemencia de ellos.

—En pie, muchacho. Levántate y pórtate como un hombre.

Dieron unos pasos atrás para que Bell tuviera más espacio, confiando en su pericia y en el hecho de que eran dos contra uno.

Bell sacudió la cabeza para despejarse y, sacando fuerzas de flaqueza, flexionó las piernas. Era un boxeador con experiencia. Sabía encajar un directo. Sabía esquivarlo. Sabía dar puñetazos combinados con la velocidad del rayo. Pero esos hombres le sobrepasaban en número, y también eran expertos.

El primero se preparó para descargar un golpe, con los ojos centelleantes y la guardia baja, la posición de maleante por la que era conocido el campeón de boxeo John L. Sullivan. El segundo mantenía los puños en alto, al estilo de Caballero Jim Corbett, el único hombre que había noqueado a Sullivan. Ese era el que había que vigilar, porque Corbett era un boxeador científico distinto a los demás. Con la mano y el brazo izquierdos se protegía la barbilla, tal como haría Corbett. Con la derecha delante del tórax se mantenía en guardia; era el mazazo que se reservaba.

Bell se levantó.

Corbett dio un paso atrás.

Sullivan arremetió.

Bell vio que la estrategia de esos luchadores era simple, pero de una eficacia brutal. Cuando Sullivan atacaba por delante, Corbett permanecía junto a él para golpearle cada vez que salía tambaleándose de su radio de acción. Si Bell duraba más de lo previsto y Sullivan se agotaba, Corbett lo sustituía empezando de cero.

La Derringer de doble cañón de Bell estaba en su sombrero, y este estaba colgado en su compartimiento. Su pistola también estaba en el tren, circulando hacia Cheyenne. Iba vestido con el traje de etiqueta con el que había cenado y jugado al póquer: un esmoquin, una camisa de vestir tableada con gemelos de diamantes y una pajarita de seda. Solo su calzado, unas botas negras bien lustradas en lugar de los clásicos botines que las perneras de su pantalón ocultaban casi por completo, habría impedido a un maître sentarlo a la mejor mesa de su restaurante.

Sullivan le propinó un derechazo en el costado. Bell hizo una finta. Un puño pasó por encima de su cabeza, y Sullivan perdió el equilibrio y dio un traspié. Mientras tanto, Bell le golpeó dos veces: una sobre el estómago, cuya musculatura tenía dura como una piedra, y que no tuvo consecuencias aparentes, y luego otra en la cara, que le hizo soltar un grito de rabia.

Corbett soltó una risotada.

—Un boxeador científico —se burló—. ¿Dónde has aprendido a boxear, hijo? ¿En Harvard?

—En Yale —contestó Bell.

—Bien, pues ahí va eso para los chicos de Yale. —Corbett fintó con la derecha y propinó un contundente derechazo a Bell sobre las costillas.

A pesar de que Bell consiguió retirarse, fue como si lo atropellara una locomotora. Sintió un dolor punzante y cayó al suelo. Sullivan se le echó encima para darle puntapiés en la cabeza con sus botas de clavos. Pero Bell se volvió rápidamente, y solo le rasgaron la chaqueta de su esmoquin.

El dos contra uno no quedaba contemplado en las normas del marqués de Queensberry. Cuando Bell rodó para ponerse en pie, cogió una piedra de balasto del firme de la vía.

—¿He mencionado antes que también estudié en Chicago? —preguntó el detective—. En el West Side. —Y entonces lanzó el pedrusco con ímpetu a la cara de Corbett.

Corbett gritó de dolor y se apretó el ojo con fuerza. Bell esperaba dejarlo aturdido al menos, si no conseguía dejarlo fuera de combate. Pero Corbett fue muy rápido. Agachó la cabeza con tanta rapidez que esquivó el embate. Apartó la mano, se secó la sangre en la pechera y mostró el puño a Bell.

—Eso te va a costar caro, universitario. Hay varias formas de morir, unas son lentas y otras rápidas, y tú acabas de ganarte la lenta.

Corbett dio vueltas en círculo con un puño en alto mientras con el otro bajaba la guardia, con un ojo inyectado en sangre y el otro inyectado en ira. Lanzó varios golpes cortos, cuatro, cinco, seis, destinados a valorar, por las reacciones de Bell, si el detective era bueno y cuáles eran sus puntos flacos. De repente, Corbett se acercó a Bell con una rápida combinación de dos puñetazos, uno de izquierda y otro de derecha, para atontarlo y propinarle luego un cruzado más potente.

Bell se zafó de ambos. Pero Sullivan se abalanzó desde el lado y propinó a Bell un golpe tan fuerte en la boca que volvió a tumbarlo.

Bell notó un sabor salado. Se incorporó y sacudió la cabeza. La sangre le cubría el rostro y los labios. El faro de la máquina de maniobras arrancó un destello a sus dientes.

—Está sonriendo —dijo Sullivan a Corbett.

—¿Se habrá vuelto loco?

—Está sonado. Le he dado más fuerte de lo que pensaba.

—Eh, universitario, cuéntanos el chiste.

—Entra a fondo y acaba la faena.

—Déjalo en las vías. Parecerá que lo ha matado el tren.

La sonrisa de Bell se hizo más grande.

Wally, Mack. Al fin me han dado en la narizota, pensó Bell. Amigos míos, debo de estar más cerca de mi presa de lo que pensaba.

El Saboteador había subido al tren en Ogden, después de todo. Estuvo al acecho, esperando su oportunidad mientras Bell cenaba, jugaba a las cartas y celebraba su victoria en el vagón mirador. Luego, el Saboteador había saltado del convoy en Rawlins y había contratado a aquellos dos tipos para que lo mataran.

—Ya te daré yo motivos para reír —dijo Sullivan.

—¿Tienes una cerilla? —le preguntó Bell.

Sullivan bajó la guardia y se quedó mirándolo.

—¿Qué?

—Una cerilla. Un fósforo. Necesito luz para enseñaros el dibujo que llevo en el bolsillo.

—¿Qué?

—Has dicho que te cuente un chiste. Voy en busca de un asesino, el que os contrató a vosotros, mofetas rabiosas. Escucha, que voy a contarte el chiste: vosotros vais a explicarme qué pinta tiene el asesino.

Sullivan se abalanzó sobre Bell lanzándole un mortífero derechazo a la cara. Bell se movió deprisa. El puño pasó silbando sobre su cabeza como un proyectil, y Bell blandió su gancho de izquierda sobre Sullivan cuando este, al fallar el golpe, perdió el equilibrio. Sullivan cayó al suelo a plomo. Pero en esa ocasión, cuando Corbett se le vino encima, Bell ya estaba preparado y propinó a Corbett otro gancho de izquierda que le aplastó la nariz con un crujido seco.

Corbett gruñó, zafándose con soltura de lo que para otro tipo cualquiera habría supuesto una caída mortal. Alzó el puño izquierdo, protegiéndose la barbilla del golpe cruzado de derecha de Bell, y bajó el izquierdo para bloquear un gancho de izquierda que iba directo a su estómago.

—Ahora te enseñaré yo lo que no te enseñaron en la universidad —dijo Corbett como quien entablara una conversación, y entonces golpeó a Bell con una combinación de dos directos que casi le arranca la cabeza de cuajo.

Sullivan atizó a Bell en la sien cuando este se desplazó hacia su lado. El detective cayó al suelo. Sintió un dolor agudo, como si una aguja le atravesara el cerebro. Pero si sentía dolor, se dijo, era porque seguía con vida, y fue consciente de que Sullivan y Corbett se disponían a matarlo. La cabeza le daba vueltas, y tuvo que impulsarse con las manos para ponerse de pie.

—Caballeros, esta es su última oportunidad. ¿Este es el hombre que les pagó para asesinarme?

Con un poderoso puñetazo, Sullivan le arrancó el papel de la mano.

Bell se enderezó todo lo que pudo, a pesar del lacerante dolor que sentía en el costado, y consiguió esquivar la combinación de golpes que Sullivan le propinó.

—Tú serás el siguiente —sentenció el detective para provocarlo—. Una vez que haya enseñado a tu colega lo que aprendí en la universidad. —Y entonces se dirigió a Corbett con sarcasmo—. Si fueras tan bueno como dices, no dejarías que te contrataran para dar palizas en un pueblo ferroviario dejado de la mano de Dios.

Funcionó. Así como las charlas en una mesa de juego podían desbaratar las intenciones de un jugador de póquer, conversar durante una pelea hacía que el oponente perdiera la concentración. Corbett dio un empujón a Sullivan.

—¡Sal de en medio! Voy a hacer que este hijo de perra se eche a llorar antes de matarlo. —Corbett se abalanzó con rabia sobre él lanzando golpes como si fueran cañonazos.

Bell sabía que después de la descomunal paliza ya no podía confiar en su rapidez. Era su última oportunidad, y tuvo que hacer acopio de todas sus fuerzas para propinar a su contrincante un golpe letal. Estaba demasiado exhausto para fintar y encajó dos golpes, pero antes del tercero dio un paso adelante y asestó a Corbett un puñetazo tan fuerte en la mandíbula que la cabeza se le fue hacia atrás. Bell, con sus últimas reservas, le soltó un derechazo en el vientre. El hombre se quedó sin fuelle, y se derrumbó como si fuera de gelatina. Aun así Corbett era de los que luchaba hasta el final, y embistió a Bell en su caída, buscándole el cuello, pero falló.

Bell se abalanzó entonces sobre Sullivan. Jadeaba de puro cansancio, pero su rostro expresaba una absoluta determinación.

—¿Quién os ha contratado para asesinarme?

Sullivan cayó de rodillas junto a Corbett, metió la mano en el chaquetón de su colega y sacó una navaja automática. Se puso en pie de un salto y arremetió contra Bell.

El detective sabía que aquella mole era más fuerte que él. Estaba en las últimas, e intentar arrebatarle el cuchillo era demasiado arriesgado. Sacó el que llevaba en la bota y lo lanzó en alto, dirigiendo con el índice la suave empuñadura para impedir que rotara. El cuchillo arrojadizo de Bell osciló como la lengua de un lagarto e impactó de plano en el cuello de Sullivan. El matón cayó mientras se llevaba las manos a la herida en un intento desesperado de taponar la sangre que manaba de ella.

Ese ya no contestaría a sus preguntas.

Bell se arrodilló entonces junto a Corbett. El tipo tenía los ojos muy abiertos, y un hilillo rojo le asomaba entre los labios. Si no había reventado ya a causa de las heridas internas que le había causado el puñetazo en el estómago, poco le faltaba para morir. Ese otro tampoco podría contestar a sus preguntas por el momento.

Sin perder ni un segundo, Isaac Bell fue avanzando a tumbos junto a los raíles hasta llegar al depósito de locomotoras de Rawlins. Se dirigió a las oficinas y entró por la puerta como bien pudo.

El controlador de la estación se quedó atónito ante la visión de un individuo que iba vestido de etiqueta, con el traje hecho jirones y el rostro manchado de sangre.

—Pero ¿qué...? ¿Qué le ha pasado, señor?

—El presidente de la línea me ha dado autorización para fletar un tren especial —dijo Bell.

—Sí, claro. Y a mí el Papa me ha dado un pase para cruzar las puertas del paraíso.

Bell sacó la carta de Osgood Hennessy de la cartera y se la puso delante.

—Quiero la locomotora más veloz que tenga.

El controlador la leyó dos veces, y luego se levantó de su asiento.

—¡Muy bien, señor! —dijo—. Pero solo tengo una, y está reservada para el tren semidirecto del Oeste, que llegará dentro de veinte minutos.

—Haga que dé la vuelta. Nos vamos al Este.

—¿Adónde?

—Tras el convoy semidirecto de la línea interior.

—No lo alcanzará.

—Si no lo alcanzo, hasta aquí se van a oír los gritos del señor Hennessy. Vaya al telégrafo y despeje las vías.

El tren semidirecto de la línea interior les sacaba cincuenta minutos de margen, pero la locomotora de Bell tenía la ventaja de que solo arrastraba el peso de su propio suministro en agua y carbón, mientras que la máquina del semidirecto tiraba de ocho pullman más los vagones de equipaje, restaurante y mirador. Los cien dólares de propina para el fogonero y el maquinista auguraban una marcha veloz.

Avanzaron ascendiendo durante toda la noche, y encontraron nieve en las montañas Medicine Bow, un anticipo del invierno que los constructores del ferrocarril de Osgood Hennessy se esforzaban en superar aunque el Saboteador se empeñara en sembrar la muerte y la destrucción.

Dejaron la nieve atrás y descendieron al valle de Laramie. Lo cruzaron y atravesaron el pueblo a toda velocidad, deteniéndose tan solo para repostar agua, y luego volvieron a ascender. Al final, alcanzaron el convoy semidirecto de la línea interior al este de Laramie, en la estación de Buford, cuando el sol naciente iluminaba los cerros de granito rosado de las montañas de Sherman. El semidirecto estaba estacionado en la vía de repostaje de agua, y su fogonero se afanaba bajando la manga del alto tanque de madera para tirar luego de la cadena que abastecería el ténder de la locomotora.

—¿Tenemos agua suficiente para llegar a Cheyenne sin hacer más paradas? —preguntó Bell al fogonero.

—Creo que sí, señor Bell.

—¡Adelante a ese tren! —dijo Bell al maquinista—. Lléveme directo al depósito de locomotoras de Cheyenne. Lo más rápido que pueda.

Entre la estación de Buford y la ciudad de destino de Bell se descendía seiscientos metros en cincuenta kilómetros de trayecto. Y, dado que no tenía ningún obstáculo por delante en las vías del Este, el tren especial se dirigía a Cheyenne a ciento cuarenta kilómetros por hora.

19

El Saboteador despertó en cuanto el tren se detuvo. Descorrió un poco la cortina y vio que el sol brillaba sobre los afloramientos de granito rosado de las montañas de Sherman, de donde la compañía de ferrocarril extraía el balasto de las vías. Estarían en Cheyenne para el desayuno. Cerró los ojos, contento de disponer de una hora más de sueño.

Una locomotora pasó con gran estruendo por delante del semidirecto, que estaba estacionado en una vía secundaria.

El Saboteador abrió los ojos y llamó al mozo haciendo sonar el timbre.

—George —le dijo a Jonathan—. ¿Por qué nos hemos detenido?

—Hemos parado para repostar agua, señor.

—¿Por qué nos ha adelantado un convoy?

—No lo sé, señor.

—Estamos en el tren semidirecto.

—Sí, señor.

—Maldita sea, ¿qué tren puede ir más rápido que este?

El mozo se estremeció. Al senador Kincaid se le demudó el rostro súbitamente de la ira; tenía una mirada encendida y los labios fruncidos. Jonathan estaba aterrado. El senador podía ordenar su despido en un santiamén. Lo echarían del tren en la siguiente parada. O allí mismo, en lo alto de las Montañas Rocosas.

—No nos ha pasado ningún tren, señor. Solamente era una locomotora.

—¿Una locomotora?

—¡Sí, señor! Una locomotora y su ténder.

—Entonces debía de ser un especial fletado.

—Eso mismo, señor. Como usted dice. Vamos a toda máquina, señor.

El Saboteador se tumbó en la cama, entrelazó las manos por detrás de la cabeza y pensó detenidamente.

—¿Quiere algo más, señor? —preguntó Jonathan con cautela.

—Café.

La locomotora de Bell atravesó a toda velocidad los corrales de ganado de Cheyenne y llegó a la estación Union poco después de las nueve de la mañana. Bell se dirigió directamente al hotel Inter-Ocean, el mejor de los establecimientos de tres plantas que vio desde la estación. El detective del hotel echó un vistazo a aquel hombre alto vestido con un traje de etiqueta sucio y hecho jirones y con una camisa manchada de sangre, y cruzó el vestíbulo a toda prisa para interceptarlo.

—No puede entrar con ese aspecto.

—Bell. Agencia de detectives Van Dorn. Lléveme al sastre. Y búsqueme un camisero, un limpiabotas y un barbero.

—Por aquí, señor... ¿Le busco también un médico?

—No hay tiempo.

Cuando el tren semidirecto de la línea interior entró suavemente en la estación Union cuarenta minutos más tarde, Isaac Bell estaba esperándolo en el centro del andén. El detective aparentaba encontrarse mucho mejor de como se sentía. Le dolía todo el cuerpo y tenía molestias en las costillas cada vez que respiraba. Sin embargo, estaba acicalado, afeitado y vestido con tanta elegancia como en la partida de póquer de la noche anterior, con un traje de etiqueta negro, una camisa blanca como la nieve, una pajarita y una faja de seda, y unas botas que brillaban como espejos.

Una sonrisa se dibujaba en sus labios hinchados. A un pasajero de aquel tren le aguardaba una buena sorpresa, pensó. La pregunta que se hacía era si el Saboteador se asombraría tanto de verlo que acabaría delatándose.

Antes de que el tren se detuviera por completo, Bell subió penosamente los escalones del coche cama, lo cruzó hasta el vagón restaurante y entró en él sin prisa, procurando mantenerse erguido y andar con normalidad ante todos los presentes. Pidió al camarero una mesa en el centro, que le permitiría ver quién entraba por ambos extremos del vagón.

Los mil dólares de propina de la noche anterior no habían pasado desapercibidos al personal del tren, de manera que lo acomodaron de inmediato. Le sirvieron café caliente y unos bollos humeantes, y le recomendaron que pidiera la trucha salvaje de Wyoming, recién pescada.

Bell había observado las caras de todos los pasajeros presentes en el vagón restaurante cuando entró, para valorar sus reacciones. Al fijarse en su ropa de etiqueta, varios de ellos hicieron algún que otro comentario al tiempo que sonreían con aire cómplice.

—¿Una noche larga?

El dueño del matadero de Chicago lo saludó cordialmente con la mano, al igual que el elegante viajante de comercio con el que también había hablado en el servicio de caballeros.

El juez Congdon entró con paso lento.

—Discúlpeme si no me siento a su mesa, señor Bell —le dijo—. Salvo la de una joven dama, por la mañana prefiero mi propia compañía.

Kenny Bloom entró tambaleándose en el vagón restaurante con los ojos enrojecidos por la resaca y se sentó al lado del investigador.

—Buenos días —dijo Bell.

—¿Qué demonios tienen de buenos...? Vaya, ¿qué te ha pasado en la cara?

—Me he cortado mientras me afeitaba.

—¡George! ¡George! Tráeme café antes de que me muera.

Bruce Payne, el abogado del petróleo, se acercó corriendo a su mesa, hablando muy deprisa de lo que había leído en los periódicos de Cheyenne, y tomó asiento. Kenny Bloom se tapó los ojos, y Jack Thomas ocupó la última silla vacía.

—A eso lo llamo yo un ojo a la funerala —exclamó.

—Me he cortado cuando me afeitaba.

—¡Allí está el senador! Maldita sea, no tenemos sitio para él. ¡George! ¡George! Trae otra silla para el senador Kincaid. Un hombre que ha perdido tanto dinero como él no debe comer solo.

Bell observó atentamente a Kincaid. El senador cruzó el vagón restaurante sin prisa, saludando con la cabeza a sus conocidos. De repente retrocedió con expresión sobresaltada. El viajante se había levantado de un brinco de su mesa y había alargado el brazo para estrecharle la mano. Kincaid dedicó al vendedor una mirada fría, lo rozó al pasar y siguió adelante hasta la mesa de Bell.

—Buenos días, caballeros. ¿Está contento, señor Bell?

—¿Contento? ¿Por qué, senador?

—¿Por qué? Por ganar casi un millón de dólares anoche. Una buena parte de los cuales eran míos.

—Vaya, entonces fue eso lo que hice anoche —dijo Bell, sin dejar de mirar hacia las puertas—. Estaba intentando recordarlo. Sabía que era algo que me impactó.

—Y, por lo visto, lo hizo de lleno en su cara. ¿Qué le pasó? ¿Se cayó del tren en marcha?

—Un afeitado apurado —dijo Isaac Bell, con la vista fija en las puertas.

Sin embargo, aunque esperó mientras desayunaba hasta que la última mesa estuvo vacía, no vio que nadie reaccionara con asombro a su presencia. No le sorprendió especialmente; tan solo le decepcionó un poco. Había dudado que diera resultado. Pero pese a no haber logrado que el Saboteador revelara su identidad, estaba convencido que desde aquel momento el criminal se guardaría las espaldas con cierta inquietud. ¿Quién decía que los detectives de Van Dorn no eran capaces de volar?

20

Wong Lee, de Jersey, en New Jersey, era un hombre diminuto, con la cara torcida y tuerto de un ojo. Veinte años antes, un peón de albañil irlandés, un tipo con los brazos descomunales de acarrear tantos ladrillos, se le echó encima cuando iba por la acera y le quitó el sombrero con malas maneras. Cuando Wong le preguntó por qué se metía con él, el peón y los dos que lo acompañaban le dieron una paliza tan grande que ni siquiera sus amigos pudieron reconocerlo al llegar al hospital. Tenía veintiocho años el día que lo atacaron, y muchas ilusiones también: estudiaba inglés y trabajaba en una tintorería con el fin de reunir el dinero necesario para que su esposa viajara de Kowloon, su pueblo, a Estados Unidos.

Wong Lee tenía casi cincuenta años ya. Llegó un momento en que había ahorrado lo suficiente para comprar su propia tintorería en la otra orilla del río Hudson, en la isla de Manhattan, en Nueva York. Confiaba en que, de ese modo, lograría adquirir antes el billete de su esposa. Su inglés era bueno, y eso atraía clientela, hasta que el pánico financiero de 1893 dio al traste con sus sueños, y la tintorería y lavandería Selecta de Wong Lee se unió a los millares de negocios que fueron a la quiebra durante la última década del siglo XIX. Cuando la prosperidad volvió finalmente, los largos años de privaciones habían dejado a Wong tan extenuado que se vio incapaz de emprender otro negocio.

Como no era hombre de perder la esperanza, empezó a ahorrar, una vez más, durmiendo en el suelo de la lavandería de Jersey donde trabajaba. La mayor parte del dinero fue a parar a un certificado de residencia, una nueva disposición incluida en la Ley de Exclusión China refrendada en 1902. Según le contó el abogado, Wong había descuidado su defensa en los cargos por asalto, archivada desde hacía años, cuando todavía estaba en el hospital. Por eso tendría que pagar unos cuantos sobornos. O al menos, eso fue lo que le dijo el letrado.

En febrero, cuando el invierno todavía no había acabado, un desconocido se acercó a Wong un día que estaba solo en la tintorería de su jefe. Era un americano blanco, tan tapado para protegerse del viento del río que apenas se le veían los ojos tras el cuello de su chaquetón y bajo el ala de su sombrero fedora.

—Wong Lee —le dijo—, un amigo en común, Peter Boa, te envía recuerdos.

Wong Lee llevaba veinticinco años sin ver a Peter Boa, al menos desde que trabajaron juntos como dinamiteros inmigrantes en las voladuras del atajo que la Central Pacific construía en las montañas. Los dos eran jóvenes y atrevidos, y tenían la esperanza de regresar a sus pueblos como hombres ricos; por eso bajaban por laderas escarpadas colocando cargas y compitiendo por hacer el máximo número de voladuras para el ferrocarril.

Wong dijo que se alegraba de oír que Boa seguía vivo y estaba bien. La última vez que lo había visto, en Sierra Nevada, Peter perdió una mano por una explosión mal calculada. El brazo se había gangrenado, y él estaba demasiado enfermo para huir de California y de las turbas que atacaban a los inmigrantes chinos.

—Peter Boa me dijo que viniera a verle a Jersey. Afirmó que usted me ayudaría, porque él no puede.

—Por la ropa que lleva —observó Wong—, deduzco que no necesita la ayuda de un pobre.

—Soy rico, es cierto —dijo el desconocido, y puso un fajo de billetes sobre el mostrador de madera—. Esto es un adelanto, hasta que vuelva. —Y luego añadió—: Soy lo bastante rico para pagarle cuanto necesita.

—¿Y qué necesita usted? —inquirió Wong.

—Peter Boa me dijo que tiene un don especial para las demoliciones. Aseguró que usaba un cartucho de dinamita cuando la mayoría necesita cinco. Dijo que hace años lo llamaban Dragón Wong, y que cuando usted protestó, afirmando que solo se podía llamar dragón a un emperador, lo proclamaron Emperador de la Dinamita.

Halagado, Wong Lee reconoció que era cierto. Tenía un conocimiento intuitivo de la dinamita en unos tiempos en los que nadie sabía demasiado acerca del nuevo explosivo. Y conservaba ese don. Se había mantenido al día respecto de los nuevos avances en demolición, como el hecho de que con la electricidad los explosivos se habían vuelto más seguros y potentes, en la vana esperanza de que un día las canteras y los constructores de obras volvieran a contratar a los chinos, a quienes en ese momento rechazaban.

Wong empleó de inmediato el dinero del americano para adquirir la mitad del negocio de su jefe. Pero un mes más tarde, en marzo, el pánico bancario volvió a asolar Wall Street. Las fábricas de Jersey, como las de todo el país, cerraron. Los trenes transportaban menos carga, y las plataformas flotantes contaban con menos furgones para cruzar el río. Los empleos escaseaban en los muelles, y eran pocas las personas que podían permitirse llevar la ropa a la tintorería. Durante la primavera y el verano, la crisis se agudizó, y cuando llegó el otoño a Wong le quedaban ya pocas esperanzas de volver a ver a su mujer.

Era noviembre. Un día de frío riguroso que presagiaba el invierno.

El desconocido regresó a Jersey, abrigado hasta las cejas para resguardarse del viento del Hudson.

Y recordó a Wong que aceptar un adelanto era comprometerse a ofrecer un servicio.

Wong recordó a su vez al desconocido que le había prometido pagarle cuanto necesitara.

—Cinco mil dólares cuando haya terminado el trabajo. ¿Trato hecho?

—Sí, señor, muy bien. —Más envalentonado de lo habitual al notar que el desconocido necesitaba sus servicios, Wong preguntó—: ¿Es usted anarquista?

—¿Por qué lo pregunta? —inquirió a su vez con frialdad el desconocido.

—A los anarquistas les gusta la dinamita —respondió Wong.

—Y a los huelguistas también —contestó el desconocido con una paciencia que era la prueba de que, en efecto, necesitaba a Wong Lee, y solo a él—. ¿Conoce la expresión «artillería del proletariado»?

—Usted no va vestido como un obrero.

El Saboteador escudriñó el maltratado rostro del chino durante un minuto largo, como si deseara memorizar todas y cada una de sus cicatrices.

A pesar de que el mostrador de la tintorería se interponía entre los dos, de repente Wong sintió que estaban demasiado cerca el uno del otro.

—No es que me importe —dijo para justificarse—. Solo me movía la curiosidad —añadió luego con nerviosismo.

—Pues vuelva a interrogarme y le saco el otro ojo.

Wong Lee dio un paso atrás.

—¿Qué necesitaría para conseguir una gran explosión si contara con veinticinco toneladas? —El desconocido le hizo la pregunta como si estuviera poniendo a prueba las habilidades de Wong y lo miró fijamente.

—¿Veinticinco toneladas de dinamita? Eso es muchísima dinamita.

—La carga de un furgón. ¿Qué le haría falta para conseguir una gran explosión?

Wong le detalló lo que precisaría, y el desconocido le dijo que se lo facilitaría.

En el ferry de vuelta a la isla de Manhattan, Charles Kincaid se asomó al muelle, todavía enfundado para resguardarse del viento gélido que levantaba el humo de carbón que, por lo general, quedaba suspendido en el puerto. Una sonrisa escapó de sus labios.

¿Huelguista o anarquista?

De hecho, no era ni una cosa ni la otra, a pesar de que había hecho todo lo posible para dejar claro que se trataba de alguien que quería sembrar el terror. Las soflamas radicales, los carteles de agitadores, los desconocidos diabólicos, el peligro amarillo (del que pronto tendrían una prueba en el cuerpo de Wong Lee) e incluso el nombre del Saboteador eran cortinas de humo para el enemigo. Él no era un radical. No intentaba destruir nada. Quería construir.

Su sonrisa creció a pesar de la renovada frialdad de sus ojos.

No tenía nada en contra de los privilegiados. Antes de que terminara su misión, él sería uno de ellos, el más privilegiado de todos.

21

Isaac Bell y Archie Abbott subieron a lo alto de un furgón lleno
de dinamita para inspeccionar la terminal de carga intercontinental del distrito de Communipaw, en Jersey. Era el final de trayecto de todas las líneas de ferrocarril que partían del oeste y del
sur. Vagones de carga que habían recorrido tres mil o cinco mil
kilómetros por Estados Unidos se detenían en los muelles de
New Jersey un kilómetro y medio antes de llegar a su destino,
bloqueados por un brazo de agua dulce, el río Hudson, que era
conocido entre los marineros con el nombre de río del Norte.

El furgón estaba en el muelle de la pólvora, un embarcadero
de vía única reservado para la descarga de explosivos. Con todo,
se hallaba bastante cerca para divisarse la terminal principal, que
hendía el río Hudson con nueve embarcaderos flotantes de mil
ochocientos metros. Cuatro trenes de carga estaban atracados
en cada uno de ellos esperando que los fletaran en grandes barcazas de madera maciza para transportarlos por el río. En ellas
viajaban todas las mercancías que se consumían en la ciudad: desde cemento, madera, acero, azufre, carbón y queroseno hasta trigo, maíz, fruta refrigerada, verduras, bueyes y cerdos.

A un kilómetro y medio al otro lado del río, la isla de Manhattan surgía del humeante muelle, repleta de campanarios de igle-
sias y de mástiles de barcos. Sobre los unos y los otros se elevaban las poderosas torres del puente de Brooklyn y docenas de

rascacielos, muchos de ellos terminados de construir durante el año que Bell llevaba sin visitar la ciudad. El Flatiron, un edificio de veintidós plantas, había sido superado por el rascacielos del *New York Times*, y ambos habían quedado empequeñecidos por la estructura de acero y mil ochocientos metros de altura que estaban construyendo para la empresa de máquinas de coser Singer.

—Y eso solo en Nueva York —alardeó Archie Abbott.

Abbott se sentía orgulloso, como si fuera el promotor de la Cámara de Comercio, pero conocía la ciudad como la palma de su mano, y eso lo convertía en un guía valiosísimo para Bell.

—Mira ese barco que enarbola la bandera de la línea de ferrocarriles Southern Pacific a pesar de estar a casi cinco mil kilómetros de la sede central. Todo el mundo quiere venir a Nueva York. Nos hemos convertido en el centro del mundo.

—Tú sí te has convertido en el centro… de un objetivo —dijo Bell—. El Saboteador te tiene en su punto de mira desde el momento en que Osgood Hennessy cerró el acuerdo y se apoderó de la línea central de Jersey que le dio acceso a la ciudad.

El buque del muelle que había despertado el orgullo cívico de Abbott era una gabarra de vapor larga y de casco bajo, una embarcación que transportaba tanto materiales como obreros y que era mucho mayor que un remolcador. Pertenecía a la recién formada División Marina del Este de la línea de ferrocarriles Southern Pacific, y ondeaba sus colores con mayor atrevimiento que los barcos locales que navegaban por el puerto de Nueva York. Una recién estrenada bandera bermellón cortaba la brisa, y cuatro círculos rojos, brillantes como el lacre, decoraban la chimenea manchada de hollín.

Incluso habían tapado con pintura su antiguo nombre, *Oxford*, y *Lillian I* adornaba la popa del barco. Hennessy había rebautizado todos los remolcadores y las gabarras de la flotilla de la División Marina del Este de *Lillian I* a *Lillian XII*, y había ordenado que pintaran LÍNEA DE FERROCARRILES SOUTHERN PACIFIC en los espejos de popa y las timoneras con destacadas letras blancas.

—Por si acaso —observó Archie—. Por si el Saboteador no sabe que Hennessy está aquí.

—Lo sabe —dijo Bell con gravedad.

Sus ojos azules, de mirada inquieta y perspicaz, se hallaban velados por la preocupación. Nueva York era la tierra prometida, como lo expresaban en *Harper's Weekly*, la ciudad a la que todos los hombres del ferrocarril deseaban peregrinar. Osgood Hennessy había conseguido ese objetivo, e Isaac Bell sabía positivamente que no era por puro alarde que el Saboteador hubiera escrito una nota desafiante encima de la caricatura de Hennessy que la revista había publicado. Aquel asesino planeaba perpetrar un atentado público. La siguiente batalla se libraría en la ciudad.

Bell se quedó observando con expresión pétrea uno de los innumerables remolcadores que empujaba una barcaza cargada con raíles, o una plataforma flotante de vagones, y que pasaba frente al muelle. Los marineros soltaron la barcaza, y esta, siguiendo su propio impulso, y con la suavidad y la precisión de una bola de billar, se deslizó hasta el punto de amarre. En el breve período en que los estibadores terminaron de atracarla, el remolcador ya se ocupaba de una nueva que transportaba una docena de vagones de carga y la empujaba corriente arriba, apremiándola hacia Manhattan. Se repitieron maniobras similares hasta donde a Bell le alcanzaba la vista, como piezas que encajaran en una maquinaria bien engrasada de colosales dimensiones. Sin embargo, a pesar de todas las precauciones que se habían tomado, el patio de maniobras de la estación de ferrocarril, los muelles y las plataformas flotantes le parecieron el lugar idóneo para que el Saboteador se recreara.

Había dispuesto que una veintena de agentes de Van Dorn estuvieran a cargo de la terminal. El superintendente Jethro Watt, por su parte, había destinado allí una dotación especial de un centenar de policías de la Southern Pacific, y durante una semana ni una sola embarcación que no contara con su visto bueno entró o salió del puerto. Ni un carguero quedó sin revisar. Los trenes que transportaban dinamita se inspeccionaron vagón por vagón, uno a uno. Y descubrieron que se había producido un llamativo incremento en el manejo de explosivos altos, de rápida velocidad de detonación y gran poder destructivo, en Jersey, la ciudad más importante del estado, con la misma densidad de habitantes que Manhattan y Brooklyn, al otro lado del puerto.

Bajo los auspicios de Bell, guardias armados subían a bordo de los trenes cargados con dinamita incluso antes de que estos entraran en los patios de maniobras de las estaciones, y una vez que habían conseguido el permiso de acceso, los guardias supervisaban todo el proceso de descarga, ya que las veinticinco toneladas del cargamento letal de los furgones se distribuían en su mayor parte en gabarras y barcazas, así como también en carromatos tirados por caballos, que soportaban una carga de dos toneladas. Los detectives de Van Dorn interceptaban prácticamente todo lo que se embarcaba para los contratistas.

De todos modos, Bell sabía que al Saboteador no le faltarían explosivos altos. Había tanta demanda de dinamita que los trenes que la transportaban llegaban al muelle de la pólvora de día y de noche. Los obreros de Nueva York volaban el subsuelo rocoso de la ciudad, de esquisto y mica, para construir metros y carboneras en Manhattan, Brooklyn, Queens y el Bronx. Los de New Jersey volaban el basalto de las colinas para hacer cemento. Los picapedreros extraían roca de los acantilados del río Hudson, desde las Palisades de New Jersey hasta West Point. Los constructores de ferrocarriles dinamitaban el terreno para aproximarse a los túneles del Hudson que se estaban construyendo bajo el lecho del río.

—Cuando el año que viene estén terminados los túneles del ferrocarril que conectarán Nueva Jersey con Nueva York —alardeó Archie—, Osgood Hennessy podrá estacionar su tren especial de ocho unidades en Times Square.

—Por suerte, los túneles aún no están terminados —dijo Bell—. En caso contrario, el Saboteador intentaría volarlos para dejar atrapado bajo el río un tren de la Southern Pacific.

Archie Abbott dio muestras del desdén que, como casi todo neoyorquino, sentía por los distritos situados al oeste del Hudson, y por el estado de New Jersey en particular, y recordó a Isaac Bell que, a lo largo del tiempo, buena parte de la ciudad de Jersey y del vecino Hoboken se habían allanado a causa de los accidentes provocados por la dinamita, el más reciente de ellos ocurrido en 1904.

Bell no necesitaba que se lo recordaran. Corrió el rumor de que había una mayor presencia de la policía, y se desató una avalancha de consejos entre la temerosa ciudadanía. Justo el día anterior habían cogido a un loco que iba en un carromato cargado con media tonelada de dinamita para la Compañía de Basaltos de Nueva York y New Jersey, situada en la Newark Avenue. El conductor no consiguió esquivar un tranvía, y el accidente se saldó con una explosión mortal en la calle más concurrida de Jersey. La empresa protestó enérgicamente por el gasto que representaba transportar la dinamita por el río Hackensack hasta su mina de Secaucus. Pero el jefe de la brigada de bomberos de Jersey, disgustado por el interés que había despertado entre los ciudadanos, se mantuvo firme en sus trece.

—Estos descerebrados de Jersey no necesitan a un Saboteador que los ayude a saltar por los aires —vaticinó Archie Abbott—. Pasará un día de estos. Por pura negligencia.

—No, mientras yo pueda evitarlo —dijo Isaac Bell.

—De hecho —insistió Abbott—, si hubiera una explosión, ¿cómo sabríamos que se trata del Saboteador y no de un descerebrado de Jersey?

—Lo sabremos. Si logra darnos esquinazo, veremos la mayor explosión que Nueva York haya conocido jamás.

Por consiguiente, Bell había destinado un destacamento de la policía del ferrocarril en todos los trenes, barcos y carromatos de carga propiedad de la Southern Pacific, que luego había reforzado con agentes de Van Dorn e inspectores de la Dirección General de Explosivos, recién instaurada por las líneas de ferrocarriles para promover el transporte seguro de la dinamita, la pólvora y la trilita.

Todos los hombres llevaban encima una copia del dibujo que había hecho el leñador. Las esperanzas que Bell había depositado en él se habían confirmado con el informe sobre la tragedia de Ogden redactado por Nicolas Alexander, el altivo jefe de la agencia de Denver, quien, a pesar de sus defectos, demostró ser un hábil detective. Hubo quien se preguntó si el Saboteador no habría ido tras Wally Kisley y Mack Fulton para atacar deliberadamente a los agentes de Van Dorn. Pero Alexander confirmó la conclusión inicial de Bell: Wally y Mack habían seguido al Saboteador hasta un callejón, lo que significaba que el dibujo había servido para identificarlo. Y las heridas de espada, de sobra conocidas, no dejaban lugar a dudas: ambos habían sido asesinados por el Saboteador.

—Amigo mío —dijo Archie—, te preocupas demasiado. Lo tenemos todo cubierto. Llevamos una semana en ello y ni asomo del Saboteador. El jefe está que da saltos de alegría.

Bell sabía que Joseph van Dorn no brincaría de contento hasta que arrestaran al Saboteador o lo mataran a tiros. Pero era cierto que el despliegue de Van Dorn ya había surtido el efecto añadido de capturar a varios criminales y fugitivos. Habían arrestado a un gángster de Jersey que iba disfrazado de detective del ferrocarril de la línea central de Jersey y a un trío de atracadores de banco. También habían descubierto a un inspector corrupto de la brigada de bomberos, un tipo que había aceptado sobornos. Al parecer, hacía la vista gorda en la peligrosa práctica de almacenar dinamita sobre unos radiadores de vapor, lo cual impedía que las cargas se congelaran con el frío del invierno.

El muelle de la pólvora era la mayor preocupación de Bell, a pesar de estar atestado de policías del ferrocarril. Aunque se encontraba lo más aislado posible de los muelles principales, aún se hallaba demasiado cerca en opinión de Bell. Y además descargaban hasta seis vagones de dinamita a la vez en las gabarras que se les arrimaban. Como no quería correr ningún riesgo, Bell había puesto al mando de la policía del ferrocarril a Eddie Edwards, un veterano de la agencia Van Dorn que conocía al dedillo las estaciones y los muelles, así como a las bandas locales.

Wong Lee caminaba hacia los muelles de Communipaw con su diminuto cuerpo casi doblado por el peso de un enorme saco de lavandería. Un detective del ferrocarril se le acercó para preguntar al chino adónde creía que iba.

—Lápido, lápido... Lavandelía capitán —contestó Wong, cambiando deliberadamente las erres por eles, tal como el detective esperaba.

—¿A qué barco?

A su manera, Wong nombró al *Julia Reidhead*, un bricbarca de acero de tres mástiles que transportaba huesos para convertirlos en fertilizante, y el policía lo dejó pasar.

Pero cuando Wong llegó a aquel buque, donde unos jornaleros polacos iban descargando la putrefacta carga, pasó de largo y siguió hasta una destartalada goleta de dos palos del gremio maderero.

—¡Eh, chino! —gritó un tipo al verlo subir por la pasarela—. ¿Dónde demonios crees que vas?

—Capitán Yatkowski. Lápido, su lopa.

—En su camarote.

El capitán era un endurecido marinero de agua dulce de Yonkers que pasaba de contrabando por el río whisky de garrafón, opio chino y fugitivos que iban en busca de jurisdicciones más tolerantes. Los delincuentes que se negaban a pagar el pasaje hacia orillas más seguras eran hallados boca abajo en Lower Bay, y en los bajos fondos corría el rumor de que más valía no engañar al capitán Paul Yatkowski y a su compañero Big Ben Weitzman.

—¿Qué llevas ahí, chino?

Wong Lee dejó su saco en el suelo y tiró con suavidad del cordón para abrirlo. Palpó con cuidado entre las camisas y las sábanas limpias, y sacó una lata redonda de galletas. Ya no le hacía falta seguir chapurreando el inglés.

—Tengo todo lo que necesito —contestó.

En la lata había unas cápsulas de cobre encajadas en una placa de metal agujereada para poder transportarlas sin que se tocasen entre sí. Había treinta agujeros, y en cada uno de ellos, una cápsula del grosor de un lápiz y con la mitad de su altura. Del sello de azufre que las cerraba salían dos cables aislados. Eran unos detonadores de fulminato de mercurio para explosivos altos del número seis, los más potentes.

El secreto de Lee, o Dragón Wong, quien había dinamitado paredes rocosas para los ferrocarriles del Oeste, estribaba en una combinación de instinto y valentía. Había trabajado siete días a la semana en los acantilados y estaba dotado de una gran capacidad de observación, de modo que había llegado a la conclusión de que un solo cartucho de dinamita era más potente de lo que se suponía; todo dependía de que se lo hiciera explotar con rapidez. Wong sabía, de manera intuitiva y por experiencia, que varios detonadores accionados a la vez aumentaban esa velocidad.

Cuanto más rápido explotaba una carga, cuanto mayor era su potencia, Wong multiplicaba su efecto devastador. Eran escasos los ingenieros civiles que habían comprendido aquel fenómeno treinta años antes, cuando la dinamita era relativamente nueva, y menos aún los campesinos chinos con rudimentarios conocimientos del idioma. Por eso habían sido pocos los valientes que se arriesgaron encendiendo una mecha poco fiable en una época en la que esa era la única manera de hacer una voladura, antes de que las cápsulas detonadoras activadas eléctricamente redujeran el peligro. De ahí que el verdadero secreto de provocar una gran explosión radicara en la valentía.

—¿Tienes baterías eléctricas? —preguntó Wong.

—Las tengo —contestó el capitán de la goleta.

—¿Y cables?

—Todo está aquí. Y ahora ¿qué?

Wong saboreó el momento. El capitán, un hombre duro y cruel que de un manotazo podría quitarle el sombrero en mitad de la calle, estaba impresionado por las siniestras habilidades de Wong.

—Y ahora ¿qué? —repitió Wong—. Ahora tengo trabajo. Y tú debes llevar el barco.

Una docena de policías del ferrocarril armados con rifles vigilaban una fila de seis furgones en el muelle de la pólvora. Tres no perdían de vista a un grupo de jornaleros. Habían sido contratados para descargar de uno de los vagones ochocientas cincuenta cajas, de veintisiete kilos de peso cada una, con cartuchos de quince centímetros fabricados por Du Pont de Nemours, en Wilmington, Delaware. Otros cuatro no quitaban ojo a la tripulación del *Lillian I* mientras estibaba la dinamita en la espaciosa bodega de la gabarra. Y un agente que tenía formación de auditor de banca acosaba al capitán revisando una y otra vez los registros de los pedidos y las entregas.

El capitán del *Lillian I*, Whit Petrie, estaba de un humor de perros. Había perdido la marea alta que le habría hecho remontar velozmente el río. Como acumulase más retrasos, se veía ya navegando contra corriente durante los casi cien kilómetros que había hasta la cantera de basalto de Sutton Point. Por si eso fuera poco, sus nuevos jefes de la Southern Pacific eran incluso más tacaños que los mandamases de la línea central de New Jersey, y no estaban tan dispuestos a gastar dinero en reparaciones, que era lo que necesitaba su adorada *Oxford*, rebautizada con el nombre de *Lillian I* desafiando la tradición, porque cualquiera que tuviera dos dedos de frente sabía que traía mala suerte cambiar el nombre a una embarcación y tentar con ello al destino; y no solo eso, sino que le habían añadido un número, como si la suya no fuera una gabarra de vapor tan buena como las que iban del II al XII.

—Se me ha ocurrido una idea —dijo en tono irritado el capitán—. Yo me voy a casa, a cenar con mi mujer, y ustedes se encargan del barco.

Ni un solo policía hizo amago de sonreír. Solo cuando estuvieron completamente seguros de que el capitán entregaba una carga legal de veinticinco toneladas de dinamita a su legítimo dueño, un constructor que volaba los acantilados de basalto del valle del Hudson —un trayecto río arriba que, como insistía en remarcar el capitán, llevaba haciendo durante ocho años—, le dejaron marchar.

Pero no llegó a soltar amarras.

En el instante en que el barco iba a hacerlo, un tipo alto, de expresión seria y cabello rubio, vestido con un abrigo caro, se aproximó caminando por el muelle de la pólvora. Lo acompañaba un caballero que parecía un dandi de la Quinta Avenida, de no ser por unas cicatrices de boxear que, como finas arrugas blanquecinas, le surcaban la frente. Ambos saltaron a bordo con la ligereza de los acróbatas, y el hombre del cabello rubio mostró una placa de detective de la agencia Van Dorn. Se presentó a sí mismo como el investigador jefe Isaac Bell, y dijo que su compañero era el detective Archibald Abbott. Acto seguido exigió a Petrie que le enseñara la documentación. La mirada glacial de Bell indicó a Petrie que más le valía no bromear de nuevo con la idea de irse a cenar a casa, y el capitán aguardó con paciencia a que revisaran sus pedidos y sus entregas por enésima vez, línea por línea, como llevaban haciendo toda la tarde.

Fue Abbott, su compañero, el que finalmente habló, con una voz que parecía salida directamente de los bajos fondos de Nueva York.

—Vale, capi, lárgate ya. Disculpa el retraso, tío, pero no vamos a arriesgarnos.

El detective hizo una señal a un gorila de la línea de ferrocarriles Southern Pacific que tenía brazos de arponero.

—McColleen, ve con el capitán Petrie. Se dirige a la Compañía de Pizarra Pulverizada del Río Hudson, en Sutton Point. Lleva veinticinco toneladas de dinamita en la bodega. Si alguien trata de cambiar el rumbo, ¡pégale un tiro!

Abbott pasó a Bell un brazo por encima del hombro e intentó que subiera por la pasarela. Entonces le habló con una voz completamente distinta, que sonaba como si fuera en realidad un dandi de la Quinta Avenida.

—Se acabó, amigo mío. Llevas una semana entera trabajando a tope. Dejas al mando a unos tipos muy buenos. Así que nos tomamos la noche libre.

—No —refunfuñó Bell al tiempo que miraba con preocupación los cinco vagones restantes del muelle de la pólvora.

En breve anochecería. Tres guardias del ferrocarril con una ametralladora automática Vickers refrigerada por agua, montada en un trípode y con suministrador de munición, apuntaban a la verja que separaba las vías de los principales depósitos de carga y patios de maniobras.

—Son órdenes del señor Van Dorn —explicó Abbott—. Dice que si no te tomas la noche libre, te aparta del caso, y a mí también. No bromea, Isaac. Dice que quiere a hombres con la cabeza despejada. Incluso nos ha comprado unas entradas para las *Follies*.

—Creía que habían terminado la temporada.

—Hacen un pase especial mientras se preparan para salir de gira. Tengo un amigo que es crítico de un periódico y dice lo siguiente, y cito: «Es la mejor mezcla de alegría, música y chicas guapas que se ha visto en la ciudad desde hace por lo menos un año». La gente se pelea para conseguir entradas. ¡Y nosotros tenemos un par! Venga… Primero nos vestiremos como es debido y luego iremos a comer algo a mi club.

—Primero —dijo Bell con aire serio— quiero tres ténderes repletos de carbón estacionados y frenados al otro lado de esta verja, por si a algún cerebrito se le ocurre la brillante idea de embestirla con una locomotora.

22

Archie Abbott procedía de una familia de sangre azul que le había prohibido ser actor; no obstante, se había hecho socio de un club de Gramercy Park llamado The Players, fundado diecinueve años antes por el actor de teatro Edwin Booth, el mejor Hamlet del siglo xix y hermano del hombre que disparó al presidente Lincoln. Mark Twain y el general William Tecumseh Sherman, cuya famosa marcha destructiva por Georgia precipitó el fin de la guerra civil, se habían unido a la iniciativa. Booth había cedido su propia casa, y el reputado arquitecto Stanford White la había reconvertido en un club antes de morir asesinado de un disparo en Madison Square Garden a manos de Harry Thaw, heredero de un imperio siderúrgico.

Bell y Abbott se encontraron en el asador de la planta baja de The Players para cenar algo rápido. Sería para ambos la primera comida del día desde el desayuno que habían engullido de madrugada en una taberna de Jersey. Luego subirían la magnífica escalinata para tomar un café, y finalmente se dirigirían a la Cuarenta y cuatro con Broadway para ver las *Follies de 1907*.

Bell se detuvo en el salón de lectura del club a admirar un retrato de cuerpo entero de Edwin Booth. El inconfundible estilo del artista, una poderosa mezcla de realismo lúcido e impresionismo romántico, tocó su fibra sensible.

—Lo pintó un miembro del Player —explicó Abbott—. Es bueno, ¿verdad?

—Es de John Singer Sargent —dijo Bell.

—Claro, conoces su obra. Sargent pintó el retrato de tu madre, el que cuelga en la sala de estar de la casa de tu padre en Boston.

—Un poco antes de que ella muriera —confirmó Bell—. Aunque nunca lo dirías, mirando a esa mujer tan bella. —El recuerdo le hizo sonreír—. A veces me siento en la escalera y hablo con esa pintura. Veo a mi madre impaciente, y adivino lo que le está diciendo a Sargent: «Termina ya, que me aburro con esta flor en la mano».

—Francamente —bromeó Abbott—, yo preferiría hablar antes con un cuadro que con mi madre.

—¡Vámonos! Tengo que pasar por la agencia para decirles dónde pueden encontrarme.

Como todas las oficinas de Van Dorn de las grandes ciudades, la sede central de Times Square estaba abierta las veinticuatro horas del día.

Vestidos de etiqueta, con la capa de noche y el sombrero de copa, salieron a toda prisa hacia Park Avenue, que estaba abarrotada de coches de caballos, vehículos motorizados y taxis que se dirigían a la parte alta de la ciudad.

—Nos evitaremos líos si tomamos el subterráneo.

La estación de metro de la calle Veintitrés resplandecía con su luz eléctrica y sus relucientes baldosas blancas. Los pasajeros que se apiñaban en el andén cubrían toda la gama humana: desde hombres y mujeres que salían de noche hasta comerciantes, trabajadores y criadas que regresaban a casa. Un expreso entró a toda velocidad en la estación, abarrotado de pasajeros tras las ventanillas.

—Nuestros metros harán posible que millones de neoyorquinos puedan ir a trabajar a los rascacielos —alardeó Abbott.

—Vuestros metros —observó Bell con ironía— harán posible que los delincuentes asalten un banco en el centro de la ciudad y que lo celebren en las afueras antes de que la policía se persone en el lugar del robo.

El metro los llevó como una exhalación a la zona alta, entre la Cuarenta y dos y Broadway, y tras subir la escalera salieron al mundo en el que la noche había sido proscrita. Times Square estaba iluminada como si fuera mediodía con enormes paneles eléctricos en los que miles de luces blancas anunciaban los mejores teatros, hoteles y marisquerías. El ruido de las motocicletas, los taxis y los autobuses de la calle era atronador. La multitud caminaba deprisa y afanosa por las aceras anchas.

Bell entró en el Knickerbocker, un hotel de lujo cuyo vestíbulo estaba decorado con un mural de Maxfield Parrish que representaba al viejo rey Cole. La agencia Van Dorn estaba en el segundo piso, tras la magnífica escalinata y a una discreta distancia de esta. Un joven de aspecto competente, con el cabello engominado y peinado hacia atrás y una pajarita muy fina, recibía a la clientela en una sala decorada con gusto. Vestía una chaqueta hecha a medida, y ocultaba en el costado un arma lista para usar. Asimismo guardaba en el cajón inferior de su escritorio, para tenerla siempre a mano, una escopeta de cañón corto. El joven controlaba la cerradura de la habitación trasera mediante un interruptor eléctrico que le quedaba a la altura de la rodilla.

Esa habitación trasera parecía la oficina del director de una agencia de publicidad, con máquinas de escribir, lámparas de cristal verde, archivadores de acero, un calendario en la pared, un aparato telegráfico y varios teléfonos candelero dispuestos en fila sobre la mesa del agente de guardia.

Pero en lugar de haber mujeres con blusas blancas mecanografiando en sus mesas, había media docena de detectives dedicados al papeleo o discutiendo sobre estrategias; los que se tomaban un descanso se hallaban en los vestíbulos de los hoteles de Times Square. La agencia disponía de entradas propias, destinadas a aquellos visitantes cuyo aspecto desentonaba con el refinado vestíbulo del Knickerbocker o para quienes se sentían más cómodos accediendo a la agencia de detectives por el callejón.

Los trajes de Bell y Abbott arrancaron abucheos entre los presentes.

—¡Abran paso, que entran los dandis de la ópera!

—¿Nunca habíais visto a un caballero, hatajo de vagos? —preguntó Abbott.

—¿Adónde vais vestidos como pingüinos?

—Al Jardín de París, en el tejado del teatro Hammerstein —dijo Abbott tocándose el sombrero de seda y blandiendo su bastón—. A ver las *Follies de 1907*.

—¿Tenéis entradas para las *Follies*? —exclamaron con asombro los detectives—. ¿Cómo las habéis conseguido?

—Cortesía del jefe —contestó Abbott—. El productor, el señor Ziegfeld, debe un favor al señor Van Dorn. Un lío sobre una mujer que estaba casada con otro. Vamos, Isaac. ¡Se levanta el telón!

Pero Isaac Bell permaneció impasible, al tiempo que miraba los teléfonos dispuestos en formación como soldados. Algo le inquietaba. Algo que se le escapaba. Algún recuerdo que no acababa de encajar.

Y entonces le vino a la cabeza el muelle de la pólvora. Bell tenía memoria fotográfica, y repasó mentalmente el muelle entero, desde tierra firme hasta el río, palmo a palmo, sin dejarse ni un solo metro. Vio la ametralladora Vickers apuntando a la verja que se cerraba tras los patios de maniobras y depósitos de carga principales. Vio los ténderes de carbón que había ordenado mover para protegerla. Vio la hilera de furgones cargados, el humo, el agua turbia, el edificio de obra vista de la terminal de pasajeros de Communipaw, con el embarcadero del ferry a lo lejos.

Faltaba algo, pero ¿qué era?

Sonó un teléfono. El agente de guardia descolgó el del medio, que habían marcado para destacarlo con un carmín de labios como los que usaban las coristas.

—Sí, señor... Van Dorn. Sí, señor. Está aquí... ¡Sí, claro, señor! Se lo diré. Adiós, señor Van Dorn.

El agente de guardia colgó el auricular de golpe y habló con Isaac Bell.

—El señor Van Dorn dice que si no se marcha de la agencia en este preciso instante, considérese despedido.

Les faltó tiempo para salir del Knickerbocker.

Archie Abbott, orgulloso como un buen guía, señaló el edificio de dos plantas y con fachada amarilla del restaurante Rector's mientras se dirigían a Broadway. Justo enfrente, había una estatua enorme en la que hizo hincapié.

—¿Ves ese animal fantástico, ese grifo?

—Lo que cuesta es no verlo.

—¡Es el guardián de la mayor marisquería de toda la ciudad!

A Lillian Hennessy le encantaba hacer su entrada triunfal en el Rector's. Pasó junto al grifo de la acera, y al entrar en aquel inmenso país de las maravillas de oro y cristal, decorado en verde y amarillo, e iluminado por unos candelabros gigantes, se sintió como una gran actriz amada y respetada por su público. Lo mejor del local eran los espejos que cubrían las paredes desde el suelo hasta el techo y que permitían ver quién entraba por la puerta giratoria.

Esa noche mucha gente contempló su precioso vestido dorado y se quedó boquiabierta ante los diamantes que lucía en el pecho, por no hablar de los rumores que se desataron sobre su atractivo acompañante. O, como había dicho Marion Morgan, el hombre increíblemente guapo que iba con ella. Por desgracia para Lillian, solo se trataba del senador Kincaid, que seguía cortejándola sin descanso, deseoso de echar mano a su fortuna. ¡Qué fantástico sería entrar del brazo de un hombre como Isaac Bell, más atractivo que guapo, fuerte aunque sin ser brutal, tosco pero nada duro!

—¿En qué estás pensando? —preguntó Kincaid.

—Creo que deberíamos terminarnos la langosta e ir hacia el teatro. Oh, ¿oyes la banda? ¡Viene Anna Held!

La banda del restaurante siempre tocaba el último éxito que la actriz representaba en Broadway cuando esta hacía su entrada en el restaurante. El tema esa vez era «I Just Can't Make My Eyes Behave».

Lillian acompañó la música con una voz dulce y perfectamente modulada.

En la esquina noreste de mi cara,
y la noroeste del mismísimo sitio...

Y entonces entró ella, la actriz francesa Anna Held, con su cintura de avispa que destacaba un magnífico vestido verde, con una cola más larga que la que llevaba en el escenario, toda sonrisas y pestañeos.

—Oh, Charles... Es fabuloso. Estoy muy contenta de haber venido.

Charles Kincaid sonrió a aquella chica asombrosamente rica que se inclinaba sobre el mantel y, de repente, se dio cuenta de lo joven e inocente que era. Apostaría lo que fuera a que Lillian había aprendido a mover sus hermosos ojos azules estudiando los gestos de la Held. Y tenía que admitir que con gran habilidad, dada la ardiente mirada que le obsequió.

—Por mi parte, estoy muy contento de que me hayas telefoneado —dijo Kincaid.

—Vuelven a representar las *Follies* —comentó ella, risueña—. No podía perdérmelo, y no iba a ir sola al espectáculo.

Esa frase resumía la actitud de Lillian Hennessy hacia él. Y Kincaid no soportaba que lo rechazaran. Cuando hubiera terminado con su padre, al viejo no le quedaría ni un triste centavo que legar en su testamento, mientras que él sería tan rico que se quedaría con Lillian y con todo lo demás. Entretanto, fingiendo que la cortejaba, tenía la excusa que necesitaba para pasar más tiempo junto a Hennessy de lo que le habría permitido su papel de dócil senador que brinda su voto a las corporaciones ferroviarias. Que Lillian Hennessy desdeñara si quería a su pretendiente, a quien consideraba demasiado viejo, un tanto cómico y un cazafortunas, un amante sin esperanzas tan insignificante y prescindible como pudiera serlo un mueble. Al final le pertenecería, y no como esposa, sino como un objeto, como una hermosa escultura, para disfrutar de ella cuando sintiera la necesidad.

—Yo tampoco podía perdérmelo —le respondió Kincaid mientras maldecía en silencio a los boxeadores de Rawlins por haber fallado en el asesinato de Isaac Bell.

Esa noche precisamente, entre todas las noches, tenía que dejarse ver en público. Bell no tardaría en sospechar, si no sospechaba ya. La sensación de que algo no marchaba bien debía de estar haciendo mella en el detective. ¿Cuánto había que esperar hasta que el cartel de búsqueda y captura refrescara la memoria a alguien que lo hubiera visto preparando el atentado? Las orejas grandes del dibujo no siempre lo protegerían.

¿Qué mejor coartada existía que las *Follies de 1907* que se representaban en el Jardín de París del Hammerstein?

Centenares de neoyorquinos recordarían que el senador Charles Kincaid había cenado en el Rector's con la heredera más codiciada de Nueva York. Un millar de personas verían al Ingeniero Heroico llegar al mayor espectáculo de Broadway con una chica inolvidable del brazo... a más de dos kilómetros de distancia de otro «espectáculo» que superaría en éxito incluso a las *Follies*.

—¿Por qué sonríes, Charles? —le preguntó Lillian.

—Estoy deseando que comience la diversión.

23

La piratería era un fenómeno raro en el río Hudson a principios del siglo XX. Cuando el capitán Whit Petrie vio aproximarse bajo la lluvia un barco de proa lanzada, su reacción fue hacer sonar la sirena del *Lillian I* para avisar a la otra embarcación. El sonoro chorro de vapor despertó a McColleen, el detective del ferrocarril que dormitaba en un banco de la parte posterior de la timonera mientras el *Lillian I* surcaba las aguas hacia el norte, a la altura de Yonkers, luchando contra el reflujo y la fuerte corriente del río.

—¿Qué es eso?

—Una embarcación de vela. Ese loco debe de estar sordo.

El barco se aproximaba a ellos; tan próximo se hallaba que podía distinguirse que las velas perfiladas en el cielo oscuro pertenecían a una goleta de dos palos. Whit Petrie bajó una ventanilla de la timonera para ver mejor, y entonces se oyó el fuerte golpeteo del motor auxiliar de gasolina. Hizo sonar de nuevo la sirena y viró el timón antes de que las dos embarcaciones colisionaran. La otra viró con él.

—¿Qué diablos...?

McColleen ya estaba en pie, metido en faena, y se sacaba un revólver del abrigo. En ese momento sonó un disparo atronador, el cristal de las ventanillas voló por los aires y dejó ciego a McColleen. El detective del ferrocarril cayó hacia atrás, gritando de dolor, se llevó las manos a la cara y empezó a disparar a diestro y siniestro. El capitán Petrie, echando mano de ese instinto que tan arraigado tenían los participantes de las peleas callejeras de Jersey, dio un golpe de timón y embistió al asaltante.

Era la táctica más adecuada. La gabarra, con su pesada carga, partiría en dos la goleta de madera. Pero el mecanismo desgastado del timón de la *Lillian I*, que habían descuidado tanto la línea de ferrocarriles central de New Jersey como la Southern Pacific, cedió con la brusca maniobra. El timón se soltó del eje, y la gabarra, detenida tras el brusco viraje, se bamboleó indefensa. La goleta la golpeó de costado, y una banda de hombres armados abordó la nave gritando como endemoniados y disparando contra todo aquel que se movía.

El Jardín de París era un teatro improvisado en el tejado del Olympia de Hammerstein. Esa noche fría y lluviosa habían corrido un telón de lona que guarecía del viento al público, aunque apenas lograba amortiguar el ruido de los autobuses con motor de gasolina que subían por Broadway. Sin embargo, todos los que tenían entradas se las prometían muy felices por el hecho de estar allí.

Habían dispuesto mesas y sillas en un patio de un solo nivel más parecido a una pista de baile que a un auditorio. Pero la dirección había añadido unos sofisticados palcos para atraer lo que Archie Abbott llamaba «un público más refinado». Los palcos eran nuevos y se habían construido sobre una amplia plataforma, en forma de herradura, suspendida sobre una pagoda que se abría ante la entrada del ascensor. Florenz Ziegfeld, el productor de las *Follies*, había cedido a los detectives de Van Dorn las mejores butacas de esa zona. Desde ellas se veía el escenario de cerca y se gozaba de una vista panorámica de los otros palcos, ocupados por caballeros vestidos de etiqueta y por damas de largo, tan elegantes como si fueran a asistir a un baile.

Bell estaba contemplando la llegada del público cuando su mirada se cruzó con la de Lillian Hennessy mientras esta se dirigía a su butaca. Estaba más hermosa que nunca con su vestido dorado y el cabello rubio recogido en alto. Bell le sonrió, y el rostro de la joven se iluminó de alegría, como si ya le hubiera perdonado que le hubiera destrozado el Packard. Bell observó con preocupación que, de hecho, le sonreía como si estuviera a punto de enamorarse de él, lo último que necesitaba cualquiera de los dos.

—Mira, ¡qué chica! —exclamó Abbott.

—Archie, si inclinas más el cuerpo, caerás sobre el patio de butacas.

—Con tal de verla llorar ante mi cadáver... Ya le contarás las circunstancias de mi muerte. Espera un momento, es a ti a quien sonríe.

—Se llama Lillian —dijo Bell—. La barcaza de la Southern Pacific que mirabas esta tarde boquiabierto lleva su nombre. Como todo lo que flota y es propiedad de los ferrocarriles. Es la hija del viejo Hennessy.

—¿Además es rica? Ahora sé que existe un Dios en los cielos. ¿Quién es el tipo estirado que va con ella? Me suena su cara.

—El senador Charles Kincaid.

—Ah, sí. El Ingeniero Heroico.

Bell devolvió el saludo a Kincaid con frialdad. No era de extrañar que en el club Yale no hubieran recibido aún el cheque que debía cubrir sus pérdidas en el póquer. Los hombres que repartían las cartas por el final de la baraja tendían también a no pagar sus deudas.

—El senador está de suerte.

—No lo creo —dijo Bell—. Esa chica es demasiado rica e independiente para enamorarse de un tipo así.

—¿Qué te hace pensar eso?

—Ella me lo dijo.

—¿Por qué querría sincerarse contigo, Isaac?

—Estaba vaciando la tercera botella de Mumm.

—O sea, que tú también fuiste afortunado.

—Con Marion, sí, y lo seguiré siendo con ella.

—Ah, el amor... —Archie, con su aire burlesco, adoptó un

tono de voz doliente mientras las luces se apagaban—. El amor nos acecha como la muerte y los impuestos.

Una distinguida señora envuelta en muchos metros de seda, tocada con un sombrero de plumas y cargada de diamantes se inclinó desde el palco contiguo y le dio varios golpecitos en el hombro con sus impertinentes.

—Cállese, joven. Empieza el espectáculo… Ah, Archie, eres tú. ¿Cómo está tu madre?

—Muy bien, gracias, señora Vanderbilt. Le diré que ha preguntado por ella.

—Excelente. Otra cosa, Archie. No he podido evitar oír vuestra conversación. El caballero que está contigo tiene razón. A esa chica no le importa en absoluto ese aborrecible leguleyo. Y me siento en la obligación de decirte que con ella podrías solucionar ese mal asunto de tu fortuna familiar.

—A mamá le encantaría —coincidió Abbott. Y en un susurro, para que solo Bell pudiera oírlo, añadió—: Si mi madre considera que los Vanderbilt son unos nuevos ricos sin cultura, imagínate el síncope que le daría si le llevo a casa a la hija de un humilde ferroviario.

—Te vendría bien ser afortunado —dijo Bell.

—Lo sé. Pero mi madre lo ha dejado muy claro: nadie por debajo del listón de los Astor.

Bell lanzó una mirada a Lillian, y se le ocurrió un plan excelente para quitarse de encima a la enamoradiza Lillian y, a la vez, para que el pobre Archie se librara del acoso de su madre. Ahora bien, la situación exigía el tacto de un diplomático y la delicadeza de un joyero.

—¡Cierra el pico! —fue lo único que dijo—. Empieza el espectáculo.

En medio del río Hudson, a casi dos kilómetros de Broadway, *Lillian I*, la gabarra de la Southern Pacific que había sido abordada por los piratas, navegaba rauda corriente abajo. El flujo de la marea doblaba la velocidad de esta, con lo que se compensaba el tiempo que habían perdido arreglando el eje del timón. La acompañaba la goleta de madera que la había capturado. El viento de sudeste amenazaba lluvia, y el barco de dos palos iba con las velas tensadas y con el motor de gasolina al máximo de revoluciones a fin de mantenerse al ritmo de la *Lillian I*.

El capitán de la goleta, el contrabandista de Yonkers, sentía cierta lástima por la barcaza que iba ser volada en mil pedazos. Una pizca tan solo, pensó Yatkowski, y sonrió al recordar que le habían pagado dos veces el valor de su embarcación para ahogar a la tripulación de la gabarra en el río y quedarse a rescatar al chino cuando enviaran a pique el barco de carga. El que paga manda, y lo había dejado claro: «Vigila al chino hasta que haya terminado el trabajo. Y tráemelo de una pieza». El jefe tenía otros encargos para el experto en explosivos.

Las chicas de Anna Held, aclamadas por su productor como «las mujeres más bellas que se hayan visto jamás reunidas en un escenario», bailaban con unos vestidos blancos cortos, unos sombreros de ala ancha y unas fajas rojas mientras cantaban «I Just Can't Make My Eyes Behave».

—Algunas de ellas vienen directamente de París.

—No veo a Anna Held —susurró Bell.

Como a cualquier hombre del país que tuviera menos de noventa años, le resultaban familiares los ojos expresivos, la cintura de cuarenta y seis centímetros y las curvilíneas caderas de aquella actriz francesa que, según se decía, se nutría la piel con baños diarios de leche.

Bell lanzó una mirada a Lillian Hennessy y vio que la muchacha observaba con toda su atención. Luego se dio cuenta de que su tutora, la señora Comden, tenía un cutis muy parecido al de Anna Held. ¿Le pondría el presidente Hennessy leche en la bañera?

Abbott aplaudió con fuerza, y el público le imitó.

—Por alguna razón que solo el señor Ziegfeld conoce —dijo Abbott a Bell durante la ovación—, Anna Held no es una de las chicas de su propio coro. A pesar de ser su amante.

—Dudo que la agencia Van Dorn en pleno pueda solucionarle el problema.

Las *Follies de 1907* siguieron su imparable curso. Unos cómicos discutieron sobre la factura de un bar; tenían acento alemán, como Weber y Fields, y Bell se puso serio de repente al pensar en Mack y Wally. Annabelle Whitford entró en escena con un bañador negro caracterizada como la bañista Gibson, y Abbott dio un codazo a Bell.

—¿Recuerdas el cine al que íbamos de pequeños? —le susurró—. Ella bailaba la danza de la mariposa.

Bell escuchaba a medias mientras daba vueltas en la cabeza al plan del Saboteador. ¿Dónde atacaría si todas las posiciones estaban cubiertas? Se preguntó si habría cometido algún descuido, y se dijo, apesadumbrado, que si había olvidado algo, el Saboteador repararía en ello.

La orquesta interpretaba los primeros compases de «I've Been Working on the Railroad», y Abbot dio otro codazo a Bell.

—Mira. Nuestro cliente sale en la obra.

Los cómicos posaban frente a un telón pintado con una locomotora de la Southern Pacific que se dirigía a ellos como si fuera a arrollarlos. Aun sin prestar demasiada atención, saltaba a la vista que el cómico vestido con atuendo colonial que iba al trote con un caballo de pega hacía de Paul Revere. El coprotagonista, con una gorra a rayas y un mono de maquinista, representaba al presidente de la Southern Pacific, Osgood Hennessy.

Paul Revere galopaba blandiendo un telegrama.

—Del Senado de Estados Unidos, presidente Hennessy.

—¡Entréguemelo, Paul Revere! —Hennessy le cogió el telegrama y lo leyó en voz alta—. Por favor, señor, dé instrucciones por telégrafo. Olvidó decirnos lo que tenemos que votar.

—¿Cuáles son las instrucciones para los senadores, presidente Hennessy?

—Que llega el ferrocarril. Que llega el ferrocarril.

—¿Qué tienen que votar?

—Uno si llega por tierra.

—¿Un destello con el farol desde el terraplén si la línea de ferrocarriles llega por tierra?

—¡Un soborno, cabeza de chorlito! De destellos, nada. ¡Sobornos!

—¿Cuántos sobornos si llega por mar?

—Dos si llega por...

De un brinco, Isaac Bell se levantó de su asiento.

24

En la oscura bodega de la gabarra *Lillian I*, Wong Lee terminaba de montar sus intrincados cables alumbrándose con un faro de bicicleta alimentado por tres pilas secas. Estaba dichoso por haber superado aquellos tiempos en que conectaba mechas de dinamita a la luz de una llama; no los añoraba en absoluto. Agradecía a los dioses la electricidad, que le proporcionaba iluminación para trabajar y energía para activar los detonadores con una precisión asombrosa.

Isaac Bell salió del Jardín de París por las cortinas de lona que lo resguardaban del viento y bajó deprisa la escalera de acero de la fachada exterior del teatro Hammerstein. Saltó a un callejón y echó a correr hacia Broadway. Se hallaba a dos manzanas del hotel Knickerbocker. Las aceras estaban atestadas. Se lanzó a la calle y, esquivando el tráfico, bajó a toda prisa hacia el centro. Entró como una exhalación en el vestíbulo del Knickerbocker y subió en cuatro zancadas la escalera. Cuando por fin entró en la agencia Van Dorn, metió la mano bajo el escritorio del atónito recepcionista en busca del interruptor que activaba la cerradura secreta y se dirigió hacia la habitación de atrás.

—Quiero a Eddie Edwards en el muelle de la pólvora. ¿Qué línea tenemos con Jersey?

—La uno, señor. Como usted ordenó.

Bell descolgó el teléfono y pulsó la palanca varias veces.

—Póngame con Eddie Edwards.

—¿Eres tú, Isaac? ¿Nos vas a traer a una chica de las *Follies*?

—Escúchame, Eddie. Mueve de sitio la ametralladora Vickers; hay que cubrir el agua además de la verja principal.

—No puedo.

—¿Por qué no?

—Esos cinco vagones de pólvora se interponen en el campo de tiro. Puedo cubrir uno de los dos objetivos, la verja o el agua, pero no me pidas que cubra ambos al mismo tiempo.

—Entonces consigue otra ametralladora. Por si ataca por el río.

—Estoy intentando que el ejército nos preste una, pero no podrá ser para esta noche. Lo siento, Isaac. ¿Qué te parece si pongo a dos tiradores al final del muelle?

—¿Dices que los vagones de pólvora se interponen en el campo de tiro? Pues pon la ametralladora encima.

—¿Encima de los vagones?

—Ya me has oído. Coloca la ametralladora sobre los vagones de dinamita para que pueda girar en los dos sentidos. De esa manera se podrá cubrir la verja y el río. Andando, Eddie. ¡Hay trabajo!

Bell colgó el auricular con alivio. Ese era el detalle que había olvidado. El río. Que atacaran desde un barco. Sonrió al detective, que no se había perdido ni una sola de sus palabras.

—Manejar una ametralladora automática colocada encima de un tren cargado con dinamita es un buen aliciente para mantenerse despierto —comentó Bell.

Regresó al teatro dando un paseo y sintiéndose mucho menos preocupado, y se deslizó en su asiento en el momento en que bajaban el telón tras el primer acto.

—¿De qué iba todo eso? —preguntó Abbott.

—Si el Saboteador decide atacar desde el agua, se va a dar de bruces con una ametralladora automática Vickers.

—Bien pensado, Isaac. Ahora ya puedes relajarte y presentarme a tus amistades.

—¿Al senador Kincaid? —preguntó Bell con fingida inocencia—. No diría yo que forme parte de mis amistades. Jugamos a las cartas una vez, pero…

—Ya sabes de quién te hablo, granuja. Me refiero a esa bellísima Helena de Troya de la Southern Pacific cuyo nombre lucen doce gabarras.

—Tengo la sensación de que es demasiado inteligente para que se interese por un hombre de Princeton.

—¡La chica entra en el ascensor! ¡Vamos, Isaac!

Muchas personas lo aguardaban. Bell y Abbott fueron hacia las cortinas de lona, bajaron por la escalera exterior y entraron en el vestíbulo grande y tenebroso de la planta baja, por el que se accedía a los tres teatros del edificio.

—¡Allí está!

Lillian Hennessy y el senador Kincaid estaban rodeados de admiradores. Las mujeres competían por estrecharle la mano a él, mientras que sus maridos se abrían paso a codazos para conocer a Lillian. No era probable que las esposas se dieran cuenta, o acaso no les importaba. Bell había visto a un par de aquellas damas meter con disimulo su tarjeta de visita en el bolsillo del senador.

Dado que eran más altos que la mayoría y tenían experiencia en altercados y en disturbios, los detectives de Van Dorn atravesaron la aglomeración como un escuadrón de buques de guerra. Lillian sonrió a Bell.

Bell clavó la mirada en Kincaid, y este hizo lo propio al tiempo que le dedicaba un saludo amistoso.

—¿Verdad que el espectáculo es fantástico? —dijo en voz alta el senador para hacerse oír entre la muchedumbre cuando Bell se le acercó—. Me encanta el teatro. Le oí contar que se fugó con Kenny Bloom para unirse al circo. A mí me atrajo el escenario en lugar del circo. Siempre quise ser actor. Incluso me escapé con una compañía que iba de gira, pero eso fue antes de sentar cabeza.

—Como mi buen amigo Archie Abbott. Archie, quiero que conozcas al senador Charles Kincaid, otro actor dramático frustrado.

—Buenas noches, senador. —Abbott le tendió la mano cortésmente. No obstante, no acertó a estrechársela porque se quedó mirando a Lillian, boquiabierto.

—Ah, hola, Lillian —dijo Bell con toda naturalidad—. ¿Puedo presentarte a mi viejo amigo Archibald Angell Abbott?

Lillian parpadeó como Anna Held. Sin embargo, lo miró detenidamente; el rostro de Abbott había llamado su atención. Aquel hombre tenía unos fascinantes ojos grises, y Bell vio cómo su amigo les sacaba partido para atraer a Lillian. La joven recorrió con la mirada las cicatrices que Abbott tenía en la frente, y se fijó en su cabello pelirrojo y en su radiante sonrisa. Kincaid le habló, pero ella pareció no oírle. No quitaba ojo a Abbott.

—Isaac me lo ha contado todo sobre usted.

—Todo no, señorita Hennessy, porque entonces habría salido corriendo de la sala.

Lillian se echó a reír, Archie se dio importancia y el senador se mostró disgustado.

Bell usó la excusa de la deuda de juego para apartar a Kincaid de Archie y Lillian.

—Me divertí jugando a las cartas. Y fue todo un placer quedarme con su tarjeta de visita, pero un cheque con la cantidad que me adeuda me traería incluso mejores recuerdos.

—Recibirá mi cheque mañana —contestó Kincaid en un tono amable—. ¿Sigue hospedado en el club Yale?

—Hasta nuevo aviso. ¿Y usted, senador? ¿Se quedará un tiempo en Nueva York o se va a Washington?

—En realidad me marcho a San Francisco por la mañana.

—¿No hay sesión en el Senado?

—Soy el presidente de un subcomité encargado de abrir una investigación en San Francisco sobre el problema chino. —Miró a su alrededor, a la multitud de espectadores que intentaba captar su atención y, tomando a Bell por el brazo, bajó la voz—. Como estamos entre jugadores, señor Bell, le diré que la investigación es una tapadera, y que viajo a San Francisco con otro propósito.

—¿Cuál?

—Estoy en tratos con un selecto grupo de hombres de negocios californianos que quiere persuadirme para que me presente a presidente. —Kincaid le hizo un guiño de complicidad—. Me han ofrecido ir de acampada a Redwood. Ya se imaginará la ilusión que puede hacerle a un ex ingeniero de puentes dormir al raso entre secuoyas. Les he dicho que preferiría alojarme en alguno de sus legendarios hoteles del Oeste. Cornamentas, osos grizzly disecados, madera de pino… y agua corriente.

—¿Cree que habrá trato? —preguntó Bell.

—En confianza, le diré que me estoy haciendo de rogar, pero que, por supuesto, para mí sería un gran honor presentarme a presidente —dijo Kincaid—. Para cualquiera, ¿no? El sueño de todo político es prestar un servicio público.

—¿Preston Whiteway es uno de esos hombres de negocios californianos?

Kincaid lo miró con severidad.

—Una pregunta muy astuta, señor Bell.

Durante unos instantes ambos se retaron con la mirada como si estuvieran solos en lo alto de un risco en Oregón en lugar de hallarse en el vestíbulo abarrotado de un teatro de la Gran Vía Blanca.

—¿Cuál va a ser su respuesta? —preguntó Bell.

—No estoy autorizado a contestar eso. Pero en gran medida depende de lo que decida hacer el presidente Roosevelt el año que viene. No me veo ocupando su lugar si opta por cumplir con un tercer mandato. En cualquier caso, espero contar con su discreción respecto a este tema.

Bell se lo concedió, si bien se preguntó por qué un senador de Estados Unidos confiaba esa información a un hombre al que solo había visto una vez.

—¿Le ha hablado de ello al señor Hennessy?

—Expondré mis planes a Osgood Hennessy en el momento más adecuado, lo que equivale a decir que antes tendremos que llegar a un acuerdo.

—¿Por qué esperar? ¿Un presidente de ferrocarril no le serviría para su causa?

—No quiero darle esperanzas y que de entrada piense que contará con un amigo en la Casa Blanca. Podría quedar decepcionado.

Las luces del vestíbulo parpadearon anunciando el fin del entreacto, y todos volvieron a la azotea a ocupar sus asientos.

—¡Qué chica más maravillosa! —dijo Abbott a Bell.

—¿Qué piensas del senador?

—¿Qué senador? —Abbott saludó a Lillian de palco a palco.

—¿Sigues pensando que es un tipo estirado?

Abbott miró a Bell, y al advertir que no era un simple comentario, respondió con gran seriedad.

—Actúa como si lo fuera, eso está claro. ¿Por qué lo preguntas, Isaac?

—Porque tengo la incómoda sensación de que Kincaid no es trigo limpio.

—Por la mirada que me ha lanzado cuando me ha visto hablando con ella, ese tipo mataría para echar el guante a la señorita Lillian y a su fortuna.

—También quiere ser presidente.

—¿De los ferrocarriles? —preguntó Archie—. ¿O de Estados Unidos?

—De Estados Unidos. Me ha dicho que tiene una reunión secreta con unos hombres de negocios californianos que desean que se presente a las elecciones si Teddy Roosevelt no lo hace el año que viene.

—Si es un secreto, ¿por qué te lo ha contado?

—Eso he pensado yo también. Solo un idiota se iría de la lengua en un asunto como ese.

—¿Le crees?

—Buena pregunta, Archie. Lo curioso es que no ha mencionado a William Howard Taft.

—Pues es sabido que, si Roosevelt decide no presentarse por tercera vez, el secretario de Defensa Taft será el hombre de confianza designado para sustituirlo. No me extraña que Kincaid quiera mantenerlo en secreto. Está echando un pulso a su propio partido.

—Razón de más para no confiar en mí —dijo Isaac Bell—. ¿Qué estará tramando?

—Charles, ¿qué piensas del señor Abbott? —preguntó Lillian Hennessy en su palco.

—Los Abbott son una de las mejores familias de Nueva York, si no contamos a los Dutch, y en su árbol genealógico entroncan con varios de estos últimos. Por desgracia, perdieron todo su dinero en el pánico económico de 1893 —añadió Kincaid con una amplia sonrisa.

—Eso es lo primero que me ha contado —dijo Lillian—. No parece que le preocupe.

—Pero sí le preocupará al padre de la jovencita a la que pida en matrimonio —la pinchó Kincaid.

—¿Qué te parece Isaac Bell? —Lillian le devolvió la provocación—. Archie me ha contado que Isaac y tú habéis jugado a póquer. He visto que os habéis puesto a charlar en el vestíbulo.

Kincaid no dejaba de sonreír, complacido por la conversación que había mantenido con Bell. Si el detective sospechaba, fingir que era uno de los numerosos senadores que soñaban con ser presidente de Estados Unidos era una manera muy convincente de demostrar que no era un saboteador de trenes. Si Bell levaba la investigación más lejos, descubriría que era verdad que unos hombres de negocios californianos, Preston Whiteway entre ellos, querían presentar a su propio candidato para presidente. Y el senador Charles Kincaid era el primero de su lista, después de que este animara y manipulara a un voluble magnate de un periódico de San Francisco para que creyera que el Ingeniero Heroico al que había ayudado a convertirse en senador le sería útil en la Casa Blanca.

—¿De qué hablabais? —insistió Lillian.

La sonrisa de Kincaid se volvió cruel.

—Bell está prometido y va a casarse. Me dijo que iba a comprar una gran mansión para su futura… para su afortunada prometida.

¿Era tristeza lo que asomaba a los ojos de Lillian, o tan solo le brillaban por efecto de la escasa luz, al haberse apagado ya los focos para dar paso al segundo acto?

—¡La ciudad de Jersey justo enfrente, chino! —gritó el compañero Big Ben Weitzman, a quien el capitán Yatkowski había destinado a bordo de la gabarra *Lillian I* para que la pilotara después de haber lanzado al agua a su tripulación—. ¡Muévete!

Wong Lee seguía trabajando con suma cautela y a su propio ritmo en la manipulación de veinticinco toneladas de dinamita. Tras varias décadas de planchar camisas con pesados utensilios de hierro tenía las manos un tanto agarrotadas. Y sus dedos ya no eran tan hábiles.

Le sobró un detonador cuando terminó el trabajo, y se lo metió en el bolsillo siguiendo su vieja costumbre de no desperdiciar nada. Luego cogió los extremos de dos cables eléctricos que había fijado en la proa y bajado hasta la bodega, donde se hallaban almacenadas las cajas de dinamita. Había pelado ya unos cinco centímetros del revestimiento para que quedara a la vista el hilo de cobre. Conectó uno de los cables a uno de los bornes del primer detonador, pero antes de coger el segundo, se detuvo.

—¡Weitzman! ¿Estás ahí arriba?

—¿Qué?

—Comprueba que el conmutador que hay en proa siga abierto.

—Está abierto. Ya lo he comprobado.

—Si no lo está, explotará todo cuando toque estos cables.

—¡Espera! Un momento. Volveré a comprobarlo.

Weitzman hizo pasar un cabo alrededor del eje del timón para que la gabarra mantuviera su curso y fue corriendo a proa mientras maldecía la fría lluvia. Yatkowski le había dado una linterna de mano y, bajo su parpadeante resplandor, vio que las mordazas del conmutador que el chino había montado estaban abiertas, y lo seguirían estando hasta que la proa se estrellara contra el muelle de la pólvora. El impacto cerraría las mordazas, y se conectaría el circuito eléctrico entre la batería y los detonadores.

Entonces las veinticinco toneladas de dinamita de la gabarra volarían, y con ellas, cien toneladas más ocultas en el muelle de la pólvora. Sería la mayor explosión que Nueva York hubiera conocido jamás.

Weitzman se apresuró a regresar al timón y gritó por la trampilla.

—Está abierto. Ya te lo había dicho.

Wong respiró hondo y conectó el cable positivo con el otro borne del detonador. Nada. De todos modos, si hubiera salido mal, pensó con ironía, tampoco se habría enterado, porque ya estaría muerto. Subió por la escalera de mano, salió por la trampilla y le dijo al hombre que pilotaba que hiciera una señal a la goleta. Aquella arribó de costado, ondeando las velas mojadas, e impactó contra la gabarra.

—¡Con calma! —gritó Weitzman—. ¿Quieres matarnos a todos?

—¡Chino! —gritó el capitán Yatkowski—. Sube por aquí.

Wong Lee, con sus viejas y fatigadas piernas, subió por una escalerilla de cuerda. Había trepado por lugares peores en las montañas, pero entonces tenía treinta años menos.

—¡Weitzman! —gritó el capitán—. ¿Ves el muelle?

—¿Cómo no voy a verlo?

La luz eléctrica resplandecía a cuatrocientos metros de distancia. Los policías del ferrocarril habían iluminado los patios de maniobras y los depósitos de la estación, como si esta fuera la Gran Vía Blanca, para desanimar a los fisgones, pero no se les había ocurrido que alguien pudiera curiosear desde el río.

—Dirígela hacia allí, y sal de inmediato.

Weitzman giró el timón hasta alinear la proa de la *Lillian I* con las luces del muelle de la pólvora. Como entraban de lado, y el muelle medía ciento ochenta metros, aunque la embarcación se apartara un poco del rumbo, impactaría lo bastante cerca de los seis furgones de dinamita.

—¡Rápido, he dicho! —gruñó el capitán.

Weitzman, que no necesitaba que lo apremiaran, saltó a la cubierta de madera de la goleta.

—¡Dese prisa! —gritó Wong—. Sáquenos de aquí.

Nadie estaba más cualificado que Wong para comprender la magnitud de la explosión que se produciría en los patios de la estación de ferrocarril y en el muelle, y que afectaría a las ciudades de los alrededores.

Cuando Wong y la tripulación de la goleta miraron hacia atrás para comprobar que la gabarra seguía su curso, vieron un ferry de la línea central de ferrocarriles de New Jersey soltar amarras y partir de la terminal de pasajeros de Communipaw. Un tren debía de haber estacionado, y el transbordador se llevaba a los últimos pasajeros.

—Bienvenidos a Nueva York —murmuró el capitán.

Cuando las veinticinco toneladas de la gabarra hicieran detonar las cien toneladas del muelle de la pólvora, el ferry desaparecería, convertido en una bola de fuego.

25

Marion Morgan se hallaba en la cubierta del ferry de la línea central de ferrocarriles de New Jersey. Se apoyaba en la barandilla, sin hacer caso de la lluvia. El corazón le latía con fuerza de la emoción. No había visto Nueva York desde pequeña, cuando su padre la llevó de viaje al Este. En aquel momento podía ver las ventanas iluminadas de docenas de rascacielos al otro lado de la orilla. Y en algún lugar de esa fabulosa isla se hallaba su amado Isaac Bell.

Había dudado entre enviarle un telegrama o visitarlo de improviso. Y se había decantado por darle una sorpresa. Su viaje se había pospuesto varias veces a causa de la apretada agenda de Preston Whiteway. En el último momento, el jefe había decidido quedarse en California y enviarla a ella a la reunión con los banqueros de Nueva York para que presentara su propuesta de financiación de *Picture World*, el documental cinematográfico de actualidades. El joven y resuelto editor del periódico debía de estar impresionado por la experiencia de Marion en el mundo de la banca para haberle encomendado una tarea tan importante. No obstante, sospechaba que la auténtica razón de que su jefe enviara a una mujer era que quería cortejarla; a buen seguro pensaba que la mejor manera de llegarle al corazón era respetar su independencia. Marion había inventado una expresión para recalcar al insistente Whiteway que era la novia de Isaac: «Mi corazón está comprometido».

Había tenido que recurrir a ella dos veces. Pero con eso lo decía todo, y si era necesario, lo diría diez veces más.

La lluvia amainaba y la ciudad resplandecía. Tan pronto llegara a su hotel, telefonearía a Isaac al club Yale. Los empleados de los establecimientos respetables como el Astor fruncían el entrecejo cuando las mujeres solteras recibían visitas de caballeros. Pero no había un solo detective de hotel en todo el país que no hiciera la vista gorda a un investigador de Van Dorn. Cortesía profesional, como diría Isaac con una sonrisa.

El ferry dio un bocinazo, y Marion notó la vibración de las hélices. Cuando se alejaban de la orilla de New Jersey, vio las velas de una vieja goleta perfilarse contra un muelle muy iluminado.

Para situar la pesada Vickers en el techo del vagón del muelle fueron necesarios cuatro hombres, que tardaron unos diez minutos en tenerla instalada. Y como Isaac Bell había predicho, los policías del ferrocarril que controlaban aquella ametralladora automática se mantuvieron despiertos. Aun así, Eddie Edwards, un investigador de Van Dorn de alrededor de cuarenta años que, sorprendentemente, tenía el cabello cano, subió por la escalerilla del vagón para comprobarlo.

Su arma, que había sido modificada a partir de una ametralladora Maxim que demostró su eficacia contra los ejércitos africanos, también era fiable. Había un sabueso del ferrocarril de origen inglés que iba contando historias sobre los nativos que había acribillado con una Maxim durante las guerras coloniales de la década anterior. Edwards le ordenó que dejara tranquilos a los nativos de Jersey. A menos que intentaran algo, por supuesto. Las viejas bandas de la ciudad no eran tan salvajes como lo habían sido en los tiempos en que Edwards dirigió la campaña de los hombres de Van Dorn para echarlas de los patios de maniobras de la estación, aunque seguían teniendo malas pulgas.

De pie sobre el vagón, mientras inspeccionaba el campo de tiro de la ametralladora, que en ese momento abarcaba un círculo completo, Edwards recordó aquellos años en que custodiaban el embarque de lingotes. Claro que entonces las armas de la conocida banda de Lava Bed, que controlaba los alrededores de la estación, eran tuberías de plomo, nudilleras de metal y alguna que otra escopeta de cañón recortado. Vio un ferry con las luces encendidas que partía de la terminal de Communipaw. Se volvió hacia la verja, que habían bloqueado con tres ténderes repletos de carbón y que vigilaban varios policías del ferrocarril armados con rifles, y vio que los patios de carga y descarga parecían tranquilos. Las locomotoras de maniobras trabajaban deprisa formando trenes. Pero en cada una de las cabinas había un detective armado. Edwards se volvió hacia el río. La lluvia amainaba. Podían distinguirse con claridad las luces de Nueva York.

—¿Esa goleta chocará con aquella gabarra de vapor?

—No. Han estado a punto, pero ahora se han separado. ¿Lo ve? La goleta se aleja, y la gabarra vira hacia aquí.

—Ya. —Edwards apretó la mandíbula—. ¿Adónde diablos va?

—Directa hacia nosotros.

Edwards seguía ojo avizor. Aquello no le gustaba nada.

—¿Está muy lejos aquella boya? —preguntó.

—¿La luz roja de allí? Diría que a unos cuatrocientos metros.

—Si pasa esa boya, dispárele cuatro ráfagas a la proa.

—¿Lo dice en serio? —preguntó con incredulidad el policía del ferrocarril.

—Maldita sea, claro que sí. Abran fuego.

—La gabarra está pasando, señor Edwards.

—¡Abran fuego, ahora!

La Vickers refrigerada por agua soltó un pop pop pop amortiguado. Las balas impactaban tan lejos que no resultaba fácil verlas en la oscuridad. La gabarra seguía avanzando en línea recta hacia el muelle de la pólvora.

—Disparen diez ráfagas al tejado de la timonera.

—Menudo toque de atención —dijo el policía del ferrocarril inglés—. Esos impactos suenan como truenos allí arriba.

—Asegúrese de que todo esté despejado tras la gabarra. No vayamos a tirotear algún pobre remolcador.

—Despejado.

—¡Fuego! ¡Abran fuego ya!

El suministrador de munición dio una sacudida y el cañón de la ametralladora escupió diez ráfagas. Una nube de vapor se desprendió del dispositivo de refrigeración.

El barco seguía avanzando.

Eddie Edwards se humedeció los labios. Solo Dios sabía quién lo tripulaba. ¿Sería un borracho? ¿Quizá un chico asustado que estaba al timón mientras su capitán dormía? ¿O acaso un viejo aterrorizado que no adivinaba de dónde procedían los disparos?

—Suba ahí, colóquese frente a la luz y hágales señales. ¡Usted no! Usted quédese con la ametralladora.

Los encargados del suministrador de munición y del dispositivo de refrigeración se pusieron a saltar sobre el tejado del furgón al tiempo que movían los brazos enérgicamente. La embarcación seguía avanzando.

—¡Quítense de en medio! —les ordenó Edwards—. Apunten al timón.

Cogió el suministrador de munición y cargó el arma. La ametralladora empezó a disparar con un estruendo continuado.

Su cañón vomitó doscientas ráfagas, que cruzaron cuatrocientos metros de agua y perforaron la timonera de la gabarra al tiempo que la madera y el cristal saltaban por los aires. Dos ráfagas destrozaron el radio superior de la rueda del timón. Otra sesgó el cabo que lo mantenía sujeto, que, al ceder, lo liberó para el viraje. Sin embargo, el agua que le pasaba por encima lo mantuvo firme en su rumbo, directo hacia el muelle de la pólvora. Hasta que la estructura de la timonera cedió. El tejado se derrumbó encima del timón, los radios se partieron y la rueda giró.

El segundo acto de las *Follies* empezó a lo grande y no decayó. Tras el número del «Vals del Ju-Jitsu», que interpretaba el príncipe Tokio «recién llegado de Japón», siguió una canción cómica, «I Think I Oughtn't Auto Any More»:

… estaba fumando cuando terminé debajo de su coche,
la gasolina goteaba y mi cigarro cayó,
voló la bailarina tan alto que pensé que era una estrella…

Cuando terminó, un tambor solitario empezó a redoblar. Una corista con una blusa azul, una falda corta blanca y unas medias rojas desfiló por el escenario vacío. Un segundo tambor se unió al primero. Otra corista entró para acompañar a la anterior. Un tercer tambor se unió a ellas, junto con otra corista más. Seis tambores redoblaban ya acompañando el paso de otras tantas coristas. Tambores y chicas iban saliendo al escenario. Los bombos retomaron entonces el ritmo con un estruendo que sacudió las butacas. De repente, cincuenta coristas, las más bellas de Broadway, iniciaron un baile, cogieron cincuenta tambores que estaban tras los bastidores, bajaron corriendo por dos escaleras que había a ambos extremos del escenario e inundaron los pasillos haciendo sonar sus tambores al tiempo que levantaban las piernas enfundadas en rojo.

—¿No te alegras de haber venido? —gritó Abbott.

Bell levantó la mirada. Un destello que vio a través de la claraboya le llamó la atención, como si a los focos del escenario se sumaran otras luces encendidas de pronto sobre el tejado. Parecía que el cielo nocturno se hubiera incendiado. Un sonoro golpetazo sacudió el edificio y, por un momento, Bell pensó que se trataba de la onda expansiva de un terremoto. Luego, oyó una explosión atronadora.

26

La orquesta de las *Follies* paró de tocar en seco. Un silencio sobrecogedor se apoderó del teatro. Y al instante los cascotes impactaron en el tejado de zinc con un ruido de mil pequeños tambores. El cristal de la claraboya se hizo añicos, y todos los que se hallaban en el teatro, tanto el público como los tramoyistas y las coristas, empezaron a gritar.

Isaac Bell y Archie Abbott fueron al unísono hacia el pasillo, salieron por las cortinas de lona y cruzaron el tejado para bajar por la escalera exterior de incendios. Entonces vieron un resplandor rojizo en el cielo, hacia el sudoeste, en dirección a Jersey.

—El muelle de la pólvora. —Bell tenía el corazón en un puño—. Será mejor que vayamos hacia allí.

—Mira —dijo Archie mientras bajaban por la escalera—. Hay ventanas rotas por todas partes.

Ni un solo edificio de la manzana había quedado intacto. La calle Veinticuatro estaba alfombrada de cristales. Los dos detectives dejaron atrás a la espantada multitud en Broadway y corrieron hacia el oeste, por la calle Cuarenta y cuatro, en dirección al río. Cruzaron por la Octava Avenida y luego por la Novena, y atravesaron los tugurios de los bajos fondos de la ciudad al tiempo que sorteaban a sus habitantes, que salían en tropel de las tabernas y las viviendas. «Qué pasa?», gritaba la gente.

Los detectives siguieron corriendo por la Décima Avenida, cruzaron las vías de la línea del ferrocarril central de Nueva York y tomaron la Undécima Avenida, esquivando camiones de bomberos y caballos aterrorizados. A medida que se acercaban al río, se veían más ventanas rotas. Un policía intentó impedirles el acceso hacia los muelles, pero Bell y Abbott le mostraron sus placas y pasaron junto a él como una exhalación.

—¡Un barco de bomberos! —gritó Bell.

Cargado de efectivos y escupiendo humo, un barco de la brigada de bomberos de Nueva York soltaba amarras del muelle ochenta y cuatro. Bell arrancó a correr y, de un salto, subió a bordo. Abbott aterrizó junto a él.

—Van Dorn —dijeron ambos al atónito marinero—. Tenemos que llegar a Jersey.

—Se han equivocado de barco. Nos han mandado al centro, a remojar los muelles.

Pronto comprendieron el porqué de aquellas órdenes. Al otro lado del río, en los muelles de Jersey, las llamas se elevaban hacia el cielo. La lluvia había escampado y el viento había girado hacia el oeste, llevándose consigo las ascuas hacia los muelles de Manhattan. Por esa razón el barco de bomberos se dirigía hacia allí en lugar de ayudar a combatir el fuego de Jersey; debía impedir que las chispas prendieran en los tejados y en los barcos de madera amarrados junto a ellos.

—Ese tipo es listo —dijo Bell—. Hay que reconocerlo.

—Un Napoleón del crimen —coincidió Archie—. Como si Conan Doyle nos echara encima al profesor Moriarty para que dejara tranquilo a Sherlock Holmes.

Bell vio que un destacamento de la División de Marina del Departamento de Policía de Nueva York zarpaba de la terminal de transbordadores Lackawanna de la calle Veintitrés.

—¡Déjenos allí!

Los agentes accedieron a llevarlos al otro lado del río. Pasaron junto a barcos con las velas destrozadas o con la chimenea derribada a causa de la explosión. Algunos iban a la deriva. En otros, la tripulación hacía reparaciones de emergencia para poder acceder a la orilla. Un ferry de la línea central de ferrocarriles de New Jersey avanzaba con dificultad hacia Manhattan, con las ventanas destrozadas y su superestructura ennegrecida.

—¡Ahí está Eddie Edwards!

Tenía el cabello blanco chamuscado y el rostro manchado de hollín, pero por lo demás estaba ileso.

—Gracias a Dios que telefoneaste, Isaac. Situamos la ametralladora justo a tiempo de detener a esos malnacidos. —A Edwards le brillaban los ojos.

—¿Detenerlos? ¿De qué estás hablando?

—No han volado el muelle de la pólvora. —Edwards señaló entre la espesa humareda—. Los vagones cargados con dinamita no han sufrido daños.

A través de la humareda, Bell logró distinguir los cinco vagones que había visto antes de marcharse a Jersey para tomarse la noche libre en las *Follies*.

—Entonces ¿qué han volado? La onda expansiva alcanzó Manhattan. Se han roto todas las ventanas de la ciudad.

—Se han volado ellos. Gracias a la Vickers.

Eddie les describió cómo habían desviado la gabarra de la Southern Pacific abriendo fuego con la ametralladora.

—La gabarra viró y apareció tras una goleta. Habíamos visto juntas las dos embarcaciones unos momentos antes. Supongo que la goleta debió de recoger a la tripulación de la barcaza... después de que ese asesino malnacido fijara el timón y la dirigiera hacia el muelle.

—¿Los disparos de la ametralladora han detonado la dinamita?

—No lo creo. Acribillamos la timonera, pero la gabarra no estalló. Viró unos ciento ochenta grados y se alejó. Debieron de transcurrir tres o cuatro minutos antes de que la dinamita explotara. Uno de los muchachos apostados en la Vickers dice que le pareció ver que la barcaza se estrellaba contra la goleta. Y, con el fogonazo, todos vimos sus velas.

—Es prácticamente imposible que la dinamita estalle por un impacto —reflexionó Bell—. Deben de haber inventado una especie de detonador... ¿Qué te parece a ti, Eddie? ¿Cómo crees que se apoderaron de la gabarra de la Southern Pacific?

—Tal como lo veo —contestó Edwards—, la tomaron por asalto río arriba, dispararon a McColleen y echaron a la tripulación por la borda.

—Tenemos que encontrar sus cadáveres —ordenó Bell con la voz empañada de dolor—. Archie, informa a los policías de ambas orillas del río. De Jersey, Hoboken, Weehawken, Nueva York, Brooklyn y Staten Island. La agencia Van Dorn quiere a todos los que operan a lo largo del Hudson. Pagaré los entierros de nuestro hombre y de la tripulación inocente de la gabarra. Debemos identificar a los delincuentes que trabajaban para el Saboteador.

El amanecer desveló un panorama devastado que se extendía a lo largo de ambos lados del puerto. De los seis muelles de Communipaw que se abrían hacia el río, solo quedaban cinco. Del sexto solo se veían unos pilares ennegrecidos y un montón de furgones destrozados que emergían de las aguas. En la terminal de pasajeros de la línea central de ferrocarriles de New Jersey las ventanas orientadas al río estaban rotas, y había desaparecido la mitad del tejado. Un ferry anclado escoraba como un borracho; lo había alcanzado un remolcador que, tras perder el control, le perforó el casco y se enganchó a él como una cría. Los mástiles de los barcos fondeados en los embarcaderos estaban quebrados, los tejados de zinc y las paredes de chapa de las barracas del muelle se hallaban esparcidos por todas partes, y los furgones habían reventado por los costados y la carga estaba desparramada. Los obreros del ferrocarril, vendados a causa de las heridas que la lluvia de cristales y cascotes les había ocasionado, hurgaban entre las ruinas de los patios de maniobras de la estación, y los habitantes asustados de los humildes alrededores caminaban con sus pertenencias a cuestas.

Con todo, lo que más impactó a Bell fue ver, bajo la luz mortecina de la mañana, la popa de una goleta de madera que había ido a parar sobre una plataforma flotante de vagones de tres vías. Desde la otra orilla del Hudson llegaban noticias sobre la rotura de millares de ventanas en la parte baja de Manhattan y sobre calles sembradas de cristales.

Abbott dio un codazo a Bell.

—Ahí viene el jefe.

Una flamante lancha de la policía de Nueva York, de cabina baja y chimenea corta, se acercaba. Joseph van Dorn se hallaba de pie en la cubierta delantera envuelto en un abrigo con un periódico bajo el brazo.

Bell caminó hacia él en cuanto bajó a tierra.

—Es hora de presentar mi dimisión.

27

—¡Dimisión rechazada! —le espetó Van Dorn.

—No es una petición —respondió Isaac Bell con frialdad—. La decisión está tomada. Daré caza al Saboteador por mi cuenta, aunque tarde toda la vida. Y te prometo que no me inmiscuiré en la investigación que dirija otro hombre de la agencia más cualificado que yo.

Una sonrisa se dibujó bajo el bigote pelirrojo de Van Dorn.

—¿Más cualificado? Quizá has estado demasiado ocupado para leer los periódicos de la mañana.

Van Dorn tomó entre las suyas las manos de Bell y las estrechó con fuerza.

—Al fin hemos ganado un asalto, Isaac. ¡Muy bien!

—¿Un asalto? ¿Qué estás diciendo? Ha muerto gente en el ferry. La mitad de las ventanas de Manhattan han volado por los aires. En los muelles reina el caos. Y todo gracias al sabotaje de una embarcación de la Southern Pacific que yo debía proteger, porque para eso me habían contratado.

—Es una victoria parcial, lo sé. Pero una victoria de todos modos. Has impedido que el Saboteador volara el tren de la pólvora, que era su objetivo. Por culpa de ese asesino habrían muerto centenares de personas, si se lo hubieras permitido. Mira. —Van Dorn abrió el periódico. Tres grandes titulares ocupaban la portada.

UN INCENDIO EN EL MUELLE SE SALDA
CON UNA EXPLOSIÓN COMO LA DE MAYO DE 1904
Y CON UNA CIFRA DE FALLECIDOS MAYOR.
TRES MUERTOS EN EL FERRY E INNUMERABLES HERIDOS.
«HABRÍA PODIDO SER PEOR», AFIRMA EL JEFE
DE BOMBEROS

—¡Y mira este! Todavía es mejor...

El Saboteador montó en cólera.

Las calles de Manhattan estaban alfombradas de cristales rotos. Había visto con sus propios ojos que el ferry de la línea de ferrocarriles todavía humeaba en la orilla de Jersey. En el muelle había escombros, barcos y barcazas destrozados. Y la explosión de dinamita era tema de conversación en las tabernas y las casas de comidas de ambos lados del río. Incluso se hablaba de ello en el lujoso vagón mirador cuando el especial que unía Pensilvania y Chicago salió de la devastada terminal de Jersey.

Era una locura y, sin embargo, los vendedores de periódicos de la ciudad voceaban los titulares de las ediciones extraordinarias y los quioscos aparecían cubiertos de carteles que anunciaban mentiras.

SE FRUSTRAN LOS PLANES DE LOS SABOTEADORES.
LA POLICÍA DEL FERROCARRIL Y LOS AGENTES
DE VAN DORN SALVAN EL TREN DE LA DINAMITA.
EL ALCALDE RESPONDE DE LA GESTIÓN RESPONSABLE
DE LA SOUTHERN PACIFIC

Si Isaac Bell estuviera en su tren, lo estrangularía con sus propias manos. O lo atravesaría con la espada. Llegaría el momento, se recordó. Únicamente había perdido una batalla. Ganaría la guerra, y Bell la perdería. ¡Y eso merecía celebrarse!

Con gesto imperioso, hizo señales a un camarero.

—¡George!

—Sí, señor. Diga usted, senador.

—¡Champán!

El camarero le llevó de inmediato una botella de Renaudin Bollinger en una cubitera.

—¡Esto es para enjuagar la boca! La compañía de ferrocarril sabe perfectamente que solo bebo Mumm.

El camarero le hizo una reverencia.

—Lo siento muchísimo, senador. El Renaudin Bollinger era el champán preferido de la reina Victoria, y ahora lo es del rey Eduardo. Esperábamos que fuera un sustituto digno.

—¿Un sustituto? ¿De qué demonios estás hablando? ¡Tráeme champán Mumm o haré que te despidan!

—Pero, señor, la explosión ha acabado con todas las existencias de Mumm de los ferrocarriles de Pensilvania...

—Una victoria al menos —repitió Joseph van Dorn—. Y si tienes razón y lo que intenta el Saboteador es desacreditar a la compañía, es imposible que con este resultado esté contento. «La gestión responsable de la Southern Pacific», aquí lo dice. Justo lo contrario de lo que el Saboteador esperaba conseguir con este ataque.

—A mí no me parece una victoria.

—Saboréala, Isaac. Y luego ponte manos a la obra y descubre cómo organizó el tinglado.

—Aún no hemos acabado con el Saboteador.

—No planeó este ataque de la noche a la mañana —dijo Van Dorn con dureza—. Si descubrimos su método, tendremos la clave para saber lo que se trae entre manos.

Se practicó una búsqueda entre los restos de la popa de la goleta que salió despedida y que se encontraba sobre la plataforma flotante del ferrocarril. La operación se saldó con el hallazgo de un hombre que los agentes de la División de Marina ya conocían.

—Una rata de agua llamada Weitzman —afirmó el capitán de una patrullera de pelo entrecano—. Y con el capitán de la goleta, un hijo de mala madre llamado Yatkowski, pasé algún rato que otro. Era contrabandista, si no se terciaba algo peor. De Yonkers.

La policía de Yonkers peinó la vieja ciudad ribereña en vano. Pero a la mañana siguiente, los restos del capitán flotaban a la deriva en Weehawken. Por entonces, los hombres de Van Dorn habían averiguado que el propietario de la goleta era un comerciante maderero, cuñado de Yatkowski. Sin embargo, el tipo afirmó que no tenía nada que ver con todo aquello y que había vendido el barco a Yatkowski el año anterior. Cuando le preguntaron si le constaba que el capitán usara la embarcación para llevar a fugitivos de una orilla a otra del río, el comerciante contestó que, en lo referente a su cuñado, cualquier cosa le parecía posible.

Como Bell dedujo en Ogden, el Saboteador había cambiado de táctica. En lugar de confiar en radicales entusiastas, estaba demostrando ser más partidario de contratar a criminales sin escrúpulos para que le hicieran el trabajo sucio a cambio de dinero contante y sonante.

—¿Alguno de esos hombres había utilizado explosivos para cometer sus delitos? —preguntaron al capitán de la patrullera.

—Por lo que parece, esta ha sido la primera vez —respondió el policía fluvial con una risita mal disimulada—; y no se han lucido que digamos, visto que los dos están hechos trizas.

—Una chica preciosa quiere verle, señor Bell.

Bell, que se encontraba en la agencia Van Dorn del hotel Knickerbocker, no levantó la mirada de su escritorio. Los tres teléfonos de candelero no paraban de sonar. Los mensajeros entraban y salían a toda prisa. Todos los investigadores se hallaban allí para redactar sus informes y en espera de nuevas órdenes.

—Estoy ocupado. Pásale la visita a Archie.

—Archie está en el depósito de cadáveres.

—Entonces despáchala.

Habían transcurrido cuarenta horas desde que la explosión sacudió el puerto de Nueva York. Los expertos de la Agencia de Explosivos de Estados Unidos, que trabajaban conjuntamente con los policías del ferrocarril, tras peinar la zona del sabotaje descubrieron una batería seca. El hallazgo les llevó a concluir que la detonación de la dinamita había sido ejecutada con gran pericia y mediante un dispositivo eléctrico. Pero Bell seguía sin tener pistas acerca de los tripulantes de la goleta fallecidos. ¿Habían hecho explotar la dinamita ellos o habían contado con la ayuda de un experto? Bell también se preguntaba si había sido el propio Saboteador quien había preparado el cableado para la explosión. ¿Estuvo a bordo de la gabarra? ¿Habría muerto? De no ser así, ¿estaba preparando el siguiente ataque?

—Yo recibiría a esa mujer si estuviera en su lugar —insistió el recepcionista de la agencia.

—La conozco. Es muy guapa y muy rica, sí. Pero no tengo tiempo.

—Pero es que viene con unos tipos que llevan una cámara de cine.

—¿Marion? —Bell echó un vistazo a través de la puerta.

La abrió de un empujón, abrazó a su prometida alzándola del suelo y la besó en la boca. Reparó en que llevaba un sombrero atado con un pañuelo que le tapaba un lado del rostro y se fijó, asimismo, en que no se había recogido el cabello, como acostumbraba, sino que se lo había dejado suelto y le cubría una mejilla.

—¿Qué haces aquí?

—Intento obtener unas imágenes del héroe, si me deja pillarlo, claro. Salgamos afuera, a la luz.

—¿El héroe? En todo caso, soy el héroe del sindicato de cristaleros. —Bell rozó con los labios la oreja de Marion y le susurró—: Y el único lugar en el que dejo que me pilles es en la cama.

—Primero hay que filmar al famoso detective que ha salvado a Nueva York.

—Que mi cara se vea en los cines no me ayudará a infiltrarme entre criminales.

—Te sacaremos de espaldas, solo la nuca; muy misterioso. Ven rápido o se irá la luz.

Bajaron por la escalinata del Knickerbocker, seguidos por los ayudantes de Bell, que le daban sus informes en voz baja y le hacían preguntas cuchicheando, y por el operador y los ayudantes de Marion, que llevaban a cuestas una cámara compacta Lumière, un trípode de madera y diversos estuches con los accesorios. En la acera, los obreros estaban cambiando las ventanas del Knickerbocker.

—¡Que se ponga allí! —El operador de cámara señaló una franja de acera iluminada por un rayo de sol.

—Aquí —dijo Marion—, para que puedan verse los cristales rotos detrás de él.

—Sí, señora.

Marion agarró a Bell por los hombros.

—Date la vuelta así.

—Parezco un paquete a punto para el reparto.

—Lo eres... un paquete maravilloso llamado «El detective del traje blanco». Veamos... Ahora señala hacia la ventana rota.

Bell oyó un tableteo de engranajes y bobinas a su espalda, el repiqueteo parecido a una máquina de coser de un mecanismo y el aleteo de la película.

—¿Qué quieres preguntarme? —dijo en voz alta Bell al tiempo que volvía ligeramente la cabeza por encima del hombro.

—Sé que estás muy ocupado. Por eso he escrito ya las respuestas que irán en el texto.

—¿Y qué digo?

—La agencia de detectives Van Dorn perseguirá al delincuente que atacó Nueva York hasta los confines de la tierra. Nunca nos rendimos. ¡Nunca!

—Yo no lo habría dicho mejor.

—Espera, vamos a poner una lente de aumento. Vale, ahora señala esa grulla que levanta el vuelo desde la ventana... Gracias. Ha quedado fantástico.

Bell se volvió para mirar a la sonriente Marion justo cuando una ráfaga de viento le revolvía el cabello suelto. Llevaba un vendaje.

—¿Qué te ha pasado en la cara?

—Cristales. Me encontraba en el ferry cuando la bomba explotó.

—¿Qué?

—No es nada.

—¿Te ha visto un médico?

—Claro. Ni siquiera quedará cicatriz. Y si queda, puedo dejar que la melena me tape este lado.

Bell estaba furioso. La noticia lo había afectado tanto que estaba fuera de sí. El Saboteador había estado a punto de matar a Marion. En el momento en que iba a perder el control, llegó corriendo del hotel un agente de Van Dorn que gesticulaba con los brazos para captar su atención.

—¡Isaac! Archie ha telefoneado desde el depósito de cadáveres de Manhattan. Cree que ha encontrado algo.

El médico forense del distrito municipal de Manhattan percibía un salario de tres mil seiscientos dólares al año, lo que le permitía disfrutar de los privilegios de la clase media, que incluían pasar los veranos en el extranjero. Durante uno de aquellos viajes había descubierto en París un sistema de identificación antropométrica, y había instalado en la morgue el instrumental necesario para ponerlo en práctica.

De una claraboya pendía una cámara suspendida que apuntaba con su lente al suelo, donde unas marcas de pintura indicaban una estatura en metros y centímetros. Había un cadáver en el suelo, muy bien iluminado bajo la claraboya. Bell vio que se trataba de un hombre, aunque las quemaduras y las contusiones le habían desfigurado el rostro. Tenía la ropa mojada. Desde la marca donde le habían situado los pies hasta la marca de la coronilla, medía un metro sesenta centímetros.

—Solo es un chino —dijo el médico forense—. Al menos, creo que lo es, a juzgar por sus manos, sus pies y el tono de la piel. Pero me han dicho que usted quiere ver a todos los ahogados.

—He encontrado esto en su bolsillo. —Abbott sostenía en alto un cilindro del tamaño de un lápiz con unos cables que salían como dos cabos cortos.

—Un detonador de fulminato de mercurio —dijo Bell—. ¿Dónde hallaron el cuerpo?

—Flotando más allá de Battery.

—¿Pudo ir a la deriva por el río, desde Jersey hasta la punta de Manhattan?

—Las corrientes son impredecibles —dijo el médico forense—. Entre la marea del océano y la corriente del río, los cadáveres pueden acabar en cualquier parte. ¿Cree que fue él quien provocó la explosión?

—Eso parece —dijo Abbott sin comprometerse al tiempo que dirigía una mirada inquisitiva a Bell.

—Gracias por llamarnos, doctor —dijo Bell, y salió de la morgue.

Abbott lo alcanzó en la acera.

—¿Por qué el Saboteador reclutó a un chino para su causa?

—No podremos saberlo hasta que descubramos quién era ese hombre.

—Eso será difícil... Tiene la cara destrozada.

—Tenemos que averiguar quién era. ¿Dónde trabajan los chinos en Nueva York?

—Principalmente en la manufactura de cigarros, en las tiendas de comestibles y, claro está, en las lavanderías.

—Ese hombre tiene muchas callosidades en los dedos y en las palmas de las manos —dijo Bell—, y eso significa que es probable que trabajara en una lavandería, con una plancha caliente y pesada.

—Pero hay un montón de lavanderías —dijo Archie—. Una por calle en los distritos obreros.

—Empieza por Jersey, donde la goleta estuvo amarrada y donde la gabarra de la Southern Pacific cargó su dinamita.

De repente, los acontecimientos se precipitaron. Uno de los detectives del ferrocarril de Jethro Watt recordó que había dado permiso a un chino con un saco enorme de lavandería que necesitaba entrar en el muelle.

—Me dijo que iba al *Julia Reidhead*, un bricbarca de acero que descargaba huesos.

El *Julia Reidhead* seguía fondeado, sin bien con los mástiles destrozados por la explosión. El capitán negó que llevara la ropa sucia a ninguna lavandería de tierra firme. Como su esposa iba con él a bordo, era ella quien se ocupaba. Luego, el registro del capitán del puerto reveló que la goleta de madera de Yatkowski había estado amarrada junto al *Julia Reidhead* esa tarde.

Los detectives de Van Dorn encontraron a unos estudiantes misioneros que aprendían chino en un seminario de Chelsea y los contrataron como traductores. De ese modo, pudieron intensificar la búsqueda de la lavandería en la que el fallecido había trabajado. Archie Abbott regresó al hotel Knickerbocker con una sonrisa triunfal.

—Se llamaba Wong Lee. Los que le conocían decían que había trabajado para el ferrocarril. En el Oeste.

—Haciendo voladuras en las montañas —dijo Bell—. Claro. Allí aprendió el oficio.

—Probablemente llevaba unos veinte o veinticinco años aquí —dijo Abbott—. Muchos chinos huyeron de California para escapar de las turbas enfurecidas.

—¿Su jefe nos ha contado esa historia para que suene convincente y así poder librarse cuanto antes del detective blanco?

—Wong Lee ya no era un empleado suyo. En realidad, le había comprado la mitad del negocio.

—Es decir, que el Saboteador le pagó bien —afirmó Bell.

—Muy bien y, además, por adelantado. La cantidad hubo de ser lo bastante sustanciosa para permitirle adquirir parte de un negocio. Es de admirar lo emprendedor que era ese hombre. ¿Cuántos trabajadores resistirían la tentación de gastárselo todo en vino y en mujeres…? Isaac, ¿por qué me miras de esa manera?

—¿Cuándo?

—Cuándo ¿qué?

—¿Cuándo adquirió Wong Lee la mitad del negocio de la lavandería?

—En febrero.

—¿En febrero? ¿Dónde consiguió el dinero?

—El Saboteador se lo dio, claro. Cuando lo contrató. ¿De dónde iba a sacar tanto dinero un pobre chino que trabaja en una lavandería?

—¿Estás seguro de que fue en febrero?

—Absolutamente. Su antiguo jefe me dijo que fue justo después del Año Nuevo chino. Eso encaja con los hábitos del Saboteador, ¿no? Planifica con mucha antelación.

Isaac Bell apenas podía contenerse.

—Wong Lee adquirió su participación en la lavandería en febrero. Pero hasta noviembre Osgood Hennessy no cerró el trato que mantenía en secreto. ¿Cómo sabía el Saboteador en febrero que la línea de ferrocarriles Southern Pacific obtendría la licencia para entrar en Nueva York en noviembre?

28

—De alguna manera, el Saboteador se enteró del trato —respondió Abbott.

—¡No! —exclamó al instante Bell—. Osgood Hennessy sabía que tenía que hacerse en secreto con una participación dominante en la línea central de ferrocarriles de New Jersey, si no quería que sus rivales se lo impidieran. Nadie se entera de las intenciones de ese viejo zorro hasta que él lo decide.

Bell agarró el primer teléfono que tenía a mano.

—¡Reserva dos compartimientos contiguos en el tren semidirecto *Siglo XX*, con transbordo en San Francisco!

—¿Estás diciendo que el Saboteador tiene acceso a la Southern Pacific? —preguntó Archie.

—De alguna manera, sí —respondió Bell, que cogió el abrigo y el sombrero—. Si no es así, algún tonto metió la pata. O puede que un espía pasara información deliberadamente sobre los planes del presidente de la Southern Pacific. En cualquier caso, ese hombre no es un desconocido para el círculo de Hennessy.

—Quizá forma parte de su propio círculo.

Abbott aceleró el paso para salir con Bell de la agencia.

—Sin duda se mueve en las altas esferas. Archie, dejo a tu cargo cerrar la operación de Jersey. Traslada a todos los hombres que puedas al Atajo de las Cascadas. Después de haber fracasado en Nueva York, me apuesto lo que quieras a que ese es el próximo objetivo del Saboteador. Reúnete conmigo lo antes posible.

—¿Quién pertenece al círculo de Hennessy? —preguntó Archie.

—Tiene banqueros en su junta de dirección. Tiene abogados. Y su tren especial cuenta con varios pullman llenos de ingenieros y superintendentes que se encargan de dirigir las obras del atajo.

—Tardaremos años en investigarlos a todos.

—No disponemos de tanto tiempo —dijo Bell—. Empezaremos por Hennessy. Cuéntale lo que sabemos y a ver si se le ocurre alguien.

—No le haré esta pregunta por telégrafo —dijo Archie.

—Por eso voy hacia el Oeste. Por lo que sabemos, el espía del Saboteador podría ser un telegrafista. Tengo que hablar con Hennessy en persona.

—¿Por qué no fletas un tren especial?

—Porque el espía del Saboteador podría descubrirlo y sospechar que tramamos algo. No me compensa el día de ventaja que ganaría con ello.

Abbott sonrió.

—Por eso has reservado dos compartimientos contiguos. Muy listo, Isaac. Parecerá que el señor Van Dorn te ha retirado del caso y te ha asignado otra misión.

—¿De qué estás hablando?

—De un servicio de guardaespaldas —contestó inocentemente Archie—. Para una determinada dama que hace documentales para el cine y que regresa a su hogar, a California.

La huelga de los telegrafistas de San Francisco tuvo un mal final para el propio sindicato. La mayoría de los participantes regresó al trabajo, pero algunos telegrafistas y técnicos encargados del tendido, resentidos por tácticas empresariales despóticas, cortaron cables e incendiaron oficinas de telégrafo. Entre esos renegados había una banda que halló en el Saboteador a su nuevo líder, un personaje misterioso que se comunicaba con ellos a través de mensajes y que les dejaba dinero en las consignas de las estaciones. Siguiendo sus órdenes, se centraron en interrumpir el sistema telegráfico a nivel nacional. En el momento oportuno, el Saboteador aislaría a Osgood Hennessy de sus banqueros.

Los técnicos del tendido que trabajaban para él usaban la vieja táctica de la guerra de Secesión que consistía en cortar los cables del telégrafo y volver a conectar sus extremos a otros cables periféricos para que los empalmes no se detectaran a simple vista desde el suelo. Se necesitarían varios días para restablecer las comunicaciones. Como California y Oregón todavía no estaban conectados con los estados del Este por teléfono, el telégrafo seguía siendo el único sistema de comunicación intercontinental. Cuando el Saboteador estuviera preparado, se hallaría en disposición de lanzar un ataque coordinado que haría que el Atajo de las Cascadas volviera a la situación en que se encontraba cincuenta años antes, en los tiempos en que los medios más rápidos de transmisión de información eran las diligencias correo y el servicio del Pony Express.

En el ínterin, el Saboteador destinaba a los telegrafistas descontentos a otros usos.

El ataque a la Southern Pacific en Nueva York había sido un desastre. Isaac Bell, con sus detectives y la policía del ferrocarril, transformó lo que habría sido un golpe de gracia contra la compañía casi en una victoria. Sus esfuerzos por desacreditar el negocio de Hennessy habían fracasado. Y después de ese ataque, la agencia de Van Dorn se había movido con gran rapidez, al tiempo que conspiraba con los periódicos para describir al presidente de la línea de ferrocarriles como un héroe.

Un accidente sangriento cambiaría las cosas.

Los ferrocarriles se encargaban del mantenimiento de su propio sistema telegráfico para que los trenes siguieran circulando con rapidez y seguridad. Las líneas de vía única, que seguían siendo mayoría, se dividían en secciones que se regían por unas normas de acceso estrictas. El tren que estaba autorizado a permanecer en una sección tenía derecho de paso. Solo tras haber salido de ella, o si se hallaba estacionado en una vía secundaria, se permitía que otro convoy accediera. La notificación de que un determinado tren había salido de una sección se comunicaba por telégrafo. Las órdenes de estacionar en una vía secundaria se enviaban por telégrafo. El acuse de recibo de esas órdenes se hacía por medio del telégrafo. Y el hecho de que un tren estuviera estacionado en una vía secundaria tenía que confirmarse por telégrafo.

Sin embargo, los telegrafistas del Saboteador podían interceptar órdenes, detener trenes y cambiarlos de vía. El asesino había provocado ya un choque de convoyes con ese método. Un vagón de cola en el Atajo de las Cascadas había ocasionado que un tren de materiales se incrustara en un furgón de obreros con un balance final de dos ferroviarios muertos.

Un accidente más sangriento todavía anularía la supuesta victoria de Isaac Bell.

¿Y qué podía haber más sangriento que dos locomotoras con vagones repletos de obreros que chocaran de frente? Cuando el tren en el que viajaba hacia San Francisco se detuvo en Sacramento, el Saboteador comprobó que en la consigna hubiera una bolsa con órdenes y un generoso sobre de dinero en efectivo. A continuación, envió por correo un billete a un ex sindicalista resentido llamado Ross Parker.

—Buenas noches, señorita Morgan.

—Buenas noches, señor Bell. La cena ha sido deliciosa, gracias.

—¿Quiere que la ayude con la puerta?

—Se lo agradezco, pero no será necesario.

Cinco horas después de que los pasajeros desfilaran por la famosa alfombra roja de la Gran Estación Central para subir a bordo, el tren *Siglo XX* circulaba a toda velocidad por las llanuras del oeste de Nueva York a ciento treinta kilómetros por hora. Uno de los mozos del pullman apartó la mirada con discreción y siguió caminando por el estrecho pasillo, al tiempo que recogía los zapatos que los pasajeros habían dejado antes de acostarse para que les sacaran lustre.

—Bien, buenas noches entonces.

Marion entró en su compartimiento y cerró la puerta. En cuanto lo hizo, Bell ocupó el suyo. Se puso una bata de seda, sacó el cuchillo arrojadizo de una de sus botas y las dejó en el pasillo. Una botella de Mumm se enfriaba en el interior de una cubitera; el hielo temblaba con un tintineo musical a causa del traqueteo del veloz tren. Bell envolvió la botella helada con una servilleta de hilo y la ocultó tras la espalda.

En ese momento alguien llamó con suavidad a la puerta interior, y fue a abrir.

—¿Sí, señorita Morgan?

Marion estaba de pie, vestida con un camisón, con su reluciente cabello cayéndole por los hombros, una mirada traviesa y una sonrisa radiante.

—Me preguntaba si podría ofrecerme una copa de champán.

Más tarde, hablando entre susurros, el uno junto al otro, mientras el *Siglo XX* avanzaba en plena noche a una velocidad vertiginosa, Marion preguntó:

—¿Es cierto que ganaste un millón de dólares jugando a póquer?

—Más o menos. Pero la mitad del dinero era mía.

—Eso lo deja en medio millón. ¿Qué vas a hacer con él?

—Pensaba comprar la mansión Cromwell.

—¿Para qué?

—Para ti.

Marion se quedó mirándolo, desconcertada e intrigada. Quería saber más.

—Sé lo que estás pensando —dijo Isaac—. Y quizá tienes razón. Puede que esté llena de fantasmas. Aunque un anciano con el que jugué a las cartas me contó que suele dar un cartucho de dinamita a su mujer para que disfrute volviendo a decorar la casa.

—¿Dinamita? —Marion sonrió—. No lo descarto. Me encanta esa casa por fuera, pero por dentro nunca pude soportarla. Era tan fría como su propietario... Isaac, he notado que antes te estremecías. ¿Estás herido?

—No.

—¿Qué es esto? —Marion le tocó un gran moretón amarillento que tenía en el costado, y Bell retrocedió a su pesar.

—Solo un par de costillas.

—¿Rotas?

—No, no, no... Con fisuras únicamente.

—¿Qué pasó?

—Me topé con un par de boxeadores en Wyoming.

—¿Cómo es que te queda tiempo para las peleas si andas tras el Saboteador?

—Él les pagó.

—Ah —exclamó ella con un hilo de voz. Y entonces sonrió—. Te han dado en la narizota. ¿Significa eso que estás acercándote a tu presa?

—Veo que te acuerdas. Sí, fue la mejor noticia que recibí en toda la semana. El señor Van Dorn cree que tenemos a ese hombre bajo control.

—Pero tú no...

—Mantenemos en estrecha vigilancia las líneas de ferrocarril de Hennessy. Tenemos el retrato que dibujó el leñador. Y muy buenos profesionales en el caso. Ya saldrá algo. La cuestión es que salga antes de que el Saboteador ataque de nuevo.

—¿Has estado practicando esgrima? —preguntó ella medio en serio, medio en broma.

—He tomado clases a diario en Nueva York —le contó Bell—. Mi viejo maestro de esgrima me puso en contacto con un oficial de la Marina que era muy bueno. Un espadachín brillante. Aprendió en Francia.

—¿Le venciste?

Bell sonrió y sirvió a Marion otra copa de champán.

—Podríamos decir que el teniente de navío Ash sacó lo mejor de mí.

James Dashwood había llenado su cuaderno con una larga lista de más de cien nombres de herrerías, establos, garajes y talleres de maquinaria. Había visitado todos aquellos lugares por si alguien reconocía el personaje del dibujo del leñador. Desanimado, y cansado de que le mencionaran a Broncho Billy Anderson, telegrafió al señor Bell para informarle de que había peinado cada ciudad, pueblo y aldea del condado de Los Ángeles, de norte a sur desde Glendale hasta Huntington Park, pasando por Montebello, al este.

Ni un solo herrero, mecánico o empleado de taller reconoció al hombre del dibujo, ni admitió, por supuesto, haber hecho un gancho a partir de un ancla.

«Hacia el oeste, muchacho —le telegrafió Bell—. Y que nada te detenga.»

De manera que Dashwood cogió el tranvía rojo de Santa Mónica, en la costa del Pacífico, al atardecer del día siguiente. Desperdició unos minutos, cosa nada habitual en él, deambulando por el paseo marítimo de Venice. El aire olía a salitre, y se fijó en unas chicas que estaban en la orilla, donde rompían las olas. Dos de ellas, que llevaban sendos trajes de baño de colores vivos y enseñaban las piernas casi hasta la rodilla, corrieron hacia la manta que habían extendido en la arena junto a un bote de salvamento listo para ser deslizado hasta el agua. A pesar de la calina, Dashwood observó que había otra embarcación similar a unos ochocientos metros. En ambos botes, se dijo, debía de haber un ancla debajo de la lona que los cubría. Se reprochó no haber pensado antes en Santa Mónica, irguió sus escuálidos hombros y apretó el paso hasta el pueblo.

El primer lugar que visitó fue un establo, uno de los muchos donde alquilaban caballos. Era una estructura de madera lo bastante grande para dar cobijo a todo un surtido de calesas y carretas de alquiler, con compartimientos para un gran número de animales de tiro. También había una sección nueva de taller mecánico con llaves inglesas, engrasadoras y un polipasto de cadena para levantar motores. Dashwood vio cerca de allí un grupo de hombres que charlaban sentados. Eran mozos de cuadra y mecánicos de coches, y también había un fornido herrero. A esas alturas, James Dashwood ya no se dejaba intimidar por tipos como aquellos.

—¿Caballo o coche, chico? —le gritó uno de los hombres.

—Herraduras —contestó James.

—Ahí tienes al herrero. Es para ti, Jim.

—Buenas tardes, señor —dijo James.

El herrero no parecía estar de buen humor. Para lo corpulento que era, pensó, tenía el rostro enjuto. Y los ojos enrojecidos, como si no hubiera dormido bien.

—¿Qué puedo hacer por ti, muchacho?

Dashwood había aprendido ya que debía llevar a cabo sus interrogatorios en privado. Luego enseñaría el dibujo al grupo. Pero si empezaba a dar explicaciones delante de todos, aquellos hombres se enzarzarían en una discusión que acabaría pareciendo una bronca de taberna.

—¿Podemos ir afuera? Quiero mostrarle algo.

El herrero encogió sus caídos hombros, se levantó de la caja sobre la que estaba sentado y siguió a James Dashwood a la calle, hasta un surtidor de gasolina recién instalado.

—¿Dónde está tu caballo? —preguntó el herrero.

Dashwood le tendió la mano.

—Yo también me llamo Jim. Bueno, me llamo James Dashwood.

—Pensaba que querías herraduras.

—¿Reconoce a este hombre?

Dashwood sostuvo frente a él el retrato con barba del Saboteador. Observó la reacción del herrero y, para su sorpresa, este retrocedió. Su rostro tenía una expresión sombría.

A Dashwood le dio un vuelco el corazón. Era el herrero que había fabricado el gancho que hizo descarrilar al semidirecto de la línea costera. Ese hombre había visto al Saboteador.

—¿Quién eres? —preguntó el herrero.

—Soy investigador de la agencia Van Dorn —dijo James.

De repente, se encontró tumbado de espaldas en el suelo mientras el herrero echaba a correr a toda velocidad por un callejón.

—¡Deténgase! —gritó Dashwood, al tiempo que se ponía en pie de un salto y se lanzaba a correr tras él.

El herrero era rápido y sorprendentemente ágil para tratarse de un hombre tan corpulento. Doblaba las esquinas como si avanzara sobre raíles, y tampoco frenaban su carrera los callejones ni los patios traseros que fue atravesando. Se llevó por delante la ropa colgada en los tendederos y esquivó casetas de madera, cobertizos de herramientas y jardines. Sin embargo, Dashwood, que era mucho más joven y no fumaba ni bebía, ganó terreno cuando Jim retomó la calle.

—¡Deténgase! —seguía gritando, a escasos metros ya del herrero.

Pero no hubo un solo transeúnte que se sintiera tentado a interponerse en el camino de un hombretón como aquel. Y tampoco había ni un policía ni un vigilante a la vista.

Dashwood le dio alcance delante de una iglesia presbiteriana que había en una calle arbolada. En la acera había tres hombres de mediana edad vestidos con traje: el sacerdote, con su alzacuellos; el director del coro, con unas partituras en la mano, y el diácono, con los libros de contabilidad de la congregación bajo el brazo. El herrero pasó como un relámpago junto a ellos. James le pisaba ya los talones.

—¡Deténgase!

Cuando estaba tan solo a medio palmo de él, el joven detective se abalanzó sobre su presa. Se golpeó la barbilla contra el talón del herrero, pero aun así, logró rodearle los tobillos con sus delgados brazos. Cayeron de bruces en la acera, rodaron hasta un prado y se pusieron en pie con dificultad. James se quedó colgando del brazo del herrero, que era tan grueso como su propio muslo.

—Ahora que lo has atrapado —dijo el diácono—, ¿qué vas a hacer con él?

Dashwood no tuvo tiempo de responder, porque el herrero lo derribó de un puñetazo. Cuando volvió en sí, estaba echado sobre la hierba, y los tres hombres trajeados lo observaban con curiosidad.

—¿Adónde ha ido? —dijo James.

—Escapó.

—¿Hacia dónde?

—Hacia donde le ha dado la gana, supongo. ¿Estás bien, hijo?

James Dashwood se levantó del suelo como bien pudo. A continuación, se limpió la sangre del rostro con un pañuelo que su madre le había regalado cuando se mudó a San Francisco para trabajar en la agencia de detectives Van Dorn.

—¿Alguno de ustedes conoce a ese hombre?

—Creo que es herrero —contestó el director del coro.

—¿Dónde vive?

—No lo sé.

—¿Por qué no dejas correr lo que sea que haya pasado entre los dos, hijo? —dijo el sacerdote—. No vayas a salir malparado de esta.

Dashwood volvió tambaleándose al establo. El herrero no estaba allí.

—¿Por qué habrá salido huyendo Jim? —preguntó el mecánico.

—No lo sé. Dígamelo usted.

—Últimamente se comporta de una manera extraña —dijo un mozo de cuadra.

—Ha dejado de beber —comentó otro.

—Debe de ser por eso —dijo otro más, y se echó a reír.

—Las damas de la iglesia se han cobrado otra víctima. Pobre Jim. Ningún hombre está a salvo en las calles cuando la Unión Femenina de Abstinencia Cristiana celebra una reunión.

Dicho lo cual, mozos y mecánicos entonaron una canción que a James no le sonaba, pero que todos parecían conocer:

En la cena de abstinencia
agua en vaso largo,
con café y té de postre,
y al que convida... ni caso.

James sacó otra copia del dibujo.

—¿Reconocen a este hombre?

Todos respondieron a coro que no. El detective esperaba que hicieran mención a Broncho Billy, pero a la vista estaba que ninguno de ellos iba al cine.

—¿Dónde vive Jim? —preguntó.

Nadie quiso decírselo.

James Dashwood fue a las oficinas del Departamento de Policía de Santa Mónica, donde un viejo agente lo acompañó al despacho del jefe. Era un caballero de unos cincuenta años, bien educado, vestido con un traje oscuro y con el cabello muy corto por los lados, conforme a la moda. Dashwood se presentó. El jefe de policía se mostró cordial y le dijo que se alegraba de poder ayudar a un investigador de Van Dorn. Le informó del nombre completo del herrero: Jim Higgins. Y añadió que vivía en una habitación de alquiler encima de los establos. Cuando Dashwood le preguntó dónde habría podido ocultarse, el jefe respondió que no tenía la menor idea.

Dashwood se dirigió a continuación a la oficina de la Western Union para enviar su informe por telégrafo a la agencia de Sacramento, con el objeto de que Isaac Bell lo recibiera allá donde se encontrara. Cuando anocheció, se dedicó a recorrer las calles con la esperanza de ver al herrero. A las once salía el último tranvía hacia Los Ángeles, y decidió alquilar una habitación en un hotel de turistas en lugar de regresar a la ciudad. Quería reanudar la búsqueda a la mañana siguiente.

Un jinete solitario, montado en un caballo zaino de pelo brillante, cabalgaba por la cresta de una colina desde la que se divisaba un apartado tramo de vía única de la Southern Pacific, justo al sur de la frontera de Oregón. Tres hombres vieron su perfil recortado sobre el cielo, de un azul intenso. Se hallaban junto a un poste de telégrafo encajado entre la vía y un granero abandonado con el tejado de zinc. El cabecilla se quitó el sombrero de ala ancha y trazó un círculo con lentitud por encima de su cabeza.

—¡Eh, oye! ¿Qué estás haciendo, Ross? No lo saludes como si lo invitaras a acercarse.

—No estoy saludándolo —contestó Ross Parker—. Estoy despidiéndolo.

—¿Y ese cómo diantre va a conocer la diferencia?

—Monta como un vaquero. Y un vaquero conoce perfectamente la señal de los ladrones de ganado: «Mete las narices en tus propios asuntos y pon tierra de por medio».

—Nosotros no somos cuatreros. Ni siquiera hemos visto ganado.

—El principio es el mismo. A menos que estemos delante de un imbécil, ese hombre nos dejará tranquilos.

—¿Y si no es así?

—Le volaremos la cabeza.

Mientras Ross explicaba las señales a Andy, que vivía en San Francisco, el jinete hizo volverse al animal y se perdió de vista tras la cresta de la colina. Los tres hombres reanudaron enseguida su trabajo, y Ross ordenó a Lowell, el técnico encargado del tendido, que trepara al poste con dos cables largos que habían conectado a la clavija del telégrafo de Andy.

Si el jinete se hubiera acercado más, habría visto que aquellos hombres tenían demasiadas armas. Habían pasado varias décadas desde el último ataque de los indios. No obstante, Ross Parker todavía llevaba una pistolera en la cadera con un revólver del calibre 45 y tenía un rifle Winchester en la silla de montar. Lowell, por su parte, llevaba colgada en bandolera una escopeta recortada de doble cañón y doble gatillo como las que solían utilizar los conductores de las diligencias. Incluso el joven de ciudad, el telegrafista Andy, guardaba en el cinto un revólver del calibre 38. Habían atado los caballos a la sombra de una arboleda tras cabalgar hasta allí a campo través en lugar de ir en una vagoneta por la vía.

—¡Aguarda ahí! —ordenó Ross a Lowell—. Esto no puede tardar.

Ross y Andy esperaron junto al viejo granero, al sol y al abrigo del viento.

Transcurrió casi una hora hasta que la clavija de Andy empezó a repiquetear. Lowell se unió a ellos. Habían interceptado las órdenes que daba un controlador de trenes al operador de Weed, al norte de su posición.

—¿Qué dice? — preguntó Ross.

—El controlador envía las órdenes para el tren al operario de Weed. Le pide que haga señales al tren de carga que va al sur para que tome la vía secundaria en Azalea.

Ross comprobó la hoja con los horarios.

—Vale. El tren de obreros que va al norte pasará por la vía secundaria de Azalea dentro de media hora. Cambia las órdenes y da autorización al convoy de carga que se dirige al sur. Notifícale que tiene vía libre hacia Dunsmuir.

Andy hizo lo que se le ordenaba y alteró el orden de los trenes. Informó al tren de carga que iba hacia el sur de que tenía vía libre cuando, de hecho, un convoy de vagones con obreros avanzaba raudo hacia el norte. Andy, que era un telegrafista experimentado, imitó el pulso del controlador de Dunsmuir para que el operario de Weed no se diera cuenta de que era otro hombre quien accionaba la clavija.

—Vaya, vaya… Quieren saber lo que ha pasado con el tren regular que va al norte.

Los trenes regulares tenían autorización preferente respecto a los extraordinarios.

Ross estaba preparado para incidentes como aquel. Y ni siquiera se molestó en abrir los ojos.

—Diles que el tren regular que va hacia el norte acaba de transmitir por telegráfono que está estacionado en la vía secundaria de Shasta Springs con un cojinete de una rueda motriz quemado.

El falso mensaje daba a entender que, tras estacionar el tren averiado, los ferroviarios habían alcanzado los cables del telégrafo, utilizando un artilugio de cinco metros parecido a una caña de pescar que llevaban en el furgón de cola, y que habían conectado un telegráfono portátil para establecer una comunicación rudimentaria de voz.

El operador de Weed aceptó la explicación de Andy y transmitió a su vez las órdenes falsas de este, que harían que los dos trenes se desviaran de su rumbo y colisionaran.

—Sube, Lowell —ordenó Ross, que aún mantenía los ojos cerrados—. Arranca los cables. Hemos terminado.

—Lowell está detrás del granero —dijo Andy—. Ha ido a desaguar.

—Qué fino.

Las cosas marchaban exactamente como las habían planeado, hasta que un rifle asomó por un lado del granero y encañonó con decisión al telegrafista.

29

—Anula el mensaje que acabas de enviar —dijo alargando las palabras el tipo del rifle.

El telegrafista alzó los ojos y miró con incredulidad al hombre que lo apuntaba. Tenía el semblante serio y rasgos de halcón. A su espalda había un caballo zaino de pelo brillante y más quieto que una estatua.

Era uno de los investigadores de Van Dorn, Walt Hatfield, a quien todos llamaban Texas.

—Y por si te lo estabas preguntando, te diré que conozco el morse. Cambia una sola palabra y te vuelo la cabeza. Ya enviaré yo luego ese telegrama. En cuanto a usted —dijo Hatfield a Ross Parker, que con gran sigilo se llevaba la mano a la pistolera—, no cometa ningún error o perderá para siempre la oportunidad de volver a equivocarse.

—Sí, señor —dijo Ross, y levantó las manos.

Además del Winchester que apuntaba a la cabeza de Andy, aquel tejano tan alto llevaba dos pistolas de seis balas en unas cartucheras que colgaban de sus caderas. Quizá no fuera pistolero, pero sin duda vestía como tal.

También Andy optó por obedecerle, y telegrafió la anulación de la orden falsa.

—Y ahora, sabandijas, transmitid los mensajes que interceptasteis.

Andy notificó al tren extraordinario que se dirigía hacia el sur que debía esperar en la vía secundaria de Azalea mientras pasaba el convoy de obreros que se dirigía al norte.

—Eso está mejor —dijo despacio Hatfield—. No podemos permitir que dos locomotoras se den un topetazo, ¿verdad?

Su sonrisa resultaba tan agradable como su manera de hablar. Sus ojos, en cambio, atemorizaban.

—Y ahora, caballeros, díganme quién les ha pagado para cometer semejante vileza.

—Suelta eso.

Lowell, el técnico del tendido, había salido por detrás del granero con el arma de cañón recortado.

Walt Hatfield estaba seguro de que aquel tipo no dudaría en dispararle con su escopeta de doble cañón, de no ser porque sus compinches estaban cerca y podría herirlos accidentalmente con el primer perdigonazo. Era un estúpido, se dijo, porque tendría que haber sospechado que habría un tercer hombre encaramado al poste.

Obedeció y soltó el rifle. Los tres saboteadores desviaron momentáneamente la mirada, siguiendo el sonido metálico del acero al impactar contra la piedra.

Hatfield aprovechó el descuido. Se volvió y desenfundó sus pistolas de seis balas a velocidad de vértigo. Alcanzó a Lowell con tanta puntería que el proyectil le atravesó el corazón. Al tiempo que Lowell caía, Hatfield disparó los dos gatillos de la escopeta, y una descarga doble de perdigones de plomo perforó al telegrafista.

Ross corrió hacia su caballo, y mientras Hatfield se apresuraba a recuperar su rifle, que estaba bajo el cuerpo de Andy, se alejó al galope. Hatfield disparó su arma manchada de sangre. Pensó que la bala había rozado a Ross porque vio que este se tambaleaba en la silla. Aun así, el sindicalista logró ocultarse entre los árboles.

—¡Maldición! —musitó Hatfield.

Aquellos dos tipos que yacían a sus pies no podrían hablarle ya del Saboteador. De un salto, montó sobre su caballo.

—¡Rastrea! —gritó con una voz atronadora, y el poderoso animal salió al galope.

Marion Morgan se despidió en Sacramento de Isaac Bell con un beso. Ella proseguía el viaje hacia San Francisco mientras que él cambiaría de convoy al norte para dirigirse al Atajo de las Cascadas. «No recuerdo haber disfrutado nunca tanto viajando en tren», dijo Marion a Isaac cuando se separaron.

Doce horas después, el tren de Bell entraba pesadamente en el patio de maniobras de la estación de Dunsmuir. El investigador contó con alivio un buen número de policías del ferrocarril apostados en los cambios de agujas, el depósito de locomotoras y las oficinas de los controladores. Ya en la estación, habló con un par de agentes de Van Dorn con traje oscuro y sombrero derby, y estos lo llevaron de inspección a los diversos puntos de control establecidos. Satisfecho con los resultados, Bell les preguntó dónde podía encontrar a Texas Walt Hatfield.

La avenida Sacramento era la calle principal de Dunsmuir. Estaba cubierta de barro y surcada por las roderas de las calesas. A un lado había casas y tiendas de madera, y la acera consistía en una estrecha orilla de tablones. En el otro lado de la avenida había cobertizos y almacenes, así como vías de la Southern Pacific y postes de telégrafo y electricidad. También se encontraba allí el hotel, un edificio de dos plantas con porches orientados a la calle. Bell encontró a Hatfield en el vestíbulo. Texas bebía whisky de una taza; llevaba un apósito en la ceja, y el brazo derecho en cabestrillo.

—Lo siento, Isaac. Te he fallado.

Le contó a Bell que mientras estaba haciendo la ronda a caballo entre los puntos que había establecido a lo largo de aquella línea vulnerable, vio lo que desde lejos le pareció un intento de sabotaje al tendido del telégrafo.

—Al principio pensé que aquellos tipos estaban cortando los cables, pero cuando me acerqué, me di cuenta de que habían conectado una clavija, y comprendí que estaban interceptando las órdenes enviadas a algún tren con la intención de provocar un accidente.

Hatfield se removió incómodo en la silla, dolorido como estaba de los pies a la cabeza.

—En un primer momento creí que solo eran dos —admitió Hatfield—. Olvidé que tendrían al técnico subido a un poste. Ese hombre sacó el arma antes que yo. Conseguí salir del atolladero, pero por desgracia los otros dos murieron en la pelea. El tercero huyó a toda velocidad. Supuse que debía de ser el jefe, y salí al galope tras él, convencido de que podría contarnos muchas cosas sobre el Saboteador. Le disparé con el rifle y la bala le pasó rozando, pero no bastó para detenerlo. Y luego ese diablo le dio a mi caballo cuando le perseguía.

—Quizá te apuntaba a ti…

—Lo siento mucho, Isaac. Me siento como un imbécil.

—A mí también me pasaría —dijo Bell al tiempo que sonreía—. Pero no olvidemos que impediste una colisión frontal entre dos trenes, y uno de ellos iba repleto de trabajadores.

—Esa serpiente de cascabel sigue mostrando los colmillos —replicó Hatfield, visiblemente disgustado—. Detener al Saboteador no es atraparlo.

Era cierto, y Bell lo sabía. Pero al día siguiente, cuando se encontró con Osgood Hennessy en la cabeza de la línea del Atajo de las Cascadas, el presidente de la Southern Pacific supo ver el lado bueno del asunto, en parte porque la construcción avanzaba con un ruido infernal cumpliendo los plazos previstos. El último de los túneles largos en la ruta del puente del cañón de las Cascadas, el túnel número trece, casi estaba perforado del todo.

—Hemos vencido en casi todos los asaltos —se regocijaba Hennessy—. Lo de Nueva York fue terrible, pero aunque las cosas salieron mal, todos coinciden en que habría podido ser peor. La Southern Pacific ha resultado bien parada. Ahora sus chicos han evitado una colisión catastrófica, y acaba de decirme que se está estrechando el cerco en torno al herrero que hizo el gancho con el que el Saboteador descarriló el tren semidirecto de la línea costera.

Bell le transmitió a grandes rasgos el informe de Dashwood, y le contó que el herrero huido debía de tener información sobre el gancho y, por consiguiente, también sobre el Saboteador. Bell había ordenado a Larry Sanders que apoyara plenamente a Dashwood desde la agencia de Los Ángeles para dar caza al herrero, que había desaparecido sin dejar rastro. Con el despliegue de la agencia Van Dorn, ese hombre no tardaría en caer.

—El herrero podría conducirlos directamente al Saboteador —dijo Hennessy.

—Eso espero —contestó Bell.

—Me da la impresión de que tienen acorralado a ese asesino, y no creo que le quede tiempo para meterse en problemas, si anda huyendo de ustedes.

—Ojalá tenga razón, señor. Pero no debemos olvidar que el Saboteador es un hombre de recursos. Y hace sus planes con mucha, mucha anticipación. Ya hemos averiguado que contrató a su cómplice del ataque de Nueva York hace un año. Por esa razón he cruzado el continente… Debo hacerle una pregunta cara a cara.

—¿Cuál es?

—Le aseguro, señor, que nuestra conversación será confidencial. En contrapartida, debo pedirle que sea absolutamente sincero conmigo.

—Eso me quedó claro desde el principio —gruñó Hennessy—. ¿Qué diablos quiere preguntarme?

—¿Quién podía estar enterado de sus planes de hacerse con el control mayoritario de la línea central de ferrocarriles de New Jersey?

—Nadie.

—¿Nadie? ¿Ni un abogado, ni un banquero?

—Tuve que mantener la jugada en secreto.

—Pero sin duda una maniobra tan compleja requiere de la ayuda de diversos expertos.

—La información que fui facilitando a cada abogado y cada banquero fue parcial; cada uno conoció una parte, aquella de la que debía ocuparse. Si hubiera corrido la voz, J. P. Morgan y

Vanderbilt habrían caído sobre mí como un corrimiento de tierras. Cuanto mayor fuera el secretismo en torno al tema, más fácil me resultaría echar el lazo a la línea central de New Jersey.

—Es decir, que ni uno solo de sus abogados o sus banqueros conocía la totalidad del plan.

—Correcto. Claro que… —reflexionó Hennessy— alguien con un gran instinto habría podido ver que dos y dos suman cuatro.

Bell sacó su cuaderno de notas.

—Dígame, por favor, quiénes son esos banqueros y abogados con suficientes conocimientos para hacerse una idea de sus intenciones.

Hennessy le soltó a bocajarro cuatro nombres, e hizo hincapié en que, de todos ellos, solo dos habrían sido capaces de atar cabos. Bell anotó aquellos nombres.

—¿Compartía información acerca del acuerdo inminente con los ingenieros y los superintendentes que se encargarían de la nueva línea?

Hennessy titubeó.

—Hasta cierto punto. Pero, como ya le he dicho, solo les di la información necesaria para tenerlos al corriente.

—¿Puede facilitarme los nombres de los que podrían haberse valido de esa información para conocer sus intenciones?

Hennessy mencionó a dos ingenieros. Bell tomó nota en su cuaderno y lo guardó.

—¿Lo sabía Lillian?

—¿Lillian? Por supuesto. Pero ella no se iría de la lengua.

—¿Y la señora Comden?

—Igual que Lillian.

—¿Hizo partícipe de sus planes al senador Kincaid?

—¿A Kincaid? ¡Está de broma! Claro que no. ¿Por qué habría de contarle eso?

—Para obtener su ayuda en el Senado.

—Él me ayuda cuando se lo digo. Sin más preámbulos.

—¿Por qué ha dicho «claro que no»?

—Porque ese hombre es idiota. Cree que no sé que anda tras de mí con la intención de hacer la corte a mi hija.

Bell envió un telegrama a Van Dorn para solicitarle un mensajero. Cuando este llegó, le entregó una carta sellada, dirigida a la agencia de Sacramento, en la que ordenaba que se procediera a la investigación inmediata del ingeniero jefe de la Southern Pacific, de Lillian Hennessy, de la señora Comden, de dos banqueros, de dos abogados y del senador Charles Kincaid.

30

Un tren que se dirigía al sur se hallaba detenido en una vía secundaria. En él viajaban centenares de peones del ferrocarril que, extenuados tras cuatro semanas seguidas de trabajo, tenían tres días de permiso. Aguardaba el paso de un convoy con materiales que circulaba hacia el norte; después, subiría la pendiente del cañón de los Diamantes, a unos ochenta kilómetros al sur del túnel número trece. La vía secundaria se había excavado en la pared del cañón, a los pies de la escarpada ladera por la que pasaba en paralelo la vía principal, cuyo sinuoso trazado permitía a los de abajo tener una vista clara de esta.

El recuerdo de lo que aquellos hombres iban a presenciar los perseguiría durante el resto de sus vidas.

La locomotora que arrastraba el largo enganche de vagones y bateas era una Consolidation 2-8-0, una bestia de carga que subía montañas con sus ocho ruedas motrices. Las bielas de acoplamiento de estas se desdibujaron a causa de la veloz marcha cuando el tren tomó la curva a más de sesenta kilómetros por hora. En la vía secundaria de abajo, algunos de los trabajadores que aguardaban en el otro tren no prestaron atención a la Consolidation; se habían echado para descansar sobre los duros bancos de los vagones. Sin embargo, los que miraron hacia arriba se percataron de que el humo de la locomotora parecía una cinta negra que ondeaba tras ella.

—Va a toda máquina —comentó uno de ellos a un amigo que dormitaba a su lado—, como si el viejo Hennessy tuviera la mano puesta en la palanca de accionamiento del regulador.

El eje portador delantero de la 2-8-0, las pequeñas ruedas auxiliares frontales que le daban estabilidad, chirrió al tomar una curva al borde del cañón. Parecía que hubiera un raíl suelto. El sonido preocupó al maquinista, que conocía el trayecto hacia el atajo como la palma de su mano.

—No me gusta nada ese ruido... —empezó a decir al fogonero.

No pudo terminar la frase, y mucho menos reducir la velocidad, porque, una milésima de segundo después, la primera rueda motriz de aquella locomotora de ciento veinte toneladas impactó en el raíl suelto, y este se soltó de las traviesas con un fuerte estallido.

Las vías, liberadas de las traviesas que las sostenían firmemente, se abrieron. Las cuatro ruedas motrices que daban al exterior de la curva perdieron sujeción, y la locomotora salió disparada hacia delante a sesenta kilómetros por hora, al tiempo que esparcía piedras del balasto, maderos astillados y numerosos pernos y clavos rotos.

A los hombres que observaban desde el convoy estacionado al pie del cañón debió de parecerles que el tren de carga que pasaba por encima de sus cabezas volaba. Unos años después, los supervivientes afirmaron que planeó durante un trecho sorprendentemente largo, antes de que la gravedad se ocupara de hacerlo descender. Hubo quienes se mostraron convencidos de que Dios había intervenido para alejarlo de los obreros cuando se precipitó montaña abajo. En aquel momento, sin embargo, lo que la mayoría de los peones vio cuando levantaron los ojos fue una locomotora Consolidation 2-8-0 que se despeñaba por el cañón y caía hacia ellos, con sus cincuenta vagones y bateas derribando árboles y rocas de la ladera como un inmenso látigo negro.

Casi todos recordarían el ruido. Empezó como un trueno, se convirtió en un estruendo como el de una avalancha y terminó, mucho después, en el estallido agudo y desgarrador del acero y la madera que cayeron como una lluvia sobre el tren de los obreros estacionado en la vía secundaria. Nadie olvidó jamás el miedo que sintió.

Isaac Bell se personó en el lugar de los hechos al cabo de unas horas.

Cablegrafió a Hennessy para informarle de que el sabotaje podía ser un accidente, ya que no había pruebas de que el Saboteador hubiera tratado de forzar los raíles. La pesada locomotora Consolidation había causado tantos destrozos al salirse de la vía que era imposible determinar si alguien había aflojado deliberadamente las fijaciones que los mantenían sobre las traviesas. Sin embargo, la policía ferroviaria de la Southern Pacific tenía en su poder unos informes que revelaron que la zona había sido peinada por varias patrullas, tanto a caballo como en vagoneta. Bell llegó a la conclusión de que era poco probable que el Saboteador hubiera ido al cañón de los Diamantes para perpetrar un nuevo ataque.

Hennessy, lívido de rabia porque la desgracia había trastornado a sus trabajadores, envió al lugar del siniestro a Franklin Mowery, el ingeniero civil jubilado que había contratado para construir el puente del cañón de las Cascadas.

Mowery caminaba con dificultad a lo largo del destrozado terraplén apoyándose en el brazo de su ayudante. Era un anciano parlanchín, y contó a Bell que había nacido en 1835, cuando Andrew Jackson todavía era presidente. También le explicó que se hallaba presente el día en que la primera línea de ferrocarril continental unió las del Este y el Oeste en Promontory Point, en Utah, en 1869.

—De eso hace casi cuarenta años. El tiempo vuela. Cuesta creer que era más joven todavía que este muchacho que me ayuda a caminar.

Mowery dio un golpecito cariñoso en el hombro a su ayudante. Eric Soares esbozó una sonrisa taimada. Llevaba unas gafas de montura metálica, y tenía unos ojos expresivos, la frente ancha y el mentón estrecho. Su cabello era oscuro y ondulado, y el fino y engominado bigote que lucía era más propio de un poeta o un pintor que de un ingeniero civil.

—¿Qué opina usted, señor Mowery? —preguntó Bell—. ¿Ha sido un accidente?

—Es difícil afirmar eso, hijo. Las traviesas están tan rotas que parecen astillas para encender fuego, y no han quedado trozos grandes para ver si hay marcas de herramientas. Las fijaciones están dobladas o partidas en dos. Me recuerda a un descarrilamiento que vi en 1883. Un tren de pasajeros descendía por Sierra Nevada, y los vagones traseros se fueron incrustando en los de delante... Como ese furgón de cola de allí, que vemos dentro de un vagón.

El detective y los dos ingenieros miraron en aquella dirección con expresión grave. El furgón parecía un baúl que hubiera reventado por estar demasiado lleno.

—¿Cuál será su informe para el señor Hennessy? —preguntó Bell.

Mowery dio un codazo a Eric Soares.

—¿Qué le diremos, Eric?

Soares se quitó las gafas y se arrodilló. Con su mirada miope, examinó con atención una traviesa que una rueda motriz de la locomotora había partido.

—Como afirmaba usted, señor Mowery —contestó Soares—, si han arrancado las fijaciones, no han dejado marca.

—Veamos... —intervino Mowery—. Yo diría que al viejo no le va a gustar que le digamos que todo se debe a la negligencia en el mantenimiento, ¿verdad, Eric?

—No, señor Mowery —contestó Eric con otra sonrisa ladina.

Bell se percató de que la amistad entre aquellos dos hombres se fundamentaba en la actitud de Mowery, que trataba a Soares como si fuera su sobrino favorito.

—Ni aceptará que le digamos que una construcción apresurada ha provocado fallos que el paso acelerado de esa locomotora tan pesada ha puesto de relieve, ¿verdad, Eric?

—No, señor Mowery.

—Las soluciones de compromiso, señor Bell, son la esencia de la ingeniería. Lo que ganamos por un lado lo perdemos por otro. Si construimos muy deprisa, las obras se resienten. Si construimos con miramientos, las obras no se acaban nunca.

Eric se levantó, volvió a ajustarse las patillas de las gafas tras las orejas y siguió la argumentación del anciano.

—Si construimos con materiales resistentes para que la obra aguante, nos arriesgamos a que pese demasiado. Si construimos con materiales ligeros, puede que la obra no resista lo suficiente.

—Eric es metalúrgico —explicó Mowery riendo entre dientes—. La esencia de la ingeniería. Conoce cuarenta clases de acero que ni siquiera existían en mis tiempos.

Bell miraba con atención el furgón de cola que se había incrustado en el vagón, cuando le vino a la cabeza una idea. Aquellos hombres eran ingenieros. Sabrían crear artilugios.

—¿Podrían hacer una espada de hoja corta que se alargara? —preguntó.

—¿Cómo dice?

—Antes hablaban de vagones que se incrustan entre sí y de acero, y me preguntaba si sería posible esconder la hoja retráctil de una espada en un arma blanca corta.

—¿Parecida a las que se usan en el teatro? —preguntó Mowery—. ¿Esas que parece que atraviesan al actor cuando en realidad se repliegan sobre sí mismas?

—Solo que esta no se repliega. Puede atravesar a un hombre, de lado a lado.

—¿Qué opinas, Eric? Estudiaste metalurgia en Cornell. ¿Podrías fabricar una espada de esas?

—Con dinero, se puede fabricar de todo —respondió Eric—. Pero lo difícil sería conseguir que fuera firme.

—¿Lo bastante firme para atravesar a un hombre?

—Sí, lo bastante para blandirla, y también para atravesar un cuerpo. Lo que no resistiría, en cambio, es el impacto lateral.

—¿El impacto lateral?

Mowery aclaró la cuestión.

—Lo que Eric quiere decir es que esa espada no resistiría entrechocar con otra en un combate real.

—El batimiento —dijo Bell—. La acción de golpear con la espada la hoja del adversario para apartarla.

—Volvemos a las soluciones de compromiso. Si procuramos que sea precisa, sacrificamos su resistencia. Dos o tres tramos de acero unidos entre sí no tienen la firmeza de uno solo. ¿Por qué lo pregunta, señor Bell?

—Tengo curiosidad por saber si es posible fabricar una espada a partir de un cuchillo —explicó Bell.

—Menuda sorpresa para el tipo que esté frente a usted —dijo con sequedad Mowery.

El ingeniero de puentes echó una última mirada alrededor y se apoyó con firmeza en el brazo de su ayudante.

—Vamos, Eric. No lo pospongamos más. Tengo que explicar al viejo lo que me ha contado el señor Bell exactamente, que es justo lo que no quiere oír. ¿Quién carajo sabe lo que ocurrió? Lo que está claro es que no se ha hallado ni una sola prueba que demuestre que hubo un sabotaje.

Cuando Mowery finalizó su informe, Osgood Hennessy estaba que se subía por las paredes.

—¿Murió en el accidente el maquinista? —preguntó el presidente de la compañía con una voz grave y amenazadora.

—No se hizo ni un solo rasguño. Debe de ser el maquinista con más suerte del mundo.

—¡Despídalo! Si no ha habido sabotaje por parte de los radicales, entonces lo que ha provocado el accidente es un exceso de velocidad. Eso demostrará a los obreros que no toleraré que ningún maquinista temerario ponga en peligro sus vidas.

Sin embargo, despedir al maquinista no contribuyó a tranquilizar a los trabajadores que habían sido contratados para finalizar el Atajo de las Cascadas. A los obreros no les importaba si el desastre había sido un accidente u obra de un desaprensivo. Aunque tendían a creer que el Saboteador había perpetrado un nuevo ataque. Varios espías de la policía informaron de que en el campamento corrían rumores acerca de una posible huelga.

—¡Una huelga! —exclamó Hennessy, fuera de sí—. Les pago el sueldo máximo. ¿Qué diablos quieren?

—Quieren irse a casa —explicó Isaac Bell, que estaba al corriente del estado de ánimo de aquellos hombres porque había destinado algunos agentes a infiltrarse en las casas de comidas y en las tabernas, y había detectado en persona el efecto que los ataques del Saboteador habían producido en los peones de la Southern Pacific—. Les da miedo subir al tren.

—Eso es una locura. Estoy a punto de terminar la perforación total del túnel que conecta con el puente.

—Dicen que la línea del atajo se ha convertido en la más peligrosa del Oeste.

Era irónico, admitió Bell, pero el Saboteador había ganado ese asalto, fuera o no fuese su intención.

Hennessy escondió la cabeza entre las manos.

—¡Dios del cielo! ¿Dónde consigo mil hombres ahora que se acerca el invierno? —Levantó la vista, encolerizado—. Organice una redada para arrestar a los cabecillas. Meta a unos cuantos en la cárcel. En cuanto a los demás, será fácil convencerlos.

—¿Puedo sugerirle una manera más provechosa de encauzar el tema? —preguntó Bell.

—¡No! Sé sofocar una huelga. —Hennessy se volvió hacia Lillian, que lo miraba fijamente—. Ponme con Jethro Watt. Y envía un telegrama al gobernador. Quiero que las patrullas se presenten por la mañana.

—Señor —terció Isaac Bell—. Acabo de regresar del campamento. Están aterrorizados. Los policías de Watt, en el mejor de los casos, desencadenarán una rebelión, y en el peor, provocarán que un número aún mayor de trabajadores se marche. Las patrullas empeorarán las cosas. No sacará nada de provecho de unos hombres asustados. Pero puede intentar combatir sus miedos.

—¿Qué quiere decir?

—Traiga a Jethro Watt. Que venga con quinientos agentes, pero para patrullar la línea. Cúbrala por entero, hasta que quede claro que es usted, y no el Saboteador, quien controla cada palmo de vía, desde aquí hasta el túnel número trece.

—No funcionará —dijo Hennessy—. Los agitadores no se lo tragarán. Solo quieren ir a la huelga.

Lillian se decidió a hablar.

—Inténtalo, papá.

Y Hennessy se avino.

Al cabo de un día, las vías quedaron cubiertas kilómetro a kilómetro, y kilómetro a kilómetro también se procedió a investigar si había raíles sueltos o explosivos enterrados.

Como había sucedido en la ciudad de Jersey, donde los efectivos de Van Dorn arrestaron a varios delincuentes mientras buscaban a los cómplices del Saboteador, en este caso, los equipos destinados a las vías para localizar indicios de un posible ataque descubrieron varios fallos en los raíles y los repararon.

Bell subió a su montura y cabalgó a lo largo de los treinta y dos kilómetros de la línea. Regresó en locomotora, satisfecho de que el nuevo tramo del atajo no se considerara ya el más peligroso del Oeste, sino el que se hallaba en mejor estado.

El Saboteador conducía el carromato de un vendedor ambulante. Tiraban de él dos mulas fuertes, y lo cubría una lona remendada y descolorida amarrada a siete aros. Bajo la lona había cacerolas, sartenes, piezas de tela de lana, sal, un barril de manteca y otro con platos de porcelana protegidos entre paja. El comerciante estaba muerto. El Saboteador lo había arrojado desnudo por la ladera de una colina y se había puesto su ropa. Le quedaba bastante bien, ya que ambos tenían una altura parecida.

Oculta bajo la carga del carromato, había una traviesa de ferrocarril, de dos metros y medio de largo por treinta centímetros de ancho y veinticinco de grosor, hecha con madera de tsuga recién talada. A lo largo de la misma, el Saboteador había hecho un agujero y lo había rellenado con cartuchos de dinamita.

Siguió un camino de carros que, con toda probabilidad, debió de ser un sendero indio mucho antes de que hicieran el ferrocarril y que luego habrían hollado los ciervos. A pesar de que era empinado y estrecho, su trazado reseguía las cuestas más suaves de aquel paisaje abrupto. La mayoría de los asentamientos por los que pasaba estaban abandonados. En caso contrario, el Saboteador no entraba en ellos para evitar que alguien reconociera el carromato y se preguntara qué le había sucedido a su propietario.

De vez en cuando, el camino atravesaba la línea nueva del ferrocarril, y el Saboteador conducía el carromato sobre las vías. Su plan consistía en acercarse de noche a ellas y, al borde de un barranco profundo, sustituir una de las traviesas por la que había llenado con dinamita. Pero cada vez que se aproximaba a la línea del atajo veía patrullas, policía montada a caballo y agentes en vagonetas accionadas manualmente. De modo que cuando cayó la tarde y la oscuridad se cernió sobre las laderas de las montañas, tuvo que admitir que su plan fracasaría.

La mano de Isaac Bell se percibía con claridad en las medidas disuasorias, y el Saboteador volvió a maldecir a los asesinos que había contratado en Rawlins porque habían fracasado en su cometido. Sin embargo, de nada servían sus reniegos y lamentaciones; a causa de las patrullas de Bell, no podía arriesgarse a conducir el carromato sobre las vías. No conseguiría apartarlo de estas ni ocultarlo si lo sorprendían, dado que casi todo el trazado discurría entre una pared de roca y una profunda pendiente.

Cada traviesa pesaba noventa kilos, y nueve las tenazas que necesitaba para arrancar una. Podría extraer el madero del balasto con ellas si las usaba a modo de palanca, pero no le servirían para clavar las fijaciones y necesitaría un martillo, que pesaba otros cinco kilos. Era fuerte, se dijo. Era capaz de levantar cien kilos de peso, de manera que no le costaría cargarse a la espalda la traviesa que había rellenado de explosivos, junto con el martillo y las tenazas, atados a ella. Ahora bien, ¿cuántos kilómetros podría recorrer con todo aquello a cuestas?

Cuando descargó la traviesa del carromato, le pareció que pesaba más de lo que había supuesto. Por suerte, pensó, no le había dado la mano de creosota necesaria para alquitranarla, porque la madera habría absorbido aquel líquido oscuro y pesaría catorce kilos más.

El Saboteador apoyó la traviesa en un poste de telégrafo, y ató a ella con una cuerda las tenazas y el martillo. Ocultó el carromato del vendedor ambulante detrás de unos árboles, a corta distancia de las vías. Luego sacó su Derringer y disparó a las dos mulas a bocajarro, con el cañón pegado a sus cabezas para amortiguar el ruido de las detonaciones por si alguna patrulla rondaba por allí. Corrió de vuelta a las vías y, con la pesada carga al hombro, echó a andar.

Al cabo de un rato lamentó no haber cogido una manta del carromato para protegerse el hombro, porque la madera ya le había hecho un agujero en el abrigo y le rozaba la piel. Al principio el dolor era soportable, pero fue agudizándose con rapidez. La herida se hizo más profunda, hasta alcanzar el hueso. Menos de un kilómetro después, le ardía como si le hubieran acercado una llama. ¿Debía dejar la carga en el suelo, correr hacia el carromato y coger una manta? Las patrullas de Bell podrían descubrir la traviesa con la dinamita junto a los raíles.

Estaba cansado y empezaban a temblarle las rodillas. Sin embargo, la falta de fuerzas y la herida del hombro pasaron a un segundo plano cuando el peso del madero le comprimió la columna vertebral y le pinzó los nervios. El dolor irradió de inmediato hacia sus piernas. Si dejaba la carga en el suelo para descansar, quizá no podría cogerla de nuevo, se dijo. Debía sopesar los riesgos. Sin embargo, no hizo falta que tomara una decisión.

Llevaba un kilómetro y medio con su carga a cuestas cuando vio un resplandor blanquecino en el cielo, justo frente a él, que iba cobrando intensidad. Era el faro de una locomotora que se acercaba a toda prisa. La oyó, a pesar de su respiración entrecortada. Tenía que salir de la vía. Vio una pineda cercana y, a tientas, en la oscuridad, descendió por el terraplén de balasto y se adentró en ella. El faro destellaba caprichosamente entre las sombras. Con cuidado, el Saboteador se arrodilló e inclinó la traviesa para apoyar uno de los extremos en el suelo.

Quitarse aquel peso de encima le produjo un alivio inmenso. Apoyó el otro extremo de la traviesa en un árbol y se echó a descansar sobre las agujas de los pinos. El sonido de la locomotora era cada vez más fuerte, hasta que la máquina pasó junto a él con un ruido atronador. Supo por el traqueteo peculiar que los vagones iban vacíos. Iba demasiado deprisa, se dijo el Saboteador. Tenía que levantarse, cargar con aquel peso aplastante sobre los hombros y subir penosamente la cuesta hacia los raíles.

Cuando intentaba pasar entre las vías, se le enganchó el talón de una bota y, aunque trató de mantener el equilibrio y evitar caer, el peso que llevaba a la espalda le venció. Desesperado, se removió en el suelo para sacarse la traviesa de encima. No pudo, y el martillo le aplastó el brazo. El Saboteador lanzó un grito de dolor.

De bruces sobre el terraplén, consiguió librarse finalmente de la carga que lo aplastaba. Tras echarse otra vez la traviesa sobre el hombro dolorido, se levantó y siguió adelante. Intentó contar los pasos que daba, pero perdía la cuenta. Tenía que recorrer ocho kilómetros e ignoraba la distancia que llevaba ya. Empezó a contar traviesas. Se le cayó el alma a los pies. Calculó que en un kilómetro y medio de vía había casi tres mil traviesas. Cuando llevaba contado casi un centenar, le flaqueaban las fuerzas. Al llegar a las quinientas estaba exhausto. Ese número de traviesas equivalía solo a trescientos sesenta metros.

Empezaba a perder la cabeza. Imaginó que cargaba con la traviesa hasta el túnel número trece, que atravesaba la montaña de roca y enfilaba hacia el puente del cañón de la Cascada.

¡Soy el Ingeniero Heroico!, pensó.

La risa histérica que se le escapó se convirtió en un sollozo de dolor. Sintió que perdía el control, y tuvo que dominarse para poder continuar.

Tratando de no pensar en su sufrimiento, recordó los tiempos en que estudiaba matemáticas e ingeniería. La estructura: la física que permite que un puente se mantenga en pie o caiga. Puntales. Traviesas. Tirantes. Vigas voladizas. Brazos de suspensión. Cargas vivas. Cargas muertas.

Las leyes de la física regían la distribución del peso. Las leyes de la física decían que no podía cargar con la traviesa ni un palmo más. Se quitó de la cabeza esa idea descabellada y se concentró en la esgrima, en el movimiento ligero y aéreo de una espada.

—Ataque —dijo en voz alta—. Batimiento. Tirada a fondo. Parada. Respuesta. Finta. Doble finta.

A pesar del dolor, siguió avanzando. Ataque. Batimiento. Tirada a fondo. Parada. Y ahora en alemán, se dijo. De repente, se puso a farfullar el léxico de la ingeniería de puentes y caminos que había aprendido en su época de estudiante. Y acto seguido empezó a gritar los términos que había aprendido en Heidelberg, cuando le enseñaron a matar con la espada.

—*Angriff. Battutaangriff. Ausfall. Parade. Doppelfinte.*

Le pareció oír un susurro. Volvió a concentrarse en la esgrima. Ataque: *Angriff*. Batimiento: *Battutaangriff*. Tirada a fondo: *Ausfall*. Parada: *Parade*. Doble finta: *Doppelfinte*. Pero seguía oyendo aquel murmullo, una especie de zumbido, cada vez más fuerte, más cerca; a su espalda. Se volvió, y el peso de la traviesa casi le hizo perder pie. La luz intensa de una lámpara de acetileno refulgió en las vías. Era una patrulla de policía que avanzaba en silencio en una vagoneta accionada manualmente.

A su izquierda, se erguía un muro de roca viva a pocos palmos del raíl, tras una estrecha franja de tierra. A su derecha, la montaña descendía de manera abrupta. Se asomó y, por las copas de unos arbolillos que entrevió en la oscuridad, calculó que habría unos sesenta metros de desnivel. No tenía elección. La vagoneta se le echaba encima. Lanzó la traviesa por la pendiente y saltó.

Oyó que la traviesa impactaba contra un árbol y partía el tronco. Y luego él cayó sobre otro y se quedó sin respiración.

El zumbido bajó de intensidad. La vagoneta aminoraba la marcha. Se dio cuenta, horrorizado, de que los policías se detenían. Pudo oír hablar a aquellos hombres a casi cinco metros por encima de él y vio los haces de luz de sus linternas y faroles. Se apearon. Sus botas crujían en el balasto al caminar. Uno de los policías gritó. Luego, con la misma brusquedad con que habían aparecido se marcharon. La vagoneta se puso en movimiento con un chirrido y avanzó con un suave zumbido, dejando al Saboteador a cinco metros de distancia, sumido en la oscuridad.

Asentó firmemente las botas en el suelo y, moviéndose con precaución, tanteó la ladera en busca de la traviesa. Se dejó guiar por el olor a brea de pino y localizó el árbol roto. Varios metros más abajo, se tropezó con la traviesa. Sus herramientas seguían atadas a ella. Miró hacia lo alto de la pendiente, donde estaba la vía.

¿Cómo subiría tan cargado? Inclinó la traviesa y, no sin esfuerzo, se la puso en el hombro otra vez.

Cada kilómetro que había recorrido, todas y cada una de las ocasiones en las que había huido no significaban nada. Su mayor reto hasta el momento estaba delante de él: trepar por el terraplén. No eran ni diez metros, pero cada paso contaba como un kilómetro y medio. La carga y el pronunciado desnivel eran una combinación demoledora. Ya sin fuerzas, vio esfumarse ante sus ojos los sueños de riqueza y poder. Resbaló y cayó, pero volvió a ponerse en pie. Ojalá hubiera asesinado a Isaac Bell. Y entonces se dio cuenta de que luchaba más contra Bell que contra la traviesa, el atajo o la Southern Pacific.

Pensar que Bell podría detenerlo le dio el coraje necesario para levantarse. Centímetro a centímetro, palmo a palmo. Ataque: *Angriff*. Batimiento: *Battutaangriff*. Tirada a fondo: *Ausfall*. Parada: *Parade*. Doble finta: *Doppelfinte*. Cayó dos veces. Y dos veces se levantó. Cuando por fin llegó arriba, se quedó en pie, tambaleándose. Aunque viviera hasta los noventa años, nunca olvidaría aquella ascensión tan dramática.

El latido de su corazón cada vez era más fuerte, tanto que el Saboteador terminó por comprender que no podía tratarse de eso. ¿Sería una locomotora? Se detuvo en seco en mitad de la vía, abatido. No era otra patrulla. ¿Sería un trueno? Tras un fogonazo se produjo un nuevo restallido, y empezó a caer una lluvia fría. Había perdido el sombrero.

El Saboteador se echó a reír.

La lluvia dejaría empapadas a las patrullas, que se pondrían a cubierto. Estalló en carcajadas, como un loco. Lluvia en lugar de nieve. Los ríos crecerían, pero no habría nieve que obstaculizara las vías. Osgood Hennessy debía de estar encantado. ¡Como para fiarse de los expertos, que habían pronosticado un invierno temprano!, pensó el Saboteador. El presidente de la Southern Pacific había desoído a los meteorólogos y había pagado a un hechicero indio, quien le había dicho que las nieves serían tardías ese invierno. Tener lluvia en lugar de nieve implicaba ganar tiempo para finalizar el atajo.

El Saboteador se aseguró la traviesa en el hombro y gritó:

—¡Eso, nunca!

Las vías trazaban una curva abrupta al borde del precipicio. A sus pies, en lo más profundo del barranco, divisó un caudaloso río. Había encontrado el lugar.

El Saboteador soltó la traviesa que llevaba al hombro y aflojó las cuerdas con que había atado las herramientas. Luego quitó las fijaciones de la traviesa por ambos lados y las puso aparte. A continuación removió el balasto de la vía con las tenazas. Retiró algunas piedras de debajo de una traviesa y las esparció con cuidado para que no rodasen terraplén abajo. Con ayuda de las tenazas, arrancó la traviesa de los raíles y puso en su lugar la que había acarreado, rellena de dinamita. Volvió a cubrir la zona con el balasto hasta que la traviesa quedó bien encajada y clavó esta con las ocho fijaciones. Finalmente, metió un clavo bajo el raíl, en un agujero practicado en la traviesa.

Tres centímetros por debajo del clavo había un detonador de fulminato de mercurio. El Saboteador lo había calculado al milímetro tras haber hecho un centenar de pruebas. No quería que si una patrulla caminaba por las traviesas o una vagoneta circulaba por los raíles, la presión ejercida sobre el clavo hiciera detonar el explosivo. Solo se activaría con el peso de una locomotora.

Aún debía resolver una última y dura tarea. Ató las herramientas a la traviesa que había extraído, se la puso al hombro y se levantó con piernas temblorosas. Con paso vacilante, se alejó unos cuatrocientos metros de las vías y lanzó su carga por el barranco, para que ninguna patrulla pudiera encontrarla.

Estaba extenuado, pero lo mantenía en pie una firme convicción.

Había inutilizado el atajo con dinamita, con una colisión y con un incendio.

Había socavado la poderosa Southern Pacific haciendo descarrilar el tren semidirecto de la línea costera.

¿Qué importaba que Bell hubiera frustrado el atentado de Nueva York en provecho de Hennessy?

El Saboteador levantó el rostro hacia el cielo tormentoso y dejó que la lluvia lo mojara. Se oyó el retumbo de un trueno.

—¡La victoria es mía! —gritó—. Me la merezco tras el esfuerzo de esta noche.

Ganaría el asalto final.

Ni uno solo de los peones de la Southern Pacific que viajaban en el tren de obreros sobreviviría para ver terminado el túnel número trece.

31

Un centenar de hombres se arremolinaba en el campamento del atajo de madrugada. Veinte vagones con bancos de madera en el interior permanecían vacíos y enganchados a una locomotora que expulsaba el vapor sobrante. Los hombres estaban bajo la lluvia y, antes que refugiarse en el tren de obreros, preferían soportar el frío y la humedad

—¡Malditos testarudos! —vociferó Hennessy, que observaba a los trabajadores desde su vagón particular—. Manda un telegrama al gobernador, Lillian. Esto es una insurrección.

Lillian Hennessy puso los dedos en la clavija de telégrafo. Pero antes de empezar a teclear, se dirigió a Isaac Bell.

—¿No se puede hacer nada más?

En opinión de Bell, aquellos hombres que comían bajo la lluvia no parecían testarudos. Parecían asustados. Y les avergonzaba sentir miedo, lo que decía mucho de su valor. El Saboteador, con la dinamita, sus sabotajes, las colisiones de trenes y los incendios provocados, se había cobrado vidas inocentes. Las listas de fallecidos y de heridos engrosaban con cada uno de los ataques. Varios hombres habían muerto en los descarrilamientos, en el derrumbe del túnel, en el tren de la línea costera que había quedado destrozado, a causa de la vagoneta sin frenos y por la explosión terrible de Nueva Jersey.

—Las patrullas han inspeccionado los raíles palmo a palmo

—contestó Bell a Lillian—. No sé qué más se puede hacer. A menos que me suba al apartavacas de una locomotora para comprobar la vía por mí mismo...

El detective giró sobre sus talones y salió del vagón de Hennessy dando grandes zancadas. Cruzó a toda prisa el patio de maniobras de la estación y se abrió paso entre la multitud. Trepó por la escalerilla trasera del ténder del tren de obreros, cruzó con agilidad por encima de la montaña de carbón y saltó al techo de la cabina de la locomotora. Desde el punto de observación de la máquina, con la caldera en marcha, pudo ver los rostros hoscos de los peones del ferrocarril y de los mineros que se movían entre los patios de la estación. Estaban en silencio. Mil rostros se alzaron hacia la extraña imagen de un hombre vestido con un traje blanco que se hallaba de pie sobre la locomotora.

Bell había oído en una ocasión a William Jennings Bryan dirigirse a una multitud en la Exposición de Atlanta. Él se hallaba en pie, delante de Bryan, y le impresionó la lentitud con que el famoso orador hablaba. Había una razón, le había dicho Bryan en una reunión posterior. Las palabras se agrupaban entre sí al desplazarse por el aire. Cuando llegaban hasta el último de los presentes, su cadencia ya era normal.

Bell levantó las manos, y luego habló empleando un tono de voz alto y profundo. Lo hizo despacio, muy despacio. Pero cada una de sus palabras era un desafío para aquellos hombres.

—Montaré la guardia.

Bell metió la mano despacio en el interior de su abrigo.

—Esta locomotora circulará lentamente hacia la cabeza de línea.

Sacó su pistola Browning con movimientos lentos.

—Estaré en el apartavacas, delante de la locomotora.

Señaló con la pistola hacia el cielo.

—Dispararé para indicar al maquinista que detenga el tren si detecto algún peligro.

Accionó el gatillo. El eco del disparo resonó en el depósito de locomotoras y en los talleres.

—El maquinista oirá la detonación.

Volvió a disparar.

—Detendrá el tren.

Apuntó con el arma al cielo y siguió hablando con lentitud.

—No voy a decirles que quien no quiera subirse al tren es el tipo más cobarde que pueda encontrarse en las montañas de las Cascadas.

Se oyó el eco de otro disparo.

—Pero sí les diré que aquel que no quiera subirse al tren ya puede irse por donde ha venido, porque lo único que merece es vivir bajo las faldas de su madre.

Las carcajadas atronaron en los patios. Hubo un amago de movimiento hacia el tren. Durante un segundo, Bell creyó que los había convencido, pero entonces se oyó a alguien gritar:

—¿Ha trabajado usted con un equipo de peones?

—¿Cómo diablos sabrá que las cosas se ponen feas? —chilló otro.

En ese momento, un hombretón de cara grande y roja y ojos azules de mirada airada subió por la escalerilla del ténder. Caminó por encima del carbón hasta el techo de la cabina de la locomotora donde se encontraba Bell.

—Me llamo Malone. Soy el capataz de vías y obras.

—¿Qué quiere, Malone?

—Dice que se pondrá en el «apartavacas», ¿eh? No sabe que su nombre técnico es «rejilla de choque» y cree que se enterará de si hay algún problema en la vía antes de saltar volando por los aires. Apartavacas, por el amor de Dios… No niego que tiene usted lo que hay que tener.

El capataz tendió su mano callosa a Bell.

—¡Póngase allí, voy con usted!

Los dos hombres se estrecharon la mano para que todos pudieran verlo. Entonces Malone alzó la voz, que sonó con una fuerza atronadora, como la del silbato de un tren.

—¿Quién de vosotros cree que Mike Malone no sabe ver un problema cuando lo tiene delante?

Nadie respondió.

—¿Y cuántos de vosotros queréis vivir bajo las faldas de vuestra madre?

Entre carcajadas y vítores, los obreros subieron al tren y se apiñaron en los bancos de madera.

Bell y Malone bajaron del techo y subieron a la plataforma donde estaba instalada la rejilla de choque. A ambos lados había espacio para colocarse, colgados de la barandilla que había justo debajo del faro de la locomotora. El maquinista, el interventor y el fogonero acudieron a la parte delantera de la máquina para recibir las órdenes.

—¿A qué velocidad quiere ir? —preguntó el maquinista.

—Pregúntele al experto —contestó Bell.

—No pase de quince kilómetros por hora —dijo Malone.

—¿Quince? —protestó el maquinista—. Tardaré dos horas en llegar al túnel.

—¿Prefiere tomar un atajo y salir volando por el barranco?

El maquinista y su fogonero, junto con el interventor, regresaron a la cabina.

—Tenga esa pistola a mano, señor —dijo Malone, y sonrió a Bell—. Recuerde que si topamos con una mina o saltamos por encima de un raíl suelto, seremos los primeros en notarlo.

—Esa idea me ha pasado por la cabeza —contestó Bell con expresión seria—. Pero tengo cada palmo de esta línea bajo vigilancia desde hace un par de días. En vagoneta, a pie y a caballo.

—Ya veremos —dijo Malone al tiempo que su sonrisa se desvanecía.

—¿Los quiere? —Bell le ofreció sus prismáticos Carl Zeiss.

—No, gracias —respondió Malone—. Llevo veinte años inspeccionando las vías con estos ojos. Y hoy no es un buen día para aprender a utilizar cosas nuevas.

Bell se pasó la cinta de los prismáticos por la cabeza y se los dejó colgando. Luego disparó un tiro de advertencia.

—¿Veinte años? Usted es quien va a enseñarme hoy a mí, Malone. ¿Qué tengo que buscar?

—Mire si falta alguna fijación de las que sujetan los raíles a las traviesas… o si faltan las eclisas que unen los raíles. Busque desperfectos en los raíles, indicios de que el balasto ha sido removido, no fuera a ser que el condenado hubiera puesto una mina. Los firmes de la vía deben estar lisos, sin agujeros ni bultos. Busque piedras en las traviesas. Y cada vez que entremos en una curva, hay que poner más cuidado que nunca, porque el Saboteador sabe que en las curvas el maquinista no tiene tiempo de reacción para frenar.

Bell se acercó los prismáticos. Era plenamente consciente de que había persuadido a los mil hombres que llevaba en el tren para que arriesgaran sus vidas. Tal como Malone había observado, Bell y él, al viajar delante, serían los que saldrían peor parados en un sabotaje. Y si hubiese un descarrilamiento, se los llevaría a todos a la tumba.

32

Las vías discurrían por un estrecho saliente tallado en la roca. A la izquierda, el muro de piedra, con marcas de barrenas y dinamita. A la derecha solo aire. El precipicio podía variar de unos pocos metros a unos cuatrocientos. En los puntos en que el fondo de los cañones era visible desde las vías, Bell vio copas de árboles, numerosas piedras caídas y ríos embravecidos, crecidos con las lluvias.

Examinó las vías trescientos metros por delante. Sus prismáticos eran modernos, de prisma de Porro, que intensificaban la luz. Podía ver las cabezas de las fijaciones de las traviesas con claridad, ocho en cada una. Los maderas rectangulares marrón chocolate pasaban bajo él con una regularidad adormecedora.

—¿Cuántas traviesas hay en un kilómetro y medio? —preguntó a Malone.

—Dos mil setecientas —respondió el capataz—. Más o menos.

Una traviesa marrón, y luego otra, y otra más... Ocho fijaciones en cada una. Y todas bien incrustadas en la madera. Eclisas en cada empalme, medio ocultas por el volumen del raíl. El balasto, de grava y piedras con rebordes afilados, brillaba bajo la lluvia. Bell vigilaba por si veía hendiduras en la superficie lisa. Vigilaba por si veía piedras donde no debían estar. Observaba que no hubiera pernos sueltos o desperfectos en los raíles relucientes.

—¡Pare! —gritó Malone.

Bell presionó el gatillo de su Browning. El restallido del arma de fuego resonó en el muro de roca y su eco reverberó en los cañones. Pero la máquina siguió avanzando.

—¡Fuego! —gritó Malone—. ¡Fuego!

Bell ya estaba apretando el gatillo. El precipicio era pronunciado en esa curva del trayecto y el fondo del cañón estaba repleto de peñascos. Con el segundo tiro de Bell, las zapatas del freno se soltaron y sonaron con un silbido atronador, y la locomotora se detuvo con un chirrido. Bell saltó a tierra y echó a correr. Malone le pisaba los talones.

—¡Allí! —gritó Malone.

Seis metros por delante del tren vieron un abultamiento casi imperceptible en el balasto. Se detuvieron. El lecho de grava y piedras era liso y uniforme hasta el borde del despeñadero, excepto en aquel punto.

—¡No se acerque demasiado! —le advirtió Malone—. Parece que hayan estado cavando. ¿Se ha fijado?

Bell se dirigió hacia el abultamiento que Malone le indicaba y lo pisó.

—¡Cuidado!

—El Saboteador tiene que haberse asegurado de que tan solo el peso de una locomotora pueda detonar la mina.

—Parece usted muy seguro de eso.

—Lo estoy —contestó Bell—. Es demasiado listo para malgastar su dinamita en una vagoneta accionada manualmente. —Se arrodilló en una traviesa y se acercó para mirarlas de cerca. Pasó la mano por encima de la grava—. Lo que no veo son señales de excavaciones recientes. Estas piedras llevan tiempo aquí. ¿Ve la carbonilla?

Malone se acercó de mala gana. Se arrodilló junto a Bell y se rascó la cabeza. Pasó el dedo por encima de la capa del polvo negro que se había adherido con la lluvia. Recogió unas piedras del balasto y las examinó. De repente, se levantó con brusquedad.

—Esto es una chapuza. Aquí no hay explosivos —dijo—.

Conozco perfectamente al que se ha encargado de este sector, y me va a oír. Lo siento, señor Bell. Falsa alarma.

—Es mejor ser previsor, ya sabe.

Los ferroviarios se habían apeado ya. Tras ellos, cincuenta obreros miraban boquiabiertos mientras el resto del pasaje iba descendiendo.

—¡Que todo el mundo suba al tren! —gritó Malone.

Bell se llevó al maquinista para hablarle aparte.

—¿Por qué no se ha detenido?

—Me ha pillado por sorpresa. He tardado en reaccionar.

—¡Manténgase alerta! —le exigió Bell con frialdad—. La vida de esos hombres está en sus manos.

Hicieron subir a los trabajadores al tren y se pusieron en marcha.

Las traviesas se deslizaban bajo ellos. Un madero rectangular tras otro. Ocho fijaciones, cuatro en cada raíl. Eclisas asegurando los raíles. La grava y las piedras del balasto, con los cantos agudos, relucían con la humedad. Bell siguió observando por si veía más abultamientos en la superficie o piedras fuera de lugar, pernos que faltaran o fisuras en los raíles. Traviesa tras traviesa.

Durante veintisiete kilómetros, el tren avanzó a marcha lenta. Bell empezaba a creer que, contra todo pronóstico, las precauciones que había ordenado tomar quizá habían merecido la pena. Las patrullas y las inspecciones constantes habían servido para que la línea fuera segura. Solo faltaban unos cinco kilómetros de recorrido y los hombres podrían volver al trabajo, a seguir perforando ese túnel número trece tan importante.

De repente, tras una curva pronunciada que bordeaba el barranco más profundo del trayecto, algo llamó la atención de Bell. Al principio no pudo distinguir lo que era. Casi lo pasó por alto.

—¡Malone! —gritó—. ¡Mire! ¿Qué falla ahí?

El capataz se inclinó hacia delante y aguzó la vista.

—No veo nada.

Bell escudriñó las vías con sus prismáticos. Con los pies apoyados en la rejilla de choque, sostuvo las lentes con una mano al tiempo que sacaba la pistola con la otra.

El balasto era uniforme. No faltaba ninguna fijación. En cuanto a las traviesas...

En veintisiete kilómetros, el tren de obreros había cruzado cincuenta mil traviesas, y todas eran marrones por efecto de la creosota que se les aplicaba para preservarlas. Sin embargo, a tan solo unos metros de la locomotora, había una traviesa de color blanco amarillento, que era la tonalidad que tenía la tsuga recién talada en la montaña, antes de ser impregnada con creosota.

Bell volvió a efectuar otro disparo, y otro más, con toda la rapidez que le permitió el gatillo.

—¡Pare!

El maquinista accionó el freno con brusquedad. Las ruedas se bloquearon. El acero chirrió en contacto con el acero. La locomotora siguió deslizándose a causa de la inercia y empujada por los veinte vagones que arrastraba.

Bell y Malone saltaron de inmediato de la rejilla de choque y se adelantaron a la locomotora, que seguía deslizándose sobre los raíles.

—¿Qué pasa? —gritó el capataz de vías y obras.

—Esa traviesa —señaló Bell.

—¡Dios! —exclamó Malone.

Los dos hombres se volvieron al unísono y alzaron sus poderosos brazos como si con las manos pudieran detener el tren.

33

El maquinista accionó la palanca inversora, y las ocho pesadas ruedas motrices empezaron a girar hacia atrás, levantando chispas y esquirlas de los raíles. Por un instante, pareció como si realmente dos hombres fuertes hubieran detenido la Consolidation. Y cuando la locomotora se detuvo en seco con una última sacudida, Isaac Bell vio que la traviesa sospechosa estaba bajo sus pies. Las ruedas delanteras habían quedado a poco menos de dos metros de distancia de ella.

—Ahora recule —ordenó Malone—. ¡Con suavidad!

El investigador retiró con cuidado el balasto de los dos extremos de la traviesa y la examinó minuciosamente. Descubrió en ella un tapón de madera redondo, parecido al bitoque de un barril de whisky, del diámetro de un dólar de plata. Casi no se distinguía de la veta del tablón.

—Desplace a todo el mundo a la parte de atrás —dijo a Malone—. Ha llenado la traviesa de dinamita.

El detonador estaba diseñado para activarse al presionar un clavo, y había suficientes cartuchos para volar el tramo de vía en el que estaba la locomotora. Esta habría descarrilado con la explosión y arrastrado consigo por la ladera de la montaña el resto del convoy.

A pesar de todo, Bell pudo comunicar por telegrama a Osgood Hennessy que la agencia de detectives Van Dorn había vuelto a vencer al Saboteador. El presidente de la Southern Pacific se trasladó en su tren especial a la cabecera de la línea, donde los mineros y los obreros, que habían llegado sin sufrir más contratiempos, estaban ocupados perforando los últimos treinta metros del túnel número trece.

A primera hora de la mañana siguiente Osgood Hennessy llamó a Bell a su vagón privado. Lillian y la señora Comden le ofrecieron café.

—Estamos a punto de terminar la perforación. —El presidente de la compañía sonreía de oreja a oreja—. En los túneles largos, siempre celebramos una ceremonia en la que yo retiro la última piedra. Esta vez, los obreros han enviado una delegación para solicitar que sea usted quien dé el último empujón, por lo que hizo ayer. Es un gran honor. Yo que usted aceptaría.

Bell entró en el túnel con Hennessy, y se hicieron a un lado de la vía para dejar pasar una locomotora con vagones cargados de escombros. A lo largo de cientos de metros, las paredes y la bóveda se habían reforzado con mampostería. Cerca del final del túnel, una estructura de maderos provisional apuntalaba el techo. En el último tramo, los mineros trabajaban bajo una cubierta de hierro fundido y vigas que los protegía de los desprendimientos de rocas.

Los estridentes taladros dejaron de perforar cuando Bell y el presidente de la Southern Pacific se acercaron. Los mineros extrajeron la piedra quebradiza con almádenas y palas, y a continuación se retiraron de la pared.

Un minero alto y duro como una roca, un tipo con unos largos brazos simiescos y una sonrisa mellada, dio una almádena de siete kilos a Bell.

—¿Alguna vez ha manejado una de estas mazas?

—Sí, para clavar las estacas de la carpa de un circo.

—Lo hará bien. —El minero se inclinó y susurró—: ¿Ve la

marca de tiza? Golpee ahí. Siempre lo preparamos para que se derrumbe en la ceremonia. Abrid paso, muchachos. Haced sitio a este hombre.

—¿Seguro que no quiere hacerlo usted? —preguntó Bell a Hennessy.

El presidente dio un paso atrás.

—Ya he excavado suficientes túneles. Este se lo ha ganado usted.

Bell levantó el pesado martillo por encima del hombro y lo blandió con fuerza apuntando a la marca de tiza. Las grietas se extendieron, y en la pared apareció un rayo de luz. Lo blandió de nuevo. Los mineros prorrumpieron en vítores cuando la roca se desplomó y la luz del día entró a raudales.

Bell pasó a través de la abertura y vio el puente del cañón de las Cascadas resplandeciendo bajo el sol. La larga estructura de celosía de acero cruzaba el profundo barranco por el que discurría el río sobre dos torres esbeltas que se apoyaban en enormes estribos de piedra. Suspendido a gran altura, por encima de la bruma y la espuma del agua, el puente más importante del Atajo de las Cascadas parecía casi terminado. Las traviesas ya estaban colocadas a la espera de los raíles de acero que llegarían a través del túnel.

Bell advirtió que estaba muy bien vigilado. Cada quince metros había un policía del ferrocarril, así como una garita en cada uno de los dos extremos y también en cada estribo. Mientras Bell observaba, una nube ocultó el sol, y las vigas plateadas se tiñeron de negro.

—¿Qué opina, hijo?

—Es una maravilla.

A la sombra del puente se hallaba el pueblo de las Cascadas, asentado al pie de las montañas donde terminaba la vía férrea original desde el desierto. Podía ver el elegante pabellón de las Cascadas de la década de 1870, una gran atracción para los intrépidos turistas dispuestos a hacer frente a la larga, lenta y sinuosa ascensión por las estribaciones. Desde la cabecera de la línea, Hennessy había construido una vía de mercancías provisional para transportar materiales a la obra del puente. El recorrido del trazado era tan empinado, había tantas subidas pronunciadas y tantas curvas cerradas que los trabajadores del ferrocarril la llamaban la línea de la Serpiente. El marcado desnivel permitió al investigador ver una fila de vagones de carga que ascendían tirados por tres humeantes locomotoras, ayudadas por otras cuatro que las empujaban por detrás. Las locomotoras de la línea de la Serpiente habían cumplido con su cometido. En el futuro, los materiales llegarían por el atajo.

El Saboteador no atacaría aquellas vías que pronto dejarían de utilizarse. Tampoco atacaría el pueblo. Atacaría el propio puente. Si destruía la larga estructura, con sus estribos y su soporte de puntales, retrasaría el proyecto de la nueva línea durante años.

—¿Qué demonios es eso? —preguntó Hennessy.

Señaló una columna de polvo que avanzaba a toda velocidad por el camino de tierra que partía del pueblo.

Una amplia sonrisa se dibujó en el rostro de Isaac Bell.

—Es el automóvil Thomas Flyer del que hace algún tiempo hablamos. Modelo 35, cuatro cilindros y sesenta caballos. ¡Mire cómo corre!

El coche, de un amarillo intenso, llegó a la cumbre del sinuoso camino, rebotó en el saliente rocoso, derrapó y se detuvo finalmente a seis metros de la boca del túnel, donde se encontraban Bell y Hennessy. La capota de lona estaba plegada hacia atrás, y el único ocupante del vehículo era el conductor, un hombre alto vestido con un guardapolvo que le llegaba hasta las botas, sombrero y anteojos. Saltó de detrás del volante de madera y se dirigió a ellos con paso resuelto.

—¡Enhorabuena! —gritó, quitándose las gafas con un gesto ostentoso y teatral.

—¿Qué demonios hace usted aquí? —preguntó Hennessy—. ¿Acaso no había hoy sesión del Congreso?

—He venido a celebrar el final de la perforación de su túnel —contestó Charles Kincaid—. Da la casualidad de que estaba reunido con unos caballeros muy importantes de California en el pabellón de las Cascadas. He dicho a mis anfitriones que tendrían que esperarme mientras me acercaba a estrecharle la mano.

Kincaid agarró la mano de Hennessy y le dio un efusivo apretón.

—Enhorabuena, señor. Un logro espléndido. Ya nada puede detenerlo.

El puente

34

1 de noviembre de 1907
Cañón de las Cascadas, Oregón

Mike Malone, el capataz de vías y obras, salió con paso airado de la boca del túnel número trece; tenía el rostro y los ojos encendidos. Lo seguían unos acarreadores que sujetaban pesados trozos de raíl con sus tenazas, así como una locomotora que arrojaba humo y vapor.

—Que alguien mueva ese automóvil antes de que acabe aplastado —gritó.

Charles Kincaid corrió a rescatar su Thomas Flyer.

—¿Le sorprende encontrar al senador aquí? —preguntó Isaac Bell a Osgood Hennessy.

—Los hombres que aspiran a la herencia de mi hija nunca me sorprenden —respondió Hennessy por encima del estruendo de las cuadrillas de peones de Malone, que esparcían la capa de balasto delante de la locomotora y colocaban las traviesas.

El senador Kincaid regresó a buen paso.

—Señor Hennessy, los más destacados hombres de negocios y banqueros de California desean celebrar un banquete en su honor en el pabellón de las Cascadas.

—No tengo tiempo para banquetes hasta que instale la vía en el puente y construya una estación al otro lado.

—¿No puede venir después de que anochezca?

Mike Malone se acercó rápidamente.

—Senador, si no es mucha molestia, ¿podría mover ese maldito automóvil antes de que mis muchachos lo despeñen por el precipicio?

—Acabo de moverlo.

—Sigue cerrándoles el paso.

—Apártelo —gruñó Hennessy—. Estamos construyendo una línea de ferrocarril.

Bell observó a Kincaid mientras este se apresuraba a retirar su coche otra vez.

—Me gustaría ver lo que traman en ese banquete —dijo a Hennessy.

—¿Para qué?

—Es una extraña coincidencia que Kincaid haya venido hoy.

—Ya se lo dije, está rondando a mi hija.

—El Saboteador tiene información confidencial sobre la Southern Pacific. ¿Cómo es que está al tanto de sus planes?

—También se lo dije. Algún entrometido ha atado cabos. O un idiota se ha ido de la lengua.

—En cualquier caso, el Saboteador conoce bien su círculo íntimo, señor.

—De acuerdo —dijo Hennessy—. Puedo soportar un banquete si usted también puede. —Levantó la voz por encima del estrépito para gritar—: ¡Kincaid! ¡Diga a sus amigos que si la invitación sigue en pie dentro de tres días, aceptaré!

El senador manifestó su asombro.

—No pensará llegar al otro lado y establecerse en solo tres días, ¿verdad?

—Rodarán cabezas si no es así.

El frágil anciano chasqueó los dedos. Los ingenieros acudieron corriendo a su lado y desplegaron unos planos. Los agrimensores estaban justo detrás, con sus teodolitos al hombro, seguidos de cadeneros con jalones rojos y blancos.

Isaac Bell fue al encuentro de Kincaid cuando este subía a su coche.

—Qué casualidad encontrarlo aquí precisamente.

—Para nada. Quiero a Hennessy de mi parte. Como los caballeros de California estaban dispuestos a alquilar un pabellón entero para convencerme de que me presente como candidato a presidente, les propuse uno que estuviera cerca de Hennessy.

—¿Sigue haciéndose de rogar? —preguntó Bell, recordando su conversación en la función de las *Follies*.

—Más que nunca. En cuanto dices que sí a esos tipos, creen que son tus dueños.

—¿Le interesa el cargo?

En respuesta a su pregunta, Charles Kincaid sujetó la solapa de su abrigo y le dio la vuelta. Una chapa de campaña que había permanecido oculta rezaba: KINCAID, PRESIDENTE.

—Ni una palabra a nadie.

—¿Cuándo mostrará a todos esa chapa?

—Tengo pensado sorprender al señor Hennessy en el banquete. También quieren que venga usted, ya que es el hombre que ha salvado la línea.

Al detective no le parecieron sinceras aquellas afirmaciones.

—Estoy deseándolo —dijo.

El Saboteador hizo ver que no reparaba en la mirada penetrante de Bell. Sabía que su farsa presidencial no engañaría al detective de Van Dorn por mucho tiempo. Sin embargo, se mantuvo firme, y paseó la vista con curiosidad por el reluciente puente como si nada lo inquietase.

—Esa ancha explanada del otro lado del barranco —comentó despreocupadamente— parece el lugar adecuado para que Hennessy construya la estación de la cabecera de línea.

Había ocasiones, pensó con orgullo, en que realmente debería haber sido actor.

—¿Se arrepiente de haber dejado la ingeniería? —preguntó Bell.

—Me arrepentiría si no me gustara tanto la política —dijo Kincaid, y se echó a reír. Dejó que su sonrisa se desvaneciera mientras hacía ver que reflexionaba—. Puede que pensara de otra forma si hubiera sido un ingeniero tan brillante como el señor Mowery, quien construyó este puente. Fíjese en la estructura. Qué elegancia, qué resistencia... Ese hombre era un portento. Y todavía lo es, pese a su edad. Yo nunca he pasado de competente.

Bell lo miraba fijamente.

Kincaid sonrió de nuevo.

—Me está mirando de forma extraña. Eso es porque todavía es usted joven, señor Bell. Ya verá cuando los cuarenta lo sorprendan. Descubrirá sus limitaciones y encontrará otras parcelas en las que le pueda ir mejor.

—¿Como ser candidato a presidente? —preguntó Bell a la ligera.

—¡Exacto!

Kincaid rió, dio una palmadita al detective en su fuerte brazo y subió de un salto al Thomas Flyer. Arrancó el motor, que había dejado encendido, y empezó a descender por la montaña sin mirar atrás. Si hubiera mostrado la menor señal de preocupación, habría dado alas a la imaginación del detective, pensó.

En realidad, se sentía exultante. Y es que Osgood Hennessy estaba poniéndose la soga al cuello a marchas forzadas. Cuanto más rápido cruzara aquel puente el atajo, antes se ahorcaría, se dijo. Si la nueva estación representaba la propia cabeza de Hennessy y su torso era el imperio de la Southern Pacific, el puente del cañón de las Cascadas era su cuello.

35

Isaac Bell puso hombres en todas las cuadrillas de peones para que estuvieran atentos por si se producían actos de sabotaje.

Hennessy le había dicho que la perforación solo era el principio. Tenía intención de avanzar cuanto pudiera las obras al otro lado del puente antes de las primeras nevadas. Hasta el banquero más cobarde de Wall Street, alardeaba el empresario ferroviario, tendría la tranquilidad de que la Southern Pacific estaba preparada para continuar con la construcción del atajo cuando se derritiera la nieve en primavera.

Bell ordenó que las patrullas montadas vigilaran las prospecciones que se estaban llevando a cabo en las montañas para la nueva ruta. A continuación pidió a Jethro Watt que asumiera personalmente el mando de los policías del ferrocarril. Recorrieron el puente y acordaron reforzar los contingentes que vigilaban tanto los estribos como las lámparas que los iluminaban. Acto seguido inspeccionaron a caballo la zona circundante; el corpulento Watt iba montado en un enorme animal llamado Rayo, que continuamente trataba de morder la pierna del jefe de policía. Watt pretendía dominarlo dándole con el látigo en la cabeza, pero cualquier entendido en caballos sabía que Rayo estaba esperando el momento oportuno para resarcirse de aquellos golpes.

Al anochecer del primer día de actividad frenética, los carpinteros habían levantado unos puntales provisionales en el túnel número trece, así como un cobertizo de madera y roca en torno a la boca recién abierta. Los mamposteros los seguían muy de cerca con las labores de cantería. Y las cuadrillas de peones habían instalado la vía hasta el borde del cañón.

El tren rojo de Osgood Hennessy recorrió el túnel y empujó hasta el vigilado puente una fila de vagones de material cargados hasta los topes. Las cuadrillas de peones descargaron los raíles, y el trabajo prosiguió gracias a la luz eléctrica. Las traviesas suministradas por la compañía maderera asentada río arriba en las montañas ya estaban colocadas sobre el puente. Los martillos escariadores resonaban en mitad de la noche. Cuando los raíles estuvieron afianzados, la locomotora de Hennessy empujó los pesados vagones de material hasta el otro lado del puente.

Mil obreros ferroviarios contuvieron la respiración.

Los únicos sonidos que se oían eran mecánicos: el resoplido de la locomotora, la dinamo que alimentaba las luces y el rechinar del hierro fundido sobre el acero. Cuando el primer vagón, cargado de raíles, avanzó muy despacio, todos los presentes miraron a Franklin Mowery. El anciano ingeniero estaba observando con atención.

Isaac Bell oyó que Eric, el ayudante con gafas de Mowery, alardeaba.

—El señor Mowery estaba más fresco que una lechuga cuando terminó el puente del señor Hennessy en Lucin, que cruza el Gran Lago Salado.

—Pero ese puente —dijo un entrecano agrimensor al tiempo que escudriñaba el profundo barranco— estaba mucho más cerca del agua.

Mowery se apoyaba despreocupadamente en su bastón y sujetaba en la boca una pipa apagada. Ninguna emoción se reflejaba en su rostro, ninguna preocupación tensaba su mandíbula o hacía temblar su barba corta y puntiaguda.

Bell lo observaba. Cuando el vagón del material llegó sin sufrir contratiempos al otro lado y los obreros lo recibieron con una ovación, Mowery se sacó la pipa de la boca y extrajo unas astillas de la boquilla aplastada de entre sus dientes.

—Me ha pillado —dijo sonriendo a Bell—. Los puentes son unas criaturas extrañas y muy impredecibles.

Instalaron la vía del sentido contrario en el puente al mediodía.

Por el exceso de actividad, instalaron docenas de apartaderos. En poco tiempo la explanada se había transformado, y acogía tanto depósitos y patios de maniobras para las locomotoras como una zona de almacenamiento de material de construcción. El tren especial de Hennessy cruzó el barranco y estacionó en una vía muerta elevada desde la que el presidente de la Southern Pacific podía supervisar toda la operación. Un flujo ininterrumpido de trenes de material empezó a cruzar el puente. A continuación se enviaron telegramas para comunicar la buena noticia a Wall Street.

El telegrafista de Hennessy entregó un fajo de mensajes cifrados a Bell.

Ningún telegrafista del continente había sido investigado más concienzudamente por los hombres de Van Dorn que J. J. Meadows. «Su honestidad es inquebrantable, y no tiene obligaciones con nadie», fue el veredicto. Pero con el recuerdo todavía reciente del tiroteo entre los telegrafistas renegados del Saboteador y Walt Hatfield, Bell no pensaba correr ningún riesgo. Todo el correo que recibió de la agencia estaba encriptado. Cerró con llave la puerta de su compartimiento privado, dos vagones por detrás en el tren especial, y lo descodificó.

Aquellos informes eran los primeros resultados de la investigación preliminar que Bell había ordenado llevar a cabo para dar con el espía infiltrado en el círculo de personas más allegadas del presidente del ferrocarril. En el informe sobre el ingeniero jefe de la Southern Pacific no había nada que hiciera pensar que no fuera un hombre respetable. Era fiel a la compañía, a Osgood Hennessy y a las altas exigencias de su profesión.

Lo mismo se decía de Franklin Mowery. Su reputación como constructor de puentes era intachable, y su carrera profesional estaba salpicada de éxitos. Además, era un hombre caritativo que incluso estaba al frente de un orfanato metodista.

Lillian Hennessy había sido detenida un sorprendente número de veces para tratarse de una mujer tan joven y afortunada, pero solo por manifestarse a favor del derecho al voto. En todas las ocasiones resultó exculpada de aquellos cargos, lo que daba fe, a juicio de Bell, del control extremo o el poder que tenía su indulgente padre, que resultaba ser el presidente del ferrocarril más importante del país.

De los dos banqueros que según Hennessy podían haber deducido sus planes, uno había sido condenado por fraude y el otro había sido acusado de adulterio en un proceso de divorcio. A uno de los abogados le habían prohibido ejercer en Illinois, y el otro había amasado una fortuna comprando acciones ferroviarias, pues disponía de información privilegiada. Un examen más minucioso revelaba que los dos banqueros habían infringido la ley en su juventud. Por su parte, el abogado inhabilitado había sido readmitido posteriormente. Sin embargo, el que atesoraba la fortuna, Erastus Charney, despertó el interés de Bell, pues era evidente que conocía con anticipación las intenciones de la compañía y se aprovechaba de ello. El detective envió un telegrama a los agentes de Van Dorn para pedirles que investigasen a fondo los asuntos de Charney.

No le sorprendió que la alegre señora Comden hubiera llevado una vida de lo más animada antes de convertirse en la amante del magnate ferroviario. Una niña prodigio del piano, debutó en concierto con la Filarmónica de Nueva York a los catorce años interpretando el *Concierto para piano y orquesta n.º 2 en fa menor* de Chopin, que, según el informe, era «una pieza endemoniadamente difícil a cualquier edad». Fue de gira por Estados Unidos y Europa, donde se quedó a estudiar en Leipzig. Más tarde contrajo matrimonio con un médico rico y con contactos en los tribunales alemanes, y este se divorció de ella posteriormente, ya que la dama se fugó con un oficial de ilustre cuna de la Primera Brigada de Caballería de la Guardia Nacional. La pareja vivió en Berlín hasta que la escandalizada familia del oficial intervino. Luego Emma se casó otra vez, en esa ocasión con un pintor de retratos llamado Comden que luchaba por abrirse camino, para enviudar poco menos de un año después. Sin dinero, y habiendo dejado atrás sus días de gloria como pianista, la viuda de Comden desembarcó en Nueva York. Vivió un tiempo en Nueva Orleans y en San Francisco, y por lo visto contestó a un anuncio de un periódico para dar clases particulares a Lillian Hennessy. Sus costumbres nómadas continuaron en el lujoso especial de Hennessy, que estaba en continuo movimiento. Las pocas veces que el irascible Osgood se dejaba ver en sociedad, la bella señora Comden estaba a su lado. Y pobre del político, banquero o industrial cuya esposa se atreviera a desairarla, comentaba en su informe el investigador de Van Dorn.

La vida de Charles Kincaid había sido menos ajetreada de lo que los periódicos de Preston Whiteway habían hecho creer a sus lectores. Estudió ingeniería durante un corto espacio de tiempo en West Point, se pasó a la ingeniería de caminos en la Universidad de West Virginia e hizo un curso de posgrado en el Technische Hochschule de Munich. Luego consiguió trabajo en la empresa alemana que estaba construyendo el ferrocarril de Bagdad. Los datos que justificaban su apodo, Ingeniero Heroico, eran discutibles. Que unos revolucionarios turcos hubieran asustado a enfermeras y misioneros estadounidenses que cuidaban de refugiados armenios era probable. Las historias del papel de Kincaid en su rescate publicadas en el periódico de Whiteway «lo eran menos», observaba sarcásticamente el investigador de Van Dorn.

Bell trasladó a sus hombres dos preguntas más: «¿Por qué Kincaid dejó West Point?» y «¿Quién es Eric Soares?».

El ayudante de Franklin Mowery siempre estaba a su lado. Cualquier información especial sobre los asuntos de Hennessy que obrara en poder del constructor de puentes también obraría en poder del joven Eric.

Y hablando de jóvenes ayudantes, ¿por qué estaba tardando tanto James Dashwood en dar con el herrero que fabricó el gancho que hizo descarrilar el tren de la línea costera? Isaac Bell releyó los informes meticulosamente detallados de Dashwood. A continuación envió un telegrama a la oficina de Los Ángeles para que se lo entregaran al aprendiz.

YA QUE EL HERRERO HA DEJADO DE BEBER, INVESTIGA REUNIONES DE ASOCIACIONES ANTIALCOHÓLICAS.

Poco después, Isaac Bell recibió un informe de la oficina de Kansas City que revelaba que Eric Soares era un huérfano al que Franklin Mowery había financiado los estudios en la Universidad de Cornell y había tomado como ayudante. Según algunos, Soares era un ingeniero con talento, y según otros, un arribista que había salido adelante gracias al favor de un hombre conocido por su generosidad.

Bell meditó sobre el hecho de que Mowery no tuviera la resistencia física ni la agilidad para hacer trabajo de campo sin ayuda. Eric desempeñaba tareas que exigían actividad física, como inspeccionar el trabajo realizado en el puente. Telegrafió a Kansas City para que siguieran indagando.

—Un telegrama privado, señor Bell.

—Gracias, señor Meadows.

Bell se llevó el telegrama a su compartimiento con la esperanza de que fuera de Marion. Lo era, y el detective exclamó de satisfacción cuando lo leyó.

NO ME APETECE, EN ABSOLUTO, REUNIRME CON PRESTON WHITEWAY EN EL PABELLÓN DE LAS CASCADAS PARA HACER UN DOCUMENTAL. ¿TODAVÍA ESTÁS AHÍ? SI ES ASÍ, ¿TÚ QUÉ OPINAS AL RESPECTO?

Bell pasó a ver a Lillian Hennessy. Sus planes para librarse de la enamoradiza muchacha y rescatar a Archie Abbott de su madre parecían estar dando resultado. Desde su regreso de Nueva York, la mayoría de sus conversaciones se desviaban a Abbott, y por fin trataba a Bell como a un hermano o un primo mayor muy querido. Después de hablar con Lillian, contestó a Marion por telegrama.

¡VEN! DÉJATE INVITAR POR HENNESSY.

Mientras Bell continuaba con su investigación y seguía redoblando sus esfuerzos para proteger el puente del cañón de las Cascadas, el ferrocarril avanzaba a buen ritmo. Dos días después de que el atajo hubiera cruzado el barranco, la zona de almacenamiento de la apartada explanada contaba con espacio y tendido viario para acomodar las interminables filas de vagones de mercancías que llegaban con raíles de acero, pernos, balasto y carbón. La planta de creosotado llegó por partes. Se instaló junto a las traviesas almacenadas, y pronto estaba arrojando nocivo humo negro mientras la madera natural entraba por un extremo y salía por el otro impregnada de conservante.

Los carros que habían llevado las traviesas por los sinuosos senderos montañosos desde la distante Compañía Maderera East Oregon transportaban en ese momento tablones y vigas. Un tren entero de carpinteros construía depósitos con el techo de hojalata para las locomotoras, centrales eléctricas para albergar las dinamos, herrerías, cocinas, barracones para los peones y cuadras para las mulas y los caballos.

Una vez perforado el último túnel, hecha la conexión con el puente y unido este a la estación estratégicamente situada, Hennessy podía llevar hombres y materiales desde California. La tarea de proteger la ruta de seiscientos cincuenta kilómetros y el puente recaía en los detectives de Van Dorn y la policía ferroviaria de la Southern Pacific. Isaac Bell instó a Joseph van Dorn a que solicitara tropas del ejército como refuerzo, dada la dispersión de sus efectivos.

A doce kilómetros río arriba del puente del cañón de las Cascadas, el ruido incesante de las hachas de doble filo sonaba de sol a sol en el bosque de la Compañía Maderera East Oregon. Modernos cabrestantes de transporte por cable arrastraban troncos desde las pendientes más empinadas. Los potentes «burros de vapor» hacían girar rollos de cable de acero que tiraban de los troncos hasta el aserradero por un camino abierto en el bosque para el transporte de la madera. Una tras otra, las traviesas eran serradas, se les daba forma y se las enviaba en carros por los precarios senderos. Cuando el trabajo se interrumpía de noche, los agotados leñadores podían oír el lejano gemido de los silbatos de la locomotora que, incluso cuando estaban dormidos, les recordaba que el ferrocarril necesitaba más madera.

A los cocheros que la transportaban a la estación del atajo les parecía que en lugar de doce kilómetros había ciento veinte entre el puente y el campamento. Los caminos de montaña eran tan escarpados que Gene Garret, el ambicioso y avaro encargado del aserradero, daba gracias por el pánico que habían despertado los difíciles tiempos que vivían. Si la economía hubiera estado en auge, en el aserradero habría faltado mano de obra. Los arrieros habrían buscado trabajo en otra parte antes que subir aquellas laderas para llevar otra carga. Y los leñadores que cada sábado, tras cobrar la paga, bajaban por el río en canoas hasta el campamento para divertirse no habrían recorrido doce kilómetros a pie de vuelta para estar en sus puestos el domingo.

Un enorme lago artificial se estaba llenando junto al apartado campamento maderero. El agua turbia rebasaba cada día las orillas de la cuenca natural formada en el punto del río de las Cascadas en el que confluían tres pendientes montañosas. El cuarto lado era un dique que habían construido con piedras y troncos caídos. Se elevaba quince metros por encima de la mampostería original que, hacía años, se había levantado para hacer un canal de derivación mediante el cual impulsar las enormes sierras. En ese momento la energía procedía de los burros de vapor que los nuevos dueños de la Compañía Maderera East Oregon habían transportado por piezas en carros de bueyes. La represa original había desaparecido bajo el lago, cada vez más profundo. El nivel de las aguas subía tanto que se habían trasladado en dos ocasiones las cuadras, los barracones y las cocinas.

El Saboteador estaba orgulloso de aquel lago artificial.

Lo había diseñado basándose en el modelo de una presa de castor, que regulaba el flujo de agua sin interrumpirlo por completo. Él había optado por emplear gigantescos troncos de árboles, en lugar de ramas, y cantos rodados del tamaño de un hombre, en lugar de barro. El secreto estaba en retener caudal suficiente para llenar el lago sin que, por otra parte, el agua que se dejaba pasar fuera tan poca que llamara la atención de los escasos habitantes del pueblo de las Cascadas, río abajo. Además, como el puente del cañón de las Cascadas estaba recién construido, no había marcas antiguas del nivel de otros otoños con las que hacer comparaciones.

El encargado Garret jamás se cuestionaría la finalidad de aquella presa. Tampoco le importaría, en opinión del Saboteador, que la enorme inversión que él había hecho difícilmente pudiera recuperarse transportando madera. La empresa fantasma del Saboteador, que había negociado en secreto el contrato, pagaba al encargado del aserradero una pingüe bonificación por cada tablón y cada traviesa entregados al ferrocarril. Lo único que le interesaba a Garret era que sus leñadores trabajaran a buen ritmo hasta que las nieves invernales les obligaran a parar.

El lago seguía aumentando de nivel mientras las lluvias otoñales hacían crecer los incontables arroyos y riachuelos que vertían sus aguas en el río. Haciendo gala de un humor amargo, el Saboteador lo llamó lago Lillian por la testaruda chica que lo había rechazado. Calculaba que más de un millón de metros cúbicos de agua llenaban el profundo barranco hasta ese momento. El lago Lillian era una póliza de seguros millonaria en caso de que los desperfectos que él había causado en el puente del cañón de las Cascadas no lo hicieran desplomarse por sí solo.

Enfiló con su caballo el sendero a lo largo de un kilómetro y medio hasta una cabaña de madera situada en un claro del bosque junto a un manantial. Había un montón de leña debajo de un cobertizo de lona, y de una chimenea, hecha con barro y ramas, salía humo. La construcción tenía una sola ventana que daba al camino. Desde las troneras para los rifles, repartidas en los cuatro muros de la cabaña, se dominaba todo el perímetro de la misma.

Philip Dow salió por la puerta. Era un hombretón apacible de cuarenta y tantos años, bien afeitado y con una tupida mata de pelo moreno rizado. Dow, natural de Chicago, iba vestido inapropiadamente para la cabaña con un traje oscuro y un sombrero hongo.

Sus penetrantes ojos y su rostro impertérrito podrían haber sido los de un veterano policía, un tirador del ejército o un asesino. Dow era esto último. De hecho, la Asociación de Propietarios de Minas ofrecía una recompensa de diez mil dólares por él, vivo o muerto. A lo largo de dieciséis años de huelgas en el distrito minero de Coeur d'Alene, Philip Dow había asesinado, según sus propias palabras, a «plutócratas, aristócratas y otras ratas».

Una mente fría, talento para el liderazgo y un rígido código del honor, que anteponía la lealtad a todo lo demás, hacían de Dow una rara excepción a la regla de Charles Kincaid según la cual ninguno de los cómplices que le veía la cara sobrevivía, y menos aún si conocía su verdadera identidad. Kincaid le había ofrecido refugio después del asesinato del gobernador Steunenberg, cuando la franja del norte de Idaho se había vuelto demasiado peligrosa para que Dow se quedara allí. El letal maestro de las porras, las navajas, las pistolas y los explosivos estaba a salvo en su cabaña en el campamento maderero del Saboteador, leal a este y agradecido hasta extremos conmovedores.

—Isaac Bell acudirá al banquete que se celebra en el pabellón esta noche. He ideado un plan para tenderle una emboscada.

—Los detectives de Van Dorn no se dejan matar fácilmente —observó Dow.

Era un hecho, no una queja.

—¿Alguno de tus muchachos sabrá ocuparse de él?

Los «muchachos» de Dow eran un puñado de curtidos leñadores que él había reunido y convertido en una temible banda. Muchos de ellos huían de la ley, de ahí que un lugar tan apartado como el aserradero de la East Oregon les resultase atractivo, si bien preferían ser asesinos a sueldo antes que doblar el espinazo para talar árboles. Charles Kincaid nunca trataba con ellos directamente; de hecho, no estaban al tanto de su relación con la compañía. Pero bajo el mando de Dow ampliaban el alcance del Saboteador, ya fuera para atacar el ferrocarril o para dar un buen susto a aquellos de sus cómplices que, de vez en cuando, se mostraban indecisos. Había enviado a un par de aquellos fugitivos a matar al herrero de Santa Mónica, que le había visto la cara. Pero el herrero había desaparecido y los dos tipos habían huido. Un lugar escasamente arbolado y soleado como el sur de California no era seguro para unos fornidos leñadores con bigote poblado y ropa de lana a cuyas cabezas la ley había puesto precio.

—Lo haré yo mismo —dijo Dow.

—La prometida de Bell también asistirá —añadió el Saboteador—. En teoría, él estará distraído, de modo que a tus hombres debería resultarles más fácil pillarlo desprevenido.

—Aun así, como le he dicho, senador, me ocuparé yo. Es lo mínimo que puedo hacer por usted.

—Te agradezco el detalle, Philip —dijo Kincaid, consciente de que el código de Dow exigía cierta formalidad en la expresión.

—¿Qué aspecto tiene Bell? He oído hablar de él, pero no lo he visto nunca.

—Isaac Bell es más o menos de mi estatura… En realidad, un poco más alto. Tiene una constitución como la mía, aunque tal vez sea algo más delgado. Un rostro severo, como el de un abogado, ya sabes. Cabello y bigote rubios. Y, por supuesto, llevará ropa elegante para la celebración. Te explicaré el plan. La mujer se alojará en el tren de Hennessy. Hay que hacerlo tarde, cuando hayan vuelto del banquete. Hennessy tiene problemas para dormir. Siempre ofrece a sus invitados una copa antes de acostarse…

Entraron en la cabaña, que Dow mantenía muy limpia. Sobre la mesa cubierta con hule, el Saboteador extendió un plano en el que se detallaba la distribución del tren especial de Hennessy.

—Después de la locomotora y el ténder, están el *Nancy n.º 1* y el *Nancy n.º 2*, que son los vagones privados de Hennessy. El siguiente es el furgón de equipaje; lo recorre un pasillo. Los vagones de los compartimientos de lujo, los coches números tres y cuatro, están detrás; los sigue el vagón restaurante, los pullman y el furgón salón. El vagón equipaje hace de separador, y nadie pasa sin invitación. La prometida de Bell está en el coche número cuatro, en el compartimiento cuatro, el último de todos. Bell está en el mismo coche que ella, pero en el compartimiento uno. La dama se acostará primero. Él se quedará para guardar las apariencias.

—¿Por qué?

—Todavía no están casados.

Philip Dow puso cara de perplejidad.

—¿Me he perdido algo?

—Es como un fin de semana en el campo solo que en un tren —explicó Kincaid—. Un anfitrión atento reserva los dormitorios para facilitar las relaciones de sus invitados, de forma que nadie tenga que ir de puntillas demasiado lejos por el pasillo. Todo el mundo lo sabe, por supuesto, pero no es de dominio público, ya sabes a lo que me refiero.

Dow se encogió de hombros como diciendo que era más importante matar aristócratas que entenderlos.

—Bell entrará en el coche cuatro por la parte delantera, desde el salón de los vagones privados de Hennessy. Irá hasta el final del coche cuatro y llamará a la puerta de su novia. Cuando ella la abra para dejarle pasar, tú saldrás de este habitáculo: el puesto del mozo del coche cama. Te recomiendo que uses la porra porque todo estará en silencio, pero, claro está, dejo esos detalles en tus manos.

Philip Dow recorrió la ruta con la pulcra uña de un dedo al tiempo que reflexionaba. En la medida en que podía sentir afecto por alguien, le caía bien el senador. Jamás olvidaría que ese hombre había salido en su apoyo cuando cualquier otro lo habría entregado para cobrar la recompensa. Además, Kincaid sabía cómo funcionaban las cosas. Era un plan excelente, sencillo y sin complicaciones. Aunque la mujer podía darle problemas si chillaba. Tendría que matarla también a ella. Un verdugo lo estaba esperando en Idaho, se recordó Dow, así que no podía dejarse atrapar.

Usar la porra tenía sentido. Si empleaba una pistola haría ruido, evidentemente, y si utilizaba una navaja la víctima podía gritar. Además, por lo que recordaba de las sangrientas carnicerías que había llevado a cabo a lo largo de toda su vida, había matado a más enemigos con la porra que con pistolas, navajas y explosivos juntos. Impulsada con fuerza, la pesada bola de plomo se amoldaba tanto a la sien de un hombre que, por lo general, hacía añicos el hueso y siempre reventaba los sesos.

—Déjeme preguntarle una cosa, senador.

—¿Qué?

—Usted pretende destruir a Osgood Hennessy, ¿verdad?

Kincaid apartó la vista para que Dow no pudiera ver en sus ojos que estaba a un paso de partirle el cráneo con el atizador de la chimenea.

—¿Por qué quieres saberlo?

—Yo podría matarlo por usted.

—Ah. —Kincaid sonrió. Dow solo intentaba ayudar—. Gracias, Philip, pero prefiero mantenerlo con vida.

—Venganza. —Dow asintió con la cabeza—. Pretende que el viejo sufra con lo que le está haciendo.

—Correcto —mintió el Saboteador.

La venganza era para los tontos. Ni siquiera mil ofensas hacían que compensara. La muerte prematura de Osgood Hennessy daría al traste con todos los planes de Kincaid. Lillian, la heredera, solo tenía veinte años. Los banqueros de Hennessy sobornarían a un juez para que nombrara a un tutor que protegiera sus intereses. J. P. Morgan aprovecharía la oportunidad para controlar la Southern Pacific convirtiendo a la joven en su pupila. Nada de eso favorecería el plan de Charles Kincaid de ser el primero entre los «pocos afortunados».

Philip Dow centró su atención de nuevo en el plano. Y anticipó otro problema.

—¿Y si el mozo del coche cama está en su puesto?

—Es poco probable que esté a esa hora. Si lo está, cómo te ocupes de él es cosa tuya.

Philip Dow negó con la cabeza.

—No mato a trabajadores. A menos que no tenga más remedio.

El Saboteador lo miró.

—Solo es un mozo. Y ni siquiera es blanco.

Dow retrocedió al tiempo que su expresión se ensombrecía con una mirada dura como la antracita.

—El peor trabajo del tren es el mejor que esos hombres pueden conseguir. Todo el mundo está por encima del mozo del coche cama. Eso lo convierte en un trabajador suficientemente digno para mí.

El Saboteador no había conocido a ningún sindicalista que diera la bienvenida a los negros al movimiento obrero. Se apresuró a apaciguar al enojado asesino.

—Ten, toma esto.

Dio a Dow una estrella de plata de seis puntas.

—Si crees que estarás a salvo solo con que ese tipo baje del tren, enséñale esto, Philip.

Down levantó la insignia con la mano y leyó la inscripción.

—¿Capitán de la policía ferroviaria de la Southern Pacific? —Sonrió, aliviado de no tener que matar al mozo—. El pobre hombre no parará de correr hasta Sacramento.

36

Marion Morgan llegó de San Francisco cuando todavía faltaba una hora para el banquete que Preston Whiteway había organizado en honor a Osgood Hennessy. Lillian le dio la bienvenida a bordo y la llevó a su compartimiento en el coche número cuatro. La joven se ofreció a ayudarla con su vestido, pero a Marion pronto le quedó claro que el principal objetivo de la hermosa heredera era hacerle preguntas sobre Archie Abbott.

Isaac Bell había ido al pueblo para inspeccionar las garitas que protegían los estribos del puente del cañón de las Cascadas. Habló seriamente con el capitán de guardia y le recordó, por tercera vez, que los centinelas debían cambiar de posición a intervalos regulares; así sus movimientos no resultarían previsibles para un posible asaltante. Satisfecho por el momento, se dirigió a toda prisa al pabellón de las Cascadas.

Era un edificio enorme de madera, decorado con piezas de caza disecadas, alfombras navajas, muebles rústicos más cómodos de lo que parecían y lámparas de gas con pantallas de Louis Comfort Tiffany. Una orquesta estaba animando el ambiente con una interpretación de «There'll Be a Hot Time in the Old Town Tonight» cuando Bell se quitó el guardapolvo de lino que se había puesto sobre un esmoquin cruzado de color azul oscuro. Instantes más tarde, Osgood Hennessy llegó con la señora Comden, Lillian, Franklin Mowery y Marion.

Marion estaba deslumbrante con su escotado vestido rojo, pensó Bell. Si no la hubiera visto en su vida, habría ido directamente hacia ella y le habría pedido que se casara con él. Sus ojos verdes brillaban. Tenía el cabello rubio recogido en un moño alto y lucía sobre el pecho el collar de rubíes que le había regalado por su cumpleaños. Se había quitado la venda de la herida producida tras la explosión de Nueva York. Un toque de colorete lo hacía casi imperceptible para todos, excepto para él.

—Bienvenida al cañón de las Cascadas, señorita Morgan. —La recibió con una sonrisa y la saludó formalmente, ya que había demasiadas personas delante para estrecharla entre sus brazos—. Nunca ha estado más hermosa que hoy.

—Me alegro mucho de verte —dijo ella, devolviéndole la sonrisa.

Preston Whiteway, seguido de unos camareros rubicundos que parecían haber bebido ya unas cuantas copas del champán que llevaban en las bandejas, se acercó enseguida a saludarlos.

—Hola, Marion. —Se alisó sus ondas de cabello rubio—. Estás estupenda… Ah, hola, Bell. ¿Qué tal va el Locomobile?

—Como la seda.

—Si alguna vez le interesa venderlo…

—No es el caso.

—Bueno, que disfrute de la cena. Marion, te he sentado entre el senador Kincaid y yo. Tenemos muchos asuntos de los que hablar.

—Yo me ocupo de eso —susurró Osgood Hennessy al oído de Bell, y se dirigió a la mesa principal para cambiar tranquilamente de sitio todas las tarjetas.

—¡Padre! —protestó Lillian—. Eso es de mala educación.

—Si quieren rendirme homenaje, pueden empezar sentándome entre las dos mujeres más guapas que hay en esta sala, sin contar a mi hija. A ti te he puesto al lado de Kincaid. Es una tarea ingrata, pero alguien tiene que hacerla, Lillian. Bell, a usted lo he colocado entre Whiteway y la señorita Morgan para que ese hombre deje de mirarle el escote. ¡Bueno, a comer!

Philip Dow apenas había puesto el pie en las instalaciones de la enorme estación del cañón de las Cascadas cuando un policía del ferrocarril lo detuvo.

—¿Adónde va, señor?

Dow lanzó una mirada fría al policía y mostró la estrella de plata.

El hombre retrocedió y estuvo a punto de tropezar.

—Lo siento, capitán. No recordaba haberlo visto antes.

—Más vale tarde que nunca —dijo Dow, doblemente agradecido de tener la placa.

Los policías que lo habían visto hasta entonces tenían buena memoria para los carteles de SE BUSCA.

—¿Puedo ayudarle en algo, capitán?

—Sí. No diga una palabra hasta mañana por la mañana. ¿Cómo se llama, agente?

—McKinney, señor. Darren McKinney.

—Lo elogiaré en mi informe, McKinney. Me ha dado el alto en cuanto he entrado en el recinto. Buen trabajo.

—Gracias, capitán.

—Continúe con la ronda.

—Sí, señor.

Dow cruzó una vía tras otra con paso enérgico, confiando en que su traje y su bombín parecieran los de un agente cuyo sitio estaba entre las locomotoras con ténder que arrastraban filas de vagones descubiertos. En la parte delantera, el intenso resplandor de las luces del puente arrancaba destellos dorados y rojos al tren de Osgood Hennessy, que se hallaba estacionado en una vía muerta elevada desde la que se divisaba toda la zona.

Bell bailó con Marion entre plato y plato.

—¿Cuándo me dejarás que te enseñe el vals lento?

—No mientras la orquesta toque «There'll Be a Hot Time in the Old Town Tonight».

Preston Whiteway se acercó a la pareja, pero antes de que pudiera interrumpirlos, una brusca mirada del detective le hizo cambiar de opinión y regresó a la pista con la señora Comden.

De postre sirvieron tortilla noruega, una tarta con helado cubierto de merengue horneado. Algunos invitados que nunca habían estado al este del Mississippi juraban que era idéntica a la que el famoso restaurante Delmonico's de Nueva York ofrecía en su carta.

La mención de Nueva York hizo que Lillian Hennessy se acordara de Archie Abbott. Pero Charles Kincaid interrumpió sus pensamientos.

—Menuda forma de sonreír —exclamó el senador.

—Aguardo con ilusión su discurso —mintió Lillian.

Bell la oyó y le dedicó una sonrisa cómplice.

La joven se fijó en que Isaac había estado extrañamente callado y serio pese a la compañía de su hermosa prometida. Casi tan callado como Franklin Mowery, quien parecía inquieto. Algo le preocupaba. Alargó la mano por detrás de Kincaid para dar una palmada en la mano al pobre anciano. El hombre asintió con la cabeza, distraído. Entonces Preston Whiteway dio unos golpecitos en una copa con una cuchara, y la doble hilera de caras rollizas y coloradas que bordeaba la mesa se volvió hacia él con expectación.

—Caballeros. Y damas... —El editor del periódico dedicó una reverencia a Emma Comden, Lillian Hennessy y Marion Morgan, las únicas mujeres presentes—. Es un honor para mí que hayan podido acompañarme en este acto en honor a los grandes constructores del ferrocarril de la Southern Pacific. Mientras ellos se acercan cada vez más a su objetivo final, hagámosles saber que les dedicamos nuestras plegarias y confiemos en que nuestra ferviente admiración los anime a seguir. Los constructores engrandecen Estados Unidos, y nos honra estar en presencia de los más audaces del Oeste.

Los gritos de «¡Bravo!» y las palmadas resonaron por todo el pabellón. Los caballeros de California se levantaron al unísono. Osgood Hennessy asintió en señal de agradecimiento.

—Y del mismo modo que aplaudimos a los hombres que construyen con sus manos y sus corazones, pedimos a otro hombre presente en esta espléndida sala de banquetes que construya el futuro de nuestro gran país con su liderazgo y su sabiduría. Me refiero, claro está, a nuestro buen amigo el senador Charles Kincaid, quien creo que tiene algo que anunciar que llenará de alegría a todos los hombres y mujeres de esta sala. Senador Kincaid.

Kincaid se levantó con una gran sonrisa. Tras agradecer los aplausos, colocó los pulgares bajo sus solapas y, mientras la ovación disminuía, contempló los rostros de admiración. Se volvió y sonrió a Lillian Hennessy, y miró a Osgood Hennessy a la cara. A continuación, centró su atención en las cabezas de alce y de oso grizzly que sobresalían de las paredes de troncos.

—He venido aquí por invitación de los más exitosos hombres de negocios de California y Oregón. Hombres que durante mucho tiempo han trabajado duro para fomentar el desarrollo de esta gran tierra. De hecho, estos parajes nos recuerdan que nuestro destino manifiesto en el Oeste consiste en someter la naturaleza en pro de la prosperidad de Estados Unidos. Madera, minería, cosechas y ganado vacuno, gracias a los ferrocarriles, todo ello prospera. Estos caballeros me han pedido que los conduzca hacia nuevos logros que beneficien a nuestro gran país y lo protejan de nuestros enemigos... Han sido muy persuasivos.

Miró a los comensales.

Bell advirtió que poseía el extraño don de los políticos para convencer a cada persona de la sala de que se estaba dirigiendo a ella. De repente, Kincaid levantó con el pulgar una de sus solapas y dejó a la vista la chapa roja y blanca con las palabras KINCAID, PRESIDENTE que había enseñado al detective.

—¡Me han persuadido! —dijo, con su atractivo rostro sonriente—. Ustedes me han convencido. Serviré a mi país como consideren oportuno, caballeros.

—¿Presidente? —preguntó Osgood Hennessy a Bell, mientras la sala prorrumpía en aplausos y la orquesta tocaba alto.

—Eso parece, señor.

—¿De Estados Unidos?

—Eso es, señor Hennessy —gritó Preston Whiteway—. Los caballeros de California ofrecemos nuestro apoyo al senador Charles Kincaid, el Ingeniero Heroico.

—Caramba.

—¡A mí también me ha sorprendido! —gritó un rico maderero de secuoyas del condado de Marin—. No quería aceptar. Prácticamente tuvimos que atarlo para que lo hiciera.

Preston Whiteway agradeció las muestras de júbilo de los presentes.

—Creo que el senador Kincaid —añadió— desea decir algo más sobre este tema.

—Solo unos comentarios —dijo Kincaid—. Me alegraría pasar a la historia como el presidente que daba los discursos más cortos. —Tras acoger con agrado las risas, se puso serio—. Como usted ha dicho, aunque me sentí honrado cuando me plantearon la posibilidad por primera vez, dudé en aceptar. Pero los terribles sucesos que tuvieron lugar hace dos semanas en New Jersey y Nueva York me convencieron de que toda persona que ocupa un cargo público debe defender al pueblo estadounidense del peligro amarillo. Esa infame explosión fue provocada por un chino. Las calles de la ciudad se llenaron de cristales rotos, y nunca olvidaré el crujido de los neumáticos de las ambulancias sobre ellos, cuando acudí en auxilio de los heridos. Nunca olvidaré ese sonido…

Isaac Bell escuchaba atentamente el discurso de Kincaid. ¿De verdad creía el senador sus propias palabras? ¿O su advertencia contra el peligro amarillo era el tipo de cháchara política que esperaban sus partidarios? Bell observó a Marion. Un brillo pícaro destellaba en sus ojos. Su prometida notó que la miraba y bajó la vista, mordiéndose el labio. Lillian se inclinó por detrás de su padre para susurrar algo a Marion, y Bell vio que las dos mujeres se tapaban la boca para contener la risa. Se alegraba de que se hubieran tomado simpatía, aunque no le sorprendía.

—… El peligro amarillo al que nos enfrentamos, la miríada de inmigrantes chinos que trabajan para empresas estadounidenses y asustan a mujeres estadounidenses, se ganó la vuelta a su hogar esa terrible noche en Nueva York. Ese vil chino hizo explotar toneladas de dinamita en las instalaciones de una concurrida estación de tren, cerca de una ciudad llena de gente, por motivos incomprensibles que ningún hombre blanco alcanzaría a entender…

A la sombra de una fila de vagones de mercancías, Philip Dow observaba las ventanas iluminadas del tren del presidente de la compañía ferroviaria. El senador Kincaid le había facilitado el horario de cena de los empleados que vivían en el tren. Esperó hasta que el personal del coche restaurante hubo servido a los invitados. Luego, mientras ellos cenaban con los mozos, y el personal del tren comía en el vagón de equipaje, subió a la parte delantera del coche número tres. Comprobó la distribución de este y del coche cuatro, y localizó las rutas de escape a través del convoy y de cada vagón.

El puesto del mozo del coche cuatro era un habitáculo reducido que se cerraba con una cortina. Estaba repleto de toallas y servilletas limpias, remedios para el resfriado y la resaca, un cajón de limpiabotas y un infiernillo de alcohol para calentar agua. Dow desenroscó una bombilla para dejar a oscuras el breve tramo de pasillo por el cual correría al compartimiento cuatro de Marion Morgan.

A continuación hizo un ensayo. Observó el pasillo a través de la cortina del mozo, siguiendo la ruta que tomaría Isaac Bell desde la parte delantera del vagón hacia la trasera. Luego salió del cuartucho sin hacer ruido y probó la porra, aunque no alzó el brazo dado el limitado espacio. Si en el momento de atacar a Bell subía corriendo los tres escalones con la pesada bola de plomo ya en alto, esta impactaría con una fuerza letal contra la sien del investigador.

Isaac Bell se presionó la sien con los dedos.

—¿Te duele la cabeza? —le susurró Marion.

—Solo espero que este «corto discurso» acabe pronto —contestó él en voz baja.

—¿Quería sembrar la anarquía? —gritó Charles Kincaid, cobrando ímpetu—. ¿Lo impulsaba la veneración a su emperador? Quién sabe qué pensamientos movían a ese chino. Quizá su odio al hombre blanco. O puede que estuviera trastornado por fumar opio, su vicio favorito...

Los partidarios del senador se levantaron y estallaron en aplausos.

Preston Whiteway, que había bebido ya bastantes copas del excelente vino que se servía en la cena y tenía la nariz roja, habló a Osgood Hennessy al oído.

—No me diga que el senador no ha dado en el clavo con la amenaza del peligro amarillo.

—Nosotros construimos el ferrocarril transcontinental con chinos —replicó Hennessy—, y no tengo queja de ellos.

Franklin Mowery se levantó de la mesa y lanzó una mirada a Whiteway.

—La próxima vez que su tren pase por el túnel de Donner, eche un vistazo al trabajo de cantería que los chinos hicieron —murmuró.

Whiteway, haciendo oídos sordos, sonrió a Marion.

—Apuesto a que el bueno de Isaac aplaude la opinión del senador Kincaid sobre la amenaza, considerando que es el sagaz detective que detuvo a ese chino desquiciado por el opio.

A juicio de Bell las sonrisas de Whiteway a Marion podían ser peligrosas. Para Whiteway, por supuesto.

—Todo indica que la motivación de ese tipo fue el dinero —contestó con severidad Bell. Y, esquivando la patada que Marion le dio por debajo de la mesa, añadió—: No tenemos ninguna prueba de que el hombre que le pagó no fumara algo más fuerte que tabaco.

Mowery cogió su bastón y se dirigió cojeando al porche.

Bell se apresuró a abrirle la puerta, pues su ayudante no había sido invitado al banquete. El anciano ingeniero avanzó con paso inseguro y se apoyó en la barandilla con vistas al río.

Bell lo observó con curiosidad. Mowery se había comportado de forma extraña ese día, y en ese momento escudriñaba los estribos del puente, que estaban iluminados por lámparas de arco voltaico. Parecía absorto.

El investigador se reunió con él ante la barandilla.

—Menudo panorama se ve desde aquí, ¿verdad?

—¿Qué? Ah, sí, claro.

—¿Le ocurre algo, señor? ¿No se encuentra bien?

—El agua está subiendo —dijo Mowery.

—Ha llovido mucho. De hecho, creo que vuelve a hacerlo.

—La lluvia empeora las cosas.

—¿Cómo dice, señor?

—Durante miles de años, el río ha bajado de las montañas por una ladera de marcado desnivel —contestó Mowery como si estuviera dando clase con un libro de texto en la mano—. Ese curso en pendiente hace que se desprendan muchas toneladas de tierra, arena, grava y rocas. Son materiales que van desgastando el lecho del río, lo que hace a su vez que este sea cada vez más profundo y más ancho. El material que arrastra el caudal va en aumento, y se deposita donde la pendiente es menor. El río se abre y serpentea, cruzando bancos de arena como sobre el que está construido este pueblo. Se bifurca en brazos que más adelante se juntan aquí, en este barranco, dejando toneladas y toneladas de sedimento. Solo Dios sabe cuántas hay desde aquí hasta el lecho de roca.

De repente el ingeniero miró a Bell a los ojos. Con la intensa iluminación eléctrica, al investigador le pareció más demacrado que nunca.

—La Biblia nos dice que solo un tonto construye su casa sobre arena, pero no nos explica qué debemos hacer cuando no nos queda otro remedio.

—Supongo que entonces es cuando necesitamos a los ingenieros.

Bell sonrió a Mowery para alentarle a que siguiera hablando, pues intuía que el anciano trataba de contarle algo que le asustaba decir en voz alta.

Mowery rió entre dientes pero no sonrió.

—Ha dado en el clavo, hijo. Por ese motivo necesitamos a los ingenieros.

La puerta se abrió detrás de ellos.

—Volvemos al tren —anunció Marion—. El señor Hennessy está cansado.

Dieron las gracias a sus anfitriones y se despidieron. Charles Kincaid fue con ellos y ofreció a Franklin Mowery el brazo para que se apoyara. Isaac tomó la mano de Marion mientras caminaban bajo la lluvia hacia la empinada fila de vagones con mercancías.

—Diré que estoy agotada por el largo viaje y me acostaré enseguida.

—Espero que no lo estés demasiado para que llame a tu puerta.

—Si tú no estás cansado, Isaac, llamaré yo a la tuya.

Subieron al vagón de pasajeros de la línea de la Serpiente en el que habían llegado. Tres locomotoras en la parte de delante y dos en la de detrás los llevaron resollando lentamente por las empinadas revueltas hasta la explanada en la que estaba estacionado el especial de Hennessy, con las ventanas iluminadas a modo de bienvenida.

—Pasen, caballeros —ordenó Hennessy—. Brandy y puros.

—Creía que estabas cansado —dijo Lillian.

—Cansado de tonterías de hombres de negocios —replicó Hennessy—. Damas, tienen champán en el comedor mientras los caballeros fumamos.

—No te vas a librar de mí —dijo Lillian.

La señora Comden también se quedó con ellos, y se sentó en un sillón apartado para bordar en silencio.

Marion Morgan les dio las buenas noches y se retiró a su compartimiento.

Isaac Bell, por decoro, aguardó un tiempo prudencial, que aprovechó para seguir observando atentamente a Kincaid.

Philip Dow miró a través de la cortina del habitáculo del mozo en el vagón pullman cuando oyó que alguien entraba desde el vestíbulo delantero. Una hermosa mujer se dirigía hacia allí.

Llevaba un vestido rojo y un collar de rubíes, y a pesar de que tales muestras de riqueza normalmente despertaban una ira visceral en el sindicalista, en esa ocasión quedó cautivado por la sonrisa de la dama. Era rubia y tenía los ojos verdes, un cuello grácil y la cintura esbelta. En su caso, observó para sí, era una muestra de genuina felicidad, no como sucedía con la mayoría de las mujeres guapas, se dijo, que siempre sonreían como si estuvieran felicitándose por su belleza. Aquella era distinta. Ella sonreía de dicha.

Esperaba que no se detuviese en la puerta de Marion Morgan. No deseaba quitar la vida a una criatura tan adorable. Pero la mujer entró en el compartimiento número cuatro. Dow nunca había matado a una mujer. No quería que aquella, precisamente, fuera la primera. Sin embargo, tampoco estaba deseando encontrarse con el verdugo de Idaho.

Repasó rápidamente su plan de ataque. En lugar de esperar a que ella abriera la puerta cuando Isaac Bell llamara, atacaría en cuanto este levantara la mano. Bell no estaría tan distraído en ese momento como cuando la estrechara entre sus brazos; estaría más pendiente de defenderse, pero era el precio que Dow estaba dispuesto a pagar para no matarla a ella. Se metió el revólver en el cinturón; así podría sacarlo con rapidez si Bell conseguía esquivar la porra. Un disparo dificultaría su huida, pero también pagaría ese precio para no asesinar a la mujer. A menos que ella no le dejara otra alternativa.

37

Isaac Bell, quien no quitaba ojo a Kincaid, observó que el senador fruncía los labios en un gesto reprobatorio mientras Lillian Hennessy demostraba que era una mujer moderna. La joven no solo se negó a dejar a los hombres fumando sus puros, sino que se encendió un cigarrillo.

—Si la hija del presidente Roosevelt puede fumar, yo también —dijo a su padre.

Hennessy parecía igual de molesto que el senador.

—No pienso tolerar que el nombre de ese fanfarrón oportunista cuyo único interés es promocionarse a sí mismo se pronuncie en mi vagón.

—Deberías darte por satisfecho con que solo fume. Alice Roosevelt también es famosa por aparecer en las fiestas de la Casa Blanca con su mascota, una pitón.

La señora Comden alzó la vista de su bordado.

—Osgood, supongo que no permitirás subir serpientes a tu vagón.

—Si Roosevelt está a favor de esos bichos, yo estoy en contra.

El senador Kincaid rió a carcajadas.

Bell había observado que el senador creía que su chapa de candidato había elevado su estatus a los ojos del presidente de la compañía. También reparó en que Hennessy parecía estar calculando de nuevo el potencial del senador.

—Dígame, Kincaid —preguntó con el semblante serio—, ¿qué haría si fuera elegido presidente?

—Aprender con la práctica —respondió Kincaid con audacia—. Como usted aprendió el negocio del ferrocarril.

La señora Comden volvió a intervenir.

—El señor Hennessy no aprendió el negocio del ferrocarril. Él lo enseña.

—Reconozco mi error —admitió el senador con una sonrisa tensa.

—El señor Hennessy está erigiendo un imperio ferroviario en Estados Unidos —insistió la dama.

Hennessy la hizo callar con una sonrisa.

—La señora Comden sabe usar las palabras. Estudió en Europa, ¿sabe?

—Eres muy amable, Osgood. Estudié en Leipzig, sí, pero solo música.

Guardó su bordado en un bolso con forro de satén y se levantó de su sillón.

—Por favor, no se molesten, caballeros. —Y salió del salón.

Los demás se quedaron sentados un rato, fumando sus puros y bebiendo brandy.

—Bueno, creo que voy a acostarme —anunció Isaac Bell.

—Antes de que se marche, cuéntenos cómo va su búsqueda del llamado Saboteador, por favor —dijo Kincaid.

—¡Estupendamente! —contestó Hennessy por él—. Bell ha parado los pies a ese sanguinario radical a cada paso.

Bell dio unos golpecitos en el brazo de su sillón con los nudillos.

—Toco madera, señor. Hemos tenido varios golpes de suerte.

—Si le ha parado los pies —dijo Kincaid—, entonces su trabajo ha terminado.

—Mi trabajo habrá terminado cuando ese tipo esté colgado. Es un asesino. Y amenaza el sustento de miles de personas. ¿A cuántos hombres ha dicho que da empleo, señor Hennessy?

—A cien mil.

—El señor Hennessy es muy modesto —dijo Kincaid—. Incluyendo todos los sectores en los que tiene participación mayoritaria, lo cierto es que da empleo a más de un millón de trabajadores.

Bell lanzó una mirada a Hennessy para ver si este rebatía aquella afirmación, cosa que no hizo. El investigador se quedó admirado. Pese a dedicarse por entero al titánico esfuerzo de construir el atajo, el anciano seguía ampliando su imperio.

—Hasta que consiga colgarlo —dijo Kincaid—, ¿qué cree que es lo siguiente que planea hacer ese Saboteador?

Bell esbozó una sonrisa que no infundió calidez a sus ojos. Se acordó de la última vez que se las había visto con Kincaid, mientras charlaban a la salida del teatro acerca de su partida de póquer.

—Sus hipótesis son tan válidas como las mías, senador.

Kincaid sonrió con la misma frialdad.

—Yo creía que las hipótesis de un detective eran más válidas que las mías.

—Oigámoslas, señor Kincaid.

—Mi hipótesis, señor Bell, es que intentará cometer un atentado en el puente del cañón de las Cascadas.

—Por eso está tan vigilado —dijo Hennessy—. Necesitaría un ejército para acercarse.

—¿Por qué cree que atacaría el puente? —preguntó Bell.

—Cualquiera puede ver que el Saboteador, quienquiera que sea (anarquista, extranjero o huelguista), sabe cómo causar el mayor daño —respondió Kincaid—. Está claro que es un ingeniero brillante.

—Eso mismo ya lo han pensado varias personas —dijo Bell secamente.

—Está pasando por alto una opción, querido amigo. Busque a un ingeniero de caminos.

—¿Un hombre como usted?

—No, no. Como le dije el otro día, soy un ingeniero cualificado y competente, pero jamás brillante.

—¿Qué hace que un ingeniero sea brillante, senador?

—Buena pregunta… Hágasela al señor Mowery, que encaja en la definición.

Mowery, por lo general hablador, había estado muy callado desde que Bell había hablado con él mientras contemplaban el puente. El anciano rechazó responder a Kincaid con un gesto de incomodidad.

El senador se volvió hacia Hennessy.

—Mejor hacérsela al presidente de una compañía de trenes. ¿Qué hace que un ingeniero sea brillante, señor Hennessy?

—La ingeniería ferroviaria no es más que el manejo de la inclinación y el agua. Cuanto más uniforme y lisa sea la capa de balasto, más rápido será el tren.

—¿Y el agua?

—El agua hará lo imposible para estropear la capa de balasto si no la desvía.

—Se lo pregunto a usted, senador —dijo Bell—. ¿Qué hace que un ingeniero sea brillante?

—El sigilo —contestó Kincaid.

—¿Sigilo? —repitió Hennessy, y dirigió una mirada de desconcierto a Bell—. ¿De qué demonios está hablando, Kincaid?

—De ocultación. Secretismo. Astucia. —Kincaid sonrió—. Todo proyecto exige una solución de compromiso. La fuerza contra el peso. La velocidad contra el coste. Lo que un ingeniero consigue con una mano lo pierde con la otra. Un ingeniero brillante sabe ocultar las soluciones de compromiso. Nunca se perciben en sus obras. Por ejemplo, el puente del señor Mowery. Para mí, que soy un aprendiz, sus soluciones de compromiso son invisibles. Su puente simplemente se eleva.

—Tonterías —refunfuñó Franklin Mowery—. Solo es cuestión de matemáticas.

—Pero usted también me habló de los compromisos de la ingeniería el otro día en el cañón de los Diamantes. ¿Qué opina usted, señor? ¿Es el Saboteador un ingeniero brillante?

Mowery se atusó distraídamente la barba.

—El Saboteador ha demostrado que sabe de geología, explosivos y balasto, por no hablar del funcionamiento de las locomotoras. Si no es un ingeniero, se ha equivocado de vocación.

Emma Comden regresó, envuelta hasta la barbilla en un abrigo de pieles cuyo cuello enmarcaba su bonito rostro. Llevaba un gorro a juego colocado con desenfado sobre el cabello, y sus ojos oscuros brillaban.

—Ven, Osgood. Vamos a dar un paseo por la vía.

—¿Para qué?

—Para contemplar las estrellas.

—¿Las estrellas? Está lloviendo.

—La tormenta ha pasado y el cielo está despejado.

—Hace mucho frío —se quejó Hennessy—. Además, tengo que enviar unos telegramas en cuanto Lillian apague ese maldito cigarrillo y coja su libreta. Kincaid, amigo, lleve a la señora Comden a dar un paseo, ¿quiere?

—Por supuesto. Será un placer, como siempre.

Kincaid buscó su abrigo y ofreció el brazo a la señora Comden para descender los escalones que los separaban de la vía.

Bell se levantó, impaciente por reunirse con Marion.

—Bueno, le dejo trabajar, señor. Voy a acostarme.

—Siéntese conmigo un momento… Lillian, ¿nos disculpas?

Ella puso cara de perplejidad pero no protestó y se retiró a su compartimiento en el *Nancy n.º 2*.

—¿Una copa?

—Gracias, señor. Ya he bebido bastante.

—Está comprometido con una bella mujer.

—Gracias, señor. Me siento muy afortunado.

Y esperaba, pensó Bell, demostrarle a ella lo afortunado que se sentía dentro de muy poco.

—Me recuerda a mi esposa: era una chica a la que no se podía pasar por alto… ¿Qué sabe de su amigo Abbott?

Bell lo miró, sorprendido.

—Nos conocemos desde la universidad.

—¿Cómo es?

—Debo preguntarle por qué desea saberlo, dada la relación que me une a Abbott.

—Tengo entendido que mi hija ha mostrado interés por él.

—¿Se lo ha dicho ella?

—No. Me he enterado por otra fuente.

Bell reflexionó un instante. La señora Comden no había estado en Nueva York, sino que se había quedado en el Oeste con Hennessy.

—Ya que trata de hacer averiguaciones sobre mi amigo, permítame que le pregunte quién le ha dicho eso.

—Kincaid. ¿Quién creía? Estaba con Lillian en Nueva York cuando conoció a Abbott. Por favor, entiéndame, Bell, soy perfectamente consciente de que el senador diría cualquier cosa para desprestigiar a un rival por conseguir la mano de mi hija… Y no lo permitiré ni muerto.

—Ella tampoco, me imagino —dijo Bell, y esbozó una sonrisa.

—Pero debo reconocer que la candidatura a presidente es un giro inesperado —prosiguió Hennessy—. Puede que lo haya subestimado… —Movió la cabeza, asombrado—. Siempre he dicho que preferiría a un patán en la Casa Blanca antes que a Theodore Roosevelt. Debemos tener cuidado con lo que deseamos. Pero por lo menos Kincaid sería mi patán.

—Si aceptara a un patán en la Casa Blanca, siempre y cuando fuera su patán, ¿lo tomaría por yerno?

Hennessy pasó por alto la pregunta.

—Procuro informarme sobre su amigo Abbott porque tengo que sopesar a los pretendientes de Lillian. Quiero conocer mis opciones.

—Está bien, señor. Ahora lo entiendo. Le diré lo que sé. Archie Abbott, Archibald Angell Abbott IV, es un excelente detective, un maestro del disfraz, un hombre hábil con los puños, un individuo diestro con una navaja, mortal con un arma de fuego y un amigo leal.

—¿Un hombre formal?

—Sin duda.

—¿Y cuáles son sus circunstancias? ¿Es tan pobre como dice Kincaid?

—Se mantiene con su sueldo de detective —contestó Bell—. Su familia lo perdió todo en el pánico financiero de 1893. Su madre reside con la familia de su cuñado. Antes de eso, la situación de ambos era desahogada. Vivían cómodamente como lo hacían las antiguas familias de Nueva York en aquel entonces, en una buena casa situada en un barrio respetable.

Hennessy lanzó una mirada penetrante a Bell.

—¿Podría ser un cazafortunas?

—Archie ha huido en dos ocasiones de jóvenes ricas a cuyas madres les habría entusiasmado emparentar con una familia tan ilustre como los Abbott. Una era la hija única del propietario de una compañía naviera, y la otra, la hija de un magnate de la industria textil. Archie podría haber tenido a cualquiera de las dos con solo abrir la boca. En ambos casos, los padres dejaron claro que lo aceptarían en sus empresas o, si prefería no trabajar, simplemente le darían una asignación.

El anciano lo observó un instante, y Bell le sostuvo la mirada sin pestañear.

—Le agradezco su sinceridad —dijo por fin Hennessy—. No viviré eternamente, y podría decirse que soy la única familia que Lillian tiene. Quiero verla bien situada antes de que me ocurra algo.

Bell se levantó.

—A Lillian le convendría Archie Abbott.

—También le convendría ser la primera dama de Estados Unidos.

—Es una joven muy competente —dijo Bell, que procuraba ser neutral—. Sabrá elegir entre todos sus pretendientes.

—No quiero que tenga que hacerlo.

—Desde luego que no. ¿Qué padre lo desearía? Déjeme hacerle una pregunta, señor.

—Dispare.

Bell se apoyó en su asiento. Pese a las ganas que tenía de reunirse con Marion, necesitaba respuesta a una pregunta que le preocupaba.

—¿De veras cree que el senador tiene posibilidades como candidato a presidente?

Charles Kincaid y Emma Comden habían caminado en silencio hasta dejar atrás la locomotora del tren especial, que resollaba insistentemente, y los patios de mantenimiento de la estación. Se habían adentrado en la noche, más allá del resplandor de las luces eléctricas. Donde terminaba el balasto colocado para los nuevos raíles, descendieron al bosque que acababa de ser desbrozado para proseguir con el tendido de la vía de ferrocarril.

Las estrellas brillaban con intensidad en el cielo limpio de la montaña. La Vía Láctea parecía un río blanco que surcara el oscuro firmamento.

La señora Comden habló en alemán. Su voz sonó amortiguada por el cuello del abrigo de pieles.

—Procura no retorcer demasiado la cola al diablo.

Kincaid respondió en inglés. Su alemán era perfecto, tan correcto como el de ella, dado que había estudiado ingeniería diez años en Alemania y después había trabajado para las empresas germanas que construían el ferrocarril de Bagdad. No obstante, lo que menos necesitaba el senador era que alguien afirmara haberlo visto conversando en un idioma extranjero con la querida de Osgood Hennessy.

—Los venceremos mucho antes de que descubran quiénes somos o lo que queremos —dijo.

—Pero Isaac Bell se interpone en tu camino allá donde vas.

—Ese detective ignora qué tengo planeado ahora —dijo con desprecio Kincaid—. Estoy muy cerca, Emma. Los banqueros de Berlín están listos para atacar en cuanto yo lleve a la quiebra la Southern Pacific. Mi conglomerado secreto de empresas la adquirirá por un precio irrisorio, y me haré con participaciones mayoritarias en todos los ferrocarriles de Estados Unidos gracias al monopolio de Osgood Hennessy. Nadie puede detenerme.

—Isaac Bell no es tonto. Y Osgood tampoco.

—Son unos dignos adversarios —convino Kincaid—, pero siempre van varios pasos por detrás de mí.

Y, en el caso de Bell, pensó sin decirlo, era poco probable que sobreviviera a esa noche si Philip Dow era tan implacable como siempre.

—Debo advertirte que Franklin Mowery está empezando a desconfiar de su puente.

—Ya es demasiado tarde para hacer algo al respecto.

—Me parece que te estás volviendo imprudente, Charles. Tanto que acabarán por atraparte.

Kincaid contempló las estrellas.

—No pueden —murmuró—. Tengo mis armas secretas.

—¿Y qué armas secretas son esas?

—En primer lugar tú, Emma. Tú me cuentas todo lo que traman.

—¿Y qué obtengo yo a cambio?

—Cualquier cosa que se pueda comprar con dinero cuando les hayamos vencido.

—¿Y si quiero algo, o a alguien, que no puede comprarse con dinero?

Kincaid volvió a reír.

—Voy a estar muy solicitado. Tendrás que ponerte a la cola.

—¿A la cola...? —Emma Comden alzó su sensual rostro a la luz de las estrellas. Sus ojos destellaban con un enigmático brillo—. ¿Cuál es tu otra arma secreta?

—No puedo decírtelo; es secreta —respondió Kincaid.

En el improbable caso de que Bell sobreviviera al ataque y tuviera la suerte de volver a frustrar sus planes, reflexionó Kincaid, no podía arriesgarse a hablarle, ni siquiera a ella, de lo que él llamaba el lago Lillian.

—¿Me ocultas algo? —preguntó Emma.

—Pareces ofendida. Sabes que eres la única persona a la que he concedido la capacidad de traicionarme.

No veía qué utilidad tenía mencionar a Philip Dow, del mismo modo que nunca contaría a este su aventura con Emma, iniciada siete años antes de que ella se convirtiera en la compañera oficial del presidente del ferrocarril.

Una amarga sonrisa se dibujó en los labios de la mujer.

—No he conocido a un hombre peor que tú, Charles. Pero jamás te traicionaría.

Kincaid volvió a mirar a su alrededor para asegurarse de que nadie podía verlos. Entonces introdujo el brazo en el abrigo de ella y la atrajo hacia sí. No le sorprendió en absoluto que ella no se resistiera. Ni tampoco que no llevara ni una sola prenda de ropa bajo aquellas pieles.

—¿Qué tenemos aquí? —preguntó, con la voz empañada de deseo.

—El principio de la cola —respondió la señora Comden.

38

—En lo que respecta a la política —dijo con un resoplido Osgood Hennessy en respuesta a la pregunta de Isaac Bell—, estoy dispuesto a creer cualquier cosa.

—Hablo en serio, señor. ¿Cree que a Kincaid le interesa presentarse como candidato al cargo de presidente?

—Los políticos son capaces de engañarse pensando cualquier cosa que les convenga. ¿Si podría salir elegido? Supongo que sí. Los votantes hacen cosas rarísimas. Gracias a Dios, las mujeres no votan. Si así fuera, Kincaid saldría elegido solo por su cara bonita.

—Pero ¿podría ser propuesto como candidato finalmente? —insistió Bell.

—Eso es lo más importante.

—Dado que cuenta con el apoyo de Preston Whiteway, este debe de pensar que tiene posibilidades.

—Ese demagogo no se detiene ante nada con tal de vender periódicos. No olvide que, gane o pierda Kincaid, su candidatura a presidente sigue siendo una buena noticia hasta la última noche de la convención.

Bell mencionó a varios hombres de negocios de California que se encontraban en el grupo de Whiteway.

—¿De veras creen que podrían engañar a los militantes del partido con Kincaid?

Osgood rió entre dientes cínicamente.

—Los hombres de negocios con éxito creen que lo tienen porque son inteligentes. La verdad es que la mayoría de los hombres de negocios son unos idiotas en todo salvo en esa pequeña parcela donde se mostraron hábiles para ganar dinero. Pero no veo por qué no estarían encantados con William Howard Taft. Sin duda saben que si dividen el partido, entregarían las elecciones a los demócratas y a ese populista de William Jennings Bryan. Demonios, tal vez esos caballeros solo estén disfrutando de unas vacaciones gratis a costa de Whiteway.

—Tal vez.

—¿Por qué lo pregunta? —Hennessy escudriñó al detective con sus perspicaces ojos.

Bell le devolvió la mirada.

—No me cuadra.

—¿No pretenderá, por casualidad, minar al rival de su amigo por la mano de mi hija?

Bell se levantó.

—No soy un hombre taimado, sino franco y directo. Y le digo aquí y ahora, a la cara, que su hija se merece a alguien mejor que Charles Kincaid. Buenas noches, señor.

—Espere —dijo Hennessy—. Espere… espere… Le pido disculpas. Ha sido un comentario gratuito y evidentemente equivocado. Es usted honesto, señor Bell. Reitero mis disculpas. Siéntese. Haga compañía a este viejo un momento. Emma volverá del paseo enseguida.

Charles Kincaid acompañó a Emma Comden a la puerta del compartimiento doble que ocupaba con Osgood Hennessy. Oyeron que Bell y Hennessy seguían hablando en el salón de la parte delantera del vagón.

—Le agradezco mucho que haya venido conmigo a mirar las estrellas, senador.

—Ha sido un placer, como siempre. Buenas noches, señora Comden.

A continuación, se estrecharon la mano castamente. Kincaid después se dirigió a su compartimiento, situado varios vagones atrás. Le temblaban visiblemente las rodillas y se sentía un tanto mareado, el efecto habitual que Emma Comden provocaba en él.

Cuando entró en su compartimiento y cerró con llave la puerta se dio cuenta de que había alguien sentado en la butaca. ¿Dow? ¿Había escapado de un perseguidor? Jamás. De acuerdo con el estricto código del asesino, se pegaría un tiro en la cabeza antes de arriesgarse a traicionar a un amigo. Kincaid sacó de su bolsillo la Derringer de dos cañones cortos y encendió la luz.

—Sorpresa, senador —dijo Eric Soares.

—¿Se puede saber cómo ha entrado? —preguntó Kincaid al ingeniero.

—He forzado la cerradura —contestó él despreocupadamente.

—¿Por qué demonios ha hecho eso?

Soares se quitó las gafas con montura metálica y las limpió a conciencia con un pañuelo. Finalmente volvió a ponérselas, se alisó las puntas de su bigote curvo y contestó:

—Chantaje.

—¿Ha dicho chantaje? —preguntó Kincaid, a todas luces enojado.

Para el senador Kincaid, Eric Soares era el ayudante del ingeniero Franklin Mowery. Pero para el Saboteador era quien falsificaba los informes de inspección que Mowery solicitaba acerca del estado de los estribos de piedra que soportaban el puente del cañón de las Cascadas.

Pegó la pistola a la cabeza del joven ingeniero. Soares no se inmutó.

—No puede dispararme en su compartimiento, que, por cierto, es muy lujoso comparado con mi miserable y pequeña litera superior en el coche cama. Es todavía más elegante que el del señor Mowery.

—Puedo dispararle y estoy dispuesto a hacerlo —dijo Kincaid fríamente—. Explicaré que alguien me asustó y que, como estaba oscuro, no vi que era el pobre señor Soares. Creía que era un asesino radical y me defendí, alegaré.

—Eso podría convencer a la policía, pero disparar a un huérfano que el constructor de puentes más famoso del continente quiere como a un hijo no le beneficiaría en su carrera a la presidencia.

Kincaid guardó la Derringer en el bolsillo y se sirvió un brandy de la licorera de cristal, cortesía de la Southern Pacific. Bebió la copa a sorbos mientras se apoyaba en la pared revestida de paneles y miraba fijamente al intruso. Se sentía muy aliviado. Como todos los demás, Soares se había creído la farsa de su candidatura a presidente. Eso significaba que el joven ingeniero ignoraba que él era el Saboteador. Pero al parecer sabía algo con lo que pretendía chantajearlo.

—A mí también me apetece una copa.

Kincaid hizo caso omiso de la petición de Soares. Aunque podría resultarle útil emborracharlo, le resultaría todavía más útil poner en su sitio a aquella pequeña sabandija.

—Está en lo cierto con respecto a mis aspiraciones políticas —dijo—. De modo que dejémonos de jueguecitos. Ha forzado la entrada de mi compartimiento por una razón. ¿Cuál es? ¿Qué quiere?

—Ya se lo he dicho. Dinero.

—¿Por qué iba a darle dinero? ¿A cambio de qué?

—No se haga el corto de entendederas, senador. A cambio de revelar que tiene una participación mayoritaria en la Compañía de Estribos y Pozos de Cimentación Union de San Luis, en Missouri.

El Saboteador ocultó su asombro, pero solo lo justo. Notó que le fallaban las piernas, y esa vez no podía culpar a Emma Comden.

—¿Qué le ha hecho creer eso? —preguntó.

—Se despertó mi curiosidad por la persona que estaba pagándome para que mintiera acerca de los estribos. Pensé que sabotear el puente más grande del Oeste debía de valer unos cuantos pavos más si sabía de qué bolsillo procedían los sobornos. Así que acudí a mi viejo compañero de litera en el orfanato. Él se dedicó a la banca mientras que yo me dediqué a la ingeniería. Investigó para mí, y ha descubierto un complejo conglomerado de empresas; un laberinto… o, más bien, una maraña. Sin embargo, mi viejo compañero es muy bueno, y ha tirado del hilo hasta desenredarlo. Llegó hasta usted… Y averiguó que había adquirido en secreto un importante paquete de acciones, una participación mayoritaria, en la compañía que construye los estribos del puente del cañón de las Cascadas.

Tenía que ocurrir en algún momento, pensó Kincaid con desaliento. Pero no se le había pasado por la cabeza que el desastre se presentaría ante él como una broma de mal gusto: la zancadilla de un huérfano al que un bondadoso constructor de puentes había tomado bajo su protección.

Kincaid sopesó sus opciones. Podía matar a Soares, si no esa noche, al día siguiente o al otro. Le sonsacaría el nombre de su cómplice antes de que muriera y mataría también a su antiguo compañero de litera. Pero, para su desgracia, necesitaba a Eric Soares a fin de seguir ocultando la verdad acerca de los estribos. Mowery lo sustituiría inmediatamente si desaparecía. Después de una investigación minuciosa y un repaso riguroso de los informes manipulados por Eric, cualquier ingeniero competente que ocupara su puesto vería rápidamente que los estribos no eran lo bastante resistentes para soportar el puente cuando el río creciera.

—Usted trabaja para el Saboteador igual que yo —afirmó Soares.

—Supongo que debería dar gracias de que no me acuse de ser el mismísimo Saboteador.

—No me haga reír. Su futuro como senador es demasiado prometedor. Incluso como presidente, si yo no lo delato.

Fuera de peligro, pensó Kincaid. Quedaba liberado de toda sospecha.

—¿Cuánto quiere?

—El triple de lo que la Compañía de Estribos y Pozos de Cimentación Union me paga por hacer la vista gorda.

Kincaid alargó la mano para coger su cartera.

—Creo que puedo arreglarlo —dijo, en absoluto sorprendido de lo insignificantes que eran las aspiraciones de Soares.

Isaac Bell se despidió finalmente de Osgood Hennessy y se dirigió a toda prisa a los pullman. Al pasar por el *Nancy n.º 2* de Hennessy, Lillian salió tambaleándose de su compartimiento y le cerró el paso con una botella de champán Mumm. Se había quitado el vestido, se había puesto una bata ceñida y se había despojado de la gargantilla de perlas y diamantes, lo que dejaba a la vista la piel tersa de su cuello. El cabello suelto le cubría los hombros, y sus ojos azul claro tenían una expresión cálida. La botella estaba goteando del cubo del hielo, sin la cápsula de estaño. Pero el bozal de alambre todavía mantenía el tapón firmemente sujeto.

—He estado escuchando —susurró—. Gracias por decir lo que has dicho sobre Archie.

—Solo he dicho la verdad.

Ella puso la botella en la mano de Bell.

—Para Marion. Dile: «Felices sueños».

Bell se inclinó y le dio un beso en la mejilla.

—Buenas noches.

Seguidamente se detuvo en el furgón de equipaje y habló con el soñoliento telegrafista. No había ningún telegrama urgente. Salió por la puerta trasera, cruzó el vestíbulo y se dispuso a entrar en el primer vagón de compartimientos. Una sonrisa le iluminó el rostro. Se sentía como un niño. Se le secó la boca solo con imaginarse a Marion. Menos mal que tenían el champán de Lillian.

Cruzó la puerta y salió al pasillo lateral, bordeado de ventanillas oscuras en el lado derecho y de las puertas de nogal pulido de los compartimientos en el lado izquierdo. Al otro lado del mismo, vio a un hombre. Había algo furtivo en su rápido caminar, y Bell se detuvo a observarlo. Era un tipo más bien escuálido. Tenía el cabello moreno, e iba vestido con un holgado traje negro. Cuando se disponía a entrar en el vestíbulo, vislumbró su fino bigote curvo y sus gafas de montura metálica.

Al parecer, Eric Soares, el ayudante de Mowery, acababa de salir del compartimiento del anciano y regresaba a su litera en los coches cama. Consideró que era muy tarde para una reunión, sobre todo porque Mowery había asistido al largo banquete y estaría cansado. En cualquier caso, brindó a Soares tiempo de sobra para que pasara al siguiente vagón en lugar de demorarse con una conversación.

Finalmente Bell recorrió el coche número tres de punta a punta, salió al vestíbulo trasero y pasó por el enganche hasta el vestíbulo del coche número cuatro.

Philip Dow oyó que alguien se acercaba, se ocultó en el habitáculo del mozo y miró a través de una rendija de la cortina. No se trataba de Isaac Bell; aquellas pisadas no eran de un hombre tan corpulento, a menos que el detective fuese extraordinariamente ligero de pies. Quienquiera que fuera no anduvo más despacio al pasar por delante de la cortina, sino que avanzó a toda prisa como si estuviera atravesando aquel vagón para dirigirse a la parte trasera del tren. Dow tenía el oído muy fino: no era Bell, sino un hombre delgado con traje negro que había pasado a toda velocidad por delante del compartimiento de Marion Morgan y cruzado la puerta trasera que daba a los coches cama.

Un minuto más tarde, volvió a oír pisadas. Esperó hasta que el individuo se alejó para descorrer la cortina. Efectivamente, era un hombre corpulento, como había supuesto por el sonido de sus pasos. Más alto que Kincaid, rubio y elegantemente vestido. Iba directo a la puerta de Marion Morgan. Llevaba en la mano una botella de champán y canturreaba «There'll Be a Hot Time in the Old Town Tonight».

Dow tarareó mentalmente una estrofa de la versión que se cantaba en Chicago mientras corría sin hacer ruido, blandiendo la porra:

El señor y la señora Leary dejaron la lámpara en el cobertizo
y cuando la vaca la volcó de una patada,
ella guiñó el ojo y dijo:
¡Esta noche hará calor en la parte vieja de la ciudad!
¡Fuego, fuego, fuego!

39

Antes de que Philip Dow alcanzara a su víctima, la puerta del compartimiento se abrió de golpe. La mujer debía de haber estado allí de pie, se dijo, con la mano en el pomo, atenta por si oía a Bell. El hombre de la botella de champán la alzó para mostrársela, pero la sonrisa anhelante de ella se apagó y el desencanto se hizo evidente en el brillo que cobró su mirada.

—¡Preston! ¿Qué estás...?

—¡Cuidado! —gritó una voz detrás de Dow.

El hombre a quien Dow se disponía a atizar en la cabeza con la porra se dio la vuelta. Abrió la boca, confundido, y Dow constató que no tenía un bigote rubio. Estaba un tanto ebrio, pero levantó instintivamente la botella de champán y esquivó el golpe. La pesada porra casi rozó la cara de Marion Morgan e impactó en la puerta del compartimiento, dejando una marca en la dura madera de nogal.

Si ese hombre no tenía un bigote rubio, pensó Dow, no se trataba de Isaac Bell. Eso situaba al investigador detrás de él; era quien había gritado la advertencia. Dow se escudó con el borracho a quien había estado a punto de matar cuando vio que Bell corría hacia él a toda velocidad. Sacó de un tirón el revólver de su cinturón.

Bell se encontraba a un tercio de los veinticinco metros que medía el pasillo. Extrajo con desenvoltura una semiautomática Browning modelo 2 de su esmoquin, y Dow levantó su pesado revólver del calibre 45, convencido de que un tipo que prefería una pistola ligera como aquella era capaz de acertar a un mosquito en el ojo a veinte pasos de distancia.

Cuando Isaac Bell vio a Dow sus facciones le recordaron las de un hombre que aparecía en un cartel de SE BUSCA de la Asociación de Propietarios de Minas. Philip Dow, se dijo. Era un asesino.

Preston Whiteway cerró el paso a Bell, tambaleándose.

—¡Al suelo! —gritó el detective, y bajó el arma.

Dow levantó el gatillo lo más rápido que pudo. No podía fallar. Bell avanzó por el estrecho pasillo como una locomotora en un túnel de una sola vía.

—¡No, Marion! —gritó Bell.

Dow notó que la hermosa mujer del vestido rojo le agarraba el brazo con ambas manos.

El primer disparo dio en la botella de champán que sostenía Bell, y estalló en una lluvia espumosa repleta de cristales verdes. El segundo disparo alcanzó al detective. El tercero se incrustó en el suelo. Dow se zafó de Marion y le apuntó a la cara con el revólver.

Isaac Bell notó un impacto demoledor cuando la bala del asesino le perforó el antebrazo. Se pasó la Browning a la mano izquierda y apuntó a su objetivo. Marion tuvo la prudencia de meterse en su compartimiento, pero con Preston Whiteway todavía en el pasillo el detective no podía arriesgarse a disparar. Sin embargo, al ver que el atacante apuntaba hacia el compartimiento de su prometida, apretó el gatillo.

Philip Dow oyó la detonación, un ruido sordo que le hizo suponer que la bala le había dado pero que había sobrevivido. Entonces se dio cuenta de que Bell le había arrancado la oreja del disparo. Notó un tirón en el brazo cuando el investigador lo alcanzó de nuevo con un segundo proyectil. Sus dedos se abrieron involuntariamente, y el revólver cayó de su mano. Empujó a Witheway contra Bell antes de que este volviera a disparar y en dos zancadas llegó a la puerta del vestíbulo que tenía a su espalda, la abrió de golpe y saltó del tren.

Un policía del ferrocarril que había oído el tiroteo corría hacía allí. Dow no perdió tiempo en pensar, y le atizó entre los ojos con la porra, que seguía en su mano derecha. Luego se adentró a toda prisa en la oscuridad.

Bell finalmente consiguió llegar hasta el escalón inferior del vagón, pero el dolor que sentía en el brazo le hizo caer de rodillas. Varios policías del ferrocarril corrían ya hacia el tren de Hennessy.

—¡Allí! —Bell señaló con la Browning—. Un hombre. Estatura media. Traje oscuro y bombín. Se le ha caído la pistola. Probablemente tenga otra.

Los agentes, sin pensarlo ni un segundo, salieron disparados en aquella dirección al tiempo que hacían sonar sus silbatos para pedir ayuda. Bell subía los escalones tambaleándose mientras Marion los bajaba.

—¿Estás bien? —se dijeron a la vez.

—Estoy perfectamente —dijo ella, y gritó a un interventor que se aproximaba corriendo—: ¡Vaya a buscar a un médico de inmediato!

Ayudó a Bell a entrar en el vagón. Preston Whiteway estaba apoyado en la puerta, bloqueándola.

—¿Qué ocurre? —preguntó.

—¡Preston! —gritó Marion—. Apártate antes de que coja esa pistola y te dispare.

El editor del periódico se fue arrastrando los pies y rascándose la cabeza. Marion ayudó a Bell a entrar en su compartimiento y a tumbarse en la cama.

—Toallas —murmuró Bell—. Antes de que deje tus sábanas hechas un desastre.

—¿Tienes heridas graves, Isaac?

—Creo que estoy bien. Solo me ha dado en el brazo, gracias a ti.

Cuando el doctor llegó del vagón enfermería, la policía ferroviaria informaba a Bell de que el hombre que le había disparado había desaparecido.

—Sigan buscando —ordenó el detective—. Estoy seguro de

que lo he herido en el brazo. De hecho, diría que también le he arrancado la oreja de un tiro.

—¡Ya lo creo! Encontramos un trozo. Y un reguero de sangre que llega hasta donde iluminan los focos. Pero lamentablemente no ha bastado para matarlo.

—¡Encuéntrenlo! Se llama Philip Dow. Hay una recompensa de diez mil dólares por su cabeza. Quiero saber si trabaja para el Saboteador.

El médico de la compañía era un hombre acostumbrado a las heridas de punción y aplastamiento que se producían en la construcción ferroviaria. Bell se sintió aliviado al ver que no le impresionaba en absoluto el profundo desgarro que la bala del calibre 45 de Dow le había abierto en el músculo. El médico limpió con agua la herida a conciencia y le mostró una botella de ácido carbólico.

—Esto le va a doler.

—Seguro que me dolerá más si se me envenena la sangre —contestó Bell, apretando los dientes. Tenía un paño sobre la herida—. Échelo.

Después de aplicarle el potente desinfectante, el médico le vendó el brazo.

—Le conviene llevarlo en cabestrillo un par de días. El hueso está bien, aunque debe de dolerle una barbaridad.

—Sí —dijo Bell, y sonrió a Marion, quien se había puesto pálida—. Ahora que lo dice.

—No se preocupe, yo me encargo de eso.

El médico sacó una aguja hipodérmica de su maletín de piel y empezó a introducir un líquido transparente en la jeringuilla.

—¿Qué es eso? —preguntó Bell.

—Clorhidrato de morfina. No notará nada.

—No, muchas gracias, doctor. Necesito tener la cabeza despejada.

—Como quiera —dijo el médico—. Le cambiaré la venda mañana. Buenas noches, señora.

Marion cerró la puerta detrás de él.

—¿La cabeza despejada? Isaac, te han disparado. Estás blanco como el papel. Debes de sentir un dolor espantoso. ¿No puedes tomarte el resto de la noche libre?

—Eso pretendo. —Bell alargó el brazo ileso hacia Marion—. Por eso quiero tener la cabeza despejada.

40

Padre, querido padre,
vuelve a casa conmigo.

Era el himno que cantaba el Orfeón del Centro Antialcohólico del condado de Ventura, compuesto por sesenta voces.

James Dashwood estiró el cuello con la esperanza de ver al corpulento herrero Jim Higgins, quien había huido cuando le había enseñado el dibujo del Saboteador. Isaac Bell estaba convencido de que Higgins había renegado de la bebida tras asistir a una reunión en pro de la abstinencia. Aquella, que tenía lugar en Oxnard, un pueblo dedicado al cultivo de la remolacha, se celebraba bajo una carpa lo bastante grande para albergar un circo.

Dashwood ya había asistido a seis reuniones como esa y estaba familiarizado con ellas. Sorteó a las madres que empujaban a sus hijas en dirección a él. Allí donde se perseguía que los asistentes se comprometiesen con la abstinencia había más mujeres que hombres. Pocos eran tan jóvenes como Dashwood o iban tan pulcramente vestidos y aseados. Abundaban más los tipos como el buscador de oro que estaba sentado a su lado, un sujeto ataviado con un abrigo remendado y un sombrero flexible, que parecía que estuviera allí con el único fin de guarecerse de la lluvia.

Finalmente el coro dejó de cantar y unos hombres colocaron una potente linterna mágica iluminada con acetileno. Su lente alargada proyectaba un haz de luz circular sobre una enorme pantalla situada al fondo de la carpa. Todos los presentes observaron con atención; algún tipo de espectáculo estaba a punto de comenzar.

El orador era un metodista apasionado.

—¡Los borrachos nos desprecian llamándonos utópicos! —gritó—. Pero proclamar que no debería haber lugar en el mundo para las bebidas alcohólicas no nos convierte en utópicos. No estamos llevando a cabo un experimento peligroso. Practicar la abstinencia no es nada nuevo. El peligro está en tratar de vivir con la bebida.

Señaló hacia la linterna mágica.

—Con la ayuda de un potente microscopio y este artilugio, demostraré que quien bebe alcohol ingiere veneno. Las bebidas alcohólicas emponzoñan la mente y el cuerpo de los hombres, y afectan a su familia. Miren a la pantalla, damas y caballeros. Coloco en este potente microscopio un cristal de agua pura, extraída del pozo de la iglesia que hay calle abajo, y lo proyecto ampliado en la pantalla.

Todos los presentes pudieron ver que el agua del pozo estaba llena de microbios que nadaban.

El metodista mostró a los asistentes un cuentagotas, lo introdujo por el cuello de una botella de whisky Squirrel y extrajo un poco de aquel líquido marrón.

—Ahora coloco una gota de whisky en el agua. Una sola gota.

Una enorme nube marrón se esparció por el agua como un puñado de tierra lanzado a un estanque. Los microbios huyeron en desbandada hacia los bordes del cristal, pero no había salida. Se retorcieron y languidecieron hasta quedar inmóviles. El buscador de oro sentado al lado de Dashwood se estremeció.

—Fíjese en todos esos bichos viscosos —dijo—. No volveré a beber agua sin whisky.

Dashwood divisó a un hombre corpulento con un abrigo oscuro que estaba sentado en primera fila y se dirigió hacia allí.

—¿Quién se ofrece voluntario? —gritó el orador—. ¿Quién va a firmar el certificado de abstinencia y a jurar que no volverá a beber?

Al acercarse, Dashwood vio que el hombre del abrigo oscuro no era Jim Higgins. Pero para entonces se encontraba al alcance de las ayudantes del orador, unas atractivas jóvenes que se abalanzaron sobre él blandiendo plumas estilográficas y certificados en blanco.

—Dos telegramas nuevos, señor Bell —dijo J. J. Meadows—. ¿Qué tal tiene el brazo esta mañana?

—Estupendamente.

El primer telegrama daba respuesta a la pregunta planteada por Bell acerca de la prematura salida del senador Charles Kincaid de la Academia Militar de West Point. La oficina de Van Dorn en Washington, que disponía de acceso extraoficial a los archivos del ejército de Estados Unidos, informaba de que Kincaid había dejado voluntariamente la academia para proseguir sus estudios en la Universidad de West Virginia. No habían descubierto pruebas de mal comportamiento por parte de Kincaid ni un documento que demostrase que había sido expulsado. Para explicar el abandono, el investigador se permitía opinar que la calidad de enseñanza era mejor en las universidades de ingeniería de caminos que en las de ingeniería militar, y añadía que desde la guerra de Secesión estas últimas habían dejado de ser el único lugar donde los ingenieros podían formarse.

A Bell le llamó más la atención el segundo mensaje, que contenía nueva información sobre Eric Soares, el ayudante de Franklin Mowery. Una investigación más detallada le reveló que Soares escapó de niño del orfanato de Kansas City que Mowery financiaba y pasó un par de años en un reformatorio. Mowery lo localizó y se hizo responsable de él, contrató unos tutores para que llenaran las lagunas de su educación y lo envió a la Universidad de Cornell, donde estudió ingeniería. Eso explicaba, pensó Bell, la estrecha relación que ambos tenían, parecida a la de un tío y su sobrino favorito.

Bell visitó al anciano por la tarde, cuando Soares estaba en el río para llevar a cabo la inspección diaria de los estribos del puente. El despacho de Mowery era un compartimiento reformado. Le sorprendió ver a Bell.

—Creía que estaba en el hospital. Ni siquiera lleva el brazo en cabestrillo.

—Me dolía más con él.

—¿Han atrapado al individuo que le disparó?

—Todavía no... Señor Mowery, ¿me permite hacerle unas preguntas?

—Adelante.

—Como puede imaginar, estamos realizando una investigación muy extensa. De modo que le pido disculpas si tiene la impresión de que llevo las cosas al terreno personal.

—Dispare, señor Bell. Estamos en el mismo lado del puente. Yo lo estoy construyendo. Usted trata de evitar que el Saboteador lo derribe.

—Me interesa el pasado de su ayudante —dijo Bell sin preámbulos.

Mowery se llevó la pipa a la boca y le lanzó una mirada fulminante.

—Cuando decidí ayudar a Eric, el muchacho tenía quince años y había estado viviendo en la calle. La gente bienintencionada me advertía de que me robaría la cartera y me daría un porrazo en la cabeza. Yo les contestaba lo mismo que voy a decirle a usted: a mi juicio, la clase social a la que pertenecen los individuos no determina que algunos sean delincuentes indefectiblemente.

—Coincido con usted —dijo Bell—. Pero conozco bien la naturaleza de los delincuentes.

—Eric se ganó su título —replicó Mowery—. Cuando he usado mi influencia para conseguirle un empleo, nunca me ha decepcionado. La gente de la Compañía de Estribos y Pozos de Cimentación Union está satisfecha con su trabajo. De hecho, le han pedido que siga en la empresa cuando termine esta obra. Yo diría que de momento ese joven ha pasado lo peor, ¿no cree?

—Supongo que lo echará de menos si se queda en la Compañía de Estribos y Pozos de Cimentación Union...

—Le deseo lo mejor en su carrera. En cuanto a mí, volveré a la mecedora. Soy demasiado viejo para seguir el ritmo de Hennessy. Le he hecho un favor. Y lo he hecho encantado. Hemos construido un buen puente. Osgood Hennessy, yo... y Eric Soares.

—Es curioso —dijo Bell—. Hace poco escuché a Jethro Watt, el jefe de la policía del ferrocarril, repetir un viejo dicho: «No hay nada imposible para la Southern Pacific».

—Unas palabras muy ciertas, de las que deduzco que quienes trabajan para la Southern Pacific deben ser más jóvenes que yo.

—Jethro dijo que esa frase significaba que el ferrocarril lo hace todo. Construye sus propias locomotoras, su propio material móvil, sus propios túneles... Y sus propios puentes.

—Es famosa por ello, sí.

—Entonces ¿por qué contrataron a la Compañía de Estribos y Pozos de Cimentación Union para que se encargara de los estribos del puente?

—Levantar estribos en ríos es un trabajo muy especializado. Sobre todo en un entorno tan abrupto como este. La Union es la mejor empresa del sector, como demostró en el Mississippi. Si pudo construir estribos que resisten ese río, es capaz de hacerlo en cualquier parte.

—¿Recomendó usted esa empresa a la Southern Pacific?

Mowery reflexionó un instante.

—Ahora que recuerdo —contestó—, no fue así exactamente. En un principio me inclinaba por dejar que nuestra empresa hiciera el trabajo, pero me aconsejaron que la Union podía ser una opción más acertada porque la geología del terreno resultó ser compleja, como le comenté anoche. El lecho del río de las Cascadas nos planteaba un desafío, por no decir una enorme dificultad. Mayor de la que uno esperaría en estas montañas.

—¿Fue Eric quien le hizo esa recomendación?

—Por supuesto. Yo lo había enviado a hacer la inspección. Él conocía el lecho del río y también a la compañía Union. ¿Por qué me hace todas estas preguntas?

El detective miró al anciano ingeniero a los ojos.

—Anoche, después del banquete, usted parecía preocupado en el vagón del señor Hennessy. Y un rato antes, cuando estábamos en el pabellón, vi que miraba con atención los estribos del puente.

Mowery apartó la vista.

—No se le escapa nada, ¿verdad, señor Bell? No me gustó la forma en que el agua corría alrededor de ellos. No me pareció normal, y aún me pregunto cuál es la causa.

—¿Tiene la sensación de que algo va mal?

—Quizá —reconoció Mowery a regañadientes.

—Tal vez se parezca a mí en ese sentido.

—¿Cómo?

—Cuando me faltan datos, tengo que basarme en la intuición. Por ejemplo, el hombre que me disparó anoche podría haber sido un ladrón que siguió a Preston Whiteway hasta el tren con la intención de asestarle un golpe en la cabeza y robarle la cartera. Era un asesino, lo sé porque pude identificarlo. Sin embargo, nada me permite aseverar que no buscaba simplemente dinero fácil. Whiteway había bebido en exceso, era obvio, y por lo tanto no opondría demasiada resistencia; además, iba vestido como un caballero rico, de manera que ese tipo pudo pensar que llevaría un buen fajo de billetes en el bolsillo. Pero mi intuición me dice que alguien le ordenó que me matara, y que confundió a Whiteway conmigo. A veces la intuición ayuda a atar cabos…

Mowery trató de apartar la vista de Bell de nuevo, pero este se lo impidió con una mirada cargada de autoridad.

—Parece que quisiera culpar a Eric de algo —murmuró Mowery.

—Sí, es cierto.

El investigador tomó asiento, sin dejar de sostener la mirada al anciano.

—Hijo… —empezó a decir Mowery, pero la frialdad del semblante del detective lo conminó a callar. Era obvio que no le gustaba aquel tono paternalista—. Señor Bell… —se corrigió.

—Es curioso que cuando le comenté que necesitamos ingenieros —dijo él en un tono pausado—, usted me contestó que es necesario que confiemos en ellos. Y cuando he apuntado que parecía preocupado por los estribos, me ha respondido que parecía que yo quisiera culpar a Eric.

—Creo que tengo que mantener una conversación con Osgood Hennessy. Discúlpeme, señor Bell.

—Me uniré a ustedes.

—No —dijo Mowery—. Será una conversación sobre ingeniería, no una charla detectivesca. Datos, no intuición.

—Le acompañaré al vagón del señor Hennessy.

—Como quiera.

Mowery cogió su bastón y se puso en pie con mucho esfuerzo. Bell le abrió la puerta y avanzó delante de él por el pasillo lateral. Ayudó al anciano a cruzar todas puertas para pasar de un furgón a otro, hasta llegar al de Hennessy, quien se encontraba en su despacho revestido de madera. La señora Comden leía en su butaca del rincón, cerca de él.

Bell bloqueó un instante el paso a Mowery.

—¿Dónde está Soares ahora? —le preguntó.

41

Una hora más tarde en San Luis, un anarquista huido de Italia que había cambiado su nombre por el de Francis Rizzo recibió un telegrama en su cuchitril, instalado en un sótano. Rizzo cerró la puerta en las narices al mensajero de la Western Union antes de abrir el sobre. En el impreso, del color del cuero, había una sola palabra escrita a máquina: AHORA.

El anarquista se puso el sombrero y el abrigo, tomó un tranvía a un barrio donde nadie lo conocía y allí compró una lata de un litro de queroseno. Otro tranvía lo llevó hacia el río Mississippi. Cuando se apeó del vehículo, anduvo con paso rápido por una zona de almacenes hasta que encontró una taberna a la sombra del dique. Pidió una cerveza y comió una salchicha en la barra en la que se ofrecían aperitivos gratuitos, con la mirada fija en la puerta de vaivén. En cuanto los obreros y los carreteros entraron, señalando el final de la jornada laboral, Rizzo salió de la taberna y recorrió a toda prisa las calles oscuras hasta las oficinas de la Compañía de Estribos y Pozos de Cimentación Union.

Un hombre estaba cerrando. Era, al parecer, el último empleado en salir. Aun así, Rizzo observó desde el otro lado de la calle hasta asegurarse de que no quedaba nadie en las oficinas. Entonces, siguiendo una ruta planeada meses antes, entró en un callejón que conducía a un estrecho pasadizo, situado entre el muro trasero del edificio y el dique del río que había a su espalda. Tiró de una tabla suelta y sacó una palanca corta que había escondido allí. Tras forzar una ventana y acceder al interior, buscó la escalera de madera central que conducía a la planta superior de las tres que tenía el edificio. Una vez arriba, abrió varias ventanas y agujereó con su navaja la lata de queroseno, cuyo contenido fue rociando por los escalones mientras bajaba la escalera. Cuando llegó al pie de la misma, prendió con una cerilla el líquido inflamable y observó las llamas hasta que estuvo seguro de que la madera ardía. Después salió por la ventana forzada y la dejó abierta para que el fuego se avivase.

Isaac Bell viajó en el lento tren de la línea de la Serpiente hasta el pueblo de las Cascadas. Eric Soares había dicho a Franklin Mowery que se quedaría a trabajar hasta tarde y que cenaría en el pueblo, como acostumbraba a hacer. Después, a fin de no perder tiempo tomando otra vez el tren hasta la cima, dormiría en una de las garitas instaladas junto a los estribos y a la mañana siguiente podría empezar a trabajar temprano. Cuando Bell llegó a las garitas, descubrió que Soares, el ayudante supuestamente trabajador, se había marchado mucho antes de lo que había dicho a Mowery.

Nadie sabía adónde había ido.

Río abajo desde el pueblo de las Cascadas había surgido una ciudad de chabolas y tiendas llamada Hell's Bottom. Debía su existencia a los fundidores, los mamposteros y los mineros de pozos de cimentación que habían construido el puente del cañón de las Cascadas, los peones del ferrocarril que habían instalado la empinada línea de la Serpiente desde el pueblo y su cabeza de línea hasta el puente, y los leñadores y carreteros que habían revitalizado la vieja Compañía Maderera East Oregon adentrada en las montañas.

Eric Soares se dirigía a Hell's Bottom sintiéndose millonario. De hecho, con el dinero en el bolsillo que había sacado al senador, los primeros billetes de los muchos que aflojaría, estaba convencido de que esa noche era el tipo más rico de la ciudad. También estaba enamorado, a pesar de que había aprendido ya que esa era la mayor estupidez que podía cometer un hombre, en especial si se encaprichaba de una fulana. Estúpido o no, la visitaba todas las noches que podía escaparse del viejo Mowery. Y esa noche, gracias al senador, podría permitirse tenerla para él solo hasta la mañana siguiente.

Había tres clases de burdeles en Hell's Bottom.

Los más vulgares ofrecían sus servicios a leñadores y arrieros. Los hombres arriesgaban la vida para llegar allí los sábados al ponerse el sol bajando los rápidos por el río rocoso en las llamadas «lanchas de Hell's Bottom», unos simples troncos convertidos en canoas gracias a las hachas y el fuego.

Las mujeres del siguiente tipo de burdeles ofrecían sus servicios a peones ferroviarios, que llegaban a través de la línea de la Serpiente. Los obreros del ferrocarril iban al campamento los sábados por la noche. Y los empleados de más categoría, como los guardafrenos, los interventores y los maquinistas, que trabajaban con horarios fijos marcados por el paso de los convoyes, entraban pavoneándose día y noche al tiempo que hacían oscilar sus linternas rojas.

Solo había en Hell's Bottom un establecimiento de primera categoría, el Gabriel's. Era relativamente elegante, sobre todo para el nivel de las ciudades que habían surgido recientemente en el Oeste, y tenía unos precios más caros de lo que un obrero podía permitirse. Sus clientes eran distinguidos dueños de negocios y profesionales del pueblo de las Cascadas, turistas ricos que se alojaban en el famoso pabellón, y los ingenieros, abogados y encargados mejor pagados que trabajaban para el ferrocarril.

Madame Gabriel recibió a Eric Soares como el cliente habitual en que se había convertido.

—Quiero a Joanna —le dijo.

—Está ocupada, señor.

—Esperaré.

—Tardará un rato —dijo madame Gabriel.

El ingeniero sintió unos celos ridículos. Pero la sensación era tan real como el repentino y furioso martilleo de su corazón, que le impedía respirar con normalidad.

—Hay una chica nueva que puede que le guste.

—Esperaré a Joanna.

Cuando la provocaban, madame Gabriel tenía los ojos más fríos que Eric Soares había visto en una mujer. En ese momento su mirada era glacial, y pese a su amplia experiencia en el mundo para ser alguien tan joven, Eric sintió algo parecido al miedo. Apartó la vista para no desafiarla.

Ella le sorprendió con una sonrisa afable.

—Le propongo una cosa, señor. Si después de estar con la chica nueva es capaz de mirarme a la cara y decirme que no vale lo que cuesta, la casa le invita. De hecho, hasta le devolveré el dinero si no le parece mejor que Joanna. ¿Qué puede perder?

¿Qué podía perder?

El gorila de madame Gabriel lo acompañó hasta una puerta que había en la parte trasera de la amplia casa, llamó y la abrió. Eric entró en una habitación iluminada con una luz de farol rosada. Dos hombres vestidos como leñadores lo acorralaron y, en un abrir y cerrar de ojos, lo apuntaron con un arma.

Eric levantó una mano, pero no pudo evitar que le golpearan la nuca con la culata. Notó que las piernas le flaqueaban como si sus huesos se hubieran vuelto de gelatina. Trató de gritar. Le cubrieron la cabeza con un áspero saco y le ataron las muñecas a la espalda. Intentó dar patadas a sus agresores, pero fue él quien recibió una en la entrepierna. Mientras respiraba con dificultad, paralizado de miedo, le ataron los tobillos, lo levantaron y lo sacaron del edificio. Lo arrojaron sobre una silla de montar, y notó las manos y los pies ligados por debajo del caballo. Gritó, y perdió el conocimiento después de que aquellos leñadores le golpearan de nuevo la cabeza.

Le estaban quitando las ataduras cuando despertó. Eric sacudió los brazos por detrás de la espalda, pero volvieron a atarle las manos. Lo liberaron del saco y lo enfocaron con una luz. Tras ella, los dos tipos eran unas gigantescas sombras. Aquel lugar olía a humedad, y oyó una corriente de agua. Estaban en una especie de sótano por el que pasaba un riachuelo; quizá se trataba de un molino, pensó, con un arroyo. Las sombras de los leñadores se inclinaron hacia delante.

—¿Cómo se llama tu compañero de litera del orfanato?

—Idos al diablo.

Le agarraron los pies, lo levantaron boca abajo en el aire y le metieron la cabeza en el arroyo helado. Se sobresaltó tanto que no le dio tiempo a llenarse de aire los pulmones y forcejeó de tal modo que las gafas se le soltaron de las orejas. No pudo evitar aspirar. El agua le llenó la nariz y la boca. Lo sacaron del arroyo, pero lo mantuvieron cabeza abajo, con la cara a escasos centímetros del agua.

—¿Cómo se llama tu compañero del orfanato?

—¿Por qué…? —empezó a preguntar, aunque sabía perfectamente cuál era la respuesta.

Había subestimado al senador Kincaid al considerarlo un primo.

Los leñadores volvieron a meterle la cabeza en el agua. Esa vez Eric pudo coger aire y aguantar un tiempo la respiración. Finalmente, arqueó la espalda para salir del agua, pero aquellos tipos lo mantuvieron hundido hasta que tuvo que aspirar. El agua le llenó la nariz y la boca. Forcejeó, pero estaba agotado, y poco a poco todo su cuerpo se quedó sin fuerzas. Entonces lo sacaron del arroyo, y Eric Soares vomitó agua y tosió. Cuando recobró el aliento, les oyó hablar. Cayó en la cuenta de que lo habían sacado solo para volver a hacerle la misma pregunta.

—¿Cómo se llama tu compañero del orfanato?

—Paul —dijo con voz entrecortada.

—Y su apellido ¿cuál es?

—¿Qué vais a…?

—¡Dinos su apellido!

Se resistía a contestar. Cuando apagaban las luces en el orfanato, él y Paul se quedaban sentados espalda con espalda, defendiéndose de cualquiera que intentara atacarles. Notó que las manos de los leñadores le apretaban los tobillos.

—¡No! —gritó, pero ya estaba otra vez bajo el agua, con la garganta muy irritada y la nariz dolorida, a punto de perder el conocimiento de nuevo.

Cuando por fin lo sacaron, gritó:

—¡Paul Samuels! ¡Paul Samuels! ¡Paul Samuels!

—¿Dónde vive?

—En Denver —contestó jadeando Soares.

—¿Dónde trabaja?

—En un banco.

—¿Qué banco?

—El First Silver. ¿Qué vais a hacerle?

—Ya se lo hemos hecho. Solo queríamos asegurarnos de que no nos habíamos equivocado de hombre.

Volvieron a meter a Eric Soares de cabeza en el arroyo, y supo que era la última vez.

Registraron los coches cama, pero nadie encontró al ayudante de Franklin Mowery. Isaac Bell envió a los policías del ferrocarril a que lo buscaran en el pueblo de las Cascadas y la ciudad de Hell's Bottom, situada río arriba, pero dudaba que lo encontraran. También había desaparecido un capataz, junto con varios obreros de la Compañía de Estribos y Pozos de Cimentación Union.

Bell acudió a ver a Osgood Hennessy.

—Será mejor que inspeccione los estribos del puente —dijo seriamente—. Era en lo que Eric estaba trabajando.

—Franklin Mowery está allí —contestó Hennessy—. Lleva toda la mañana enviando telegramas a la compañía Union. Todavía no le han contestado.

—Dudo que le contesten.

Bell se comunicó por telegrama con la oficina de la agencia Van Dorn en San Luis. Enseguida recibió respuesta. La sede de la Compañía de Estribos y Pozos de Cimentación Union había quedado reducida a cenizas.

En otro telegrama Bell preguntó a qué hora fue.

Cuando recibió la respuesta, Bell comprendió que el Saboteador disponía de información confidencial. Ajustando la diferencia entre la zona horaria del Pacífico y la del centro de Estados Unidos, la primera señal de alarma del incendio había tenido lugar menos de dos horas después de que Bell hubiera planteado a Franklin Mowery sus sospechas acerca de Eric Soares.

El detective había visto a Emma Comden con Hennessy cuando Mowery le había comunicado su preocupación con respecto a los estribos. Pero a los pocos minutos, Hennessy había reunido a una docena de ingenieros para que evaluaran las posibilidades de que se produjera el desastre que Mowery temía. De modo que Emma no era la única que estaba al tanto. Aun así, Bell no podía por menos que preguntarse si la hermosa mujer estaba tomando al anciano por tonto.

Bell fue a buscar a Mowery y lo encontró en una de las garitas que protegían los estribos. El anciano tenía los ojos llorosos. Había extendido unos planos sobre la mesa en la que cenaban los policías ferroviarios junto a una carpeta con informes clasificados por Eric Soares.

—Falso —dijo, hojeando las páginas—. Falso. Falso. Falso. Falso… Los estribos son inestables. Una inundación los derribará.

A Bell le costaba creerlo. Desde el lugar donde se encontraba en la garita, los enormes estribos de piedra que soportaban las esbeltas torres que sujetaban el entramado del puente parecían sólidos como bastiones.

Mowery señaló tristemente con la cabeza a través de la ventana una barcaza amarrada junto al estribo más cercano. Unos hombres que estaban en ella sacaron a un buzo del agua y le ayudaron a quitarse el casco. Bell reconoció que era la nueva escafandra Mark V. El hecho de que la empresa no escatimara en gastos era un indicio más de la importancia del puente.

—¿Qué quiere decir? —preguntó Bell.

Mowery buscó a tientas un lápiz e hizo un dibujo del estribo. Al pie de este, trazó con decisión una raya que traspasó el papel.

—Lo llamamos socavación. Se produce cuando el agua perfora el lecho del río justo por encima del estribo. De repente, la base se queda sin apoyo. Se hunde en ese agujero o se agrieta por el efecto de las fuerzas desiguales… Tenemos que construir nuestra casa sobre arena.

42

Isaac Bell cruzó a pie el puente del cañón de las Cascadas.

Estaba en un silencio absoluto de extremo a extremo. Todo el tráfico ferroviario estaba interrumpido. Los únicos sonidos que el detective oía eran el taconeo de sus botas y el eco de los rápidos del río, mucho más abajo. Nadie sabía aún lo inestable que era el puente, pero todos los ingenieros coincidían en que, con el tiempo, el agua erosionaría el lecho y se caería. Cuando llegó al centro del mismo, situado entre los bordes del barranco, contempló el embate del río contra los defectuosos estribos.

La audacia del Saboteador lo dejó pasmado.

Bell se había devanado los sesos tratando de predecir cómo atacaría el puente. Había vigilado todos los accesos, había protegido los estribos y había observado a los peones con ojos de lince. En ningún momento se le había pasado por la cabeza que el criminal ya lo hubiera atacado, hacía dos largos años, antes de que empezaran a construir el puente.

Bell le había parado los pies en Nueva York, y también varias veces en las vías, así como a lo largo de todo el trayecto por el túnel número trece hasta el puente. Pero allí, en la base de este, el Saboteador había demostrado de lo que era capaz con un devastador golpe de efecto en caso de que el resto de las alternativas fallasen.

Bell sacudió la cabeza, indignado y admirado a su pesar de las aptitudes de su enemigo. El Saboteador era despreciable, un asesino despiadado, pero debía reconocer que era muy inteligente. La planificación y la ejecución del ataque al puente superaban con creces las de la explosión perpetrada en Nueva York.

Lo único que Isaac Bell podía decir en su defensa era que cuando el puente del cañón de las Cascadas se viniera abajo, por lo menos no sería una sorpresa. Había descubierto el plan antes de que se produjera la catástrofe. Ningún convoy de obreros inocentes se precipitaría al barranco. Sin embargo, aunque ninguna persona muriera, seguiría siendo un suceso desgraciado. El atajo, el colosal proyecto que se había comprometido a proteger, no sería nunca una realidad.

Percibió que alguien caminaba en dirección a él y supo quién era antes incluso de oler su perfume.

—Cariño —dijo sin apartar su sombría mirada del agua—. Me enfrento a un genio.

—¿Un Napoleón del crimen? —preguntó Marion Morgan.

—Así es como lo llama Archie. Y le doy la razón.

—Napoleón tenía que pagar a sus soldados.

—Lo sé —dijo Bell con desaliento—. Debo pensar como un banquero. Pero hacerlo no me ha llevado muy lejos.

—No hay que olvidar otro detalle —dijo Marion—. Puede que Napoleón fuera un genio, pero al final perdió.

Bell se dio la vuelta para mirarla. Esperaba una expresión risueña y comprensiva, pero en lugar de ello se encontró una gran sonrisa llena de esperanza y convicción. Marion estaba increíblemente hermosa, con los ojos brillantes y el cabello resplandeciente como si estuviera bañada de luz del sol. Bell no pudo evitar sonreírle tanto como ella a él.

—¿Qué pasa?

—Gracias por recordarme que Napoleón perdió —dijo Bell.

Marion había puesto de nuevo su cerebro en marcha. La estrechó en un abrazo efusivo, pero hubo de soltarla a causa del persistente dolor de la herida de bala.

—Una vez más tengo que dejarte justo cuando llegas, pero en esta ocasión la culpa es tuya porque me has hecho pensar.

—¿Adónde vas?

—Regreso a Nueva York para interrogar a todos los banqueros del sector ferroviario. Si hay una respuesta al enigma de por qué el Saboteador se empeña en atacar este ferrocarril, estará en Wall Street.

—¿Isaac? —Marion le cogió la mano—. ¿Por qué no vas a Boston?

—Los bancos más importantes están en Nueva York. Hennessy y Joe van Dorn pueden tocar algunas teclas. Empezaré por J. P. Morgan e iré bajando.

—El American States Bank está en Boston.

—No.

—¿Por qué no consultas a tu padre, Isaac? Él tiene mucha experiencia en las finanzas. Cuando se dedicaba a la banca todos lo admiraban.

Bell negó con la cabeza.

—Ya te he dicho que mi padre no se alegró de que me hiciera detective. En realidad, le partió el corazón. Los hombres como él esperan que sus hijos construyan sobre los cimientos que ellos edificaron. No me arrepiento de haber seguido mi propio camino, pero no tengo ningún derecho a pedirle que me perdone.

Bell se dirigió al vagón privado de Osgood Hennessy para preguntarle por los preparativos de Nueva York. Lo encontró sumido en un sombrío estado de preocupación y derrota. Franklin Mowery estaba con él. Los dos hombres parecían destrozados, y cada uno de ellos parecía alimentar el pesimismo del otro.

—El noventa por ciento del atajo está en el otro extremo del puente —se lamentó el presidente de la Southern Pacific—. Todo preparado para el último empujón. Vía, carbón, traviesas, planta de creosotado, patios de maniobras, locomotoras, depósitos y talleres. Todo ello en el lado opuesto de un puente que no soporta ni una carretilla. Me rindo.

Incluso la señora Comden, por lo general tan alegre, parecía derrotada. Aun así, intentó levantar el ánimo a Hennessy.

—Tal vez sea hora de dejar que la naturaleza siga su curso —le dijo—. Se avecina el invierno. Puedes empezar de nuevo el año que viene, comenzar de cero en primavera.

—En primavera estaré muerto.

Los ojos de Lillian Hennessy brillaban de rabia. Cruzó una mirada adusta con Isaac Bell. A continuación, se sentó a la mesa del telégrafo y posó los dedos sobre el pulsador.

—Padre —dijo—, será mejor que envíe un telegrama a las instalaciones de Sacramento.

—¿Sacramento? —preguntó Hennessy distraídamente—. ¿Para qué?

—Han terminado de fabricar las vigas del puente del cañón de las Cascadas, así que tienen tiempo para hacer un par de mecedoras.

—¿Mecedoras? ¿Para qué demonios iba a querer unas mecedoras?

—Para la jubilación de dos de los viejos más penosos que he visto en mi vida. Construyamos un porche en el patio de maniobras en el que podáis meceros.

—Para el carro, Lillian.

—Te estás dando por vencido, precisamente lo que el Saboteador quiere.

Hennessy se volvió hacia Mowery y le preguntó con un atisbo de esperanza en la voz:

—¿Existe alguna posibilidad de reforzar los estribos?

—Se acerca el invierno —murmuró Mowery—. Las tormentas del Pacífico se nos echan encima, y el nivel del río ya está subiendo.

—¿Señor Mowery? —dijo Lillian apretando los dientes—. ¿De qué color le gustaría que pintaran su mecedora?

—¡Usted no lo entiende, señorita!

—Entiendo la diferencia entre rendirse y defenderse.

Mowery se quedó mirando la alfombra.

—¡Conteste a mi padre! —exigió Lillian—. ¿Existe la más

mínima posibilidad de reforzar los estribos antes de que se desplomen?

Mowery parpadeó. Sacó un pañuelo triangular del bolsillo y se secó los ojos.

—Podríamos intentar construir deflectores para desviar la corriente —dijo.

—¿Cómo?

—Levantando diques en la orilla. Reforzando la orilla con escolleras. Y colocándolas por encima y por debajo de los estribos. Las escolleras que ese hijo de… ese traidor debería haber instalado como es debido. Podríamos probar a reforzarlos con collares, supongo.

Cogió un lápiz y dibujó sin demasiado entusiasmo unos diques de encauzamiento que desviaban el curso del agua alrededor de los estribos.

—Pero eso solo es a corto plazo —replicó Hennessy con pesimismo—. Hasta la primera inundación. ¿Y a largo plazo?

—A largo plazo, tendríamos que pensar cómo profundizar la cimentación de los estribos hasta el lecho de roca, si podemos localizarlo, o como mínimo hasta el punto de socavación.

—Pero los estribos ya están colocados —protestó Hennessy.

—Lo sé. —Mowery miró a Lillian—. Verá usted, señorita, tendríamos que hacer nuevos pozos de cimentación para que trabajaran los excavadores. —Realizó un dibujo que mostraba la base de los estribos rodeada de campanas herméticas en las que los hombres podían trabajar bajo el río—. Pero antes de que pudiéramos hacer los pozos tendríamos que levantar ataguías provisionales en torno a los estribos para protegerlos en estos dos puntos. ¿Lo ve? No tenemos tiempo.

Soltó el lápiz y alargó la mano para coger su bastón.

Antes de que Mowery pudiera levantarse, Bell se inclinó y posó firmemente un dedo sobre el dibujo.

—Las ataguías se parecen a los collares. ¿Podrían las ataguías desviar la corriente?

—¡Desde luego! —le espetó Mowery—. Pero el caso es que…

La voz del viejo ingeniero se fue apagando en mitad de la frase. Se quedó mirando fijamente el dibujo. Entonces empezaron a brillarle los ojos. Apartó el bastón de un empujón y cogió de nuevo el lápiz.

Isaac Bell le dio otra hoja de papel.

Mowery comenzó a garabatear frenéticamente.

—¡Mire esto, Osgood! Al diablo con el corto plazo. Construiremos de primeras los pozos de cimentación. Daremos forma a las ataguías para que sirvan también de diques de encauzamiento. Pensándolo bien, serán mejores que los collares de refuerzo.

—¿Cuánto se tardará? —preguntó Hennessy.

—Por lo menos se necesitarán dos semanas, trabajando día y noche, para colocar las ataguías. Tal vez tres.

—El tiempo está empeorando.

—Precisaré de todos los trabajadores que pueda ofrecerme.

—Tengo a mil en la estación sin nada que hacer.

—Pondremos escolleras en estos puntos, y reforzaremos la orilla.

—Rezo para que no se produzca una crecida.

—Ampliaremos este dique…

Ni el constructor de puentes ni el presidente del ferrocarril se percataron cuando Isaac Bell y Lillian Hennessy se retiraron de lo que se había convertido en una verdadera conferencia de ingeniería.

—Buen trabajo, Lillian —dijo Bell—. Los has espabilado.

—Me he dado cuenta de que tenía que garantizar mi futuro económico si voy a dejar que me corteje un detective sin dinero.

—¿Es lo que deseas?

—Creo que sí, Isaac.

—Más que a un candidato a presidente.

—Algo me dice que será más emocionante.

—En ese caso, tengo buenas noticias para ti: he enviado un telegrama a Archie para que venga a sustituirme.

—¿Va a venir Archie? —Lillian tomó las manos de Bell entre las suyas—. Oh, Isaac, gracias. Es maravilloso.

Bajo el bigote rubio de Bell se dibujó la primera sonrisa despreocupada desde que habían descubierto que los estribos corrían peligro.

—Debes prometerme que no lo distraerás mucho. Todavía no hemos atrapado al Saboteador.

—Pero si Archie viene a sustituirte, ¿adónde vas tú?

—A Wall Street.

43

Isaac Bell cruzó el continente en tan solo cuatro días y medio. Tomaba convoyes semidirectos y especiales fletados cuando los otros trenes iban despacio. Recorrió el último tramo de dieciocho horas entre Chicago y Nueva York en el semidirecto *Broadway*, bautizado orgullosamente con ese nombre en honor a la ancha avenida de cuatro carriles.

Desde el transbordador a Manhattan, constató que la ciudad de Jersey y los ferrocarriles estaban reparando a buen ritmo los daños causados por la explosión de dinamita provocada por el Saboteador. Ya se había reemplazado el tejado de la estación, y un nuevo estribo se alzaba donde hacía menos de tres semanas había visto los restos ennegrecidos de unos pilotes sumergidos por la marea. Los barcos hundidos habían desaparecido, y si bien muchas ventanas seguían cubiertas con toscos tablones de madera, en muchas otras brillaban cristales nuevos. La imagen le llenó de esperanza, y le recordó que Hennessy y Mowery estaban haciendo trabajar día y noche a los peones para salvar el puente del cañón de las Cascadas, en Oregón. Sin embargo, hubo de reconocer que la tarea que les aguardaba a ellos era mucho más complicada, si no imposible. El Saboteador había debilitado los cimientos del puente, y podría causar más daños todavía, dado que no lo habían atrapado.

Bell desembarcó en Liberty Street y se dirigió a toda prisa a la cercana Wall Street. En la esquina de Broad Street se encontraba la sede de J. P. Morgan y Compañía, un edificio de mármol blanco.

—Soy Isaac Bell. Vengo a ver al señor Morgan.

—¿Tiene una cita?

Bell abrió su reloj de oro.

—El señor Joseph van Dorn nos concertó una reunión para las diez de la mañana. Su reloj va atrasado.

—Ah, sí, claro, el señor Bell. Sin embargo, lamentablemente se ha producido un repentino cambio de planes, y el señor Morgan se encuentra ahora en un barco, rumbo a Inglaterra.

—¿A quién ha dejado en su puesto?

—Bueno, nadie puede ocupar su puesto, pero hay un caballero que posiblemente le será de ayuda. El señor Brooks.

Un recadero llevó a Bell a las entrañas del edificio. Estuvo sentado casi una hora en la sala de espera, situada frente a una bóveda con rejas de acero revestida de níquel vigilada por dos hombres armados. Se entretuvo resolviendo los detalles de dos robos infalibles, uno diurno y otro nocturno. Finalmente, le hicieron pasar al despacho de Brooks.

Brooks era un hombre de corta estatura pero robusto. Recibió a Bell de mal humor, sin disculparse por haberle hecho esperar.

—Su cita con el señor Morgan se concertó sin que yo lo supiera —dijo secamente—. Me han ordenado que responda a todas sus preguntas. Soy un hombre muy ocupado, y no veo qué información puedo proporcionar a un detective.

—Tengo una sola pregunta, muy sencilla —dijo Bell—. ¿Quién se beneficiaría si la Southern Pacific quebrase?

Los ojos de Brooks brillaron con interés.

—¿Tiene información que respalde esa deducción?

—Yo no deduzco nada —contestó Bell, antes de introducir sin querer un nuevo elemento en la interminable batalla para consolidar los ferrocarriles y de minar la reputación de Hennessy en el mercado—. Estoy preguntando quién se beneficiaría si eso ocurriera.

—A ver si lo entiendo, detective. ¿No tiene ninguna información de que Osgood Hennessy se encuentre en una posición delicada?

—Ninguna en absoluto.

El brillo de interés desapareció de los ojos de Brooks.

—Claro que no —dijo hoscamente—. Hennessy ha sido invulnerable durante treinta años.

—Suponiendo que no lo fuera...

—¡Suponiendo! ¡Suponiendo! ¡Suponiendo! La banca no es un negocio de suposiciones, señor... —Hizo ver que miraba la tarjeta de Bell para refrescarse la memoria—. Señor Bell, la banca es un negocio de hechos. Los banqueros no especulan. Los banqueros actúan de acuerdo con los hechos. Hennessy especula. Hennessy avanza dando tumbos.

—Y sin embargo —dijo Bell con suavidad—, dice que Hennessy es invulnerable.

—Es astuto.

Bell vio que estaba perdiendo el tiempo. Los banqueros como Brooks, reservados y preocupados solo por los beneficios, jamás revelaban información a un extraño.

Brooks se levantó de repente y miró a Bell por encima del hombro.

—La verdad, no entiendo por qué el señor Morgan perdería el tiempo contestando las preguntas de un detective. Supongo que es otro ejemplo de su carácter excesivamente bondadoso.

—El señor Morgan no es bondadoso. —Bell se puso en pie de inmediato, pero trató de contener su indignación—. El señor Morgan es inteligente. Sabe que de las preguntas que le formulen podrá entresacar información muy valiosa. Por ese motivo el señor Morgan es su jefe y usted es su lacayo.

—¡Vaya! ¿Cómo se atreve a...?

—¡Buenos días!

Bell salió con paso airado del edificio de J. P. Morgan y cruzó la calle para acudir a su siguiente cita.

Media hora más tarde volvía a salir con paso airado de otro edificio, y si otro banquero le hubiera sacado de sus casillas en ese preciso momento, le habría dado un puñetazo en la boca o puede que incluso le hubiera disparado con su pistola de bolsillo. La idea le provocó una sonrisa de arrepentimiento, y se detuvo en mitad de la atestada acera para considerar si merecía la pena acudir a otra cita más.

—Parece confundido.

Delante de él, mirándolo con una sonrisa afable y traviesa, había un atractivo hombre moreno de cuarenta y pocos años. Llevaba un abrigo caro con el cuello de piel y en la cabeza una kipá de terciopelo, el bonete que usaban los judíos.

—Estoy confundido, sí —dijo Bell—. ¿Quién es usted?

—Soy Andrew Rubenoff. —Le tendió la mano—. Y usted es Isaac Bell.

Asombrado, Bell preguntó:

—¿Cómo lo ha sabido?

—Pura casualidad. No me refiero a haberlo reconocido, sino a haberlo visto aquí. Con cara de confusión.

—¿Cómo me ha reconocido?

—Por su fotografía.

Bell ponía empeño en evitar a los fotógrafos. Como había recordado más de una vez a Marion, a ningún detective le beneficiaba en absoluto ser famoso.

Rubenoff sonrió en señal de comprensión.

—No se preocupe. Solo he visto su fotografía encima del escritorio de su padre.

—Ah... ¿Ha hecho negocios con mi padre?

Rubenoff agitó la mano en un gesto que no aclaraba nada.

—De vez en cuando nos consultamos.

—¿Es usted banquero?

—Eso dicen —contestó—. En realidad, cuando llegué de Rusia, no me dio buena impresión el Lower East Side de Nueva York, así que crucé el país en tren. En San Francisco abrí una taberna. Con el tiempo, conocí a una chica guapa cuyo padre era dueño de un banco, y el resto es una historia muy agradable.

—¿Tiene tiempo para comer conmigo? —preguntó Isaac Bell—. Necesito hablar con un banquero.

—Ya me he comprometido para la comida, pero podemos tomar un té en mis oficinas.

Las oficinas de Rubenoff estaban a la vuelta de la esquina, en Rector Street. La policía había cortado la calle para que unos operarios pudieran izar sin peligro un piano de cola desde una furgoneta eléctrica GMC hasta el piso cincuenta, donde habían retirado una ventana. Aquel apartamento pertenecía a Rubenoff, quien hizo caso omiso del alboroto mientras invitaba a pasar a Bell. A través del vano de la pared, entró primero una fría corriente de viento del río Hudson y luego el bamboleante piano negro acompañado de los gritos de los transportistas. Una secretaria con aspecto de matrona les sirvió té en sendos vasos altos.

Bell explicó su misión.

—Bueno —dijo Rubenoff—. No ha sido ninguna casualidad. Usted habría acabado por visitarme cuando todos los demás le hubieran echado. Reconozco que eso le ahorra tiempo y molestias.

—Le agradezco la ayuda —dijo Bell—. No he conseguido nada en la oficina de Morgan. El jefe no estaba.

—Los banqueros son gregarios —dijo Rubenoff—. Se asocian, aunque se tengan antipatía y no se fíen unos de otros. Los elegantes banqueros de Boston sienten animadversión hacia los presuntuosos neoyorquinos. Los protestantes no se fían de los judíos alemanes. Los judíos alemanes rechazan a los judíos rusos como yo. La antipatía y la desconfianza hacen girar el mundo. Pero basta de filosofía. ¿Qué desea saber exactamente?

—Todo el mundo coincide en que Osgood Hennessy es invulnerable. ¿Es verdad?

—Pregunte a su padre.

—¿Cómo ha dicho, señor?

—Ya me ha oído —dijo Rubenoff—. No omita el mejor consejo que puede recibir en Nueva York. Pregunte a su padre. Dele recuerdos de mi parte. Eso es todo lo que va a oír de boca de Andrew Rubenoff sobre el tema. No sé si Hennessy es invulnerable. Hasta el año pasado, lo habría sabido. Pero he dejado los ferrocarriles. He invertido mi dinero en automóviles y películas. Buenos días, Isaac.

Se levantó y se dirigió al piano.

—Tocaré mientras usted sale.

Bell no quería viajar a Boston para hablar con su padre. Quería respuestas en el acto y quería que se las diera Rubenoff, quien sospechaba que sabía más de lo que reconocía.

—Los transportistas acaban de marcharse —dijo—. ¿No necesita afinarlo primero?

En respuesta a su pregunta, las manos de Rubenoff se lanzaron sobre las teclas, y cuatro acordes resonaron en perfecta armonía.

—Los pianos que fabrican el señor Mason y el señor Hamlin no necesitan afinación, aunque hayan viajado a través de las cataratas del Niágara… Su padre, joven Isaac. Vaya a hablar con su padre.

Bell tomó el metro hasta la Gran Estación Central, avisó a su padre por telegrama de que se dirigía a Boston y subió al famoso tren de la compañía de ferrocarriles New England. Lo recordaba bien de su época de estudiante, cuando viajaba en él hasta New Haven. Habían bautizado el deslumbrante expreso como el *Tren Fantasma*.

Seis horas más tarde desembarcó en la nueva South Station de Boston, un gigantesco templo rosado erigido al poder ferroviario. Subió cinco pisos en ascensor hasta la planta superior de la estación y se puso en contacto con la oficina de la agencia Van Dorn en Boston. Su padre le había enviado un telegrama de respuesta: ESPERO QUE PUEDAS QUEDARTE CONMIGO. Cuando llegó a la residencia urbana de estilo neoclásico de su padre en Louisburg Square, eran las nueve pasadas.

Padraic Riley, el anciano mayordomo que se encargaba del hogar de los Bell desde que Isaac había nacido, abrió la pulida puerta principal.

—Su padre está a la mesa —dijo Riley—. Pensó que podría apetecerle una cena tardía.

—Estoy muerto de hambre —reconoció Bell—. ¿Qué tal está?

—Como siempre —dijo Riley, discreto como de costumbre. Bell se detuvo en la sala de estar.

—Deséame suerte —murmuró al retrato de su madre.

A continuación se puso firme y cruzó la estancia hasta el comedor, donde su alto y delgado padre se estiró como una cigüeña en su silla a la cabecera de la mesa.

Ambos se escudriñaron el rostro.

Riley, que rondaba al lado de la puerta, contuvo el aliento. Ebenezer Bell, pensaba con envidia, seguía pareciendo joven. Su cabello había encanecido, por supuesto, pero lo conservaba todo, a diferencia de él. Y si bien su barba de veterano de la guerra de Secesión estaba casi blanca, todavía poseía el cuerpo esbelto y la postura erguida del oficial del ejército de la Unión que había combatido en el sangriento conflicto hacía cuatro décadas.

En opinión del mayordomo, el hombre en que se había convertido el hijo de su señor debería hacer que cualquier padre se sintiera orgulloso. La firme mirada de los ojos azules del joven señor Bell era un reflejo de la de su padre, aunque había heredado de su madre su tonalidad violeta. Los dos caballeros, meditó Riley, se parecían mucho. Tal vez demasiado.

—¿En qué puedo ayudarte, Isaac? —preguntó Ebenezer un tanto tenso.

—No sé por qué Andrew Rubenoff me ha mandado aquí —contestó Isaac con idéntica frialdad.

Riley desvió su atención al anciano. Si iba a haber una reconciliación, dependía de Ebenezer que diera resultado. Pero este se limitó a pronunciar una escueta frase.

—Rubenoff es un hombre familiar.

—No lo entiendo.

—Me estaba haciendo un favor… Es muy propio de él.

—Gracias por invitarme a pasar la noche —contestó Isaac.

—Aquí eres bienvenido siempre —dijo su padre.

Y entonces, para gran alivio de Riley, Ebenezer aprovechó galantemente la oportunidad que su hijo le brindó accediendo a quedarse, algo que había rechazado otras veces en el pasado. De hecho, el severo y viejo protestante se mostró casi efusivo, a juicio del mayordomo.

—Tienes buen aspecto, hijo. Creo que tu trabajo te sienta bien.

Los dos hombres se tendieron las manos.

—La cena está servida —dijo Riley.

Mientras cenaban pan con queso tostado y salmón al vapor frío, el padre de Isaac Bell confirmó lo que Marion había insinuado y él sospechaba.

—Los magnates del ferrocarril no son tan todopoderosos como parecen. Controlan sus líneas manejando participaciones minoritarias de las acciones. Pero si los banqueros pierden la confianza en ellos, si los inversores exigen su dinero, se ven a merced de la marea de sotavento. —Una sonrisa crispó los labios de Ebenezer Bell—. Perdona que mezcle metáforas marítimas. El caso es que cada vez que sus acciones bajan de golpe, se encuentran en apuros para reunir capital e impedir que sus competidores se apoderen de ellas. La línea de ferrocarriles New England en la que has venido hoy está a punto de ser absorbida por la de Nueva York, New Haven y Hartford. Y en el momento oportuno... No me extraña que la hayan apodado «Salvada por los Pelos». El caso es que, de repente, la New England no tiene voz ni voto en el asunto.

—Ya lo sé —contestó Bell—. Pero Osgood Hennessy ha absorbido todos los ferrocarriles con los que se ha encontrado. Es demasiado inteligente y está demasiado bien situado para ponerse en una situación comprometida. Reconoce que se quedará sin financiación para la expansión de las Cascadas si el Saboteador la paraliza. Sería una pérdida terrible, pero asegura que tiene financiación de sobra para hacer funcionar el resto de sus líneas.

—Considera, hijo, cuántas líneas ha unido Hennessy y en cuántas más tiene intereses.

—Exacto. Es dueño de la compañía ferroviaria más poderosa del país...

—O de un castillo de naipes.

—Pero todo el mundo coincide en que Osgood Hennessy está en una posición segura. El empleado de Morgan usó la palabra «invulnerable» para referirse a él.

—No lo es, según mis fuentes.

Ebenezer Bell sonrió.

En ese momento, Isaac vio a su padre desde una perspectiva distinta. Sabía que de joven Ebenezer había destacado como oficial en el Departamento de Inteligencia del ejército. Tenía medallas que lo demostraban. Pero una extraña idea lo asaltó, algo que nunca se le había ocurrido antes. ¿Había deseado, también él, ser algo más que banquero?

—Padre, ¿estás diciendo que si el Saboteador estuviera en posición de comprar, en el caso de que la Southern Pacific se tambaleara por culpa de la fallida expansión de las Cascadas, podría acabar convirtiéndose en dueño de ella?

—No solo de la Southern Pacific, Isaac.

44

—De la totalidad de los ferrocarriles del país —dijo Isaac Bell. Por fin lo entendía todo.

El Saboteador había cometido sus ataques impulsado, en el fondo, por aquel objetivo tan audaz como perverso.

—Por fin sé lo que quiere —dijo Isaac—. Su móvil es retorcido pero no carece de lógica. Es demasiado ambicioso para pretender algo menos importante. Unos actos monstruosos al servicio del sueño de una mente criminal. Pero ¿cómo podría disfrutar de su victoria? En cuanto se apodere de los ferrocarriles, lo perseguiremos sin piedad de una punta del continente a la otra hasta dar con él.

—Al contrario —dijo Ebenezer Bell—, disfrutará de su victoria en privado.

—¿Cómo?

—Se ha protegido de tal forma que no puede ser identificado, y menos aún investigado. ¿A quién buscaréis? ¿En qué país? Un criminal tan ingenioso como el que has descrito tomaría como modelo de «jubilación», por así decirlo, a los traficantes de armas europeos. O los cárteles del opio. Sé de especuladores y estafadores de bolsa que han ejercido sus actividades ilegales sin ser molestados durante treinta años.

—¿Cómo? —repitió Isaac, aunque estaba empezando a comprender.

—Si yo fuera el Saboteador —respondió Ebenezer—, me iría al extranjero. Montaría un complejo conglomerado de empresas protegido por gobiernos corruptos. A través de mi macrocompañía fantasma sobornaría a las autoridades para que hicieran la vista gorda. Un ministro de la Guerra aquí, un ministro de Hacienda allá... Las cancillerías europeas son bastante infames.

—Y en Estados Unidos —dijo Isaac en voz queda—, un miembro del Senado.

—Las empresas sobornan a los senadores. ¿Por qué no iba a hacerlo un criminal? ¿Tienes algún senador en mente?

—Charles Kincaid.

—El hombre de Hennessy. Aunque debo decir que siempre he considerado a Kincaid un bufón más que a la mayoría de los que se sientan en esa augusta cámara.

—Eso parece. Pero hace tiempo que sospecho de él. Lo que tú propones explicaría el motivo. Podría ser el agente del Saboteador.

—Con acceso sin restricciones a funcionarios del gobierno deseosos de complacerle. Y no solo podría ser el agente del Saboteador en Estados Unidos, sino también su espía dentro del círculo de personas más allegadas de Hennessy. Eso sería diabólico, ¿verdad, hijo?

—¡Sería muy eficiente! —dijo Isaac—. Si el Saboteador ha demostrado ser algo aparte de cruel y despiadado, es eficiente... Pero esa teoría no se sostiene si tenemos en cuenta que, al parecer, Charles Kincaid aspira a la candidatura a la presidencia.

—¡No me digas!

—Preston Whiteway financia la campaña. Cuesta imaginarse a un político que quiera ser presidente y se arriesgue a que lo descubran aceptando sobornos de un asesino.

—No sería el primer político lo suficientemente arrogante para convencerse de que nadie puede cazarlo —murmuró Ebenezer Bell.

Padraic Riley los interrumpió para decir que les había preparado brandy y café en la biblioteca, y añadió que se acostaría si no necesitaban nada más. Dio media vuelta y desapareció antes de que eso ocurriera.

También había dejado encendida una lumbre de carbón en la chimenea. Mientras Ebenezer echaba unas generosas dosis de brandy en las dos tazas de café, Isaac Bell se quedó mirando las llamas, pensando detenidamente. Podía haber sido Kincaid el que había contratado a los boxeadores profesionales para que lo mataran en Rawlins.

—Me encontré a Kenny Bloom en el tren semidirecto de la línea interior —dijo.

—¿Qué tal está ese bribón?

—Unos treinta kilos más gordo que los demás bribones… y más rico que nunca. Padre, ¿cómo reuniría el Saboteador el capital para comprar la Southern Pacific?

Ebenezer contestó sin vacilar.

—Pidiéndoselo a los banqueros más poderosos del mundo.

—¿Morgan?

—No. Según tengo entendido, Morgan está en una situación financiera delicada. No podría adquirir la compañía de Hennessy. Ni tampoco Vanderbilt, ni Harriman ni Hill, aunque se uniesen. ¿Tiene Van Dorn oficinas en el extranjero?

—Tenemos acuerdos de cooperación con investigadores extranjeros.

—Céntrate en Europa. Los únicos banqueros lo bastante pudientes están en Londres y Berlín.

—No dejas de referirte a Europa.

—Has descrito a un criminal que necesita reunir extraordinarias cantidades de capital en el más absoluto secreto. ¿Adónde podría acudir en busca de dinero si no a Europa? Y allí es donde se esconderá al final. Te recomiendo que uses los contactos europeos de la agencia para localizar a sus banqueros. Mientras tanto, yo intentaré ayudarte haciendo todas las pesquisas que pueda.

—Gracias, padre. —Isaac le estrechó la mano—. Has resucitado este caso.

—¿Adónde vas?

Isaac Bell se dirigía a grandes zancadas al pasillo.

—Voy a volver al Atajo de las Cascadas lo más rápido posible. El Saboteador no se detendrá hasta acabar con Hennessy.

—Pero no habrá trenes rápidos tan tarde.

—Fletaré un especial hasta Albany y luego tomaré un tren rápido a Chicago.

Ebenezer lo acompañó a toda prisa a la puerta, le ayudó a ponerse el abrigo y se quedó en el vestíbulo mientras su hijo se adentraba en la noche.

—Cuando pueda volver —gritó Isaac por encima del hombro—, quiero que conozcas a alguien.

—Estoy deseando conocer a la señorita Morgan.

Bell se detuvo en seco. ¿Lo que veía en los ojos de su padre era el reflejo del parpadeo de las lámparas de gas o acaso le brillaban?

—¿Lo sabes? ¿Te has enterado?

—Mis fuentes son anónimas. Me han dicho que mi hijo es un hombre afortunado.

Otra tormenta de finales de otoño procedente del Pacífico se desencadenaba con violencia mientras James Dashwood asistía a otra reunión más, y ya llevaba doce, de la liga antialcohólica. Esa tenía lugar en una fría sala alquilada en los salones Elks de Santa Bárbara. La lluvia azotaba las ventanas, y el viento batía los árboles y arrojaba hojas mojadas contra los cristales. Sin embargo, el orador estaba inspirado y el público, entusiasmado, aguardando la ingeniosa verborrea del curtido y rubicundo Willy Abrams, capitán de un clíper del cabo de Hornos, superviviente de un naufragio y borracho reformado.

—El alcohol no es bueno para el organismo... —clamó el capitán Willy—. Provoca una excitación física general muy poco sana y endurece los tejidos del cerebro... Lo demuestran todos los estudios científicos. Pregunten al alcaide de la cárcel. ¡Y piensen en el derroche! ¿Cuántos panes podrían abastecer la mesa de cualquier cocina con el dinero gastado en bebidas alcohólicas?

¿Cuántos hogares acogedores podrían construirse con ese dinero? ¡Con esa suma hasta podría saldarse la totalidad de la deuda nacional!

Por un instante Dashwood dejó de observar a los hombres del auditorio. De los muchos oradores a los que había oído en su búsqueda del herrero Jim Higgins, el capitán era el primero que prometía la compensación de la deuda nacional.

Cuando el acto hubo acabado, Dashwood no vio a nadie que se pareciera al herrero entre la multitud, que cada vez era menor, de modo que se acercó al estrado.

—¿Una más? —preguntó Willy Abrams, que estaba recogiendo sus notas—. Siempre hay tiempo para una promesa más.

—Ya he hecho la promesa.

Dashwood le mostró una declaración de abstinencia total certificada cuatro días antes por la Unión Femenina de Abstinencia Cristiana. Tenía diez más en su maleta, junto con el gancho del sabotaje ferroviario y un montón de copias del retrato que había dibujado el leñador.

—Estoy buscando a un amigo que espero que haya hecho la promesa. Pero quizá se haya descarriado. Ha desaparecido, y me temo lo peor. Un tipo alto y corpulento, un herrero llamado Jim Higgins.

—¿Un herrero? ¿Grandullón? ¿Hombros caídos? ¿Pelo moreno? ¿Ojos tristes y cansados?

—¿Lo ha visto?

—¿Que si lo he visto? Ya lo creo que sí. Gracias a mí, ese pobre diablo se ha enmendado. Y en extremo.

—¿A qué se refiere?

—En lugar de jurar no volver a beber alcohol, ha jurado renunciar a todo lo que un hombre podría desear.

—No le entiendo, capitán.

El orador miró a su alrededor, confirmó que no había mujeres que pudieran oírlo y dejó caer un arrugado párpado sobre un ojo inyectado en sangre.

—Ha renunciado a la bebida, ha renunciado a las posesiones mundanas e incluso ha renunciado al contacto carnal. Creo sinceramente que la bebida y el alcoholismo son males inseparables. Ni Jesucristo nuestro Salvador podría mantener a sus clientes sobrios si regentara una taberna. Pero que no se diga que el capitán Willy es partidario de abandonar todos los placeres terrenales.

—¿Qué ha hecho Jim Higgins?

—Lo último que supe es que se había hecho monje.

—¿Monje?

—Ha ingresado en un monasterio.

James Dashwood sacó su libreta.

—¿De qué orden?

—No estoy seguro. La orden de san no sé qué o de san no sé cuántos. No había oído hablar de ella. No es una de las habituales, sino una especie de ramificación... como las que se ven en esos pagos.

—¿Dónde?

—Costa arriba. Tengo entendido que tienen una finca de narices.

—¿En qué ciudad?

—En algún lugar al norte de la bahía de Morro, creo.

—¿En las montañas o cerca del mar? —insistió Dashwood.

—He oído que en los dos sitios. Una finca de narices, sí.

Habían pasado cuarenta años desde que el primer tendido telegráfico transatlántico había derribado las barreras del tiempo y el espacio. En 1907, más de una docena de ellos se extendían bajo el océano entre Irlanda y Terranova. Los equipos más modernos podían transmitir ciento veinte palabras por minuto. Mientras Isaac Bell se dirigía raudo y veloz al Oeste, buena parte de la capacidad de aquellos cables la ocupaba la información que iba recabando la agencia de detectives de Van Dorn sobre los banqueros europeos del Saboteador.

Los cablegramas llegaban a espuertas con cada nuevo cambio del personal del tren y en cada parada que hacían para repostar agua. Bell tenía una maleta llena de papeles cuando arribó a

Buffalo en su veloz locomotora Atlantic 4-4-2, que incorporaba ruedas de gran diámetro y había sido diseñada ex profeso para la ruta que bordeaba el lago. A lo largo del trayecto se habían unido al detective otros investigadores de Van Dorn, y también especialistas en banca, así como traductores de francés y alemán. Al principio obtuvieron informes generales sobre financiación con dinero procedente de Europa de ferrocarriles en China, Sudamérica, África y Asia Menor. Luego, a medida que los contactos de la agencia indagaban más a fondo, los informes fueron más específicos, y en muchos de ellos se hacía alusión a la compañía Schane y Simon, un banco de inversión alemán poco conocido.

Bell reservó un coche cama en Toledo para su creciente equipo y sustituyó la 4-4-2 por una Baldwin 4-6-0, más potente. Le añadió un vagón restaurante en Chicago para que los investigadores pudieran extender sus documentos sobre las mesas mientras atravesaban como un relámpago Illinois y Iowa.

Cruzaron Kansas, y cambiaron la locomotora por la nueva y sumamente eficiente Atlantic de la empresa Baldwin. Debían recorrer a toda velocidad la ligera pero implacable pendiente de las Grandes Llanuras. Recogían telegramas en cada parada. Las mesas del vagón restaurante estaban cubiertas de papeles amarillos. Los detectives, contables y auditores de Isaac Bell bautizaron su tren especial como el expreso *Van Dorn*.

Las Montañas Rocosas aparecieron, azules como el cielo, y fueron descollando de entre la niebla hasta verse tres cordilleras nevadas bien definidas. Los supervisores del Departamento de las Montañas del ferrocarril, deseosos de ayudar, sacaron sus mejores locomotoras Prairie, con cilindros dispuestos según el sistema Vauclain, para que subieran la cuesta. Hasta el momento, en el trayecto a campo traviesa, un total de dieciocho locomotoras y quince equipos distintos habían llevado el expreso *Van Dorn* a velocidades que superaban las del tiempo récord del año anterior, establecido en quince horas desde Chicago.

Bell descubrió que las operaciones de Schane y Simon, con sede en Berlín, seguían un patrón. Tiempo atrás, el banco, por mediación del poderoso canciller Otto von Bismarck, había forjado con el gobierno alemán estrechos vínculos, que con el káiser Guillermo se habían fortalecido. Según las fuentes de Van Dorn, todo indicaba que el banco de inversión había desviado en secreto fondos del gobierno para financiar a los promotores del ferrocarril de Bagdad. Nadie debía saber que Alemania estaba construyendo un ferrocarril hasta un puerto del golfo Pérsico, cuyo fin último era desafiar los intereses británicos, franceses y rusos en Oriente Próximo.

—El senador Charles Kincaid trabajó a sus órdenes, si mal no recuerdo —dijo uno de los traductores, quien había prestado servicio en el Departamento de Estado antes de que Joseph van Dorn lo reclutara.

—En sus días de Ingeniero Heroico.

Bell se comunicó por telegrama con Sacramento para que le facilitasen documentos relativos a transacciones entre Schane y Simon, de un lado, y miembros del círculo de personas más allegadas de Osgood Hennessy, del otro.

Por supuesto, Charles Kincaid había permanecido en una posición destacada en la mente de Isaac Bell desde que su padre le había dicho que un conglomerado de empresas extranjeras y su enigmático propietario quizá estuvieran protegidos por funcionarios de gobiernos corruptos. Sin duda, un senador estadounidense podía hacer mucho para promover los intereses del Saboteador y velar por sus secretos. Pero ¿qué podía impulsar a Kincaid a poner en riesgo su ya de por sí provechosa carrera política? ¿Buscaba ganar más dinero del que obtenía con las acciones de la Southern Pacific? ¿Quizá quería vengarse de Hennessy por no animar a Lillian a casarse con él? ¿O acaso su cortejo era una farsa, una excusa para estar siempre cerca de Hennessy, dondequiera que se hallara su tren especial?

¿Y cómo encajaba el espionaje que Kincaid llevaba a cabo para el Saboteador con sus aspiraciones presidenciales? ¿Quizá él mismo había incitado a Preston Whiteway a que lanzara la campaña simplemente como una cortina de humo? ¿Había renunciado a sus sueños políticos para concentrarse en amasar una inmensa fortuna en sobornos? ¿O, como proponía el padre de Bell, era tan arrogante que creía que podía hacer las dos cosas impunemente?

La definición de «hacer pesquisas», según Ebenezer Bell, era amplia e innovadora. El presidente del American States Bank había empezado interrogando a sus amigos y socios de confianza en Boston, Nueva York y Washington tanto por teléfono y telégrafo como a través de mensajeros privados. Después de enterarse de todo lo que pudo a través de sus contactos en las altas esferas, ahondó en el centro del país, prestando especial atención a San Luis, donde tenía la sede la Compañía de Estribos y Pozos de Cimentación Union. En el Oeste, la información que recabó sondeando a los banqueros más importantes de San Francisco, Denver y Portland le llevó a pedir favores a bancos más pequeños de California y Oregón.

A instancias del aristocrático banquero de Boston tuvo lugar una reunión privada en Eureka, un puerto de aguas profundas que servía a la industria manufacturera de la secuoya situado a cuarenta kilómetros al norte de San Francisco. Stanley Perrone, el presidente del Northwest Coast Bank de Eureka, un hombre sin escrúpulos, acudió al despacho de A. J. Gottfried, propietario de la prometedora Compañía Maderera de la Bahía de Humboldt. Gottfried había pedido prestado mucho dinero al banco de Perrone para modernizar su empresa.

El despacho de Gottfried daba a su muelle de descarga, que destacaba en el puerto azotado por la lluvia. Sacó una botella de whisky de calidad de su escritorio, y ambos charlaron del tiempo durante un rato. Que iba de mal en peor podía adivinarse viendo la lancha de vapor roja que avanzaba resoplando, llena de determinación, entre las goletas para el transporte de madera que estaban amarradas y ancladas.

—¡Maldita sea! Parece que se avecina otra tempestad.

La lancha roja estaba pilotada por el mensajero especial del Departamento Meteorológico que comunicaba los pronósticos de tormentas violentas a los capitanes de las embarcaciones que había en el puerto.

El banquero se puso manos a la obra.

—Si mal no recuerdo, A. J., compraste la Compañía Maderera de la Bahía de Humboldt con las ganancias de la venta de otra similar ubicada en el este de Oregón.

Gottfried, que pretendía aprovechar la inesperada visita del banquero, contestó:

—Eso es exactamente lo que pasó. Aunque recuerdo que tú me facilitaste las cosas prometiendo ayudarme a sustituir el viejo equipo.

—A. J., ¿quién compró la Compañía Maderera East Oregon?

—Un tipo con más dinero que sentido común —reconoció Gottfried alegremente—. Había perdido la esperanza de descargar la madera hasta que él apareció. Era demasiado caro bajarla de esas montañas. No como aquí, donde puedo cargar las goletas en mi propio embarcadero. Siempre, claro está, que el barco no se hunda intentando llegar a puerto.

Perrone asintió con la cabeza, un tanto impaciente. Todo el mundo sabía que la entrada de la bahía de Humboldt era digna de su título de «Cementerio del Pacífico». La niebla espesa, las grandes olas que daban continuos embates y la densa nube de humo procedente de los aserraderos convertían la localización del canal en una operación capaz de encanecer el pelo de los capitanes de barco más curtidos.

—Tengo entendido —dijo Perrone— que estás planteándote añadir al negocio una fábrica de marcos de ventanas y puertas.

—Si puedo conseguir los medios —contestó Gottfried, con la esperanza de haber oído bien—. Con la crisis no es fácil pedir dinero prestado.

El banquero miró al maderero a los ojos.

—Supongo que los prestatarios con suerte recibirán un trato comprensivo a pesar de la crisis. ¿Quién te compró el negocio del este de Oregón?

—No puedo contarte todo acerca de él. Como te imaginarás,

a ese caballo regalado no le miré el diente. En cuanto cerramos el trato, me marché pitando.

Apuró su vaso y se sirvió otro, y llenó el vaso del banquero, si bien este no lo había tocado.

—¿Qué sabes del comprador de la Compañía Maderera East Oregon? —insistió Perrone.

—En primer lugar, tenía mucho dinero.

—¿De dónde era el cheque que te dio?

—Eso es interesante. Me figuraba que sería de San Francisco o Portland, pero lo avalaba un banco de Nueva York. Yo desconfiaba un poco, pero lo cobré en un santiamén.

—¿Ese hombre era de Nueva York?

—Quizá. Desde luego, ese tipo no sabía nada del negocio de la madera. Ahora que lo dices, a lo mejor adquirió la compañía para otra persona.

El banquero asintió con la cabeza, animando al maderero a seguir hablando. Ebenezer Bell había dejado claro que no esperaba enterarse de toda la historia a través de una sola fuente, pero había añadido que cada fragmento de la misma era importante. Y el poderoso presidente del American States Bank también había dejado claro que agradecería cualquier dato que Perrone pudiera comunicarle por telegrama.

45

El expreso *Van Dorn* paró en la estación de Denver el tiempo justo para que un detective con bombín y traje de cuadros subiera a él provisto de nueva información procedente de Londres y Berlín.

—Hola, Isaac. Cuánto tiempo.

—Siéntate allí, Roscoe. Revisa a fondo esos documentos de Schane y Simon. Quiero que tengas listas tus preguntas para enviarlas por telegrama en la siguiente parada.

Un abogado que hizo transbordo en Salt Lake City aportó más datos sobre el banco alemán Schane y Simon. La base de su poder era una red de inversión que financiaba proyectos de modernización por todo el Imperio otomano. Pero desde la década de 1890, había empezado a hacer negocios en Norteamérica y Sudamérica.

El expreso *Van Dorn* estaba cruzando a toda velocidad el desierto del Gran Lago Salado cuando Roscoe dio con un cabo suelto del que tirar entre la maraña de cablegramas que tenía frente a él sobre Schane y Simon.

—¡Isaac! ¿Quién es Erastus Charney?

—El abogado del ferrocarril. Se hizo rico con las acciones de la Southern Pacific. Parecía que supiera más de lo razonable sobre cuándo comprar y dónde vender.

—Pues, como que me llamo Roscoe, estoy seguro de que

vendió algo al banco Schane y Simon. Fíjate en estos depósitos al corredor de bolsa de Charney.

Mientras el tren repostaba rápidamente agua y carbón en Wendover para acometer la ascensión a Nevada, Bell envió un telegrama a Sacramento en el que ordenaba que se investigara el descubrimiento de Roscoe. Sin embargo, temía que fuera demasiado tarde. Si efectivamente Schane y Simon financiaba al Saboteador, existían pruebas irrefutables de que Charney había recibido sobornos a cambio de pasarle información sobre los planes de Hennessy. Por desgracia, el hecho de que el abogado corrupto siguiera vivo hacía pensar que su relación con el sanguinario delincuente era indirecta, de manera que Charney no sabría nada del Saboteador, pero como mínimo Bell pondría fuera de circulación a otro de sus cómplices.

Dos horas más tarde, el tren estaba saliendo de Elko, en Nevada, cuando Jason Adler, un rollizo y maduro contable, corrió hacia el último vagón dando traspiés a causa de sus quince kilos de más. Ya no estaba para aquellas carreras, pensó. Aun así, con una mano fofa y rosada se aferró a la barandilla del furgón de cola mientras con la otra sujetaba una abultada cartera. El convoy lo arrastró a lo largo del andén, pero Adler se agarró con todas sus fuerzas, consciente de que se movía demasiado rápido para soltarse sin sufrir daños de extrema gravedad. Un atento interventor corrió en su ayuda desde la plataforma. Con ambas manos trató de tirar del abrigo del contable, pero se percató demasiado tarde de que aquel hombre pesaba demasiado; ambos caerían del tren.

Gracias a unos fornidos detectives de la agencia Van Dorn, ninguno sufrió el menor percance.

—Tengo información importante para el señor Isaac Bell —dijo el contable, con la abultada cartera bien sujeta contra su pecho.

Hacía veinticuatro horas que Bell no dormía, y acababa de acostarse cuando descorrieron la cortina de su litera en el coche cama. Enseguida se espabiló; los ojos le brillaban con ávida concentración. El detective le pidió disculpas por despertarlo y le presentó a aquel hombre obeso aferrado a una cartera que parecía haberse revolcado en una carbonera de sucio que llevaba el traje.

—El señor Adler, señor Bell.

—Hola, señor Adler, ¿quién es usted?

—Soy un contable que trabaja para el American States Bank.

Bell bajó los pies de la litera.

—¿Trabaja para mi padre?

—Sí, señor —contestó Adler con orgullo—. El señor Bell me ha pedido expresamente que me encargue de esta auditoría.

—¿Qué ha encontrado?

—Hemos descubierto el nombre del propietario secreto de la Compañía de Estribos y Pozos de Cimentación Union de San Luis.

—Continúe.

—Deberíamos hablar en privado, señor Bell.

—Estos hombres son detectives de la agencia Van Dorn. Puede hablar delante de ellos.

Adler atrajo más su maletín hacia sí.

—Les pido disculpas, caballeros, y a usted también, pero he recibido órdenes estrictas de mi jefe, el señor Ebenezer Bell, presidente del American States Bank, de hablar con usted y solo con usted.

—Disculpadnos —dijo Bell. Los detectives se marcharon—. ¿Quién es el dueño de la compañía Union? —preguntó.

—Una empresa fantasma que sustenta un banco de inversión de Berlín.

—Schane y Simon.

—Sí, señor. Está usted bien informado.

—Nos estamos acercando, pero ¿quién es el propietario de la empresa fantasma?

Adler bajó la voz hasta susurrar.

—Está totalmente controlada por el senador Charles Kincaid.

—¿Está seguro?

Adler se mostró indeciso solo un segundo.

—No más allá de toda duda, pero estoy bastante seguro de que el senador Kincaid es cliente de Schane y Simon. El banco puso el dinero, pero hay numerosos indicios de que lo hizo en su nombre.

—Eso significa que el Saboteador está bien relacionado en Alemania.

—Su padre llegó a la misma conclusión, señor —contestó Adler.

Bell no perdió el tiempo felicitándose por haber descubierto que Kincaid servía al Saboteador, casi con toda seguridad, tal como él había sospechado. Ordenó una investigación inmediata de los contratistas extranjeros requeridos por la Southern Pacific para trabajar en el Atajo de las Cascadas. También pidió a Archie Abbott por telegrama que vigilara de cerca al senador.

—Telegrama, señor Abbott.

—Gracias, señor Meadows.

Archie Abbott sonrió de oreja a oreja cuando descifró el mensaje de Isaac. Se peinó su cabello pelirrojo en el reflejo de la ventanilla del automotor y se puso derecha su elegante pajarita. A continuación fue directo al despacho privado de Osgood Hennessy; iba armado de una buena excusa para visitar a Lillian. La joven llevaba una blusa de terciopelo color rubí con la cintura entallada; una prometedora hilera de botones con forma de perla recorría la parte delantera de la misma, y la maravillosa tela le caía sobre las caderas.

Hennessy no estaba de buen humor esa mañana.

—¿Qué quiere, Abbott?

Lillian observó atentamente cómo manejaba Archie a su padre. No quedaría decepcionada. Archie no tenía ningún problema con los padres. Las madres, en cambio, eran su punto débil.

—Quiero que me cuente todo lo que sabe de los contratistas extranjeros que han trabajado en el atajo —dijo Abbott.

—Ya sabemos lo de la Compañía de Estribos y Pozos de Cimentación Union —contestó Hennessy con gran pesar—. Aparte de ella, hay varios en el pueblo de las Cascadas. Proveedores, hoteles, lavanderías… ¿Por qué lo pregunta?

—Isaac no quiere que se repita el problema de los estribos, y yo tampoco. Tengo entendido que la Southern Pacific requirió los servicios de un contratista para que suministrara las traviesas del atajo. ¿Es correcto?

—Por supuesto. Cuando empezamos a construir el atajo, mandé almacenar las traviesas a este lado del puente para que estuviéramos listos para trabajar en cuanto cruzáramos.

—¿Dónde está el aserradero?

—A unos doce kilómetros montaña arriba. Los nuevos propietarios han modernizado el viejo molino de agua.

—¿Suministraron las traviesas según lo estipulado?

—Más o menos. Transportar la madera desde allí arriba es una tarea lenta, pero en general ha ido bien. Les di un gran margen, y la planta de creosotado tiene más trabajo del que puede atender.

—¿La planta también es de un contratista extranjero?

—No, es nuestra. Simplemente la derribamos y la trasladamos a donde la necesitábamos.

—¿Por qué no montaron su propio aserradero como han hecho en otras ocasiones?

—Porque el puente quedaba muy lejos del resto del camino. El negocio de esa gente ya estaba en funcionamiento. Nos pareció la forma más rápida de hacer el trabajo. Es lo único que puedo decirle.

—Por cierto, ¿ha visto al senador Kincaid hoy?

—No lo veo desde ayer. Si está tan interesado en la operación maderera, ¿por qué no sube allí arriba y echa un vistazo?

—Es exactamente lo que me propongo hacer.

Lillian se levantó de un brinco.

—¡Yo te llevaré!

—¡No! —dijeron a coro Archie Abbott y Osgood Hennessy. Su padre dio un golpe en la mesa para enfatizar la negativa. Archie dedicó una conmovedora sonrisa y una disculpa a la joven.

—Ojalá pudieras llevarme, Lillian —dijo—, pero la política de Van Dorn...

—Lo sé. Ya lo he oído antes. Tú tampoco llevas amigos a los tiroteos.

46

James Dashwood localizó el monasterio de Saint Swithun a partir de una pista del orador de la Unión Femenina de Abstinencia Cristiana, el capitán Willy Abrams, quien había hecho referencia a «una finca de narices».

Sus terrenos abarcaban más de cinco mil doscientas hectáreas que se extendían desde las estribaciones de los montes de Santa Lucía hasta los riscos que se alzaban sobre el océano Pacífico. Un camino embarrado a kilómetros de distancia del pueblo más cercano llevaba hasta una ondulada extensión de tierras salpicadas de huertos con árboles frutales, nogales y viñas, que se divisaba a través de una verja de hierro. La capilla era un sobrio edificio moderno con sencillas cristaleras de estilo art noveau. Unos compactos edificios de piedra de diseño similar albergaban a los monjes, quienes hicieron caso omiso a James cuando les indicó que quería ver a un recién llegado, un herrero llamado Jim Higgins.

Uno tras otro, aquellos hombres ataviados con hábitos bamboleantes pasaron por delante de él como si no existiera. Los monjes seguían vendimiando y recogiendo nueces sin importarles lo que les decía. Por fin, uno se apiadó de él, cogió un palo y escribió en el barro: VOTO DE SILENCIO.

Dashwood le pidió el palo y escribió a su vez: ¿HERRERO? El monje señaló un grupo de graneros y corrales situados frente a los dormitorios. Dashwood se dirigió a los edificios, oyó el característico ruido de un martillo golpeando hierro y apretó el paso. Al rodear un granero vio una fina columna de humo que se elevaba entre las ramas de un nogal. Higgins se hallaba inclinado sobre una fragua, martilleando una herradura sobre el cuerno de su yunque.

Tenía la cabeza descubierta expuesta a la fría llovizna, y llevaba un hábito marrón bajo el delantal de cuero que le hacía parecer todavía más corpulento de lo que Dashwood recordaba. Con una fuerte mano agarraba un enorme martillo y con la otra unas largas tenazas que sostenían un hierro candente. Cuando el herrero alzó los ojos y vio a Dashwood con su ropa de ciudad y una maleta en la mano, el propio Dashwood sintió el impulso de echar a correr. Jim Higgins se quedó mirándolo fijamente.

—Espero que no hayas hecho el voto de silencio como los demás —dijo Dashwood.

—Solo soy un novicio. ¿Cómo me has encontrado?

—Cuando me enteré de que habías dejado de beber, fui a reuniones de asociaciones antialcohólicas.

El herrero soltó un resoplido mitad risa, mitad gruñido.

—Creía que el último sitio en el que me buscarían los detectives de Van Dorn sería en un monasterio.

—Te asustaste al ver el dibujo que te enseñé.

Higgins levantó con las tenazas una herradura al rojo vivo.

—Supongo que me equivoqué…

—Lo reconociste, ¿verdad?

Higgins lanzó la herradura a un cubo de agua.

—Te llamas James, ¿es así?

—Sí. Los dos somos Jim.

—No, tú eres James, yo soy Jim… —Apoyó las tenazas contra el yunque y colocó el martillo al lado—. Ven, James. Te enseñaré esto.

Jim Higgins echó a andar con pasos lentos y pesados hacia el risco. James Dashwood lo siguió y caminó junto a él hasta que tuvieron que detenerse ante el borde poco firme del acantilado. El océano Pacífico se extendía hasta donde alcanzaba la vista, gris e inhóspito bajo un cielo encapotado. Dashwood lo miró y se le encogió el estómago. Cientos de metros por debajo de ellos, el océano bramaba contra una playa rocosa, salpicando agua. ¿Lo había llevado Higgins a aquel solitario precipicio para despeñarlo desde allí?

—Hace tiempo que sé que voy a ir al infierno —sentenció el herrero—. Por eso dejé de beber whisky. Pero no sirvió de nada. Dejé la cerveza, pero aun así iré al infierno. —Se volvió hacia James Dashwood con los ojos ardientes—. Cuando apareciste pusiste mi vida patas arriba. Me asustaste y tuve que huir. Me dio miedo y tuve que esconderme.

James Dashwood se preguntaba qué debía decir. ¿Qué haría Isaac Bell en esas circunstancias? ¿Tratar de colocarle unas esposas en sus gruesas muñecas? ¿O dejarle hablar?

—Un puñado de peces gordos fundaron este monasterio —estaba diciendo Higgins—. Muchos de esos monjes son hombres ricos que renunciaron a todo para llevar una vida sencilla. ¿Sabes lo que me dijo uno?

—No.

—Me dijo que yo soy un herrero como los de la Biblia, solo que yo quemo carbón mineral en la fragua en lugar de carbón vegetal. Dicen que trabajar como la gente de la Biblia es bueno para nuestras almas.

Volvió la espalda al acantilado y fijó la mirada en los campos y los prados. La llovizna arreciaba, y cubría las viñas y los árboles frutales.

—Me imaginaba que estaba a salvo aquí —dijo.

Se quedó mirando los campos un largo rato antes de volver a hablar.

—Lo que no me imaginaba era que me gustaría estar aquí. Me gusta trabajar al aire libre debajo de un árbol en lugar de hacerlo encerrado con camiones y automóviles que apestan el aire. Me gusta estar expuesto al clima. Me gusta mirar las tormentas… —Higgins se dio la vuelta para situarse de cara al Pacífico, que estaba cubierto de nubarrones. Hacia el sudoeste, el cielo se veía del color del carbón—. ¿Ves aquello? —Señaló la negrura.

Dashwood vio un océano lúgubre y frío, un precipicio poco firme a sus pies y rocas mucho más abajo.

—Mira, James. ¿No ves cómo se acerca?

Al detective principiante le dio la impresión de que el herrero se había vuelto loco mucho antes del sabotaje del tren.

—¿Ver qué, Jim?

—La tormenta. —Los ojos de Higgins ardían—. Casi siempre vienen del noroeste, del norte del Pacífico, donde hace frío. Me lo explicó un monje. Esta viene del sur, donde hace calor. Las del sur traen más lluvia… ¿Sabes qué?

—¿Qué? —preguntó Dashwood, cuyas esperanzas se estaban desvaneciendo.

—Hay un monje cuyo padre tiene un telégrafo Marconi inalámbrico. ¿Sabes que ahora mismo, a unos seiscientos cincuenta kilómetros en el mar, hay un barco telegrafiando al Departamento Meteorológico sobre el clima de aquí? Notifican datos sobre la presión, la temperatura, el viento, la nubosidad…

Se quedó callado, considerando ese descubrimiento.

Era una oportunidad de preparar el terreno, y James la aprovechó.

—Sacaron la idea de Ben Franklin.

—¿Eh?

—Lo aprendí en el instituto. Benjamin Franklin se fijó en que las tormentas son formaciones móviles y es posible rastrear adónde van.

El herrero parecía intrigado.

—¿De verdad?

—Así que cuando Samuel Morse inventó el telégrafo, fue posible informar a las personas que estaban en la ruta de una tormenta. Como bien dices, Jim, ahora el telégrafo inalámbrico de Marconi permite que los barcos avisen de las tormentas radiotelegrafiando desde mar adentro.

—Entonces ¿el Departamento Meteorológico está al tanto de esa tormenta desde hace tiempo? ¡Es increíble!

Dashwood consideró que el tema del tiempo no daba más de sí.

—¿Cómo te asusté? —preguntó.

—Con el dibujo que me enseñaste.

—¿Este?

Dashwood sacó de su maleta el retrato sin barba que había hecho en leñador.

El herrero apartó la mirada.

—Es el tipo que saboteó el tren semidirecto de la línea costera —dijo en voz baja—. Pero le has hecho las orejas demasiado grandes.

Dashwood se alegró. Se estaba acercando.

Isaac Bell le había comunicado hacía unos días por telegrama que se pusiera en contacto con un par de policías ferroviarios de la Southern Pacific llamados Tom Griggs y Ed Bottomley. Cuando los localizó, hicieron salir a Dashwood de juerga y lo emborracharon, y luego, en su burdel favorito, lo lanzaron a los brazos de una pelirroja. Era la manera de trabajar de la agencia Van Dorn: mimar a los detectives. A la mañana siguiente lo llevaron a desayunar y, por fin, le dieron el gancho que había hecho descarrilar el convoy de la línea costera.

El mismo pesado trozo de hierro forjado que Dashwood sacó de su maleta en ese momento para mostrárselo a Jim Higgins.

—¿Hiciste tú este gancho?

El herrero lo observó con aire taciturno.

—Sabes que sí.

—¿Por qué no dijiste nada?

—Porque me habrían culpado de la muerte de esa pobre gente.

—¿Cómo se llamaba quien te lo encargó?

—No me dijo su nombre.

—Si no sabías su nombre, ¿por qué huiste?

El herrero agachó la cabeza. Las lágrimas brotaron de sus ojos y rodaron por sus mejillas coloradas.

Dashwood no tenía ni idea de qué hacer, pero intuía que sería un error hablar. Centró su atención en el océano en un intento por permanecer callado, con la esperanza de que Higgins reanudara su confesión. El herrero interpretó el silencio de Dashwood como una muestra de censura.

—Yo no tenía malas intenciones. No quería hacer daño a nadie. Pero ¿a quién creerían, a él o a mí?

—¿Por qué no iban a creerte?

—Solo soy un herrero. Él es un pez gordo. ¿A quién creerías tú?

—¿Qué tipo de pez gordo?

—¿A quién creerías tú? ¿A un herrero borracho o a un senador?

—¿Un senador? —repitió Dashwood con incredulidad.

Todo su trabajo, toda su persecución, todos sus esfuerzos por localizar al herrero lo habían llevado hasta un loco.

—Siempre se quedaba en la oscuridad —susurró Higgins al tiempo que se enjugaba las lágrimas—. En el callejón, detrás del establo. Pero los muchachos abrieron la puerta y la luz le iluminó la cara.

Dashwood recordó el callejón. Recordó la puerta. Se imaginó la luz. Quería creer al herrero. Y sin embargo no podía.

—¿Dónde habías visto antes al senador?

—En el periódico.

—¿Se parecía mucho ese tipo a él?

—Tan seguro estoy como que tú estás a mi lado —contestó Higgins, y Dashwood decidió que aquel hombre creía a pie juntillas cada palabra porque se culpaba del sabotaje del convoy de la línea costera.

Pero el hecho de creerlo no lo convertía necesariamente en cuerdo.

—El hombre que vi era idéntico a ese senador tan importante. No podía ser él. Pero si lo era, si era él, me dije, yo estaba en un terrible aprieto. Un buen lío. Un lío que me merecía. Por la obra de esta mano.

Higgins levantó una mano mojada de lágrimas.

—Por mi culpa murió toda esa gente. —El pecho le palpitaba; no dejaba de llorar—. El ingeniero. El fogonero. El sindicalista. El niño…

Una ráfaga de viento azotó el hábito de monje de Higgins, y el desconsolado hombre miró las olas que rompían como si le ofrecieran paz. Dashwood no osaba respirar, convencido de que una palabra equivocada, una simple pregunta —«¿Qué senador?», le habría dicho—, empujaría a Higgins a saltar del acantilado.

Osgood Hennessy estaba leyéndole la cartilla a sus abogados, después de haberse cebado con sus banqueros por las malas noticias de Wall Street. Pero la reunión se vio interrumpida por un tipo bajo, de aspecto afable, que llevaba una corbata de lazo, un chaleco, un sombrero tejano color crema y un anticuado revólver de acción simple del calibre 44.

—Disculpen, caballeros. Siento interrumpirles.

Los abogados alzaron la vista; la esperanza asomaba a sus rostros. Cualquier interrupción que frenara a su furioso presidente era un regalo del cielo.

—¿Cómo ha conseguido que el interventor le dejara pasar? —preguntó Hennessy.

—He informado a su interventor, y al detective de la escopeta, de que soy el alguacil Chris Danis. Tengo un mensaje del señor Isaac Bell para el señor Erastus Charney. ¿Se encuentra aquí, por casualidad, el señor Charney?

—Soy yo —dijo el rollizo Charney de mejillas caídas—. ¿Cuál es el mensaje?

—Está usted detenido.

Ross Parker, el telegrafista renegado, tenía el brazo destrozado. La bala del Winchester del tejano a quien había estado a punto de derribar del caballo le había hecho trizas el bíceps, y algunas esquirlas de hueso se le habían clavado en el músculo. El médico le dijo que tenía suerte de que el proyectil no le hubiera hecho pedazos el húmero en lugar de astillárselo. Parker no se sentía con suerte. Dos semanas y media después de que el agente de

Van Dorn le hubiera disparado y hubiera matado a dos de sus mejores hombres, el brazo todavía le dolía, y el simple movimiento de levantarlo para girar la llave del buzón de su apartado de correos hacía que la cabeza le diera vueltas.

El dolor fue más intenso aún cuando metió la mano en el buzón para sacar la carta del Saboteador. Incluso abrir el sobre con su navaja le hizo ver las estrellas. Maldiciendo al detective que le había disparado, Parker tuvo que apoyarse en un mostrador mientras sacaba el resguardo del equipaje que había estado esperando.

La postal diaria del Departamento Meteorológico con el pronóstico impreso estaba sobre el mostrador, dentro de un marco metálico. El cartero rural había llevado una cada día a la granja de la viuda en la que Parker había estado recuperándose, situada a las afueras del pueblo. El pronóstico no había variado en tres días: se esperaba más viento y más lluvia. Otro motivo para marcharse de Sacramento mientras pudiera, dijo para sus adentros.

Parker llevó el resguardo del equipaje a la estación de ferrocarril situada a la vuelta de la esquina y pidió la bolsa de viaje que el Saboteador había dejado allí días atrás. Dentro encontró los habituales fajos de billetes de veinte dólares, junto con un mapa del norte de California y Oregón que le indicaba dónde cortar los cables. También había una escueta nota: EMPIEZA DE INMEDIATO.

Si el Saboteador creía que Ross Parker iba a trepar a lo alto de unos postes de telégrafo con el brazo medio destrozado, podía esperar sentado. Además, dos miembros de su banda habían muerto. De manera que sus planes no eran seguir esas órdenes para ganarse el dinero de la bolsa. Por eso cruzó la estación a toda prisa y se dirigió a la cola de la ventanilla de los billetes. Ir a Chicago era la mejor opción.

Un hombre corpulento lo adelantó de un empujón. Con su chaleco, su gorro de punto, su camisa de cuadros, su pantalón de peto, sus bigotes de foca y sus botas con clavos parecía un leñador. Y también olía como tal, pues apestaba a sudor reseco y a lana mojada. Lo único que le faltaba era llevar al hombro un hacha de doble filo. Aunque no la tuviera, era demasiado grande para discutir con él, decidió Parker, especialmente con su brazo inútil. Un tipo aún más grandullón, e igual de hediondo, se puso en la fila detrás de él.

El leñador compró tres billetes a Redding y se detuvo cerca de él a contar el cambio. Parker compró un billete a Chicago y consultó el reloj. Tenía tiempo de sobra para comer y beber un trago. Salió de la estación y fue a buscar una taberna. De repente, los leñadores que había visto en la cola de los billetes se colocaron uno a cada lado de él.

—¿Chicago?

—¿Qué?

—Señor Parker, no puede tomar el tren a Chicago.

—¿Cómo sabes mi nombre?

—Aquí hay gente que depende de usted.

Ross Parker pensó rápido. Aquellos dos individuos debían de haber estado vigilando la consigna. Lo que significaba que el Saboteador, quien demonios fuera, iba varios pasos por delante de él.

—Me han herido —dijo—. Me han disparado. No puedo encaramarme a un poste.

—Nosotros treparemos por usted.

—¿Eres técnico de línea?

—¿Cuánto mide el poste?

—Casi veinte metros.

—Señor, nosotros subimos a lo alto de árboles de sesenta metros y nos quedamos a comer allí.

—No solo hay que trepar. ¿Sabéis empalmar cables?

—Usted nos enseñará.

—Vaya, no sé... Hace falta práctica.

—No importa. Vamos a cortar más que empalmar.

—También tendréis que empalmar —insistió Parker—. No basta con cortar cables si queréis inutilizar el sistema durante mucho tiempo. Hay que ocultar los cortes para que los técnicos no vean por dónde se ha interrumpido la línea.

—Si no puede enseñarnos a empalmar —dijo el leñador en tono familiar—, lo mataremos.

Ross Parker se resignó a su destino.

—¿Cuándo queréis empezar?

—La nota del mapa lo deja claro: de inmediato.

47

Una hora tras otra, el expreso *Van Dorn* de Isaac Bell ascendía con esfuerzo por el empinado acceso al Paso de Donner. Cuando por fin llegó a la cima, la locomotora, el ténder, el vagón restaurante y el coche cama pasaron con gran estruendo entre la construcción de piedra conocida como la Muralla China y cruzaron ruidosamente el túnel. A continuación, el convoy descendió a toda máquina por Sierra Nevada.

El tren ganaba velocidad con cada kilómetro de pendiente, y alcanzó los ciento sesenta y ocho kilómetros por hora. Aunque tuvieran que hacer otra parada para repostar carbón y agua, Bell calculaba que a ese ritmo llegarían a Sacramento al cabo de una hora.

Cuando el convoy se detuvo en Soda Springs envió un telegrama por adelantado. Para ahorrar tiempo, pidió al jefe de Sacramento que tuviera una locomotora esperando para llevarlo hacia el norte, al puente del cañón de las Cascadas.

Bell siguió consultando a sus auditores, abogados y detectives, y habló una y otra vez con todos los hombres que tenía en el tren. Pronto desvelarían la identidad de los banqueros europeos que financiaban al Saboteador. Pero ¿cuánto se habían acercado a este?

Desde que el contable de su padre había confirmado el papel que Charles Kincaid desempeñaba como agente y espía del Saboteador, Bell había estado evocando mentalmente la partida que había jugado con el senador y otros caballeros. Recordó que el magnate del acero James Congdon se había retirado, como también Kincaid poco después. Eso le había sorprendido; había sido una maniobra inteligente por parte de Kincaid. Demostraba que era un jugador con mentalidad calculadora, lo bastante valiente para limitar sus pérdidas pero también más cauto de lo que se había mostrado durante toda la noche. Era un hombre astuto.

Una extraña frase empezó a rondarle la cabeza a Bell: «Estoy pensando lo impensable».

El Saboteador montaba a horcajadas sobre un caballo zaino por un sendero que llevaba a la Compañía Maderera East Oregon, de la que era dueño. Todo se volvía a su favor, se dijo. Las lluvias estaban llegando con fuerza. Después de muchos contratiempos, su suerte había cambiado. Los temporales de nieve azotaban ya las montañas hacia el norte. Portland y Spokane iban a padecer ventiscas. Pero allí caía lluvia, que inundaba las avenidas, los arroyos y los riachuelos que vertían sus aguas en el río de las Cascadas. El lago Lillian, como él lo llamaba, rebasaba su improvisado dique.

Llovía demasiado para cortar madera. Los burros de vapor de la compañía permanecían en silencio. Las cuerdas de arrastre, unos cables metálicos que transportaban los troncos hasta el aserradero, se cimbraban con el viento. El codicioso encargado deambulaba por su despacho de mal humor. Las mulas dormitaban en los establos. Los bueyes se acurrucaban de espaldas a la lluvia. Arrieros y leñadores se hallaban tumbados en sus barracones, borrachos de alcohol de contrabando.

Una canoa de Hell's Bottom reposaba en la orilla del río por debajo del dique lleno de agua de lluvia. Si no había trabajo, no había sueldo. Las tabernas rara vez fiaban cuando se acercaba el invierno. Las mujeres, nunca.

El Saboteador siguió enfilando el sendero a caballo y ascendió el empinado kilómetro y medio hasta la cabaña de Philip Dow.

Nadie salió a recibirlo. El Saboteador ató el animal bajo el cobertizo, se echó las alforjas al hombro y llamó a la puerta. Dow la abrió enseguida. Había estado observando a través de una tronera para el rifle.

Tenía una mirada febril. La piel de alrededor de la venda que cubría la oreja que Bell le había volado de un disparo estaba inflamada. Las repetidas aplicaciones de ácido carbólico y whisky apenas mantenían la infección a raya. Pero el Saboteador sospechaba que su inquietud respondía a algo más. Estaba trastornado, y de forma peligrosa, porque había fracasado en su encargo de matar a Isaac Bell.

—Pólvora, mecha y detonadores. —El Saboteador dejó las alforjas en el rincón más alejado de la chimenea—. Herméticos. ¿Qué tal tu oído?

—Oigo bien por este lado.

—¿Puedes oír el silbido de esa locomotora?

Una Consolidation sonaba débilmente a unos catorce kilómetros más abajo, en la estación del atajo.

Dow aguzó su oído bueno.

—Ahora que lo dice…

—Deberías tener a uno de tus muchachos aquí, contigo, para que oiga la señal de hacer explotar la dinamita.

—Dejaré la puerta abierta. No estoy sordo. La oiré.

El Saboteador no le discutió ese punto. Necesitaba que Dow mantuviera una actitud de lealtad y cooperación. Además, era evidente que en su estado actual, si un leñador corpulento y hediondo entraba en su impoluta cabaña, lo mataría.

—No te preocupes por eso —dijo—. Mandaré que se hagan dos silbidos al mismo tiempo. Los oirás sin problemas.

Dos silbidos de locomotora se elevarían por la montaña y se oirían amplificados, más alto incluso que si unos espíritus alados gritaran: «¡Vuela el puente del lago Lillian!».

—¿Cómo lo conseguirá?

—¿Crees que todos los ferroviarios de esa estación trabajan

para Osgood Hennessy? —exclamó el Saboteador en tono enigmático—. Tendré dos locomotoras estacionadas sin vigilancia en el borde de esa estación. Cuando alguien se decida a investigar por qué están haciéndolas silbar, tú ya habrás encendido la mecha.

Dow sonrió. Le gustaba la idea.

—Está usted en todo, ¿eh?

—En todo en lo que tengo que estar —contestó con soberbia el Saboteador.

Dow abrió las alforjas e inspeccionó los explosivos con ojo experto.

—Gelatina explosiva —dijo en tono de aprobación—. Sabe usted lo que hace.

Dado que el dique no estaba seco, la nitroglicerina común se habría desprendido de la dinamita. Por eso el Saboteador había comprado gelignita. Los detonadores y la mecha estaban bien recubiertos de cera y eran, asimismo, resistentes al agua.

—Yo no colocaría la carga antes de mañana al mediodía para estar completamente seguro de que el detonador se mantiene seco.

Dow, apacible por lo general, estaba muy tenso.

—Sé cómo volar un dique —le espetó.

El Saboteador descendió de nuevo al lago. Algunos troncos habían ido flotando hasta el derramadero y obstaculizaban el flujo del agua. Excelente, pensó. Al mediodía del día siguiente, el lago Lillian estaría todavía más crecido. De repente, se inclinó hacia delante en la silla de montar, con todas sus terminaciones nerviosas en estado de alerta.

En el campamento, un jinete recorría el camino de tierra desde el puente del cañón de las Cascadas. Doce kilómetros de surcos llenos de barro no invitaban a un paseo rutinario aunque no hubiera estado lloviendo. El hombre del caballo se dirigía expresamente a la Compañía Maderera East Oregon.

Un sombrero vaquero le cubría la cabeza, y se tapaba el torso y el rifle que llevaba enfundado con un chubasquero amarillo. Pero el Saboteador tenía una ligera idea de quién era. La primera vez que lo había visto había sido al otro lado del Jardín de París, en la azotea del teatro Hammerstein, sentado al lado de Isaac Bell. Ni el sombrero, ni el chubasquero, ni la montura lo engañaban. Conocía a aquel hombre con porte de actor de Nueva York, con la espalda erguida y la cabeza levantada, que parecía proclamar a gritos: «¡Miradme!».

Una sonrisa ávida torció el rostro del Saboteador mientras meditaba sobre el uso que podía dar a aquella inesperada visita.

—Detective Archibald Abbott —dijo en voz alta—, venga acá...

A Archibald Angell Abbott IV no le gustó nada de la Compañía Maderera East Oregon. Los burros de vapor estaban inmóviles y silenciosos, y los taciturnos leñadores lo observaban desde sus barracones. Aquello carecía de la menor lógica económica. Aunque no hubiera visto nunca una explotación maderera —y, de hecho, había visto muchas en las boscosas regiones de Maine y en los montes Adirondack cuando visitaba las tierras familiares de los Angell y los Abbott con su madre en verano—, saltaba a la vista que en aquel remoto y accidentado lugar no podía extraerse suficiente madera para pagar toda aquella maquinaria nueva, y menos aún para obtener beneficios.

Dejó atrás la oficina y los barracones.

Nadie se molestó en abrir una puerta para ofrecerle cobijo de la lluvia.

El lago le gustó todavía menos. El destartalado dique parecía a punto de reventar. El agua rebosaba y caía a chorro sobre el derramadero. ¿Qué hacía allí? Espoleó a su caballo por un empinado sendero para observarlo de cerca y llegó hasta la parte superior del dique, desde donde se veía el lago. Era enorme, y mucho más profundo de lo que debería ser. No había ninguna corriente para canalizar el agua. Además, las modernas hojas de sierra circulares que había visto en el aserradero funcionaban con vapor.

Abbott vio movimiento más arriba en el embarrado sendero. Un jinete descendía a un trote peligrosamente rápido. Llevaba un rifle bajo el ondeante impermeable. Un vigilante de la compañía maderera que hacía su ronda, supuso.

Se apoyó en el arzón de la silla de montar, mientras el agua de la lluvia le goteaba del sombrero, y lió un cigarrillo hábilmente con una sola mano. Era un viejo truco que había aprendido de Walt Hatfield, el agente Texas, y que encajaba como un guante con su atuendo de vaquero. Acababa de conseguir encenderlo con una cerilla mojada cuando se dio cuenta de que el jinete que descendía hacia él no era otro que el senador Charles Kincaid.

Vaya, vaya, vaya…, se dijo. El mismo hombre que Isaac Bell le había encargado vigilar.

Abbott expulsó el humo en una nube.

—Kincaid, ¿qué hace usted aquí?

—Podría responderle con la misma pregunta, Abbott.

—Estoy haciendo mi trabajo. ¿Y usted?

—Me ha entrado curiosidad por el aserradero.

—A Isaac Bell también. Me ha pedido que eche un vistazo.

—¿Qué le parece?

—Usted lo ha visto mejor desde allí arriba. —Abbott señaló con la cabeza hacia lo alto del sendero—. ¿Cuál es su opinión?

—La instalación se ha modernizado a conciencia, por lo que he visto —contestó el Saboteador mientras sopesaba distintos métodos de matar a Abbott—. Lo único que le falta es un sistema de arrastre por cable que transporte la madera hasta la cabeza de la línea.

El sonoro disparo del rifle del Saboteador atraería a los hombres del barracón. Y también el estallido del revólver que llevaba en la pistolera del hombro. Pegando el doble cañón de su pistola de bolsillo al cráneo del detective amortiguaría el sonido. Pero si se acercaba lo suficiente para poder hacerlo, se expondría a aquel aguerrido boxeador que era Abbott, capaz de matarlo, sin duda. Por lo visto no le quedaba más alternativa, pensó el Saboteador, que usar su espada retráctil. Pero podía enredarse en su impermeable. Era preferible que se bajaran de los caballos y se alejaran de los barracones.

Se disponía a decir que desde arriba había visto algo en el

lago que a Abbott le resultaría interesante cuando oyó gritar a una mujer. Los dos jinetes se volvieron hacia el sendero que penetraba en el camino de arrastre de los troncos.

—Vaya —exclamó Abbott. Sonriendo, alzó la voz para añadir—: ¿Sabe tu padre que estás aquí?

—¿Tú qué crees?

Lillian Hennessy se hallaba cómodamente montada en Rayo, el único caballo de los establos de la compañía lo bastante grande para cargar con Jethro Watt. La joven lo espoleó, y el enorme animal se dirigió afablemente a medio galope hacia Abbott y Kincaid.

Lillian tenía las mejillas sonrosadas debido a la fría lluvia. Sus ojos azules parecían aún más claros bajo la luz grisácea. Un seductor mechón rubio se había escapado de su sombrero de ala ancha. Si había una visión más agradable en Oregón en ese momento, ninguno de los dos hombres podía imaginarla. Ambos le dedicaron su mejor sonrisa.

—¿Qué estás haciendo aquí, Charles?

—Sea lo que sea lo que esté haciendo, no estoy desobedeciendo a mi padre —contestó el senador.

Sin embargo, ella ya se había vuelto hacia Abbott con una sonrisa.

—¿Has encontrado el tiroteo que estabas buscando?

—Todavía no —respondió él con el semblante serio—. Tengo que hablar con el encargado. Por favor, espérame. Prefiero que no vuelvas sola.

—No estará sola —dijo Kincaid—. Yo la llevaré.

—A eso me refería exactamente —dijo Abbott—. Regreso enseguida, Lillian.

Se dirigió a caballo a un edificio de madera que, a su entender, debía de albergar las oficinas. Desmontó y llamó a la puerta. Un hombre flaco, adusto y de mirada pétrea, que aparentaba cerca de cuarenta años, la abrió.

—¿Qué?

—Archie Abbott, de la agencia Van Dorn. ¿Tiene un momento para responder unas preguntas?

—No.

Abbott detuvo la puerta que se cerraba con la bota.

—Represento a la Southern Pacific. Considerando que es su único cliente, ¿quiere que formule una queja a la compañía?

—¿Por qué no lo ha dicho antes? Pase.

El encargado se llamaba Gene Garret, y a Abbott le costaba creer que no fuera consciente de que era imposible que la madera diera beneficios. Cuando Abbott insistió, señalando los gastos generados, Garret le espetó:

—Los dueños me pagan un buen sueldo, además de una bonificación por la entrega. Eso me dice que obtienen beneficios, y no pocos.

Más tarde, Archie asomó la cabeza en el edificio del aserradero, echó un vistazo a la maquinaria y acto seguido se reunió con Lillian y Kincaid, quienes estaban en silencio bajo el cobertizo de lona con sus monturas. El trayecto a caballo por el tortuoso camino hasta la estación fue lento.

Abbott llevó a Rayo a los establos para que Lillian pudiera volver a subir al tren sin que su padre la descubriera. A continuación fue a enviar un informe por telégrafo a Isaac Bell, en el que recomendó que los auditores de Van Dorn investigaran a fondo a los propietarios de la East Oregon. También puso en conocimiento de Bell que había descubierto a Kincaid en los terrenos de la compañía maderera y añadía que lo vigilaría de cerca.

—Lo enviaré en cuanto reparen la línea —prometió J. M. Meadows—. Los cables están más muertos que mi abuela. Debe de haber caído algún poste a causa de la lluvia.

James Dashwood saltó del transbordador de la Southern Pacific en el muelle de Oakland. Unas banderas de alerta meteorológica ondeaban con la fuerte brisa que soplaba desde la bahía de San Francisco. Las banderas eran de color blanco con el centro negro; anunciaban un descenso repentino de las temperaturas.

Corrió a toda velocidad hacia el tren de enlace a Sacramento, desesperado por interceptar a Isaac Bell en el empalme de vías. Su convoy ya estaba saliendo del andén. Echó a correr detrás de él, subió al furgón de cola de un salto en el último segundo y aguardó en la plataforma hasta recobrar el aliento. Mientras el tren abandonaba el edificio de la terminal, vio que las banderas blancas se arriaban y que se izaban en su lugar otras rojas con el centro negro. Eran avisos de tormenta.

Ya lo había predicho el herrero.

...Estoy pensando lo impensable...

48

Isaac Bell no perdió tiempo en Sacramento. En respuesta al telegrama que había enviado, la compañía de ferrocarril tenía su flamante Pacific 4-6-2 lista para ser enganchada, echando humo y abastecida de agua y carbón. Minutos después de que llegara del este, el expreso *Van Dorn* avanzaba hacia el norte.

Bell indicó a los recién llegados que fueran al vagón restaurante, donde se estaba llevando a cabo el trabajo. Se quedó en la plataforma trasera, con el ceño fruncido, mientras el tren salía despacio de la estación. La extraña frase no dejaba de rondarle la cabeza: «Estoy pensando lo impensable».

¿Se había hecho el tonto Charles Kincaid en la partida de póquer? ¿Acaso el senador le había dejado ganar el cuantioso bote para distraerlo? Sin duda, era Kincaid el que había saltado del tren en Rawlins con el fin de contratar a aquellos dos boxeadores para que lo mataran. Y probablemente había sido él, actuando en nombre del Saboteador, quien había ordenado a Philip Dow que lo atacara por sorpresa cuando bajara la guardia en el especial de Osgood Hennessy.

Recordó, una vez más, que Kincaid había fingido admirar a Hennessy por los grandes riesgos a los que se exponía. Había socavado a propósito la reputación de su benefactor entre los banqueros. Eso lo convertía en un eficiente agente del Saboteador. Un espía muy taimado.

Pero ¿y si el famoso senador de Estados Unidos no era el agente corrupto del Saboteador? ¿Y si no era su espía?

—Estoy pensando lo impensable —dijo Bell en voz alta.

El tren estaba cobrando velocidad.

—¡Señor Bell! ¡Señor Bell!

Se volvió en dirección a aquella llamada desesperada.

Un hombre que le resultó familiar cargado con una maleta corría por el laberinto de vías, saltando agujas y esquivando locomotoras. Abrió la puerta a toda prisa para que el interventor pudiera oírle.

—¡Pare el tren! —ordenó.

La locomotora, el ténder, el vagón restaurante y el coche cama se detuvieron con un largo chirrido. Bell agarró la mano extendida de James Dashwood, mojada de lluvia y sudor, y lo ayudó a subir a la plataforma del furgón de cola.

—He encontrado al herrero.

—¿Por qué no has enviado un telegrama?

—No he podido, señor Bell. Habría pensado que estoy loco. Tenía que informarle cara a cara.

Bell dirigió una mirada furibunda al interventor, y este volvió a entrar rápidamente en el vagón, dejándolos solos allí fuera.

—¿El herrero ha reconocido el dibujo?

—Me explicó que estaba borracho la noche que hizo el gancho para el Saboteador, pero cree que el hombre que vio pudo haber sido un personaje muy importante. Tan importante que me cuesta creerlo. Por eso tenía que informarle a usted en persona.

Isaac dio una palmadita a Dashwood en el hombro y le estrechó la mano.

—Gracias, James. Has hecho que lo impensable sea concebible. El senador Charles Kincaid es el Saboteador.

49

—¿Cómo lo sabe? —preguntó James Dashwood con voz entrecortada.

Tan pronto como Isaac Bell lo dijo supo que era verdad. Charles Kincaid no era el espía del Saboteador; era el propio Saboteador.

El senador utilizaba su pase de tren especial para viajar de un lado a otro rápidamente y cometer los actos de sabotaje. «Ah, el senador es un hombre de mundo, señor —le había dicho el interventor del transcontinental—. Ya conoce a los que tienen un cargo, no paran nunca.»

Él se había introducido en el círculo de las personas más allegadas del presidente de la Southern Pacific. Con ese propósito se mostraba tan adulador con Hennessy. Para ello, también, fingía cortejar a Lillian, su hija. Y había reclutado hombres de confianza de Hennessy, como el abogado de la compañía, Erastus Charney.

Charles Kincaid era ingeniero de caminos; sabía cómo causar el mayor daño con cada ataque. «Señor Bell, busque a un ingeniero», le había dicho él mismo en tono burlón.

—¿Cómo lo ha sabido?

La expresión cariacontecida del muchacho movió a Bell a contestarle amablemente.

—James, no habría podido expresarlo en voz alta si tú no me

hubieras dicho lo que has descubierto. Bien hecho. El señor Van Dorn sabrá de ti... ¡Interventor! Dé marcha atrás hasta la oficina del factor. Necesito su telégrafo.

La oficina del factor, el encargado de la facturación de mercancías y equipajes, ocupaba un edificio de madera situado en medio de los concurridos patios donde estaban los talleres y los depósitos de la estación de ferrocarril. El suelo temblaba mientras las locomotoras de maniobras movían con pericia tanto vagones como convoyes.

Bell dictó al factor un telegrama dirigido a Archie Abbott al puente del cañón de las Cascadas.

—Transmita: DETÉN AL SENADOR CHARLES KINCAID....

El telegrafista abrió mucho los ojos.

—¡Siga escribiendo! KINCAID ES EL SABOTEADOR. ¡Vamos, continúe! TOMA TODAS LAS PRECAUCIONES NECESARIAS. NO OLVIDES, REPITO, NO OLVIDES QUE ACABÓ CON WISH CLARKE Y CON WEBER Y FIELDS. Ahora, ¡envíelo!

El pulsador del aparato empezó a tabletear más rápido que una ametralladora Vickers. Sin embargo, no pasó de la palabra DETÉN. La mano del telegrafista se detuvo.

—¿A qué espera? —exclamó Bell.

—La línea se ha cortado.

50

—Hemos tenido problemas todo el día.

—¡Contacte con Dunsmuir! —dijo Bell.

Había destinado detectives de la agencia a ese centro ferroviario. Les mandaría que requisaran una locomotora y fueran al norte para decir a Archie que detuviera al Saboteador.

El telegrafista lo intentó sin éxito.

—No hay comunicación con Dunsmuir.

—Contacte con Redding.

Walt Hatfield, el agente Texas, estaba vigilando Redding.

—Lo siento, señor Bell. Parece que todas las líneas están cortadas de Sacramento al norte.

—Busque una forma de conseguirlo.

Bell sabía que eran varias las líneas de telégrafo que conectaban Sacramento con el resto del país. Las redes comerciales comunicaban entre sí pueblos grandes y ciudades. Además, estaba la red privada ferroviaria, que se utilizaba para transmitir órdenes relacionadas con el ferrocarril.

—Enseguida.

Bajo la mirada atenta de Bell, el telegrafista hizo un escrutinio de las estaciones de la región a fin de calibrar el alcance del fallo del sistema.

El inquieto factor rondaba cerca.

—Al norte de Weed —explicó a Bell—, las líneas de la Western Union siguen la vieja ruta de Siskiyou a Portland. El nuevo Atajo de las Cascadas solo dispone de las líneas del ferrocarril.

—Se han visto afectadas por la lluvia —dijo el telegrafista, quien seguía esperando respuestas—. Habrán caído postes porque el suelo estará encharcado.

Bell iba de un lado a otro.

¿Todas las líneas cortadas?

No a causa del tiempo, de eso estaba seguro.

Era obra del Saboteador. Kincaid no quería arriesgarse a que Bell descubriera su identidad. Había aislado la cabeza de línea del Atajo de las Cascadas para llevar a cabo un ataque definitivo al puente que paralizara las obras y llevara a la quiebra a la Southern Pacific. Atacaría los refuerzos que se estaban empezando a construir a toda prisa mientras los estribos todavía eran vulnerables.

—También hay avalanchas de lodo —dijo el factor—. Y se avecinan más lluvias.

El factor cogió de su escritorio los periódicos de la mañana, por ver si podía tranquilizar de algún modo al detective de rostro sombrío que se paseaba con inquietud por la sala. El *Sacramento Union* informaba de que había ríos que rebasaban seis metros el nivel del caudal habitual, así como numerosos derrubios. El *San Francisco Inquirer* de Preston Whiteway llamaba la atención acerca de las «tormentas del siglo» procedentes del Pacífico que seguían de cerca a la primera, e ilustraba el artículo con un mapa del Departamento Meteorológico, tan magnífico como morboso.

—«Las inundaciones podrían ser las más graves de la historia de Oregón» —leyó en voz alta el jefe de estación—. Aquí dice que las vías de los valles están sumergidas y pueden ser arrastradas por el agua.

Bell seguía paseándose. Al paso de un tren de mercancías los cristales de las ventanas vibraron en sus marcos de madera. Las nubes rodeaban el edificio mientras la locomotora de Bell, estacionada al lado, se veía obligada a soltar el vapor que había acumulado para llevarlo velozmente al puente del cañón de las Cascadas.

—Las líneas de San Francisco y Los Ángeles están abiertas —informó el telegrafista, confirmando el peor temor de Bell.

El Saboteador —Kincaid— estaba centrándose en la ruta de las Cascadas.

—Pruebe por San Francisco, o transmita de Los Ángeles a Portland y luego continúe desde allí.

Sin embargo, los secuaces del Saboteador también habían contado con eso. No solo todo el tendido del telégrafo estaba inutilizado de Sacramento en dirección al norte, sino que las líneas que procedían de allí —de Dunsmuir, Weed y Klamath Falls— también estaban cortadas. Charles Kincaid había aislado por completo la cabeza de línea del atajo en el puente del cañón de las Cascadas.

Bell se volvió en dirección a la puerta al oír unos pasos. Jason Adler, el contable del American States Bank, irrumpió en la oficina.

—Señor Bell, señor Bell… Acabo de repasar los telegramas que hemos recogido al llegar aquí. Hemos descubierto una compañía que el Saboteador controla a través de Schane y Simon. Compraron la East Oregon, la maderera que tiene un contrato con la Southern Pacific para suministrar traviesas y madera al atajo.

—¿Dónde? —preguntó Bell con el corazón encogido, si bien se temía cuál era la respuesta.

—Por encima del puente del cañón, en el río de las Cascadas. Es el mismo puente que la Compañía de Estribos y Pozos de Cimentación Union…

—¡Despejen la vía! —ordenó Bell al factor de Sacramento en un tono de voz inflexible como el acero.

—Pero los trenes de trabajo y materiales tienen prioridad en el atajo, señor.

—Mi tren tiene prioridad absoluta hasta el puente del cañón de las Cascadas —replicó Bell.

—Señor, con todas las líneas cortadas, no podemos despejar la vía.

—¡La despejaremos sobre la marcha!

—Protesto —dijo el factor—. Esto es una violación de todos los procedimientos de seguridad.

Bell salió de la oficina hacia el tren a toda prisa, gritando órdenes.

—Desenganchen el coche cama. Contables, abogados, traductores y auditores, quédense aquí. Sigan investigando hasta que sepamos todo lo que Kincaid ha planeado. No queremos encontrarnos con más sorpresas desagradables. ¡Detectives armados, subid al tren!

Los guardafrenos se dispersaron. Una vez que hubieron desenganchado el vagón pullman, Bell vio a James Dashwood con expresión decepcionada en la plataforma.

—¿A qué estás esperando, James? Sube al tren.

—No tengo pistola.

—¿Qué?

—Ha dicho «detectives armados», señor Bell. A los aprendices de la agencia Van Dorn solo se nos permite llevar esposas.

Los detectives se echaron a reír a carcajadas al tiempo que intercambiaban miradas de incredulidad.

¿Acaso nadie le había dicho al muchacho que esa era la primera norma que se infringía?

—Chicos, os presento a James Dashwood, antiguo aprendiz de la oficina de San Francisco. Acaba de ser ascendido por descubrir una pista clave que ha permitido revelar la identidad del Saboteador, el senador Charles Kincaid. ¿Puede prestarle alguien un arma?

Los detectives introdujeron sus manos en abrigos, sombreros, cinturones y botas. Un arsenal de automáticas, revólveres, pistolas de cañón doble y pistolas de bolsillo brillaron bajo la mortecina luz. Eddie Edwards se acercó a Dashwood antes que nadie y puso en su mano un revólver con tambor de seis balas.

—Aquí tienes, Dash. Es de doble acción. Aprieta varias veces el gatillo. Recarga cuando deje de hacer ruido.

—¡Todos al tren!

Bell subió a la cabina de la locomotora Pacific.

—Tenemos vía libre al cañón de las Cascadas —dijo al maquinista.

—¿Cómo sabrán que vamos si el telégrafo no funciona?

—Buena pregunta. Pare en el depósito.

Bell entró corriendo en la oscura nave; estaba llena de humo y el ruido era ensordecedor. En la gigantesca placa giratoria había una veintena de locomotoras que los mecánicos se afanaban en reparar. Los policías ferroviarios de la Southern Pacific que montaban guardia lo llevaron hasta el negro y grasiento capataz.

—He oído hablar de usted, señor Bell —gritó el capataz por encima del estrépito del acero y el hierro—. ¿En qué puedo ayudarle?

—¿Cuánto tardarán en quitar los faros a dos de esas locomotoras y colocárselos a la mía?

—Una hora.

Bell sacó un montón de monedas de oro acuñadas con un águila doble.

—Si lo hacen en quince minutos, esto será suyo.

—Guarde ese dinero, señor Bell. La casa invita.

Catorce minutos más tarde, el expreso *Van Dorn* salía de Sacramento a toda potencia y con un triángulo de faros en el frontal más luminoso que un cometa.

—¡Ahora nos verán llegar! —dijo al maquinista.

Lanzó al fogonero su pala.

—Eche más carbón.

La tormenta del Pacífico que Jim Higgins había mostrado a James Dashwood colisionó con la cadena montañosa que bordeaba las costas del norte de California y el sur de Oregón, y cubrió los montes Siskiyous con una capa de veinte centímetros de lluvia. A continuación el frente tormentoso pasó al otro lado de la cadena costera. Podría pensarse que se había aligerado de su carga, pero empezó a llover más fuerte y avanzó pesadamente hacia el interior, e inundó los angostos valles del río Klamath. Los detectives que viajaban en el expreso *Van Dorn* vieron desbordamientos, puentes de acero caídos y granjeros con altas botas de goma que trataban de rescatar su ganado de los campos empantanados.

La tormenta avanzó del sudoeste al nordeste y azotó el este de las Cascadas. El efecto sobre la línea que llevaba al atajo podía ser devastador. Los arroyos y riachuelos rebasaron sus orillas. Los ríos crecieron. Y, lo más inquietante de todo, las laderas empapadas de lluvia empezaron a moverse.

En Dunsmuir, la calle Sacramento parecía desde el tren otro río de aguas marrones. La gente remaba por ella en canoas, esquivando aceras de maderos que las riadas habían separado de los edificios. En Weed, flotaban las casas. En el trayecto a Klamath Falls, los campos de las granjas parecían lagos, y el propio lago Klamath era como un mar embravecido. La corriente empujaba un buque de vapor que se había soltado de su amarre contra un puente de caballetes del ferrocarril. El tren de Bell pasó rozando y siguió adelante.

Un desprendimiento de tierras los detuvo al norte del lago. Treinta metros de vía se hallaban enterrados bajo barro y piedras hasta la altura de las rodillas, y varias cuadrillas de peones habían acudido de Chiloquin para despejarla. El telégrafo, les informaron, había dejado de funcionar cuando ellos habían partido. Nadie sabía cuánto tardarían en repararlo. Bell pidió al guardafrenos que trepara a lo alto de un poste para conectarse al tendido. La línea seguía cortada. Obedeciendo órdenes suyas, los detectives bajaron en tropel del tren bajo la lluvia torrencial y se pusieron a cavar con palas. Al cabo de una hora estaban otra vez en movimiento, y aquellos hombres llenos de ampollas, calados hasta los huesos y salpicados de lodo se hallaban de un humor sombrío.

Al anochecer, vieron a infinidad de granjeros acurrucados en torno a hogueras tras haber perdido sus casas.

Bell divisó una flota de vagonetas estacionadas en una vía muerta cuando se detuvieron en la estación de Chiloquin para abastecer de agua a la locomotora. Ordenó que sujetaran tras la rejilla del apartavacas un vehículo de tres ruedas ligero, como el que el Saboteador había robado para hacer descarrilar el convoy de la línea costera, impulsado manualmente y a pedales. Si ocurría lo peor, si el tren se veía obstaculizado por otro desprendimiento, podrían trasladarlo más allá de la vía enterrada y seguir avanzando.

Cuando el convoy salía de la estación de Chiloquin, un ayudante del factor fue corriendo detrás de ellos y, con su voz aflautada, les comunicó que la línea telegráfica se había restablecido desde Sacramento. Bell se enteró de que unos empleados de mantenimiento de la Southern Pacific habían descubierto tres actos de sabotaje en tres puntos distintos, donde los cables cortados habían sido empalmados para que nadie lo notara. Según el detective, aquello probaba que el Saboteador se estaba poniendo en marcha, dijo a su equipo, y trataba de aislar la cabeza del Atajo de las Cascadas para el ataque definitivo.

El segundo mensaje que recibieron a través de la línea reparada era una notificación de la velocidad del viento del Departamento meteorológico de San Francisco. Vientos fuertes implicaban más tormentas y más lluvia. Justo después de esa notificación llegó la noticia de que otra tormenta se había desviado del océano Pacífico en Eureka. Las calles de aquella ciudad estaban inundadas, un buque de vapor se había hundido en el acceso a la bahía de Humboldt y varias goletas cargadas de maderas se hallaban a la deriva en el puerto.

En el norte nevaba. El tráfico ferroviario estaba interrumpido. Portland estaba paralizada y aislada de Seattle, Tacoma y Spokane. Pero las temperaturas se mantenían templadas más al sur, donde las fuertes lluvias predominaban. En los ríos del interior hubo leñadores que se ahogaron cuando intentaban retirar los troncos que se amontonaban en los cauces y amenazaban con inundar ciudades enteras. La nueva tormenta avanzaba con velocidad y estaba arrasando los montes Klamath, combinándose con la tormenta que asolaba el atajo. El pronóstico del distrito meteorológico de Portland a las ocho de la tarde para las siguientes cuarenta y ocho horas anunciaba más nieve al norte y más lluvia al sur.

Bell trató de ponerse en contacto por telegrama con Archie Abbott de nuevo. Las líneas seguían cortadas al norte de Chiloquin. La única forma de comunicarse con el puente del cañón de las Cascadas era ir hasta allí en el expreso *Van Dorn*.

El convoy especial avanzaba hacia el norte con esfuerzo y sus tres faros encendidos. Sin embargo, cuando los sorprendidos maquinistas de los trenes de mercancías que iban al sur lo divisaban, se veían obligados a reducir la velocidad, frenar y echar marcha atrás hasta la vía muerta más próxima, por lo general a muchos kilómetros de distancia. El expreso *Van Dorn* no podía seguir avanzando hasta que aquellos convoyes se detenían.

Isaac Bell permaneció toda la noche en la cabina de la locomotora. Sustituyó al fogonero echando carbón en la caldera, pero en realidad estaba allí a fin de animar al atemorizado maquinista a que siguiera avanzando deprisa. Consiguieron sobrevivir a la noche sin chocar con ningún tren. Cuando el amanecer gris y sombrío por fin iluminó las montañas cubiertas de nubarrones, siguieron adelante a toda velocidad por un estrecho barranco. Una cuesta se elevaba abruptamente a la izquierda de la vía y descendía en picado a la derecha.

James Dashwood avanzó dando traspiés por el ténder con una cafetera caliente en precario equilibrio. Bell repartió el contenido entre el personal del tren antes de servirse. Cuando alzó la vista para dar las gracias a Dashwood, vio que el recién ascendido detective tenía la mirada clavada en la ladera de la montaña, con los ojos muy abiertos y llenos de espanto.

Entonces se oyó un ruido que parecía retumbar desde las profundidades de la tierra. La vía se movió bajo la pesada locomotora. Parte de la ladera de la montaña de precipitó hacia ellos.

—¡Acelere!

Un bosque entero de tsuga del Pacífico se deslizaba hacia la vía.

51

Los enormes abetos se precipitaron por la pronunciada pendiente junto con una avalancha de lodo y cantos rodados. Por increíble que pareciera, los árboles permanecían derechos mientras la masa de tierra en la que seguían arraigados se abalanzaba sobre el expreso *Van Dorn*.

—¡Acelere!

Al maquinista le invadió el pánico.

En lugar de acelerar la gran máquina Pacific para dejar atrás la enorme lengua de madera, lodo y roca, trató de parar el tren. Dado que solo llevaba un ligero vagón restaurante detrás del ténder, la locomotora disminuyó de velocidad abruptamente. Bell, Dashwood y el fogonero salieron despedidos contra la caldera.

Bell se levantó con dificultad e hizo frente a la debacle.

—¡Adelante! —gritó, y se apoderó de la palanca del regulador—. ¡A toda máquina!

El maquinista recobró la calma y volvió a accionar la palanca inversora. Bell hizo lo propio con la del regulador. La gran locomotora empezó a correr como alma que llevaba el diablo, pero el desprendimiento ganó velocidad. El bosque de abetos se les echaba encima. Su anchura superaba la longitud del tren, y bajaba por la montaña como un transatlántico botado de lado.

Bell notó una ráfaga de viento tan fuerte que sacudió la locomotora. La avalancha había provocado un torbellino de aire húmedo y frío que heló la caldeada cabina como si el carbón del fogón se hubiera apagado de pronto.

A continuación, los abetos impactaron en el convoy como unas gigantescas lanzas. Las piedras que salieron despedidas rebotaron en la vía y chocaron con gran estruendo contra la locomotora. Un canto rodado del tamaño de un yunque atravesó violentamente la ventanilla lateral de la cabina y derribó al fogonero y al maquinista.

Cuando Dashwood iba a ayudar a los dos hombres ensangrentados Bell tiró de él hacia atrás. Una roca atravesó a toda velocidad el espacio que segundos antes ocupaba la cabeza del joven. Una avalancha de piedras enormes sacudió la locomotora. Una tras otra chocaron ruidosamente contra el ténder e hicieron añicos las ventanillas del vagón de pasajeros. Una lluvia de cristales rotos sorprendió a los detectives.

El desprendimiento se dividió en dos. Una parte pasó por delante de la locomotora y, como un tren fuera de control en competición con el expreso *Van Dorn*, avanzó hasta un empalme por el que solo uno de los dos podía pasar. Era una carrera que el tren de Bell no podía ganar. La vía delante de la locomotora quedó enterrada bajo lodo y rocas.

La otra parte del derrumbe, mayor que la anterior, impactó en el vagón de pasajeros; tres troncos de tsuga lo golpearon con fuerza. Una roca más grande que un granero barrió de la vía el ténder, que arrastró con él tanto el furgón como la locomotora. Los raíles, sometidos a semejante tensión, se abrieron, y las ruedas motrices de la locomotora quedaron sobre las traviesas. La máquina de vapor de cien toneladas siguió avanzando sobre ellas a trompicones y se inclinó hacia el barranco. Entonces las ruedas auxiliares delanteras chocaron contra las rocas amontonadas y la locomotora se detuvo súbitamente. La violenta sacudida rompió el enganche del ténder, y este cayó al barranco.

Bell miró hacia atrás, buscando el vagón en el que iban sus detectives.

Postes telegráficos hechos pedazos colgaban de los cables.

Ciento ochenta metros de vía se hallaban enterrados en lodo, roca y madera aplastada. ¿Se había partido también el enganche del vagón de pasajeros? ¿O el ténder lo había arrastrado al barranco con él? Donde antes había estado el vagón de los detectives en ese momento había un montón de abetos arrancados de cuajo. Bell se enjugó la lluvia de los ojos y miró más atentamente. Contra todo pronóstico, aún albergaba esperanzas. Entonces vio el vagón; seguía en la vía. Estaba atravesado por tres enormes abetos, como agujas de hacer punto en una madeja de lana.

Bell ahuecó las manos y gritó a través de ellas para hacerse oír entre aquella maraña de hierros y piedras.

—¡Eddie! ¿Estáis bien?

Prestó atención, en espera de una respuesta. El único sonido procedía del río que caía por el barranco y de la locomotora destrozada, que seguía soltando vapor. Llamó otra vez y otra más. Entonces, a través de la cortina de lluvia, entrevió una cabeza canosa. Eddie Edwards agitó una mano. La otra le colgaba sin fuerzas al costado.

—Fastidiados —gritó—. Pero ¡no hay ningún muerto!

—Debo seguir adelante. Mandaré a un médico en un tren. James, ¡deprisa!

El muchacho estaba pálido y tenía los ojos como platos de la impresión.

—El vehículo auxiliar. Muévete. ¡Vamos!

Bell salió primero de la cabina inclinada a la parte delantera de la locomotora, que se mantenía en precario equilibrio. El vehículo auxiliar estaba intacto tras la rejilla del apartavacas. Lo desataron y lo llevaron, resbalando y tropezando, al otro lado de los quince metros de barro y rocas que habían caído sobre la vía. Minutos más tarde, Bell estaba dándole a las palancas y a los pedales con todas sus fuerzas.

Al cabo de un cuarto de hora se encontraron con un tren de mercancías detenido en una vía muerta. Bell ordenó que desengancharan la locomotora, y recorrieron marcha atrás en ella los últimos dieciséis kilómetros de trayecto hasta el túnel número trece. Tras cruzarlo con gran estruendo, el maquinista aminoró la velocidad en cuanto llegaron a la estación, que estaba llena de trenes de materiales a los que les habían prohibido cruzar el debilitado puente. Bell se sorprendió al ver un pesado convoy de carbón detenido en el mismo puente. La negra carga amontonada en sus cincuenta vagones tolva relucía bajo la lluvia.

—Creía que el puente no podía soportar tanto peso. ¿Ya lo han reforzado?

—Qué va —contestó el maquinista—. Tienen a unos mil obreros en los estribos, dale que te pego las veinticuatro horas del día, pero no se sabe qué pasará. Falta una semana más de trabajo, y el río está creciendo.

—¿Qué hace ese tren de carbón allí?

—El puente ha empezado a temblar. Intentan estabilizarlo ejerciendo presión.

Bell vio que la estación principal del lado opuesto del puente también estaba llena de trenes vacíos que no habían podido regresar a los depósitos y talleres de California. Que todos los obreros estuvieran trabajando en los estribos explicaba la inquietante sensación de campamento desierto que se respiraba en el lugar.

—¿Dónde está la oficina de mercancías?

—Han instalado una temporal a este lado. En ese furgón de cola de color amarillo.

Bell bajó de la locomotora de un salto y echó a correr hacia aquel vagón, seguido de cerca por Dashwood. El factor estaba leyendo un periódico de hacía una semana. El telegrafista dormitaba delante de su silencioso aparato.

—¿Dónde está el senador Kincaid?

—Casi todo el mundo está en el pueblo —dijo el factor.

El telegrafista abrió los ojos.

—La última vez que lo vi se dirigía al tren especial del viejo, pero yo que usted no iría allí. Hennessy está que echa chispas. Alguien le ha mandado cuatro trenes de carbón en lugar del basalto que necesitan para los refuerzos de los estribos.

—Busquen a un médico y preparen un tren enfermería. Se ha

producido un desprendimiento de tierras a unos veinticinco kilómetros vía abajo y hay hombres heridos. ¡Vamos, Dash!

Cruzaron corriendo el puente y dejaron atrás el tren de carbón. Bell vio ondas en los charcos; la debilitada estructura del puente estaba temblando a pesar del pesado convoy. Echó un vistazo alrededor y comprobó que el río de las Cascadas había crecido muchos metros en los nueve días que habían transcurrido desde que partió hacia Nueva York. Podía ver a cientos de trabajadores en las orillas, guiando barcazas con largas cuerdas, echando rocas al agua para tratar de desviar la corriente, mientras otros cientos se afanaban alrededor de las nuevas ataguías y los pozos de cimentación que se excavaban en torno a los estribos.

—¿Has participado en muchos arrestos? —preguntó Bell a Dashwood a medida que se acercaban al especial en su apartadero elevado.

Se estaba llevando a cabo el relevo de las cuadrillas de ferroviarios y empleados de la estación. Junto a la locomotora de Hennessy había una hilera de brillantes linternas blancas de los empleados de la estación y de banderas de señales alineadas.

—Sí, señor. El señor Bronson me dejó acompañarles cuando atraparon a Scudder, ya sabe, Sansón.

Bell disimuló una sonrisa. El ladrón a quien apodaban irónicamente Sansón no pesaba ni cuarenta kilos y era conocido como el delincuente más amable de San Francisco.

—Este es peligroso —le advirtió al muchacho—. No te separes de mí y haz exactamente lo que te diga.

—¿Debo sacar el arma?

—No en el tren. Habrá gente delante. Estate preparado con las esposas.

Bell avanzó con paso decidido junto al especial de Hennessy y subió los escalones del *Nancy n.º 1*. El detective al que había destinado a proteger el vagón desde el ataque de Philip Dow vigilaba en la plataforma con una escopeta recortada.

—¿Está dentro el senador Kincaid?

Osgood Hennessy asomó la cabeza por la puerta.

—Acaba de marcharse, Bell. ¿Qué sucede?

—¿Por dónde se ha ido?

—No lo sé, pero ha estacionado su Thomas Flyer más arriba.

—Es el Saboteador.

—¿Qué demonios dice?

Bell se volvió hacia el detective de la agencia Van Dorn.

—Si vuelve, detenlo. Si te da problemas, dispara primero o te matará.

—¡Sí, señor!

—Avisa a Archie Abbott. Que la policía ferroviaria vigile el puente y el pueblo por si Kincaid regresa. Detectives, seguidme. Dash, coge una bandera y un par de linternas.

Dahwood se hizo con una bandera de señales enrollada alrededor de su asta de madera y dos linternas de los peones.

—¡Dame una! —le pidió Bell al tiempo que corrían. Acto seguido explicó—: Si parecemos trabajadores del ferrocarril, ganaremos unos segundos para acercarnos más.

Desde el apartadero elevado, Bell pudo escudriñar las hileras de trenes detenidos y los estrechos pasajes entre las vías muertas. Tenía menos de seis horas de luz diurna para alcanzar a Kincaid. Miró hacia el puente y luego en dirección al final de la vía, donde las obras de construcción se habían interrumpido en cuanto se tuvo noticia del sabotaje. La carretera estaba despejada, sin árboles ni arbustos, hasta bien pasado el punto en el que se cruzaba con el camino de tierra que conducía a la maderera East Oregon.

No veía el automóvil Thomas Flyer de Kincaid desde donde se encontraba. ¿Acaso el senador ya se había marchado? Entonces, en el borde de la desierta estación, vio a un hombre salir de entre dos hileras de vagones de mercancías vacíos. Caminaba con paso enérgico hacia un par de locomotoras estacionadas una al lado de otra donde acababa la vía.

—¡Allí está!

52

El Saboteador se dirigía a toda prisa a las locomotoras con el fin de dar la señal a Philip Dow para que volara el dique cuando oyó los pasos de unos hombres detrás de él.

Miró hacia atrás. Dos guardafrenos corrían hacía él y le hacían señales con sendas linternas blancas. Un joven delgado y un hombre esbelto pero atlético. Pero ¿dónde estaba la locomotora a la que supuestamente guiaban con sus luces? Las dos máquinas a las que él se dirigía estaban en una vía muerta, y el único vapor que expulsaban era el justo para mantener las calderas con la presión mínima.

El hombre alto llevaba un sombrero de ala ancha en lugar de una gorra de ferroviario. Isaac Bell, se dijo el Saboteador. El muchacho que corría detrás de él todavía debía de estar en el instituto.

Kincaid tenía que tomar una decisión inmediatamente. ¿Qué hacía Bell en la estación haciéndose pasar por un guardafrenos? Quizá, en el mejor de los casos, Bell todavía no había descubierto su identidad, reflexionó. Si ya lo había desenmascarado, ¿debía acercarse a él y al chico, saludarlos y dispararles con su pistola de cañón doble de inmediato? En cuanto alargó la mano para sacar el arma, supo que había cometido un error al entretenerse con cavilaciones.

La mano de Bell se movió en un abrir y cerrar de ojos, y

Charles Kincaid se halló ante el cañón de una Browning empuñada con mano firme.

—Deja de apuntarme, Bell. ¿Qué demonios está haciendo?

—Charles Kincaid —contestó Bell, en voz clara y firme—, las autoridades lo buscan por asesinato y sabotaje.

—¿Que las autoridades me buscan? ¿Lo dice en serio?

—Saque el arma de su bolsillo izquierdo y tírela al suelo.

—Eso habrá que verlo —dijo resoplando.

Se comportaba como un indignado senador atosigado por un idiota.

—Saque el arma de su bolsillo izquierdo y tírela al suelo... antes de que le haga un agujero en el brazo.

Kincaid se encogió de hombros, como si estuviera siguiendo la corriente a un loco. Luego, con movimientos muy lentos, alargó la mano para coger su Derringer.

—Con cuidado —dijo Bell—. Sostenga el arma entre el dedo pulgar y el índice.

Charles Kincaid no había visto unos ojos tan fríos en su vida salvo cuando se miraba en un espejo.

Sacó la pistola del bolsillo con dos dedos y se agachó como si fuera a dejarla en el suelo.

—Supongo que es consciente de que un detective privado no puede detener a un miembro del Senado de Estados Unidos.

—Dejaré las formalidades a un alguacil... o al forense del condado si su mano se acerca un centímetro más a la navaja que lleva en la bota.

—¿Qué demonios...?

—¡Tire la Derringer! —ordenó Bell—. ¡No coja la navaja!

Kincaid abrió la mano muy despacio y dejó caer la pistola.

—Dese la vuelta.

Como un autómata, Kincaid fue volviéndose de espaldas poco a poco al adusto detective.

—Junte las manos atrás.

Kincaid obedeció lentamente. Cada célula de su cuerpo estaba preparada para atacar en cuanto Bell cometiera un error. Detrás de él, oyó las palabras que estaba rogando oír.

—Las esposas, Dash.

Oyó el tintineo del acero. Dejó que la primera manilla se cerrara en torno a su muñeca. Cuando notó el frío metal de la segunda manilla rozándole la piel, con un hábil giro se situó detrás del joven y le rodeó el cuello con el brazo.

No obstante, recibió un puñetazo en la nariz y salió despedido hacia atrás. Alzó la vista desde el suelo y vio a Dashwood a un lado. El joven lo observaba con una sonrisa de excitación en la cara y un revólver brillante en una mano. Pero era Isaac Bell quien lo miraba desde arriba con actitud triunfal. Bell lo había derribado de un solo puñetazo.

—¿De verdad creía, Kincaid, que dejaría a un detective novato a menos de tres metros del tipo que ha matado a Wish Clarke, Wally Kisley y Mack Fulton?

—¿Quiénes?

—Eran tres de los mejores detectives con los que he tenido el privilegio de trabajar. ¡Levántese!

Kincaid se puso en pie despacio.

—¿Solo tres? ¿No cuenta a Archie Abbott?

Bell se quedó pálido, y el Saboteador aprovechó aquel momento para sorprenderlo.

53

En lugar de atacar a Isaac Bell, Kincaid se abalanzó sobre James Dashwood en un abrir y cerrar de ojos. Sorteando la pistola del muchacho, se situó detrás de él y le deslizó el brazo alrededor del cuello de nuevo.

—¿Le parece bien ahora si acerco la mano a la bota, señor Bell? —preguntó en tono de burla.

Ya había sacado la navaja.

Pegó la afilada hoja a la garganta de Dashwood y le hizo un corte superficial. La herida empezó a gotear sangre.

—Se han vuelto las tornas, Bell. Suelte la pistola o le corto la cabeza a su novato.

Isaac Bell dejó caer la Browning al suelo.

—Tú también, hijo. ¡Suelta el arma!

Pero Dashwood no obedeció hasta que oyó a Bell.

—Haz lo que dice, Dash.

El revólver cayó al balasto mojado.

—Abre la manilla de las esposas.

—Haz lo que dice —repitió Bell.

Dashwood sacó poco a poco la llave de su bolsillo y la introdujo a tientas en la muñeca que le oprimía la tráquea. Las esposas cayeron al balasto con un tintineo. Todo se quedó en silencio, salvo el resuello de una locomotora de maniobras aparcada en alguna parte, hasta que Bell preguntó:

—¿Dónde está Archie Abbott?

—La pistola del sombrero, Bell.

El investigador sacó su pistola de cañón doble de debajo del sombrero y la dejó caer al lado de la Browning.

—¿Dónde está Archie Abbott? —insistió.

—La navaja de la bota.

—No tengo ninguna.

—El forense de Rawlins informó de que un boxeador murió con una navaja clavada en la garganta —dijo el Saboteador—. Supongo que ha comprado una sustituta.

Volvió a cortar a Dashwood, y un segundo hilo de sangre se mezcló con el primero.

Bell sacó su cuchillo arrojadizo y lo dejó en el suelo.

—¿Dónde está Archie Abbott?

—¿Archie Abbott? La última vez que lo vi estaba en la luna, pensando en Lillian Hennessy. Así es, Bell. Le he engañado. Me he aprovechado de su estúpido sentimentalismo.

Kincaid soltó a Dashwood y le asestó un codazo en la mandíbula que lo dejó inconsciente. Hizo un extraño movimiento de muñeca con la navaja y una fina hoja de espada surgió ante la cara de Bell.

Bell esquivó el estoque que había matado a sus tres amigos.

Kincaid volvió a atacar con la velocidad de un relámpago. Bell se lanzó hacia delante, cayó en el balasto y, con las piernas flexionadas, rodó por el suelo. La espada de Kincaid se incrustó entre las piedras sobre las que el detective se hallaba un segundo antes. Bell rodó de nuevo, al tiempo que alargaba la mano para coger el revólver que Eddie Edwards había dado a James Dashwood. Mientras lo hacía, vio un brillo de acero. Kincaid se le había adelantado, y la afilada punta de su espada retráctil rozaba la pistola.

—Intente cogerla —desafió a Bell.

El detective se volvió rápidamente y cogió la bandera de señales de guardafrenos que James había soltado. De nuevo en pie, avanzó blandiéndola hacia Kincaid como si lo retara con ella.

Kincaid se echó a reír.

—Trae un palo a un duelo de espadas, señor Bell. Siempre un paso por detrás. ¿Es que no va a aprender nunca?

Bell agarró la tela bien enrollada y lanzó una estocada con el asta de madera.

Kincaid la paró.

Bell respondió con un movimiento seco, golpeando el fino metal situado justo debajo de la punta del arma de Kincaid. Aquella acción lo dejó expuesto a un veloz contraataque por parte del senador, una oportunidad que este no desaprovechó. Su espada perforó el abrigo de Bell y le hizo una herida a lo largo de las costillas que le abrasó la carne. Al tiempo que perdía el equilibrio, el detective lanzó otro golpe seco con el asta de la bandera.

Kincaid le asestó una estocada. Bell la esquivó y atacó con contundencia por tercera vez.

Kincaid volvió a embestir, pero Bell lo esquivó con una finta propia de un torero. Y cuando Kincaid se dio la vuelta rápidamente para atacar, Bell lanzó otro golpe contundente que dobló la parte delantera de la espada.

—Compromiso, Kincaid. En la ingeniería todas las decisiones conllevan una solución de compromiso. ¿Lo recuerda? Lo que se consigue con una mano se pierde con la otra. El hecho de que su estoque sea retráctil ha restado firmeza a la hoja.

Kincaid lanzó la espada destrozada y sacó un revólver de su abrigo. Dirigió el cañón hacia arriba al tiempo que lo amartillaba. Bell lo desarmó con un certero golpe en el dorso de la mano. El senador lanzó un grito de dolor pero atacó de inmediato, amenazando a Bell con sus puños.

—¿Es posible que el mortal espadachín y brillante ingeniero haya descuidado el varonil arte de la defensa? —Bell también tenía los puños en alto—. No había visto unos golpes más torpes desde lo de Rawlins. ¿Ha estado demasiado ocupado planeando asesinatos para aprender a boxear? —añadió en tono burlón.

Golpeó al Saboteador con un doble directo de izquierda y

derecha a la nariz, que hizo retroceder a Kincaid y le provocó una hemorragia. El detective quiso asegurarse de noquearlo y le asestó un potente gancho que habría derribado a la mayoría de los hombres. Sin embargo, el Saboteador se recuperó del golpe. Bell hubo de admitir que aquel contrincante no era como la mayoría; era un monstruo perverso salido de un volcán.

Observó a Bell con una mirada cargada de odio.

—Nunca me detendrá.

Con asombrosa agilidad, cogió una de las linternas. Bell se apartó de inmediato. El Saboteador la estampó contra un raíl y rompió el cristal. El queroseno se derramó, y la linterna se convirtió en una bola de fuego que Kincaid arrojó sobre James Dashwood.

Una lengua de fuego avanzó aprisa sobre Dashwood, que seguía

54

Una lengua de fuego avanzó aprisa sobre Dashwood, que seguía inconsciente en el suelo. Las llamas se esparcieron por sus pantalones, su abrigo y su sombrero. El humo olía a cabello quemado.

El Saboteador profirió una carcajada triunfal.

—Usted elige, Bell. O salva al muchacho o me atrapa a mí —dijo, y echó a correr hacia las locomotoras estacionadas en el borde de la vía muerta.

Isaac Bell no tenía elección. Se quitó el abrigo y se adentró en la humareda.

El fuego ardía principalmente en el pecho de Dashwood, pero la prioridad absoluta de Bell era salvarle los ojos. Le envolvió la cabeza en su abrigo y a continuación se echó sobre él para apagar las llamas de su cuerpo y sus piernas. Dashwood se despertó gritando. Pero no eran lamentos de dolor amortiguados por el abrigo lo que Bell oyó, sino disculpas.

—Lo siento, señor Bell, siento haber dejado que me cogiera desprevenido.

—¿Puedes levantarte?

Con la cara negra del hollín, parte del cabello chamuscado y sangre chorreándole por el cuello, Dashwood se levantó como impulsado por un resorte.

—Estoy bien, señor. Siento haber...

—Busca a Archie Abbott. Dile que reúna a los detectives y que me sigan montaña arriba.

Bell recogió su cuchillo arrojadizo, su Derringer y su Browning del balasto. La pistola de cañón doble de Kincaid estaba cerca, y se la guardó también en el bolsillo.

—Kincaid es el dueño de la East Oregon. Si hay una salida por detrás de la maderera, sin duda ese asesino la conoce. ¡Di a Archie que se dé prisa!

El repentino silbido de una locomotora hizo volver la cabeza a Bell.

Kincaid se había subido a la cabina de la máquina más cercana. Estaba tirando de la cuerda del silbato para tratar de atarla.

Bell levantó la Browning, apuntó con tino y disparó. Pero la distancia de su objetivo era considerable, incluso para un arma tan precisa, y la bala impactó ruidosamente en el acero. El Saboteador terminó de atar la cuerda y se dispuso a saltar a través la puerta de la cabina. Bell disparó otra vez apuntando a la ventanilla abierta, con la intención de impedírselo. Antes de que Bell llegara, Kincaid había saltado a tierra y echado a correr.

El silbato dejó de sonar repentinamente. Kincaid miró hacia atrás; su rostro era una máscara de consternación.

En medio del súbito silencio que se hizo, Bell cayó en la cuenta de que el disparo que no había alcanzado a Kincaid sí había cortado la cuerda del silbato. Kincaid se volvió y empezó a correr hacia la locomotora, pero Bell disparó de nuevo. Dedujo que aquellos silbidos debían de ser una señal de algún tipo, lo bastante importantes para que Kincaid quisiera regresar a la locomotora exponiéndose a los proyectiles. Bell disparó otra vez, y el sombrero de Kincaid se alzó por los aires.

El Saboteador se agazapó detrás de un ténder. El vagón cargado de carbón y agua tapaba el campo de tiro de Bell, y este echó a correr lo más rápido que pudo hacia él. Al rodearlo vio que Kincaid ya le llevaba ventaja y saltaba del balasto. Cuando Bell llegó, corría por el medio del camino despejado. Era un blanco esquivo, pues zigzagueaba y daba bandazos, apenas visible entre las sombras de los árboles que flanqueaban el sendero.

Bell dejó de verlo cuando el lecho de grava y piedras machacadas por el que corría dibujó una curva siguiendo el perfil de la ladera de la montaña. Entonces él también saltó del balasto y corrió tras el Saboteador a través de la pista forestal talada.

A lo lejos, al final de una larga recta, vio un destello amarillo. Era el Thomas Flyer modelo 35 de Kincaid, quien llegó acto seguido junto al vehículo.

El senador sacó de debajo del asiento de cuero del conductor un revólver de cañón largo y disparó tres veces en rápida sucesión. Bell se lanzó al suelo para ponerse a cubierto; las balas pasaron silbando cerca de él. Como pudo, se escondió detrás de un árbol y disparó a Kincaid, que estaba delante del coche tratando de arrancar el motor, apoyado con la mano izquierda en uno de los faros y girando la manivela de arranque con la derecha.

Bell volvió a disparar. Falló por poco. El Saboteador se agachó pero siguió dando vueltas a la manivela. Bell había disparado seis veces. Le quedaba un solo proyectil en el tambor.

Oyó un traqueteo irregular cuando los cuatro enormes cilindros del motor del Flyer se encendieron por fin y resonaron uno tras otro. Cuando Kincaid saltó detrás del volante, el detective estaba lo bastante cerca para ver que los guardabarros vibraban; el motor daba sacudidas porque aún estaba frío. La capota de lona estaba puesta y la puerta del maletero abierta hacia arriba; tres neumáticos de repuesto tapaban la pequeña ventanilla trasera. Bell no tenía a Kincaid a tiro. Solo pudo ver su mano cuando la alargó para coger la palanca de cambios lateral. Un tiro demasiado difícil para malgastar su última bala.

El traqueteo se suavizó; la cadena de transmisión iba engranando el motor. Bell aceleró el paso cuanto pudo por el abrupto terreno, pero el Thomas Flyer empezó a moverse. Una humareda oscura lo seguía. El traqueteo se volvió más agudo hasta convertirse en un ronroneo ronco mientras aceleraba por la recta despejada. Primero con la rapidez de un hombre. Y luego con la rapidez de un caballo.

Bell corrió detrás del coche amarillo. Le quedaba un proyectil en el tambor de la Browning, y no veía con claridad a Kincaid, oculto bajo la capota de lona. Tampoco disponía de tiempo para llenar de nuevo el cargador. Bell corría como el viento, pero el Thomas Flyer se estaba alejando.

Delante del vehículo, la pista forestal se ensanchó súbitamente en la zona donde las instalaciones ferroviarias se cruzaban con el camino de tierra de la compañía East Oregon. El Thomas Flyer se desvió de la zona despejada, enfiló el sendero hacia el campamento maderero y redujo la velocidad mientras sus ruedas giraban sin adherencia en el lodo y entre los surcos de los carros. El motor rugía del esfuerzo, los neumáticos despedían tierra y agua, y el tubo de escape escupía humo.

Bell se situó a escasa distancia del coche y saltó.

Agarró el último neumático de repuesto con la mano libre y sujetó firmemente el borde de goma con sus fuertes dedos. Al aumentar la tracción de las ruedas traseras del vehículo con su peso, el Thomas Flyer ganó adherencia y pudo avanzar.

Al tiempo que arrastraba las botas por el barro, Bell se sujetó con las dos manos y, cogiendo impulso, alcanzó la correa de cuero de un baúl atado en la parte trasera que empleó para subirse al guardabarros. Desde ahí los doce radios con barro incrustado de la rueda se veían borrosos. El guardabarros se hundió con su peso y rozó el neumático.

El chirrido del metal sobre la goma alertó de la presencia de Bell a Kincaid, quien frenó en seco para tirarlo. El detective aprovechó la maniobra, dejando que el impulso lo desplazara hacia delante y lo acercara más al Saboteador. Estiró el brazo para coger las palancas de cambio y falló, pero se asió a un tubo de latón que llevaba lubricante a la cadena de transmisión. Kincaid blandió una llave inglesa con intención de golpearle en la mano. Bell se soltó y, por no caer, se agarró a una caja de herramientas sujeta con tornillos al estribo.

El detective tenía en ese momento parte del cuerpo por delante de la rueda trasera, que amenazaba con arrollarlo. La cadena, encajada dentro de aquella, silbaba a centímetros de su cara. Sacó de un tirón la automática del abrigo, alargó la mano por delante de la rueda e introdujo a la fuerza el cañón del arma en la cadena para bloquearla. El automóvil se sacudió bruscamente y derrapó con las ruedas inmovilizadas.

Kincaid desembragó, y el arma de Bell salió despedida de la cadena. El Thomas Flyer volvió a avanzar. Mientras conducía con la mano izquierda, Kincaid blandió la llave inglesa con la derecha y rozó el sombrero de Bell. El detective se aferró a la caja de herramientas con el brazo derecho, pasó el izquierdo por debajo del guardabarros y sacó la navaja de su bota derecha.

Kincaid volvió a atacarlo con la llave inglesa, y Bell se vio obligado a soltarse antes de que le rompiera algún hueso. Clavó su navaja en el neumático, pero finalmente cayó rodando al camino.

El tubo de escape del Thomas Flyer petardeaba a medida que cobraba velocidad. El automóvil alcanzó la cima de la cuesta enseguida y desapareció tras una curva. Bell rodó por el suelo hasta que, cubierto de lodo, consiguió ponerse en pie. Entonces dio media vuelta y echó a correr para buscar su pistola entre los surcos. Encontró primero su sombrero. Cuando tuvo en la mano la automática, la desmontó, le quitó el barro soplando, volvió a montarla y cambió el cargador por uno lleno. Ahora tenía una bala cargada y seis en la recámara. A continuación se quitó el abrigo, que le pesaba debido al barro, y echó a correr tras el Saboteador.

El sonido de unos cascos retumbó a su espalda, tras una curva.

Archie Abbott apareció a la cabeza de un grupo de diez detectives de la agencia Van Dorn montados a caballo, con rifles Winchester que asomaban de las fundas de sus sillas. Archie dio a Bell el caballo que le llevaban, pero cuando el detective se disponía a montar, el animal intentó morderle la pierna.

—A Lillian Hennessy le resultaba fácil —dijo Abbott.

Bell flexionó su fuerte brazo izquierdo para bajar la cabeza de Rayo y susurrarle a la oreja:

—Rayo, tenemos trabajo que hacer.

El animal dejó que Bell lo montara y se lanzó al galope sobre el escabroso terrero, adelantándose al grupo.

Tres kilómetros más adelante, Bell vio un destello amarillo a través de los árboles.

El Thomas Flyer estaba en mitad del camino. El neumático derecho trasero se encontraba medio fuera de la llanta, con la cubierta cortada. La navaja de Bell, que todavía sobresalía de ella, lo había desinflado. Las huellas de Kincaid conducían sendero arriba. Bell ordenó a uno de los hombres que se quedara allí, sustituyera el neumático y luego los siguiera con el coche.

Después de otros cinco agotadores kilómetros de ascenso por la ladera, cuando faltaba menos de uno y medio para llegar al campamento de la East Oregon, los caballos empezaban a dar muestras de cansancio. Incluso la bestia de más de dos metros que montaba Bell respiraba con dificultad. Sin embargo, él y Rayo seguían a la cabeza cuando cayeron en la trampa del Saboteador.

Los sorprendieron unos fogonazos que surgieron de entre los árboles. Unos Winchester retumbaron y estalló una lluvia de plomo. Una bala pasó silbando junto a la cara de Bell y otra le rasgó la manga. Oyó que un hombre gritaba y que un caballo se desplomaba detrás de él. Los detectives desmontaron, desenfundaron sus largas armas y, al tiempo que esquivaban las pezuñas de los animales encabritados, salieron del camino y se dispersaron. Bell permaneció en su montura y no dejó de disparar hasta que todos sus hombres se hubieron puesto a salvo entre los árboles. Entonces desmontó de un salto y se apostó detrás de un enorme abeto.

—¿Cuántos? —gritó Abbott.

Una segunda lluvia de balas descargó alrededor del árbol en respuesta a su pregunta.

—Parece que hay seis o siete —contestó Bell.

Recargó el rifle. El Saboteador había elegido bien. Los proyectiles procedían de un lugar muy elevado. Sus pistoleros podían ver a los detectives, pero estos tenían que exponer sus cabezas a los disparos si querían ver a sus atacantes.

Solo había una forma de abordar la situación.

—¡Archie...! —gritó Bell—. ¿Listo?

—Listo.

—¿Chicos?

—Listos, Isaac —contestaron todos a coro.

Bell esperó un minuto entero.

—¡Ahora!

Los detectives atacaron.

El Saboteador mantuvo la cabeza fría. Ya no le sorprendía nada de los hombres de Van Dorn. Tampoco dudaba de su valor. Por eso preveía su contraataque concentrado y disciplinado. Philip Dow también mantuvo la cabeza fría y, como un soldado curtido en batallas, disparaba solo cuando podía ver su blanco, aunque se moviese con rapidez entre los árboles. Pero los leñadores de Dow eran unos matones acostumbrados a luchar dos contra uno. Ellos eran más rápidos con los puños o los mangos de las hachas que con los rifles, y se dejaron llevar por el pánico al verse ante las diez armas que subieron la colina escupiendo fuego como el mismísimo ejército del diablo.

El Saboteador intuyó que los leñadores huirían. En efecto, segundos más tarde echaron a correr; a algunos se les cayeron los rifles al salir en desbandada a través del bosque en busca de un terreno más elevado, como si el miedo no les permitiera ver que les sería difícil salvarse. Cerca de allí, Dow seguía disparando, a pesar de que los hombres de Bell avanzaban de árbol en árbol y le costaba apuntarles. Cada vez estaban más cerca.

—Retirada —ordenó el Saboteador en voz baja—. ¿Por qué dispararles cuando podemos ahogarlos?

Isaac Bell había echado por tierra el plan de avisar a Dow con los silbidos de la locomotora. Se había puesto a disparar y había roto la cuerda del silbato, que solo sonó unos segundos. Dow no llegó a entender que Kincaid lo estaba autorizando a volar el dique que retenía las aguas del lago Lillian.

Los dos hombres salieron del lugar de la emboscada y recorrieron a grandes zancadas el camino de ciervos por el que Dow había llevado a sus hombres desde el campamento maderero.

Cuando llegaron, los leñadores y arrieros que no formaban parte del grupo de Dow estaban mirando camino abajo en dirección al tiroteo. Al ver que el Saboteador y Dow salían de entre los árboles con los rifles en ristre, se retiraron prudentemente a sus barracones; solo un tonto habría hecho preguntas a unos hombres armados.

—Philip —dijo el Saboteador—, cuento contigo para volar el dique.

—Delo por hecho.

—No se andarán con contemplaciones.

—Primero tendrán que cogerme —dijo Dow, y le tendió la mano.

El Saboteador se la estrechó con solemnidad. No se sentía conmovido en lo más mínimo, sino aliviado. Fuera cual fuese el extraño código por el que se regía Dow, aquel asesino haría detonar los explosivos aunque le fuera en ello la vida.

—Yo te cubriré —le dijo —. Dame tu rifle. Los mantendré a raya mientras dure la munición.

Escaparía cuando la riada arrastrara el puente del cañón de las Cascadas hasta el barranco. Si la suerte seguía acompañándolo, sería el último hombre que lo cruzara.

55

Abbott se acercó con precaución a Bell cuando la banda del Saboteador dejó de disparar.

—Isaac, allí arriba tiene un lago enorme retenido detrás de un dique. Estoy pensando que si lo vuela, la avenida derribará el puente.

Bell envió a cuatro detectives a que siguieran el rastro a los pistoleros fugados por el bosque. Acomodó a los hombres heridos lo mejor que pudo junto al camino y se aseguró de que al menos uno de ellos pudiera defenderlos en caso de que los agresores volvieran.

Había dos caballos muertos y los demás se habían desbocado, de modo que Bell echó a correr por el abrupto sendero, seguido de cerca por Abbott y Dashwood.

—Ahí delante está el campamento —gritó Abbott.

Justo cuando el camino se abrió y vieron las instalaciones de la compañía maderera, unos disparos de rifle los obligaron a esconderse detrás de unos árboles.

—Están tratando de distraernos —dijo Bell—. Para poder volar el dique.

Los tres detectives vaciaron sus Winchester en la dirección del ataque. Cuando los disparos cesaron, siguieron adelante desenfundando sus armas del cinto.

Philip Dow supo que su vida había tocado a su fin cuando los rifles dejaron de resonar. Kincaid había retenido a los hombres de Van Dorn cuanto había podido, pensó.

Se encontraba en la base del dique de troncos, calado hasta los huesos por el agua que caía hacia el río, quince metros más abajo.

No le remordía la conciencia.

Se había mantenido fiel a sus principios. Y había librado al mundo de un buen número de plutócratas, aristócratas y otras ratas. Pero sabía cuándo era el momento de la despedida. Lo único que tenía que hacer para poner fin a su vida con honor era acabar ese último trabajo. Debía volar el dique antes de que los detectives lo mataran. Prefería la muerte a que lo atraparan. Pero antes de encender la mecha y dar el gran salto quería llevarse por delante a unas cuantas ratas más.

Tres salieron a la carga del bosque con pistolas en las manos. Arremeterían contra él en cuanto atacara. El encargo consistía en poner bombas y, afortunadamente, había colocado explosivos de sobra en el dique. Sacó seis cartuchos de gelignita unidos entre sí de su escondite entre dos troncos. A continuación, cortó con unas tijeras un pequeño trozo de mecha y extrajo con cuidado uno de los detonadores.

Los detectives lo habían visto. Dow oyó sus voces de advertencia débilmente por encima del estruendo del agua. Se aproximaban a él; resbalaban y se deslizaban sobre los troncos mojados del camino de arrastre, pero avanzaban con rapidez. Disponía solo de unos segundos. Con pulso firme, conectó la corta mecha al detonador y lo introdujo entre los cartuchos de gelignita, al tiempo que los protegía de las salpicaduras de agua con el cuerpo. Enseguida sacó de un frasco tapado con corcho un rascador y una cerilla seca, la encendió y acercó la llama a la mecha. Con los seis cartuchos a la espalda, se dirigió rápidamente hacia los detectives.

—¡Suelte la pistola! —gritaron.

Dow levantó su mano vacía al cielo.

—¡Levante la otra mano!

Le apuntaron. Él siguió andando. La distancia era todavía demasiado grande para el alcance de una pistola.

Isaac Bell disparó con su Browning e hirió a Dow en un hombro.

Dow estaba tan concentrado en acercarse a los detectives que apenas notó aquel proyectil de bajo calibre y potencia menguada. No se detuvo, sino que echó el hombro herido hacia ellos e impulsó el brazo en el que llevaba los explosivos con la clara intención de lanzarlos lo más alto y lejos posible.

Vio que uno de los detectives se adelantó a los otros dos. Iba corriendo con un revólver grande y brillante en alto. El arma le pareció lo bastante potente para detenerlo… Pero aquel tipo en movimiento quizá no pudiera dar a un blanco a esa distancia.

—¡Atrás, Dash! —gritó Bell—. Tiene algo en la mano.

Dow volvió a levantar el brazo para lanzar la gelignita. El hombre al que Bell había llamado Dash se paró en seco y lo apuntó con su pistola con movimientos lentos y precisos. A continuación cerró la mano vacía y la cruzó por delante del pecho para protegerse el corazón y los pulmones; luego estabilizó el arma. Dow se preparó para el impacto. Ese tal Dash, se dijo, era un hombre que sabía disparar.

La potente bala sorprendió al sindicalista antes de que pudiera arrojar la gelignita. Le dio de lleno, y le pareció que a su alrededor todo se detenía. Solo se oía la cascada que caía del dique. De pronto recordó que todavía no había encendido la mecha de la carga que debía volar el dique. La única que había prendido era la de los cartuchos de gelignita que sostenía en la mano. ¿Cómo iba a decir adiós a este mundo si no terminaba el trabajo?

Notaba los brazos y las piernas como si fueran de madera. Aun así, hizo acopio de todas sus fuerzas y echó a andar hacia el dique arrastrando los pies, de espaldas a las pistolas.

—¡Dash! ¡Apártate!

Bell y sus hombres adivinaron sus intenciones. Los tres abrieron fuego. Dow recibió una bala en el hombro y otra en la espalda. Una tercera lo hirió en el muslo, y por un momento le flaquearon las piernas. Pero aquellas balas lo impulsaron hacia delante hasta que, al poco, cayó contra el dique de troncos. Los cartuchos de gelignita estaban a salvo bajo su pecho. Vio saltar la llama de la mecha al detonador, y en el escaso segundo que le quedaba de vida, supo que había terminado su trabajo y que se llevaba con él una brigada de ratas de Van Dorn.

56

Isaac Bell agarró a James Dashwood del cuello del abrigo y lo empujó hacia Archie Abbott, quien atrapó a la carrera al muchacho y lo lanzó orilla arriba haciéndolo girar como si se tratara de un balón de rugby. Estaba alargando la mano para coger la de Bell cuando se produjo la explosión. Veinte pasos, menos de treinta metros, los separaban de la bomba. La onda expansiva los alcanzó en un instante y los lanzó de espaldas, por detrás de Dashwood. Los dos amigos vieron los árboles a su alrededor como en un caleidoscopio. La cabeza les daba vueltas y los oídos les zumbaban, pero se esforzaron por subir la cuesta en un intento tan desesperado como inútil por escapar de la avenida que iba a provocar la voladura del dique.

Cuando el Saboteador oyó la explosión supo que algo había salido mal. No era lo bastante potente. No había detonado toda la gelignita, se dijo. Corría por el camino en busca de un lugar desde el que pudiera ver el río que discurría abajo, por el barranco. Se detuvo en plena carrera y buscó con inquietud la pared de agua que el dique habría liberado al saltar por los aires. El río estaba creciendo, el nivel estaba sin duda más alto, pero no era lo que él esperaba, y se temió lo peor. La explosión parcial solo había dañado el dique, no lo había destruido.

Con la esperanza de que al menos hubieran muerto muchos detectives, siguió corriendo hacia el río, seguro de que al final el dique reventaría y la crecida, tarde o temprano, derribaría el puente. De repente oyó el sonido de un automóvil que se acercaba por el camino. Era su Thomas Flyer.

El rostro de Kincaid se iluminó de forma siniestra con una sonrisa de satisfacción. Los detectives debían de haber reparado el neumático pinchado. Un detalle por su parte. Con la pistola en una mano y la navaja en la otra, se apostó en un lugar donde había unas roderas muy profundas que obligarían al coche a ir más despacio.

—Es un milagro —dijo Abbott.

—Un breve milagro —contestó Bell.

Un torrente de agua grande como un buey corría a través del agujero que la bomba del asesino había abierto en el dique de troncos y cantos rodados. Sin embargo, la bomba con la que Philip Dow había intentado matarlos no había hecho explotar el resto de la carga, y el dique había aguantado. Al menos por el momento.

Bell inspeccionó los daños para hacerse una idea de cuánto tiempo más aguantaría el dique. Por encima de él caía una catarata, y a través de los troncos salían chorros de agua como mangueras de bomberos.

—Dash, ¿dónde has aprendido a disparar así?

—Mi madre no me dejó entrar en la agencia Van Dorn hasta que me enseñó.

—Tu madre...

—Participó en el espectáculo del Oeste de Buffalo Bill cuando era joven.

—Puedes decir a tu madre que nos ha salvado el pellejo. Y quizá también el puente. Con suerte, ese tren de carbón lo mantendrá... ¿Qué pasa, Archie?

Abbott parecía repentinamente alarmado.

—Es que la idea fue de Kincaid.

—¿Qué idea?

—Propuso estabilizar el puente ejerciendo presión desde arriba. Kincaid dijo que lo hicieron una vez en Turquía y que por lo visto funcionó.

—Ese hombre no ha hecho nada en su vida sin un objetivo —dijo Bell.

—Pero Mowery y los demás ingenieros no lo habrían permitido si el peso del tren no hubiera sido de ayuda. Creo que el senador sabía la que se avecinaba cuando me vio venir aquí. Se mostró servicial para evitar que sospecháramos de él.

—Tengo que bajar allí enseguida.

—Los caballos se han dispersado —dijo Abbott—. Pero hay mulas en los establos.

Bell miró a su alrededor en busca de una alternativa mejor. Aquellas mulas, adiestradas para tirar de carros cargados de madera, no lo llevarían al puente a tiempo para evitar el sabotaje con el tren de carbón que Kincaid tramaba.

Sus ojos se posaron en una canoa que había en la orilla del río. El agua había subido y alcanzaba la proa.

—¡Tomaremos esa lancha de Hell's Bottom!

—¿Qué?

—La canoa. Iremos en ella hasta el puente.

Volcaron de lado el tronco pesado y hueco para vaciarlo de agua de lluvia.

—¡Daos prisa! ¡Coged esos remos!

Empujaron la canoa hasta el río y la sujetaron en la orilla para subir. Bell se situó al frente, delante del travesaño con el que los leñadores la habían reforzado, y preparó su remo.

—¡Subid!

—Para el carro, Isaac —le advirtió Abbott—. Esto es una locura. Nos ahogaremos.

—Fogosos leñadores han sobrevivido a la travesía durante años.

—Cuando el dique se derrumbe, una ola gigantesca se llevará por delante esta canoa como si fuera una cerilla.

Bell se volvió y miró en dirección al dique.

—El agujero se está haciendo más grande —dijo Abbott—. ¿Ves que los troncos de encima se están hundiendo?

—Es verdad —dijo Dash—. Podría venirse abajo en cualquier momento.

—Tenéis razón —asintió Bell—. No puedo arriesgar vuestras vidas. Alcanzadme cuando podáis.

—¡Isaac!

Cuando Bell se alejaba ya de la orilla, Abbott se lanzó sobre la canoa para detenerlo. Pero la corriente la arrastró enseguida.

—¡Os veré allí abajo! —gritó Bell mientras remaba con todas sus fuerzas para evitar una roca—. Que disfrutéis de las mulas.

La velocidad de las aguas lo sorprendió. El embravecido torrente empujaba la canoa más rápido que cualquier caballo y que la mayoría de los automóviles. De seguir navegando a ese ritmo, estaría bajo el puente del cañón de las Cascadas en veinte minutos.

Si no se ahogaba.

El barranco por el que descendía el río era angosto y de paredes escarpadas. Había peñascos por todas partes, y la corriente arrastraba muchos árboles caídos. Dejó atrás troncos enormes que avanzaban flotando a duras penas. Uno de ellos casi hizo zozobrar la canoa, que se desestabilizó en un abrir y cerrar de ojos. Bell la equilibró arrojándose al lado opuesto. Entonces un árbol arrancado de la orilla por la riada amenazó la pequeña embarcación con sus gigantescas raíces en el aire. Bell desvió aquellos inmensos tentáculos con el remo y, a toda prisa, trató de dejar atrás al monstruo que se agitaba. Una de las raíces le azotó la cara y estuvo a punto de tirarlo de la canoa.

Finalmente adelantó al tronco remando con desesperación. Esquivó varios cantos rodados, y la canoa impactó sobre una roca lisa oculta bajo la superficie. Entonces las paredes del barranco se cerraron, y el agua, si bien ganó velocidad, siguió un curso largo y relativamente recto de varios kilómetros. Eso estaba mejor, se dijo Bell, y empezó a pensar que tal vez llegase al puente sano y salvo.

Miraba hacia atrás repetidamente. No había ninguna señal de que el dique hubiera reventado.

El último tramo del río era tortuoso, lleno de recodos cerrados que creaban remolinos. La canoa giraba, y a Bell le costaba dominarla situado en la proa. Se concentró en mantener la embarcación recta y en esquivar las rocas que afloraban de repente. Salía airoso del tercer recodo cuando vio por encima del hombro hacia dónde lo arrastraba la corriente. Las paredes del barranco se habían ensanchado, y el agua, que había subido hasta una orilla poco profunda, creaba allí unos rápidos salpicados de rocas. Iba directo hacia ellas. Remó con todas sus fuerzas para enderezar la canoa; debía dirigirse cuanto antes al centro del río.

Sin embargo, tan pronto como lo consiguió, oyó un inquietante rumor que al momento se convirtió en un ruido ensordecedor. Parecía que un muro de agua se le echara encima. Miró hacia atrás, temiéndose lo peor. Pero el río no estaba más agitado que antes. El dique, situado unos kilómetros por detrás, aguantaba. Aun así, el estruendo aumentó, y Bell cayó en la cuenta de que procedía del otro lado del recodo que tenía delante.

La corriente siguió empujándolo.

Al salir del recodo vio unas cuerdas atadas a unos árboles de la orilla, y a continuación vislumbró una línea que iba de lado a lado del río. Pero no era una línea, sino el comienzo de una impetuosa cascada.

Los leñadores debían de haber atado las cuerdas a fin de agarrarse cuando salían de sus canoas para rodear las cataratas con las embarcaciones a cuestas. Bell no podía contemplar esa opción, pues la corriente ya arrojaba la canoa contra las cataratas a unos cincuenta kilómetros por hora.

Las lluvias lo salvaron. Con un caudal bajo Bell habría muerto hecho pedazos contra las rocas. Pero el nivel de las aguas había subido tanto que el descenso fue breve y la caída quedó amortiguada. Todavía estaba a flote, avanzando como una exhalación a la deriva, cuando de repente vio delante de él un peñasco enorme, casi una isla, que partía el río por la mitad. Remó con brío para rodear la roca, y cuando la rebasó la canoa se balanceó bruscamente entre la espuma.

Entonces vio recortados contra el plomizo cielo el amplio arco y la nítida línea recta del puente del cañón de las Cascadas que unía ambos lados del barranco. Resultaba extraño que la explicación más simple y lúcida de su majestuosidad la hubiera dado el propio Saboteador. «El puente se eleva», había dicho. Costaba creer que una estructura tan grande pudiera ser tan ligera o abarcar una distancia tan larga. El tren de carbón estacionado en medio tenía cincuenta vagones tolva, y aun así había tramos de vía vacíos por delante y por detrás.

Sin embargo, el hombre que con tanto acierto había descrito el puente del cañón de las Cascadas era quien se proponía destruirlo para hacerse con el control de las principales líneas de ferrocarril del país. El Saboteador debía de saber algo acerca de ese tren de carbón que a él se le escapaba, se dijo Bell. La finalidad última de cada ataque que Kincaid había cometido y cada crimen que había perpetrado era lograr que la Southern Pacific estacionara ese tren en el puente, reflexionó el detective, sin duda por un motivo que beneficiaría su desmesurada ambición y sus crueles sueños.

Poco después Bell vio las luces del pueblo a lo largo de la orilla. Trató de remar hacia tierra, pero fue en vano. La corriente arrastraba con ímpetu la canoa. Las casas quedaron atrás, y a medida que el río se estrechaba y su curso era más y más rápido, divisó las luces eléctricas que los peones de la Southern Pacific habían colocado tanto en los estribos del puente como en las ataguías y los pozos de cimentación construidos en torno a ellos. Mil hombres y cien máquinas trabajaban en equipo. Apuntalaban a toda prisa los diques de encauzamiento con toneladas de roca y consolidaban los pozos de cimentación con enormes tablones que debían mantenerlos a salvo del creciente nivel de las aguas.

La canoa de Bell pasó entre los estribos impulsada por la corriente. Nadie reparó en él, ya que a su alrededor bajaban muchos troncos similares a la embarcación. Justo cuando creía que se vería arrastrado por el río hasta perderse en la noche, las paredes del barranco estrecharon el cauce y las aguas se embravecieron una vez más.

La canoa impactó de costado contra el estribo más alejado del pueblo, rebasó con ímpetu un embarcadero de piedra, giró violentamente y se estrelló contra la ataguía. Cincuenta agotados carpinteros que clavaban tablas al armazón de madera alzaron la vista. Bell desembarcó de la canoa de un salto y cruzó con paso decidido la pasarela que conectaba la ataguía con el muelle.

—Buenas noches, caballeros —dijo Bell, sin detenerse a contestar a los gritos de «¿Quién?» y «¿Dónde?» de los atónitos trabajadores.

Divisó una escalera de mano de acero sujeta a la piedra y empezó a subir sin perder un segundo.

—En cualquier momento se producirá una avenida —gritó a los hombres de abajo—. ¡Prepárense para salir de aquí a toda prisa!

Dieciocho metros por encima del nivel del agua, la piedra terminaba y comenzaba el acero. La estructura del pilar estaba reforzada con triángulos de vigas, y también había allí escaleras de mano. Para pintar, supuso Bell. Desde donde se encontraba, el pilar parecía tan alto como el edificio Singer que había visto en Nueva York, que, según Abbott, medía ciento ochenta y siete metros de altura. Con la esperanza de que la perspectiva le estuviera engañando, el detective alargó la mano para asir el peldaño inferior.

Notó que el puente temblaba en cuanto tocó la escalera. Parecía sacudirse algo más fuerte que cuando lo había cruzado a la carrera horas antes. ¿Acaso el tren de carbón estaba estabilizando el puente? Desconcertado por las intenciones del Saboteador, Bell subió a toda deprisa.

La herida de bala que Dow le había hecho en el antebrazo empezaba a escocerle. Sin embargo, no le preocupaba tanto ese creciente dolor como lo que significaba. Le quedaba mucho trecho para llegar a lo alto del puente, y necesitaba que sus cuatro extremidades le respondieran. Cuanto más alto subía, más temblaba el puente.

¿Se habría sacudido mucho más sin el peso del tren cargado de carbón?

Percibió olor a humo conforme se acercaba a lo alto, cosa extraña, se dijo, habida cuenta de que ningún convoy circulaba por esa vía. Por fin, la escalera acabó en una pasarela que atravesaba el arco de acero y llevaba a otra de mano, más corta, que subía hasta la plataforma. Cuando estuvo en ella, después de superar con gran esfuerzo los últimos peldaños, se encontró junto al tren del carbón. A su espalda se abría el profundo barranco. La cabeza le daba vueltas a causa del esfuerzo, y se inclinó en aquel estrecho espacio para descansar. Apoyó una mano en un vagón descubierto, pero la retiró al instante con un grito desgarrador.

El vagón estaba tan caliente que le había quemado la piel. Corrió hasta el siguiente y lo tocó con cuidado. También estaba caliente. Entonces volvió a oler a humo, y en un instante se percató de la diabólica treta del Saboteador. La supuesta presión descendente estaba estabilizando el puente tal como él había prometido, pero las vibraciones del agua al azotar los estribos estaban sacudiendo la estructura que, a su vez, sacudía los vagones y estos su carga. Miles de trozos de carbón estaban rozándose unos contra otros, y cualquier persona sabía que la fricción producía calor; frotando dos simples palos podían encenderse hogueras.

En el mismo momento en el que Bell reparó en la perversa genialidad del plan de Kincaid, el carbón prendió. Una docena de pequeñas chispas se convirtieron en un centenar de llamas. Pronto mil fuegos se propagarían por todo el tren. En cualquier momento, las traviesas de madera colocadas bajo él empezarían a arder.

Tenía que apartar el convoy del puente.

Los patios de maniobras de la estación estaban repletos de locomotoras y trenes aparcados, pero como no había trabajo que hacer, ninguna de las máquinas estaba en funcionamiento. Bell vio la gran Baldwin negra enganchada al especial de Hennessy. Siempre estaba echando vapor, para calentar e iluminar los coches cama y los vagones privados, y para ponerse en marcha en cuanto se le antojara al presidente del ferrocarril.

Bell corrió hacia ella. Ordenó a todos los guardafrenos y ferroviarios que vio que cambiaran las agujas para dirigir la Baldwin al puente. El propio Hennessy, con aspecto frágil y en mangas de camisa, estaba de pie al lado de su locomotora. Respiraba con dificultad y se hallaba apoyado en la pala de un fogonero.

—¿Dónde está el personal de su tren? —preguntó Bell.

—Antes de que ellos nacieran, yo ya sabía mantener la presión. He mandado a todos los empleados a trabajar en las ataguías. Solo he parado un rato para recobrar el aliento. Algo ocurre. ¿A qué huelo? ¿Hay fuego en el puente?

—El carbón se ha encendido. Desenganche su locomotora. Retiraré el tren.

Mientras Hennessy dirigía a los guardavías y los ferroviarios, que corrían de un lado a otro cambiando agujas, Bell desacopló la Baldwin del especial, la llevó hacia delante y acto seguido dio marcha atrás hasta el puente. Después de cruzar un trecho, enganchó la locomotora al vagón delantero, mientras todos los hombres que seguían en la estación trabajaban para desviar un tramo de vía a un alejado apartadero adonde pudiera trasladarse sin percances el tren en llamas.

Bell empujó la palanca inversora hacia delante y abrió el regulador, con lo que proporcionó vapor a los pistones. Esa era la parte difícil. Había pasado suficiente tiempo en la cabina de una locomotora para saber conducirla, pero tirar de cincuenta pesados vagones descubiertos era algo distinto. Las ruedas giraron, pero el tren no se movió. Se acordó de la válvula que, mediante un tubo, distribuía arena debajo de los ejes motrices para mejorar la adherencia, y encontró su palanca. El fuego se avivaba en los vagones, de modo que se apresuró a accionar el regulador de nuevo, confiando en que las ruedas avanzaran.

De repente, la voz del Saboteador le llegó a través de la ventanilla lateral.

—¿Con qué sustituirá el peso? —preguntó en tono de mofa—. ¿Con más carbón?

—El balasto que Hennessy pidió para la vía habría mantenido firme el puente, pero me temo que se produjo un malenten-
dido y solo recibió carbón. Me pregunto cómo pudo pasar.

El Saboteador entró en la cabina por la parte trasera abierta
y sacó una navaja de su bota.

Temiendo que fuera un arma idéntica a la espada retráctil
que él había destrozado, Bell sacó rápidamente su Browning y
apretó el gatillo. Pero la automática se encasquilló a causa del
lodo y el agua. Oyó un chasquido, y al instante la hoja plegable
del Saboteador salió disparada. Kincaid lo atacó antes de que
Bell pudiera moverse en el reducido espacio de la cabina de la
Baldwin.

No fue una herida superficial, sino una terrible estocada debajo del hombro. Aturdido, se preguntó si la espada le habría
perforado el pulmón y se llevó la mano debajo de la chaqueta.
Notó la sangre caliente. Se le nubló la vista y, sin darse apenas
cuenta, se desplomó a los pies del Saboteador.

Charles Kincaid retiró su espada para atravesar el corazón de Isaac Bell.

—No ignoraba la debilidad de mi arma —dijo—. Sabía que no estaba hecha para resistir un golpe. Así que siempre llevo una de repuesto.

—Yo también —dijo Bell.

Sacó de un bolsillo interior la pistola de cañón doble de Kincaid, que había recogido en la vía de ferrocarril. A causa de la sangre se le resbalaba de la mano. Su visión era borrosa por la conmoción de la herida y temía perder el conocimiento de un momento a otro, pero hizo acopio de sus últimas fuerzas, se concentró en el ancho pecho de Kincaid y disparó.

El senador retrocedió con expresión de incredulidad. Soltó la espada. La ira crispó su atractivo rostro y cayó a la vía.

Bell intentó levantarse, pero le flaqueaban las piernas. Oyó unos gritos de alarma procedentes de mucho más abajo. El silbato de vapor de la grúa de una barcaza lanzó un aullido desesperado. El detective se arrastró a la parte trasera de la cabina, desde donde pudo ver lo que estaba asustando a los hombres que trabajaban en los estribos del puente. Río arriba, el dique del Saboteador se había roto finalmente. La riada no tardaría en llegar.

Una ola blanca tan alta como una casa ocupaba el barranco

de orilla a orilla. Avanzaba con troncos talados y árboles arrancados de cuajo. Los hombres gritaban y luchaban por levantar las dinamos eléctricas por encima de la avenida. Una barcaza se volcó. Las luces de las obras se apagaron.

Bell se agarró a la palanca inversora e hizo un nuevo esfuerzo por ponerse en pie.

El puente zarandeaba la locomotora. De los vagones de carbón saltaban llamas hacia el cielo. Si movía el tren incendiado, se dijo Bell, salvaría el puente del fuego. Pero si lo hacía, este se desplomaría con el embate de la crecida al perder el peso que lo estabilizaba. Incluso muerto en la vía, el Saboteador se habría salido con la suya. Mientras reflexionaba, le llegó el olor de la creosota quemada cuando las traviesas de debajo del tren empezaron a arder.

Debía adoptar una solución de compromiso. Era su única opción.

Accionó la palanca inversora, abrió el regulador y condujo el tren marcha atrás hasta el borde del puente. Una vez allí, descendió agarrándose con fuerza a las barandillas. Un capataz se acercó a él corriendo.

—Estamos cambiando las agujas, señor —dijo sin apartar la vista del tren en llamas—, para que pueda llevar el convoy a una vía muerta.

—No, necesito herramientas. Tráigame una palanca y un extractor.

—Tenemos que cambiarlo de vía antes de que haga estallar toda la estación.

—Deje el tren aquí —ordenó Bell con serenidad—. Lo necesitaré en breve. Por favor, tráigame las herramientas que le he pedido.

El capataz se alejó corriendo y volvió enseguida. Bell cogió la pesada palanca para arrancar clavos y el extractor, y cruzó el puente arrastrando los pies lo más deprisa que le permitía la herida del pecho. Pasó junto al cuerpo inerte del Saboteador, acurrucado entre los raíles. El tren no lo había arrollado por poco. Bell siguió avanzando casi hasta el lado opuesto del puente y, en cuclillas, empezó a arrancar las fijaciones de las eclisas que reforzaban los raíles en el parte más elevada de la estructura.

Ahora que el convoy cargado de carbón no estaba encima notaba las violentas sacudidas del puente. Miró hacia abajo y vio que el río del cañón de las Cascadas estaba embravecido como el océano en pleno huracán. La cabeza le daba vueltas debido a la fatiga y la pérdida de sangre, pero siguió arrancando desesperadamente una fijación tras otra.

¿Quién es el Saboteador ahora?, pensó. Las tornas se habían vuelto. Isaac Bell, investigador jefe de la agencia de detectives Van Dorn, estaba luchando con las escasas fuerzas que le quedaban por hacer descarrilar un tren.

Cada vez le costaba más respirar, y veía una burbuja de sangre que se hinchaba y se deshinchaba en la herida de su pecho. Si la espada de Kincaid le había perforado la cavidad torácica y no recibía ayuda pronto, se llenaría de aire y le colapsaría el pulmón. Pero primero tenía que soltar un tramo de vía entero.

El Saboteador no estaba tan gravemente herido como Bell, pero sí igual de decidido. Había vuelto en sí cuando el investigador había pasado por delante de él arrastrando los pies con sus pesadas herramientas.

Haciendo caso omiso de la bala que tenía alojada entre dos costillas, echó a correr todo lo rápido que pudo hacia el tren del carbón. La enorme palanca que llevaba el detective le indicó todo lo que necesitaba saber: Bell pretendía hacer descarrilar el tren en llamas para que se precipitase al río a fin de desviar la riada de los debilitados estribos.

Llegó a la locomotora, subió arrastrándose a la cabina y echó varias paladas de carbón a la caldera.

—Oiga, ¿qué está haciendo? —gritó un ferroviario que ya subía por la escalera de mano a la cabina—. El señor Bell ha dicho que dejemos el convoy aquí.

Kincaid sacó el revólver de cañón largo que había cogido del

Thomas Flyer y disparó al hombre. A continuación hizo avanzar la locomotora manejando con pulso firme la palanca del regulador y el arenero. Las ruedas motrices se adhirieron suavemente, los enganches se tensaron y la locomotora arrastró los vagones de carbón hasta el puente. El haz blanco del faro iluminó a Isaac Bell mientras luchaba por aflojar los raíles.

El pesado tren del carbón amortiguó las vibraciones que sacudían el puente. Bell se percató de ello y alzó la vista de inmediato. En cuanto el potente faro de la locomotora lo deslumbró, supo que el disparo de su Derringer no había matado a Charles Kincaid.

La locomotora se le estaba echando encima. Notaba que las ruedas hacían rechinar los raíles. Entonces vio a Kincaid con la cabeza asomada por la ventanilla de la cabina. Su rostro era una máscara de odio, y sus labios esbozaban una horrible sonrisa triunfal. Bell oyó que el vapor salía con más fuerza; el Saboteador había abierto el regulador.

El detective arrancó la última fijación de su correspondiente traviesa y, como pudo, se apoyó en la enorme palanca para mover la vía desprendida antes de que Kincaid lo arrollara.

Las ruedas delanteras rodaban sobre el raíl. El peso de la locomotora presionaba sobre él todavía. Con un último esfuerzo, Bell movió los cruciales centímetros que lo separaban de una muerte segura.

La locomotora se salió de la vía e impactó sobre las traviesas. Bell vio al Saboteador con la mano en el regulador; su sonrisa se había convertido en una mueca de desesperación. Había comprendido que el detective se proponía hacer que el tren incendiado se precipitase al río.

Bell se volvió y echó a correr, pero la rejilla en forma de uve del apartavacas de la locomotora lo alcanzó. Cual insecto aplastado por una mano gigante, el detective rodó por delante de la locomotora y sobrepasó el borde del puente. Consiguió agarrarse a una viga y desde ella observó cómo la locomotora se despeñaba ante él en una larguísima caída. Por un instante, vio todo el tren suspendido en el aire.

La locomotora y los cincuenta vagones tolva chocaron de forma estruendosa contra el lecho del río, y las aguas inundaron las orillas. Nubes de vapor y humo negro se elevaron al cielo. Las ascuas del carbón seguían emitiendo un fulgor rojizo a pesar de estar sumergidas.

Sin embargo, los vagones habían quedado amontonados en una hilera que abarcaba de una orilla a otra. Como la barrera de coral que protege la isla del embate del mar, así detenía el convoy las aguas crecidas, disminuía su empuje y disipaba su poder destructivo. El puente del cañón de las Cascadas dejó de sacudirse. El tren descarrilado había desviado la riada. Y antes de perder de nuevo el conocimiento, Isaac Bell vio que las luces eléctricas de las obras volvían a encenderse, al tiempo que barcazas llenas de obreros regresaban en tropel a los pozos de cimentación para reforzar los estribos.

59

Una multitud de curiosos se había congregado, haciendo frente a la ventisca, delante de una mansión de piedra gris situada en la esquina de la calle Treinta y siete con Park Avenue. Querían ver llegar a los invitados a la boda más importante de aquel invierno de 1908: el enlace entre el hijo de una de las familias más ilustres de Nueva York y la hija de un campechano titán del ferrocarril.

Una atractiva pareja cruzó la acera cubierta de nieve para subir los escalones de la mansión, y los congregados dieron por supuesto que aquel caballero alto y elegante sujetaba el brazo de la hermosa mujer que iba a su lado para que no resbalara en el hielo. Sin embargo, la verdad era otra bien distinta, pero nadie oyó a Isaac Bell decir a Marion Morgan:

—¿Quién necesita un bastón cuando se tiene una mujer fuerte en la que apoyarse?

—Un detective que se recupera de un pulmón perforado.

—Solo un poco. Si no, no habría sobrevivido.

—Casi mueres desangrado, Isaac, y por poco esa herida te provoca una neumonía.

—Si ese operador de cámara me graba, le pegaré un tiro.

—No te preocupes. Le he dicho que *Picture World* lo despediría y que su familia se quedaría en la calle si te enfocaba con la cámara. ¿Llevas el anillo?

—En el bolsillo del chaleco.

—Agárrate fuerte, cariño, que vienen los escalones.

Cuando llegaron a lo alto, Bell estaba pálido del esfuerzo. Mayordomos y lacayos les hicieron pasar. Marion se quedó boquiabierta al ver las flores dispuestas en el vestíbulo y en la majestuosa escalinata.

—¡Guisantes de olor, rosas y flores de cerezo! ¿De dónde las han sacado?

—De algún lugar donde es primavera, cerca de alguna de las vías del padre de la novia.

Osgood Hennessy se acercó a toda prisa a recibirlos. Iba vestido con un chaqué gris perla y lucía una rosa en el ojal. A Bell le pareció un poco perdido sin la señora Comden al lado y creyó que agradecía ver rostros amigos.

—Marion, gracias por venir desde San Francisco. En cuanto a ti, Isaac, me alegra verte ya de pie y lleno de energía.

—Una boda sin padrino sería como una ejecución en la horca sin soga.

Marion preguntó a Hennessy si la novia estaba nerviosa.

—¿Lillian nerviosa? Tiene diecisiete damas de honor de todas las escuelas de lujo de las que la han echado y por sus venas corre agua helada. —Hennessy sonrió con orgullo—. Además, no ha habido una novia más hermosa en Nueva York. Ya la verás, ya.

Volvió la cabeza para saludar fríamente a J. P. Morgan con una leve inclinación.

—Tú le robarás ese título si decidimos casarnos en Nueva York —susurró Bell a Marion.

—¿Qué ocurre? —preguntó Hennessy, que se deshacía de Morgan dándole una palmadita en el hombro.

—Estaba diciendo que debería ver al novio. ¿Puedo dejar a Marion a su cargo, señor?

—Será un placer —respondió Hennessy—. Vamos, querida. El mayordomo me ha dicho que tenemos que esperar hasta después de la ceremonia para beber champán, pero sé dónde está guardado.

—¿Puedo ver a Lillian primero?

Hennessy señaló escalera arriba. Cuando Marion llamó a la puerta de la habitación de la novia, sonaron chillidos y risitas en el interior. Tres chicas la acompañaron al tocador de Lillian, que estaba rodeada de más jovencitas. Miraron a Marion como si fuera la madre de todas, y ella no pudo evitar sonreír.

Lillian se levantó de un salto y la abrazó.

—¿Llevo demasiado colorete?

—Sí.

—¿Estás segura?

—Vas a ir a una suite nupcial, no a un burdel.

Las compañeras de escuela de Lillian se desternillaron de risa.

—Marchaos —les pidió Marion.

Se quedaron solas un momento.

—Pareces muy feliz, Lillian.

—Lo estoy. Pero también un poco nerviosa por... ya sabes, lo de esta noche... después.

Marion le cogió la mano.

—Archie sabe amar de verdad a una mujer. Sé que se portará como un perfecto caballero.

—¿Estás segura?

—Hay pocos hombres como él, pero yo conozco a alguien que se le parece muchísimo.

Bell encontró a Archie Abbott en una sala de visitas decorada con artesonados dorados. Lo acompañaba su madre, una atractiva mujer de porte erguido y modales distinguidos a la que el detective conocía desde que Archie y él se hicieron amigos en la universidad. Ella le dio un beso en la mejilla y le preguntó por su padre. Cuando la mujer se alejó de ellos con la majestuosidad de un transatlántico para saludar a un familiar, Bell comentó que parecía muy contenta con la novia que su hijo había elegido.

—Doy gracias al viejo. Hennessy la ha convencido con su encanto. Esta mansión le parece extravagante, por supuesto, pero me ha dicho: «El señor Hennessy es un hombre maravillosamente tosco. Como una vieja viga de madera de castaño». Y eso fue antes de que él anunciara que va a construirnos una casa en la calle Cuarenta y cuatro con un piso privado para mamá.

—En ese caso, te felicito doblemente.

—Triplemente, ya que estás. Todos los banqueros de Nueva York nos han hecho llegar un regalo de boda... Dios mío, mira quién ha venido del campo.

Walt Hatfield, seco como la retama y curtido por el viento como un cactus, cruzó la estancia pavoneándose y apartando a los hombres de ciudad como si se deshiciera de la ceniza de su cigarrillo. Contempló el techo dorado, los óleos de las paredes y la alfombra extendida bajo sus botas.

—Enhorabuena, Archie —dijo Texas—. Has dado con un filón de oro. Hola, Isaac. Todavía estás muy paliducho.

—Son los nervios del padrino.

Hatfield echó un vistazo a la flor y nata de la sociedad neoyorquina.

—El mayordomo de Hennessy me ha mirado como si fuera una serpiente, os lo juro.

—¿Qué le has hecho?

—Le he advertido que le arrancaría la cabellera si no me decía dónde estabais. Tenemos que hablar, Isaac.

Bell se acercó y bajó la voz.

—¿Habéis encontrado el cadáver?

Texas negó con la cabeza.

—Hemos buscado por todas partes. Hemos encontrado una pistolera que probablemente era suya y una bota con una funda de navaja, pero no su cadáver. Los muchachos creen que lo han devorado los coyotes.

—No me lo creo —dijo Bell.

—Yo tampoco. Los animales siempre dejan algo, aunque solo sea un brazo o un pie. Pero nuestros sabuesos no han descubierto nada. Y han pasado ya tres meses.

Bell no hizo más comentarios. Una sonrisa animó su rostro al ver a Marion al otro lado de la sala.

—Todo está cubierto de una gruesa capa de nieve... —continuó Walt Hatfield.

Bell seguía callado.

—Prometí a los muchachos que te lo preguntaría. ¿Cuándo dejamos de buscar?

Bell posó una de sus fuertes manos en el hombro de Texas y la otra en el de Archie, los miró a ambos a los ojos y dijo lo que esperaban oír:

—Nunca.

Asuntos pendientes

12 de diciembre de 1934
Garmisch-Partenkirchen

Isaac Bell sujetó las pieles de foca a sus esquís por última vez y arrastró su trineo por un pronunciado desnivel barrido por la nieve. La pendiente estaba resbaladiza a causa del hielo. Se detuvo un instante y alzó los ojos. En lo alto de la ladera se hallaba el castillo de Kincaid. Lo vigilaba un grupo de soldados alemanes con vehículos blindados. El perímetro de la zona de control de acceso estaba iluminado con potentes focos eléctricos, a varios metros de distancia de donde se encontraba Bell, en la carretera que conducía a la puerta principal de la fortaleza.

No vio ninguna señal que le hiciera pensar que los soldados no estaban acurrucados para protegerse de la tormenta, de modo que reanudó la ascensión. Se dirigió hacia la parte trasera de aquella imponente construcción. El castillo daba fe de que Kincaid, incluso derrotado, había sabido conservar los recursos necesarios para vivir con desahogo. Unas torres flanqueaban las esquinas del edificio de planta cuadrada. En la parte inferior de la torre más alejada, brillaban unas luces; eran las dependencias de los centinelas y los criados. Una única ventana iluminada en la torre más próxima a Bell señalaba la situación de los aposentos privados de Kincaid.

Bell se detuvo en los ventisqueros junto a los antiguos muros hasta recobrar el aliento.

Sacó un gancho del trineo. El garfio estaba unido a una cuerda llena de nudos; desenrolló un tramo y la lanzó a lo alto. Dado que la pieza de hierro estaba envuelta en caucho, se enganchó en la piedra sin hacer ruido. Bell usó los nudos para trepar hasta el borde. Estaba lleno de cristales rotos, que retiró con una manga hacia sí para que cayeran del lado exterior del muro, sin hacer ruido. A continuación se subió al muro y recuperó la cuerda anudada, que soltó hacia el patio para descender hasta allí. La ventana iluminada estaba en el segundo piso de aquella torre de cinco plantas.

Avanzó poco a poco hasta la recia puerta exterior, la desatrancó y dejó un solo cerrojo echado para que el viento no la abriera. Acto seguido, cruzó el patio hasta una pequeña puerta situada al pie de la torre. Tenía un cerrojo moderno, pero los espías de la agencia Van Dorn habían descubierto quién lo fabricaba, lo que había permitido a Bell ensayar hasta que fue capaz de abrir uno igual con los ojos vendados.

No se hacía ilusiones de que el arresto fuese fácil. Habían estado a punto de atrapar a Charles Kincaid hacía dieciocho años, pero había logrado escapar en medio del caos que había asolado Europa al final de la Primera Guerra Mundial. Durante la Revolución rusa habían vuelto a estar cerca de él, pero no lo bastante. Kincaid había hecho amigos en ambos bandos.

Hacía apenas nada, en 1929, Bell creyó que había acorralado a Kincaid en Shanghái. Sin embargo, el Saboteador volvió a huir, y estuvo más cerca de matar a Walt Texas de lo que lo había estado ningún criminal. No tenía motivos para pensar que Kincaid era menos ingenioso o menos peligroso que entonces, a pesar de que en ese momento debía de rondar los setenta años. «Los hombres malvados —le había advertido Joe van Dorn con una sonrisa tensa— no envejecen porque no se preocupan por los demás.»

La cerradura se abrió, y Bell empujó la puerta, que giró sobre sus bisagras engrasadas. Entró con sumo sigilo y la cerró. El interior de la torre estaba silencioso como una tumba. Un quinqué iluminaba con su luz mortecina una escalera curva que bajaba a un sótano y una mazmorra, y que subía a los aposentos del Saboteador. Una gruesa cuerda colgaba por el centro desde el techo hasta abajo a modo de asidero para ayudarse en los empinados y estrechos escalones. Bell evitó tocarla; el menor movimiento la habría hecho golpear la piedra ruidosamente.

Sacó la pistola y empezó a subir.

Vio un resplandor por debajo de la puerta de los aposentos del Saboteador. De repente olió a jabón, y se dio la vuelta de inmediato. Había alguien detrás de él. Un hombre corpulento, vestido como un criado, salía de la oscuridad. Llevaba un arma en una pistolera a la cintura. Bell atacó a la velocidad del relámpago. Hundió el cañón de su pistola en el cuello del alemán para impedir que gritara y luego lo dejó inconsciente de un puñetazo en la cabeza. Rápidamente arrastró al hombre por el pasillo, encontró una puerta que pudo abrir sin forzarla y lo metió a rastras en la estancia. Cortó con su navaja los cordones que sujetaban unas cortinas, ató al hombre de pies y manos, y empleó una cuerda con nudos como mordaza.

Tenía que darse prisa. Echarían de menos al centinela.

Inspeccionó el pasillo situado delante de la puerta de los aposentos de Kincaid; lo halló vacío y en silencio. La puerta era pesada y el pomo, grande. No estaba cerrada con llave, y Bell supuso que a Kincaid no debía de parecerle necesario, dado que los muros, la puerta exterior, los centinelas y los soldados alemanes que bloqueaban la carretera le proporcionaban suficiente protección.

Pegó la oreja a la puerta y oyó el débil sonido de una pieza musical. Una sonata de Beethoven, se dijo Bell. Probablemente sonaba en un gramófono, pues era poco probable que las ondas de radio llegaran hasta aquellas montañas. Tanto mejor para amortiguar el sonido de la puerta al abrirla, pensó. Giró el pomo y entró en una habitación cálida y tenuemente iluminada.

Un fuego crepitaba en la chimenea, y velas y lámparas de aceite arrojaban luz sobre estanterías, alfombras y un espléndido techo artesonado. Había una butaca de orejas de cara a la lumbre con el respaldo orientado hacia la puerta. Bell la cerró con cuidado para evitar que el Saboteador notase la corriente de aire y se volviera. Permaneció en silencio mientras sus ojos se adaptaban a la luz. La música sonaba en otra parte, detrás de una puerta.

Isaac Bell habló en un tono que resonó en la estancia.

—Charles Kincaid, queda detenido por asesinato.

El Saboteador se levantó de la butaca como impulsado por un resorte.

Todavía era un hombre fornido, si bien aparentaba la edad que tenía. Estaba ligeramente encorvado. Llevaba un batín de terciopelo y unas gafas sobre la nariz. Podría haber pasado por un banquero jubilado o incluso por un profesor de universidad, pensó Bell, de no haber sido por las cicatrices de su milagrosa escapada del cañón de las Cascadas. Su rostro ya no era tan atractivo, pues tenía el pómulo izquierdo hundido. El brazo de ese lado terminaba abruptamente justo debajo del codo. Su expresión era el reflejo de sus viejas heridas: una mirada amarga en los ojos y los labios fruncidos debido a la decepción. Pero ver a Isaac Bell pareció vigorizarlo, y su actitud se tornó desdeñosa.

—No puede detenerme. Esto es Alemania.

—Será procesado en Estados Unidos.

—¿Se está quedando sordo con la edad? —se burló Kincaid—. Escuche atentamente. Como amigo leal del nuevo gobierno, gozo de plena protección del Estado alemán.

Bell sacó las esposas de su chaqueta de esquí.

—Me resultaría más fácil matarlo que detenerlo. Así que tenga presente lo que le pasó en la nariz la última vez que intentó jugarme una mala pasada cuando lo estaba esposando. Dese la vuelta.

Bell apuntó a Kincaid con la pistola. Luego le colocó una esposa alrededor de la muñeca derecha y le ciñó bien la otra por encima del codo del brazo izquierdo, asegurándose de que no pudiera quitársela de ningún modo del muñón.

Charles Kincaid se quedó paralizado en cuanto oyó el sonido metálico del cierre de la segunda esposa. Parecía abatido, y su mirada se había apagado.

—¿Cómo lo ha hecho? —preguntó a Bell—. La Geheime

Staatspolizei alemana intercepta a todos los que se acercan a menos de treinta kilómetros de mi castillo.

—Por eso he venido solo. Por detrás.

Kincaid gimió, como si abandonara toda esperanza.

Bell miró a los ojos a su prisionero.

—Pagará por sus crímenes.

La música cesó de pronto, y Bell se dio cuenta de que no procedía de un gramófono sino de un piano. Oyó una puerta que se abría y el frufrú inconfundible de la seda. Emma Comden entró sigilosamente en la estancia con un elegante vestido cortado al bies que parecía hecho para realzar sus curvas. Al igual que Kincaid, su rostro reflejaba los años transcurridos. Y aunque no la afeaban las cicatrices y el gesto amargado de él, las arrugas bordeaban sus labios y sus ojos, que esa noche tenían una mirada sombría.

—Hola, Isaac. Siempre he sabido que volveríamos a verte algún día.

Bell se quedó desconcertado. Antes de saber que era la cómplice de Kincaid, Emma le gustaba. Pero no podía olvidar que había espiado para el Saboteador; ella también era responsable de los hombres a los que este había asesinado.

—Emma, por suerte para ti, solo tengo sitio para uno —dijo fríamente—. Si no, tú también vendrías conmigo.

—Puedes estar tranquilo, Isaac —contestó ella—. Me castigarás llevándotelo. Y sufriré por mi crimen de una forma que solo tú podrías entender.

—¿A qué te refieres?

—De la misma forma que tú amas a Marion, yo lo amo a él… ¿Puedo despedirme?

Bell se hizo a un lado.

Emma se puso de puntillas para besar a Kincaid en la mejilla hundida. Al hacerlo, trató de poner una pistola de bolsillo en la mano esposada de Kincaid.

—Emma, os dispararé a los dos si le pasas el arma —dijo Bell—. ¡Suéltala!

Ella se detuvo. Sin embargo, en lugar de entregar la pistola a

Bell o apuntarlo con ella, apretó el gatillo. El disparo quedó amortiguado por el cuerpo de Kincaid, quien se desplomó pesadamente de espaldas.

—¡Emma! —dijo con voz entrecortada—. Maldita sea, ¿qué sucede?

—No soporto la idea de que mueras en la cárcel o ejecutado en la silla eléctrica.

—¿Cómo has podido traicionarme?

Emma Comden trató de decir algo más, y al ver que no podía, se volvió en actitud suplicante hacia Isaac Bell.

—No le ha traicionado —contestó en tono sombrío el detective—. Le ha hecho un regalo que no se merece.

Los ojos de Kincaid se cerraron. Murió con un susurro en los labios.

—¿Qué ha dicho? —preguntó Bell.

—Ha dicho: «Me merezco todo lo que quiero» —respondió Emma—. Esa arrogancia suya… era su peor defecto y su mayor virtud.

—Aun así, vendrá conmigo.

—¿Los detectives de Van Dorn no os detenéis hasta que atrapáis al hombre que buscáis? —preguntó ella amargamente—. ¿Vivo o muerto?

—Nunca.

Emma cayó de rodillas. Muy a su pesar, Bell se sintió conmovido al verla sollozar sobre el cadáver de Kincaid.

—¿Estarás bien aquí? —le preguntó.

—Sobreviviré… Siempre sobrevivo.

Emma Comden se retiró a su piano y empezó a tocar una pieza lenta y triste. Cuando Bell se arrodilló para echarse el cadáver de Kincaid al hombro, reconoció una melancólica improvisación de una canción que ella había tocado hacía mucho en un tren especial en la terminal de Oakland: «Pickles and Peppers», de Adaline Shepherd.

Bell bajó el cuerpo del Saboteador por la escalera y lo sacó por la puerta de la torre. Al otro lado del patio cubierto de nieve, abrió el único cerrojo que había dejado echado, cruzó la enorme puerta y recorrió el muro hasta el lugar donde estaba el trineo. Sujetó el cadáver a la camilla de lona con las correas, se puso los esquís y empezó a descender por la montaña.

Era un recorrido más fácil que el largo y tortuoso trayecto a través del valle, cinco kilómetros de pendientes pronunciadas pero regulares. Y aunque la nieve caía más densa que nunca, solo tenía que deslizarse cuesta abajo. Sin embargo, como Hans le había advertido, la ladera era mucho más abrupta desde el último kilómetro hasta llegar al pueblo. Bell estaba cansado, y le fallaron las piernas. Perdió el control y cayó. Pero se levantó y enderezó el trineo. Poco después vio las luces de la estación de ferrocarril, justo antes de volver a caer. De nuevo sobre los esquís, descendió arrastrando el trineo tras él los últimos doscientos metros sin más percances. A escasa distancia de la estación, se detuvo detrás de un cobertizo.

—*Halt!*

Un soldado lo observaba desde la puerta. Bell reconoció la trinchera y la visera de oficial de alto rango de la Geheime Staatspolizei.

—Pareces sacado de un vodevil.

—Me lo tomaré como un cumplido —dijo Archie Abbott—. Llevaré a nuestro amigo al vagón de equipaje. —Sacó un ataúd de madera del cobertizo—. ¿Debemos preocuparnos por si tendrá suficiente aire para respirar?

—No.

Levantaron a Kincaid, que seguía sujeto en la camilla, lo metieron en la caja y cerraron la tapa atornillándola.

—¿El tren llegará a su hora?

—Hace falta algo más que una ventisca para retrasar un tren alemán. ¿Tienes tu billete? Bien. Nos veremos en la frontera.

La locomotora entró en la estación envuelta en una nube de vapor. Llevaba incorporado un mecanismo quitanieves rotatorio, y un remolino blanco brilló a la luz del faro. Bell subió y enseñó su billete. No se dio cuenta del frío que tenía ni de lo cansado y dolorido que estaba hasta que se dejó caer en un mullido asiento de un cálido compartimiento de primera clase.

Sin embargo, se sentía inmensamente satisfecho y feliz. Por fin había capturado al Saboteador. Charles Kincaid no volvería a asesinar. Había pagado por todos sus crímenes. Bell se preguntó si Emma Comden había recibido suficiente castigo por espiar a Osgood Hennessy para él. ¿La había dejado salir impune? La respuesta era no. Ella nunca sería libre hasta que escapara de la prisión de su corazón. Y eso, como Bell sabía mejor que la mayoría de los hombres, no sucedería nunca.

Una hora más tarde, el tren aminoró la velocidad en Mittenwald. Los interventores recorrieron el ferrocarril para avisar a los pasajeros de que tuvieran sus papeles listos para la inspección.

—He venido a esquiar —dijo Bell cuando el guardia fronterizo le preguntó.

—¿Y por qué lleva un féretro en el vagón de equipaje?

—Un viejo amigo se estrelló contra un árbol. Me han pedido que acompañe su cuerpo a casa.

—¡Enséñemelo!

En el pasillo, unos soldados armados con fusiles Karabiner 98b se cuadraron ante el guardia fronterizo. Siguieron de cerca a Bell mientras avanzaba detrás del guardia hasta el vagón de equipaje. Archie Abbott se encontraba sentado en el ataúd. Estaba fumando un cigarrillo Sturm, un sutil detalle que despertó la admiración de Bell, ya que la fábrica que los producía era propiedad del Partido Nacionalsocialista.

Abbott no se molestó en levantarse ante el guardia fronterizo. Le dirigió una fría mirada de superioridad.

—La víctima era amigo del Reich —le dijo secamente en un alemán impecable.

El guardia se cuadró ante él con un taconazo, saludó, devolvió los papeles a Bell y despachó a los soldados armados. Bell se quedó con Abbott en el furgón de equipaje.

Media hora más tarde, se apearon en Innsbruck. Unos mozos de estación austríacos cargaron el ataúd en un coche fúnebre con una bandera de Estados Unidos que aguardaba en el andén. Junto a él había una limusina de la embajada. Un encargado de negocios de la misma estrechó la mano de Bell.

—Su excelencia, el embajador, se excusa por no haber podido venir a recibirlo. Últimamente le cuesta moverse. Viejas lesiones de fútbol, ya sabe.

—Y media tonelada de grasa —murmuró Abbott.

A la hora de lidiar con la Gran Depresión, el presidente Franklin Delano Roosevelt había anulado el obstáculo que representaban los periódicos reaccionarios de Preston Whiteway y había destinado al antiguo jefe de Marion a Austria como máximo representante diplomático en ese país.

Bell puso la mano en el ataúd.

—Diga al embajador Whiteway que la agencia de detectives Van Dorn aprecia su ayuda y dele las gracias de mi parte... ¡Un momento!

Bell sacó una etiqueta con la dirección de entrega del interior de su chaqueta, lamió la parte trasera y la pegó al ataúd. La etiqueta rezaba:

AGENCIA DE DETECTIVES VAN DORN
CHICAGO
A LA ATENCIÓN DE ALOYSIUS CLARKE, WALLY KISLEY
Y MACK FULTON.

Hacía una mañana fría y desapacible en París cuando Isaac Bell bajó del tren en la Gare de l'Est. Fuera, al tiempo que alzaba la mano para detener un taxi, vio un elegante Bugatti modelo 41 Royale azul y negro. Lo anunciaban como el coche más caro del mundo, y no cabía duda de que su chasis era tan majestuoso como gráciles sus líneas.

El Bugatti se acercó sin hacer ruido a la acera y paró delante de Bell. El chófer uniformado salió de la cabina abierta del conductor.

—*Bonjour, monsieur Bell.*

—*Bonjour* —dijo Bell.

Y ahora ¿qué?, se preguntó. Se arrepentía de haber dejado la automática alemana en su maleta.

El chófer abrió la puerta trasera del lujoso vehículo.

Marion Morgan Bell dio una palmadita en el asiento, al lado de ella.

—Pensé que te apetecería dar un paseo.

Bell subió y la besó con ternura.

—¿Qué tal ha ido? —preguntó Marion.

—Ya está —contestó Isaac—. Ahora mismo, Joe van Dorn tiene su cuerpo en un transatlántico que navega por el mar Mediterráneo. Dentro de dos semanas, estará en Estados Unidos.

—Enhorabuena —dijo Marion. Sabía que él se lo contaría todo cuando le pareciera el momento oportuno—. Cuánto me alegro de verte.

—Yo también me alegro mucho de verte —dijo Bell—. Pero no deberías haberte levantado tan pronto.

—Bueno, no estoy del todo levantada. —Abrió la parte de arriba de su abrigo y dejó al descubierto un camisón de seda rojo—. Pensé que te apetecería desayunar.

El coche se adentró rápidamente en el tráfico. Bell cogió la mano de Marion.

—¿Puedo preguntarte una cosa?

—Lo que sea.

Se llevó la mano de él a su mejilla.

—¿De dónde has sacado este Bugatti Royale?

—Ah, esto. Anoche estaba tomándome una copa en el bar del hotel y un francés de lo más encantador intentó ligar conmigo. Una cosa llevó a la otra, e insistió en que usáramos su coche mientras estemos en París.

Isaac Bell miró a la mujer a la que amaba desde hacía casi treinta años.

—«Un francés de lo más encantador» no es un comentario que tranquilice a un marido. ¿Por qué crees que ese viejo caballero ha sido tan generoso dejándote su automóvil?

—No es viejo. Es bastante más joven que tú. Aunque no está de tan buen ver, debo añadir.

—Me alegro de oírlo. Aun así, me gustaría saber cómo lo engatusaste para que te dejara su coche.

—Fue fácil. Era un romántico incorregible. De hecho, el pobre tenía lágrimas en los ojos cuando le dije por qué no podía irme con él.

Isaac Bell asintió con la cabeza. Esperó hasta que pudo fiarse de su voz.

—Claro. Le dijiste: «Mi corazón ya está comprometido».

Marion lo besó en los labios.

—¿Eso que brilla en tu ojo es una lágrima?